Paul Fournier
Jean-Pierre Ménard

Gestion de l'approvisionnement et des stocks

3e édition

SPÉCIMEN

gaëtan morin
éditeur

CHENELIÈRE ÉDUCATION

Achetez en ligne*
www.cheneliere.ca
* Résidants du Canada
seulement.

Gestion de l'approvisionnement et des stocks
3e édition

Paul Fournier et Jean-Pierre Ménard

© 2009 Chenelière Éducation inc.
© 2004, 1999 gaëtan morin éditeur ltée

Édition : Marie Victoire Martin
Coordination : Johanne Lessard
Révision linguistique : Ginette Laliberté
Correction d'épreuves : Maryse Quesnel
Conception graphique et infographie : Interscript
Impression : Imprimeries Transcontinental

**Catalogage avant publication
de Bibliothèque et Archives nationales du Québec
et Bibliothèque et Archives Canada**

Fournier, Paul, 1961 20 août-

Gestion de l'approvisionnement et des stocks

3e éd.

Publié antérieurement sous le titre : Gestion des approvisionnements
et des stocks. 1999.

Comprend des réf. bibliogr. et un index.
Pour les étudiants du niveau collégial.

ISBN 978-2-89632-037-0

1. Gestion de l'approvisionnement.   2. Gestion des stocks.
3. Approvisionnement dans l'entreprise.   4. Planification des besoins en
composants. i. Ménard, Jean-Pierre, 1959-   . ii. Titre. iii. Titre :
Gestion des approvisionnements et des stocks.

TS161.F69 2009   658.7   C2009-940277-7

**gaëtan morin
éditeur**

CHENELIÈRE ÉDUCATION

7001, boul. Saint-Laurent
Montréal (Québec) Canada H2S 3E3
Téléphone : 514 273-1066
Télécopieur : 450 461-3834 / 1 888 460-3834
info@cheneliere.ca

ISBN 978-2-89632-037-0

Dépôt légal : 2e trimestre 2009
Bibliothèque et Archives nationales du Québec
Bibliothèque et Archives Canada

Imprimé au Canada

2   3   4   5   ITG   13   12   11   10

Nous reconnaissons l'aide financière du gouvernement du Canada par
l'entremise du Programme d'aide au développement de l'industrie de l'édition
(PADIÉ) pour nos activités d'édition.

Gouvernement du Québec – Programme de crédit d'impôt pour l'édition de
livres – Gestion SODEC.

Tableau de la couverture :
Port de Montréal
Œuvre de **Littorio Del Signore**

Né à Sulmona (Italie) en 1938, Littorio Del Signore vit à
Montréal depuis 1978. Magicien de la lumière, il interprète les paysages ruraux comme urbains, les natures
mortes comme les nus. Ce diplômé de l'École des
beaux-arts d'Annecy (France) est membre d'honneur
à vie de l'Institut des arts figuratifs de Québec et
président du Symposium de peinture de Baie-Comeau.
Ses œuvres figurent, entre autres, au château Ramezay
de Montréal, ainsi qu'aux hôtels de ville de Montréal,
de Québec et de Hull.

Sources des citations de début de chapitre

Chap. 1 : EXLEY, Helen. *Les Affaires – Les
meilleures citations,* traduction et adaptation de
Bernadette Thomas, Bierges, Éditions Exley,
1995.

Chap. 2, 3, 5, 6, 7 et 8 : CANFIELD, Jack et Mark
Victor HANSEN. *Un 2e bol de bouillon de poulet
pour l'âme,* Montréal, Éditions Sciences et
culture, 1996.

Membre du CERC

Membre de
l'Association nationale
des éditeurs de livres

CERC
Canadian Educational
Resources Council

ASSOCIATION
NATIONALE
DES ÉDITEURS
DE LIVRES

Remerciements

La rédaction et l'édition d'un ouvrage sont le résultat d'une étroite collaboration entre diverses personnes, notamment les auteurs, les éditeurs et l'équipe de production. Nos remerciements s'adressent en premier lieu à Marie Victoire Martin, éditrice, et à Johanne Lessard, chargée de projet. Nous aimerions également remercier Sylvain Ménard, éditeur-concepteur, Katia Belkhodja et Gautier Langevin, éditeurs adjoints, ainsi que Ginette Laliberté, réviseure, Marie-Noëlle Morrier et Isabelle Côté, productrices, et Maryse Quesnel, correctrice d'épreuves.

Nous ne voudrions pas passer sous silence les nombreux professeurs et conseillers pédagogiques du réseau collégial qui ont consenti à partager leur expérience en nous faisant part de leurs précieux commentaires. Nous remercions tout particulièrement Louis Bahouth, du cégep Édouard-Montpetit, Vicky Desrosiers, du cégep de Rimouski, Annie Gagnon, du cégep de Jonquière, Gilles Gariépy, du cégep de Valleyfield et Sophie Moreau, du cégep de Thetford-Mines.

Nous voudrions aussi remercier tous les élèves qui, grâce à leurs remarques judicieuses au fil des ans, nous ont permis de rédiger un contenu adapté à leurs besoins.

Finalement, nous tenons à souligner la contribution de tous les professionnels en gestion de l'approvisionnement et des stocks qui ont participé à la rédaction de cet ouvrage. Nous pensons en particulier à Denis Bernier, directeur principal, approvisionnement stratégique et gestion des fournisseurs chez AXA ; à Gaétan Chevalier, chef national des approvisionnements chez Johnson & Johnson ; à Normand Pâquet, vice-président ventes et marketing chez Girardin Minibus inc ; à Gilles Paquin, directeur de l'usine de Joliette de Ciment St-Laurent ; à Suzanne Pelletier, directrice de l'approvisionnement chez ABB ; à Johanne Quesnel, directrice de la commercialisation chez Novexco, à Gilbert Roy, directeur du secteur Approvisionnements chez Telus ; et au Service de l'approvisionnement chez Prévost.

Table des matières

Chapitre 1

Le service de l'approvisionnement

Chapitre 2

Le processus d'approvisionnement 43

Chapitre 3

Les sources d'approvisionnement 79

Chapitre 4
Les concepts de coût et de quantité 147

Chapitre 5

Les modèles de gestion des stocks 197

Chapitre 6

Les fonctions liées à la gestion des stocks 253

Chapitre 7

Chapitre 8
Les approches de gestion qui influencent les stratégies de l'approvisionnement ... 321

Introduction

Depuis la nuit des temps, l'être humain échange des produits et des services. Durant l'Antiquité, l'approvisionnement était nécessaire à la conquête des territoires. Il permettait de subvenir aux besoins des armées et de favoriser la navigation. Il était également essentiel au commerce parce qu'il constituait un moyen de se procurer des denrées, des animaux et des esclaves.

En 1832, Charles Babbage, un mathématicien britannique, a conçu une calculatrice à cartes perforées qui peut être considérée comme l'ancêtre des ordinateurs. Cette machine permettait d'assurer une bonne gestion des échanges commerciaux. Babbage est aussi reconnu comme celui qui, le premier, a mis l'accent sur l'importance de l'approvisionnement dans les entreprises. Vers la fin du XIXe et le début du XXe siècle, commençait l'ère industrielle à laquelle est associée la production de masse. L'approvisionnement, dit industriel, visait alors à acquérir des produits servant à maintenir cette production de façon continue et croissante. En 1919, l'Association canadienne de gestion des achats a été fondée à Montréal.

Les années 1948-1950 ont marqué le début de l'ère de la consommation. Les entreprises se sont adaptées afin de répondre à une clientèle de plus en plus diversifiée. Pour y arriver, elles ont créé la fonction « achat » et mis en place le poste d'acheteur, dont la mission première consistait à trouver rapidement le matériel requis. Les achats importants demeuraient souvent sous la responsabilité du président ou du propriétaire de l'entreprise. Toutefois, l'acheteur considérait qu'il avait un pouvoir auprès des fournisseurs et exerçait celui-ci à son avantage. Les principes de transparence, d'équité et d'accessibilité entre les sources d'approvisionnement de l'entreprise étaient perçus négativement parce que l'éthique n'était pas une notion particulièrement valorisée. Ce qui comptait pour les dirigeants d'entreprise, c'est que l'acheteur obtienne les quantités requises au plus bas prix possible.

Au début des années 1960, on a vu apparaître les premiers professionnels en approvisionnement. En 1963, le premier programme de formation en approvisionnement de l'Association canadienne de gestion des achats était créé[1]. Depuis, ce programme conduit au titre d'« approvisionneur professionnel agréé (a.p.a.) »[2]. Les entreprises associent alors à la fonction « approvisionnement » la gestion des achats et des inventaires et la disposition des surplus. De plus, elles substituent la notion de coût à celle de prix et elles ajoutent un critère portant sur la qualité. L'acheteur se préoccupe dorénavant du coût, de la qualité et de la quantité.

En 1973, la crise du pétrole battait son plein. L'énergie était rare et onéreuse. Les entreprises ont alors demandé à leur service de l'approvisionnement de

---

1. Après cinq années d'existence, l'Association canadienne de gestion des achats a réactualisé son programme de formation et le fait, depuis lors, tous les cinq ans.

2. Jusque-là, le titre était « approvisionneur professionnel (a.p.) ».

chercher des solutions de remplacement. Le critère « source » s'est ajouté aux autres. Par le fait même, plusieurs entreprises ont commencé à considérer le service de l'approvisionnement comme une source de profit.

Au début des années 1980, les spécialistes en approvisionnement se sont sensibilisés à l'importance de l'environnement. Ils ont dû s'adapter aux changements d'orientation des entreprises, car celles-ci ont pris le virage client. On a aussi assisté aux premières manifestations de la mondialisation des marchés. En effet, dans le but d'accroître leurs revenus, les entreprises ont décidé d'offrir leurs produits et services sur les territoires asiatique, européen et africain. La plupart des entreprises y ont aussi trouvé des sources potentielles d'approvisionnement.

Au début des années 1990, les entreprises ont adopté une nouvelle orientation basée sur les cinq « R » (réutilisation, revente, réusinage, recyclage, rebuts). En matière d'approvisionnement, ce virage s'est traduit par la réduction du nombre de fournisseurs, une gestion plus serrée des relations avec ceux-ci, le déploiement de plusieurs partenariats ou alliances stratégiques, le raffinement du juste-à-temps, la mise en place de certaines approches d'impartition, l'introduction de la valeur ajoutée d'un objet et l'implantation du commerce électronique (nous aborderons ces points au chapitre 8).

Au début des années 2000, le service de l'approvisionnement a dû gérer adéquatement les ressources mises à sa disposition et veiller à la sécurité de l'entreprise, des actionnaires et des personnes ayant besoin de ses services. Son rôle est alors de plus en plus pris au sérieux, car sa collaboration à la mission de l'entreprise est déterminante.

La notoriété d'un service de l'approvisionnement s'acquiert peu à peu. Par contre, beaucoup de travail reste à faire. Ainsi, une étude de l'époque indiquait que 59 % des charges ou dépenses de l'entreprise ne passaient pas par le service de l'approvisionnement[3]. Mais ce n'est qu'une question de temps.

De nos jours, le secteur de l'approvisionnement étend ses champs d'expertise, qui vont des achats requis pour la production et certains soutiens à l'entreprise (entretien des lieux, sécurité, cafétéria, autres) à l'ensemble des sommes se transigeant auprès des fournisseurs. Certains acheteurs sont aussi spécialisés dans les achats indirects ou de services (agences de publicité, transporteurs, concepteurs d'événements, employés temporaires, consultants, etc.), les achats pour la technologie de l'information (licence informatique, télécommunication, etc.), les achats liés aux risques (assurances, cautionnement, etc.) et les achats requis pour les projets d'investissement majeur (bâtiments, équipements, flotte, etc.).

Les entreprises reconnaissent qu'il est important de mettre à contribution l'ensemble des unités d'affaires de l'entreprise afin de définir les trois vecteurs requis pour un approvisionnement adéquat : le vecteur technique, le vecteur

---

3. Tiré de *New Links in the Supply Chain,* une conférence prononcée le 5 juin 1997 à Vancouver par Michel R. Leenders, auteur et professeur à la Ivey School of Business, University of Western Ontario.

commercial et le vecteur relations d'affaires. La contribution de l'acheteur provient généralement des deux derniers vecteurs alors que, par le travail en équipe, l'acheteur peut aller chercher le vecteur manquant.

Une nouvelle tendance pointe à l'horizon : la gestion des dépenses. Cette tendance vise à optimiser l'ensemble des dépenses de l'entreprise. Avec une nouvelle philosophie de gestion des relations avec les fournisseurs, plusieurs entreprises ont généré des économies additionnelles. Cette gestion des dépenses est basée sur huit activités importantes à accomplir par les différents services de l'entreprise :

- la sélection des fournisseurs ;
- la négociation dans une approche de collaboration ;
- la finalisation d'ententes et de contrats visant à mieux protéger l'entreprise et indiquant aux fournisseurs ce que l'entreprise veut acheter ;
- l'évaluation de l'entreprise vers ses fournisseurs mais aussi de ses fournisseurs vers l'entreprise ;
- l'établissement de la relation d'affaires ;
- la mise en place de plans de changement de sources d'approvisionnement lorsque c'est requis, ce qui permet de mieux gérer le passage d'un fournisseur à un autre ;
- la surveillance des prix ;
- l'intervention sur ce que l'entreprise doit acheter, notamment par des actions sur les plans de la substitution des produits, de la standardisation, de la normalisation, etc.

Comme nous pouvons le constater, la nature du service de l'approvisionnement s'est considérablement modifiée au cours des années. Historiquement, sa réputation s'était surtout établie dans les moments de crise. Lorsque le contexte économique était des plus favorables, le rôle de l'approvisionnement était assez effacé. Durant les guerres, la crise de l'énergie, les périodes de rationalisation et les périodes de survie, les gestionnaires avaient recours à l'approvisionnement. Cependant, la crise économique de 1990 et l'influence de la mondialisation des marchés ont donné à l'approvisionnement la place qui lui revient au sein de l'entreprise.

Récemment, l'environnement concurrentiel des entreprises s'est transformé à un rythme jamais vu. Parmi les phénomènes observés, mentionnons la concurrence internationale de plus en plus féroce, les nouvelles technologies, la réduction du cycle de vie des produits, l'influence des modèles de gestion européen et asiatique, la fluctuation des taux d'intérêt et de change, les difficultés d'avoir des liquidités, la pression sur le coût des produits, les exigences plus grandes de la clientèle, les fusions et les acquisitions d'entreprises, de même que le partenariat et les alliances interentreprises.

Il est important de souligner l'importance de l'approvisionnement dans l'économie canadienne. Aujourd'hui, plus de 7 500 personnes au Canada sont membres de l'Association canadienne de gestion des achats, dont la mission première est de promouvoir la profession dans le monde des affaires et d'offrir de la formation à ses membres. Au Québec, c'est la Corporation des approvisionneurs qui agit comme représentant territorial de cette association. Au cours d'une conférence[4], Christian Lemire, *Fellow* en approvisionnement de l'Association canadienne de gestion des achats et approvisionneur professionnel (a.p.a.), affirmait que l'approvisionnement représentait, en 2003, environ 491 milliards de dollars (44 % du produit intérieur brut du Canada), dont 233 milliards pour les seuls organismes gouvernementaux (publics et parapublics).

C'est avec fierté que nous vous présentons la 3e édition de l'ouvrage *Gestion de l'approvisionnement et des stocks,* dans lequel sont examinés tous les éléments essentiels à la bonne gestion de l'approvisionnement et des stocks d'une entreprise de produits ou de services dans la réalité d'aujourd'hui. Afin de faciliter votre compréhension de la matière, nous avons mis en gras dans le texte certains mots dont vous trouverez la définition dans un glossaire à la fin du manuel. De plus, une série de questions, d'exercices et de cas, ainsi que de textes provenant de professionnels du domaine viennent enrichir chaque chapitre. Nous vous souhaitons une bonne lecture.

---

4. Conférence annuelle de la Corporation des approvisionneurs du Québec, qui s'est tenue du 25 au 27 septembre 2003 dans le district de West-Island.

Le service de l'approvisionnement

Chapitre 1

Objectif général

Sensibiliser les lecteurs aux rudiments du métier d'acheteur et au service de l'approvisionnement dans une entreprise.

Autres objectifs

- Décrire le rôle, les règles, les droits et les obligations d'un acheteur.
- Énumérer les différentes structures organisationnelles existantes relatives à la gestion de l'approvisionnement.
- Découvrir les avantages de la centralisation et de la décentralisation d'un service de l'approvisionnement.
- Préciser les compétences requises pour occuper un emploi d'acheteur.

Les affaires sont un ensemble de choses dont la moins importante est l'équilibre du budget, car ceci est quelque chose de fluide, de toujours changeant, presque vivant, qui atteint des pics élevés ou tombe en miettes. L'âme d'une affaire est une curieuse alchimie de besoins, d'envies et de plaisirs [...] qui vont bien au-delà des gratifications matérielles.

– Harold Geneen (1910-1997), président légendaire d'International Telephone and Telegraph (ITT), de 1959 à 1977.

ABB

ABB (www.abb.com) est un chef de file en technologies de l'énergie et de l'automation. Ces technologies permettent à ses clients des services publics et de l'industrie d'améliorer leur rendement tout en réduisant leurs impacts environnementaux. Le Groupe de sociétés ABB est présent dans quelque 100 pays et emploie environ 110 000 personnes. Au Canada (www.abb.ca), ABB emploie quelque 1 900 personnes dans 25 installations d'un océan à l'autre.

Nous sommes une des principales sociétés d'ingénierie au monde, et nous aidons les clients à utiliser efficacement l'énergie électrique et à rehausser la productivité des industries selon une approche de développement durable.

Avec notre leadership en matière de technologie, notre présence à l'échelle mondiale, notre connaissance en matière d'applications et notre expertise locale, nous offrons des produits, des systèmes, des solutions et des services qui permettent à nos clients d'améliorer leur exploitation – que ce soit pour augmenter la fiabilité d'un réseau électrique ou pour rehausser la productivité d'une usine.

En nous concentrant sur nos forces de base dans le domaine des technologies de l'énergie de l'automation, nous cherchons à obtenir une croissance rentable de l'organisation. Notre base de fabrication à l'échelle mondiale permet de produire des produits et systèmes de haute qualité pour nos clients, partout dans le monde. Nos clients ont facilement accès à un vaste éventail de produits d'ABB, que ce soit en achetant directement auprès de nous ou par l'entremise de nos distributeurs, de grossistes, d'intégrateurs de systèmes ou d'autres partenaires.

ABB exploite cinq divisions : Systèmes d'énergie, Produits d'énergie, Produits d'automation, Automation des procédés et Robotique. Chaque division d'ABB offre une gamme complète de services pour ses clients dans le domaine de l'énergie et de l'automation.

En cette période où l'on observe des changements rapides et la mondialisation des marchés, ABB a compris qu'elle devait gérer ses approvisionnements globalement pour bénéficier d'un levier économique auprès de ses fournisseurs. Au regard de la rentabilité, l'approche de la centralisation des achats est une avenue très intéressante pour ABB Canada, ses avantages étant évidents. Les différentes divisions ont plusieurs fournisseurs communs, et les contrats sont gérés localement. ABB Canada trouve ainsi l'occasion de réduire ses coûts en contrôlant ses approvisionnements.

Ce défi est de taille lorsque l'on considère cette option du point de vue opérationnel. À cause de sa grande diversité, ABB Canada n'a pas le choix : chaque division doit être en mesure de gérer ses achats de matériel pour se conformer à ses engagements auprès de ses clients. Les acheteurs doivent être près des usagers et comprendre leurs besoins quotidiens.

Par ailleurs, la portion stratégique de l'approvisionnement est coordonnée globalement, et les usagers et les acheteurs peuvent plus facilement, sans nuire à leurs opérations, bénéficier d'avantages concurrentiels.

Bien reconnaître les besoins de chacun, bien comprendre tous les processus de la chaîne d'approvisionnement, voilà sans aucun doute les étapes les plus importantes de l'accomplissement d'une centralisation des achats, qui, en elle-même, est un processus crucial de la chaîne d'approvisionnement.

Suzanne Pelletier, a. p. a.
Directrice de l'approvisionnement

En entreprise

Introduction

Le **service de l'approvisionnement**, que l'on appelle aussi « service des achats » ou « unité d'achats », se trouve au cœur des activités d'une entreprise[1]. Ses principales responsabilités sont associées au contrôle des sorties de fonds vers les **fournisseurs** qui constituent les dépenses de l'entreprise. Toutefois, il est impensable de croire que ce service peut connaître en profondeur tous les produits[2] et les services nécessaires au fonctionnement quotidien de l'entreprise. C'est pourquoi une décision d'achat se prend généralement en équipe. Chaque service de l'entreprise apporte une contribution différente orientée vers une même fin, soit le mieux-être de l'entreprise.

Le monde des affaires attribue à la profession d'**acheteur** un rôle, des règles et des droits, le tout dans un cadre organisationnel qui lui est propre. En contrepartie, il manifeste des attentes envers les personnes qui exercent cette profession. Dans ce chapitre, nous verrons le rôle de l'acheteur ainsi que les attentes qu'il suscite.

1.1 Le rôle de l'acheteur

Un service d'approvisionnement dans une entreprise se divise en trois niveaux (*voir la figure 1.1, p. 8*) : la **gestion des achats**, qui est le premier niveau, regroupe les activités liées à l'opération d'achat (émission d'une commande et suivi de cette même commande, ainsi que l'accompagnement aux activités de réception et de paiement des factures aux différents fournisseurs) ; la **gestion de l'approvisionnement,** qui est le deuxième niveau, comprend la gestion des achats et la gestion des relations d'affaires avec les différents fournisseurs ; enfin, le troisième niveau est la **gestion stratégique de l'approvisionnement,** qui inclut les deux premiers niveaux et met à profit les relations d'affaires de l'entreprise avec les fournisseurs. Plus la fonction évolue dans l'entreprise, plus l'approvisionnement doit déterminer les impacts de ces relations d'affaires, mettre les mesures en place pour minimiser ces impacts et mieux contrôler les risques.

L'entreprise s'attend à deux types de contribution de la part du service de l'approvisionnement : participer de manière positive à la mission de l'entreprise et l'informer des dangers présents sur le **marché**.

---

1. Selon l'ouvrage d'Elie COHEN, *Dictionnaire de gestion* (dictionnaires Repères, Paris, Éditions La Découverte, 1994), une entreprise est considérée comme une organisation relativement autonome, dotée de ressources humaines, matérielles et financières en vue d'exercer une activité économique de façon stable et structurée. Nous utiliserons le terme « entreprise » pour désigner une entreprise ayant un seul propriétaire, une société en nom collectif, une organisation inscrite à la Bourse, un organisme sans but lucratif, une association, un syndicat, le gouvernement, les établissements publics, une ville ou toute autre forme d'entreprise privée ou publique.

2. Dans ce chapitre, pour faciliter la compréhension des lecteurs, nous utiliserons principalement le terme « produit » pour désigner un bien économique issu de la production d'un fournisseur. Nous aurions pu utiliser le terme « bien », qui se définit comme une chose matérielle ou le droit dont une personne dispose et qui lui appartient. Par contre, au chapitre 2, nous montrerons que l'entreprise fait des acquisitions qui servent à son fonctionnement, telles que des assurances ou des logiciels. Dans ce cas, tout ce qu'un acheteur pourra procurer à l'entreprise sera désigné par le terme « objet ».

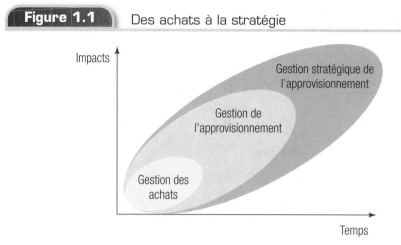

Figure 1.1 Des achats à la stratégie

Chaque entreprise désire que son service de l'approvisionnement participe à sa mission. Ainsi, le service de l'approvisionnement doit atteindre la meilleure productivité pour chaque dollar dépensé. Cela signifie qu'il doit accroître l'écart entre ses revenus et ses dépenses dans le but de maximiser le bénéfice. Le service de l'approvisionnement doit aussi tenir l'entreprise au courant des dangers présents sur le marché. Cette information consiste en une anticipation des enjeux et des conséquences sur l'entreprise d'une situation éventuelle susceptible d'influer sur ses sources d'approvisionnement. Prenons un exemple pour montrer comment il est possible d'alerter son entreprise. Au cours d'un déjeuner, un acheteur à l'emploi d'une entreprise qui produit des bouteilles en polyéthylène parcourt son journal. Une nouvelle indique que le marché prévoit sous peu une hausse draconienne du prix du pétrole. Comme le polyéthylène est tiré du pétrole, l'acheteur détecte un risque de hausse importante du prix d'achat du polyéthylène payé par son entreprise. Cette hausse découlerait d'une éventuelle hausse du prix du pétrole. Dès son arrivée au bureau, il annoncera la nouvelle à ses collègues et recommandera des mesures appropriées pour prémunir l'entreprise contre une variation du prix du pétrole.

En fonction des trois niveaux mentionnés plus haut, l'acheteur est une personne qui a la responsabilité du niveau « gestion des achats » et d'une partie du niveau « gestion de l'approvisionnement » parce qu'il est en contact avec les fournisseurs. Ses responsabilités sont donc de traiter les aspects techniques liés à l'exercice de la fonction « approvisionnement ». Tout en se concentrant sur la vision, la mission, les buts et les objectifs de l'entreprise, l'acheteur a pour rôle principal d'optimiser les sept critères suivants :

1. la **quantité** requise de stock pour le bon fonctionnement de l'entreprise ;
2. un approvisionnement qui respecte tous les aspects liés à la **qualité** du produit ;
3. une livraison sans **délai** ;
4. une livraison au **lieu** désiré ;
5. la prestation d'un **service** professionnel, sans anomalie ;
6. un approvisionnement qui provient de la meilleure **source** ;
7. un approvisionnement au **coût** le plus bas.

Tout comme le service de l'approvisionnement, l'acheteur doit trouver la formule qui apportera la meilleure contribution ou le plus important bénéfice à l'entreprise. En outre, il cherche constamment à revoir la situation présente afin de se rapprocher le plus possible de la situation optimale. Nous approfondirons chacun de ces sept critères tout au long de cet ouvrage.

Les acheteurs qui travaillent dans la fonction publique ont la responsabilité d'appliquer la règle du plus bas soumissionnaire conforme. Cette règle peut être divisée en trois étapes qui doivent être suivies dans l'ordre.

1. La notion de conformité commerciale qui consiste à vérifier que le fournisseur a respecté les aspects commerciaux exigés, comme la signature de sa proposition, le respect de la date et de l'heure de la remise des propositions, etc.

2. La notion de conformité technique qui vise à décrire ce que l'acheteur doit acheter. Ce dernier n'étant pas un spécialiste pour bien valider ce que l'entreprise achète, il aura recours à un spécialiste pour approuver ce que le fournisseur veut offrir à l'entreprise.

3. L'application de la règle du plus bas soumissionnaire conforme, qui vise à choisir la proposition la plus économique parmi celles qui auront franchi avec succès les étapes 1 et 2 décrites ci-dessus.

Le gouvernement du Québec a encadré, dans la *Loi sur les contrats des organismes publics* (communément appelée *loi 17*), les conditions des engagements conclus entre les organismes publics, sauf les municipalités, et les fournisseurs lorsque ces engagements impliquent une dépense de fonds publics. Cette loi consacre certains principes fondamentaux comme la transparence dans les processus contractuels, le traitement intègre et équitable des concurrents et la reddition des comptes fondée sur l'obligation des dirigeants d'organismes publics de rendre des comptes et sur la bonne utilisation des fonds publics[3]. Elle met aussi en évidence la responsabilité et l'obligation des dirigeants des organismes qui en découlent de rendre des comptes et de publier tout renseignement relatif à la conclusion des contrats supérieurs à 25 000 $. Ainsi, tout fournisseur qui voudrait connaître la conclusion d'une évaluation pourra s'adresser à l'acheteur qui est dans l'obligation de lui fournir l'information demandée. Cependant, pour atteindre la situation optimale, le service de l'approvisionnement doit suivre certaines règles et se prévaloir de certains droits.

1.2 Les règles à suivre

Les règles que doit suivre le service de l'approvisionnement sont liées à la gestion du risque. Chaque jour, ce service fait face à un risque, car ses décisions comportent un degré plus ou moins élevé d'incertitude. L'acheteur doit donc adapter les règles à la réalité organisationnelle, optimiser le tout en fonction de la situation courante et étudier les possibilités d'améliorer la position concurrentielle de l'entreprise. Dans le même temps, il doit tenir compte du niveau de tolérance au

3. Note explicative de la *Loi sur les contrats des organismes publics,* sous la responsabilité de Mme Monique Jérôme-Forget, ministre responsable de l'Administration gouvernementale et présidente du Conseil du Trésor du gouvernement provincial au moment de la mise en place de cette loi.

risque des membres de la haute direction. L'exemple suivant permettra de mieux comprendre ce concept. Un acheteur décide de maintenir un niveau de stock très élevé parce qu'il veut que l'entreprise réponde efficacement aux commandes de tous ses **clients.** Toutefois, un niveau de stock élevé comporte des risques financiers. En effet, une plus grande quantité de stock accroît les possibilités de bris et de vol ainsi que les pertes en cas de désuétude ou de déclassement par un produit substitut de meilleure qualité qu'offrirait un concurrent. Plusieurs hauts dirigeants peuvent être inquiets à l'idée de maintenir un haut niveau de stock. L'acheteur devra alors déterminer le niveau de stock idéal afin d'équilibrer ces deux tendances diamétralement opposées.

1.2.1 La prise de risques calculés

L'entreprise s'attend, lorsqu'elle engage ses gestionnaires, à ce que ceux-ci prennent des risques calculés. Ils doivent tirer le maximum des ressources et des actifs disponibles. Pour eux, le fait d'« oser » représente souvent la différence entre un bon rendement des ressources, évalué à 10 %, un rendement conservateur de 5 % ou un rendement spéculatif de 40 %.

Le Cirque du Soleil

Le Cirque du Soleil est un bel exemple de réussite commerciale. Jean Beaunoyer, du journal *La Presse,* écrit :

> Raconter le Cirque du Soleil et les autres cirques qui ont tenté avec plus ou moins de bonheur de s'implanter au Québec et ailleurs, c'est faire œuvre de pionnier. Il n'aura fallu que 20 ans pour que le Cirque du Soleil atteigne le sommet de son art. Partout dans le monde du cirque, on s'étonne de cette spectaculaire évolution. Il s'agit d'un essor sans précédent dans l'histoire des arts de la scène, d'une évolution si rapide qu'elle n'avait pas encore laissé le temps aux auteurs de s'attarder et de raconter ce phénomène venu du Québec[4].

Pourtant, le cirque existait à l'époque de la Rome antique, alors que les gladiateurs divertissaient le peuple. Au Canada, le premier spectacle de cirque à Montréal a eu lieu en 1797 et un an plus tard à Québec.

Guy Laliberté quitte la maison familiale à l'âge de 14 ans. Après avoir fait de multiples activités liées à l'univers du cirque, son chemin croise celui de plusieurs artistes du cirque. En 1984, le Cirque du Soleil est créé pour présenter une série de spectacles dans les grandes villes du Québec afin de célébrer le 450e anniversaire de l'arrivée de Jacques Cartier. En 1985, l'aventure doit prendre fin, sauf que Guy Laliberté ne l'entend pas ainsi. Avec une équipe d'innovateurs, il fait une refonte du cirque traditionnel, enlevant les animaux et certaines activités pour en faire un spectacle uniquement avec des êtres humains.

Aujourd'hui, les activités du Cirque du Soleil l'amènent à interagir avec un nombre grandissant de fournisseurs, tant en Amérique du Nord, en Europe et en Australie qu'en Amérique du Sud, au Moyen-Orient et en Asie. Le site Web du Cirque du Soleil mentionne :

> De plus, nous développons maintenant nos activités commerciales dans des régions où, par exemple, le droit de la personne et les conditions de travail peuvent être des enjeux importants et ont des répercussions directes sur notre capacité d'être un

---

4. Jean BEAUNOYER, *Dans les coulisses du Cirque du Soleil,* Québec Amérique, 2004, p. 9.

citoyen responsable. C'est pourquoi plusieurs initiatives de formation et d'accompagnement auprès des gestionnaires de l'entreprise ont été mises sur pied au cours des dernières années, afin de faire en sorte que tous les aspects de nos activités soient en ligne avec nos valeurs[5].

Si Guy Laliberté et ses associés n'avaient pas pris de risques, en 1984, ce grand succès commercial n'aurait pas vu le jour.

Chez Cora

Une autre aventure québécoise des dernières années est celle des restaurants *Chez Cora,* qui a retenu l'attention des journalistes des revues liées au monde des affaires. Ce succès québécois est l'œuvre d'une Gaspésienne d'origine grecque, Cora Tsouflidou. Celle-ci a d'abord traversé des épreuves personnelles : un divorce, une tentative d'association dans la restauration au cours de laquelle, durant plus de 20 mois, elle travaillera chaque jour de 7 h jusqu'à tard dans la nuit et, finalement, une dépression qui durera 5 longs mois. Cora Tsouflidou prend alors le risque de vendre sa maison de Boisbriand. Avec l'argent, elle ouvre un premier restaurant *Chez Cora* en mai 1987. Elle a appris de ses expériences que « l'attrait de la nouveauté d'un concept peut entraîner le succès, mais qu'il n'en garantit jamais la longévité » et que « lorsqu'on baisse ses prix pour attirer ou conserver une clientèle, on finit malgré tout par la perdre, puisque de toute façon il y aura toujours quelqu'un de plus fou ou de plus désespéré pour baisser davantage sa tarification[6]. »

Quelques mois après l'ouverture de son restaurant, elle prend une deuxième décision risquée car, constatant que le petit-déjeuner est le repas le plus populaire, elle décide de changer la vocation du commerce. Celui-ci deviendra alors une source intarissable de gastronomie matinale. Le dimanche 25 février 1990, la journaliste Johanne Mercier vante les mérites, dans *La Presse,* du restaurant aux menus santé composés de fruits frais, et la bonne humeur communicative qui y règne. Avant que les concurrents ne l'imitent, Cora décide d'ouvrir un deuxième restaurant à Laval. Le succès de ce dernier sera aussi grand que celui du premier. Aujourd'hui, les Québécois sont friands des déjeuners santé et des brunchs du dimanche qui font de *Chez Cora* une destination de choix. Cette passion s'est propagée dans le reste du Canada, et déjà plus de 96 restaurants sont exploités en septembre 2008, alors que 22 nouveaux restaurants s'ajouteront à cette chaîne sous peu[7]. Un des grands défis de la fonction approvisionnement est sans aucun doute d'alimenter l'ensemble de ces restaurants en fruits et en aliments frais au quotidien. Il faut sélectionner des fournisseurs performants qui sont capables de suivre l'évolution et le déploiement des activités commerciales de cette entreprise.

Cora Tsouflidou a pris des risques, et son entreprise a été couronnée de succès. Toutes les décisions ne comportent pas un degré de risque aussi important pour la survie de l'entreprise. Par contre, si anodine soit-elle, chaque décision qui est prise trace la ligne de conduite de l'entreprise. En effet, une décision prise constitue une référence et une orientation pour la prochaine décision. C'est pourquoi il faut bien analyser chaque décision afin que celle-ci s'effectue à l'intérieur du cadre défini dans la mission de l'entreprise. Les décisions prises par les dirigeants du Cirque du Soleil et de *Chez Cora* ont pu avoir des répercussions spectaculaires et positives pour ces entreprises.

5. CIRQUE DU SOLEIL. *Site du Cirque du Soleil,* [En ligne], www.cirquedusoleil.com (Page consultée le 16 mars 2009)

6. Cora TSOUFLIDOU, *Déjeuner avec Cora*, Montréal, Libre Expression, 2001, p. 72-73.

7. CHEZ CORA. *Site Chez Cora,* [En ligne], www.chezcora.com (Page consultée le 16 mars 2009)

Dans la pratique courante, un conseil d'administration conservateur ne voudra pas d'un acheteur qui prend des risques, par exemple si celui-ci décide d'acheter des produits d'un fournisseur qui a une mauvaise réputation ou qui cumule de nombreux litiges. À l'opposé, un conseil d'administration qui préfère pousser sa chance à l'extrême en prenant des décisions spéculatives aura de la difficulté à tolérer un acheteur trop prudent ou préférant attendre que les produits fassent leurs preuves avant d'en recommander l'achat. La vie d'un acheteur peut être valorisante et agréable quand les actionnaires, les utilisateurs et les clients sont heureux des résultats obtenus par le service de l'approvisionnement. Par contre, la vie de l'acheteur peut devenir difficile et stressante lorsqu'il adopte des mesures impopulaires ou prend des décisions susceptibles d'ébranler la confiance que des personnes de son entourage ont placée en lui.

1.2.2 L'analyse et la décision

Un acheteur suit un processus d'**analyse de cas**, situations ou de problèmes (*voir la figure 1.2*). Ce processus peut s'appliquer tant durant ses études que dans sa future pratique. Chaque étape du processus a une fin, soit la prise de décisions en connaissance de cause. Ce processus comprend les trois étapes décrites ci-après.

Première étape : la préparation : lire et comprendre le problème

Les problèmes concernent des événements ou des situations qui comportent des enjeux et ont des conséquences sur l'évolution courante de l'entreprise. Ces problèmes ne sont pas toujours clairs ou complets, tant en théorie qu'en pratique, et ils ne doivent pas être résolus dans un même délai. Afin de combler le manque de données, l'étudiant ou le gestionnaire doit avoir recours à la théorie, aux documents disponibles, à ses propres expériences, à ses intuitions, aux discussions avec d'autres collègues, à la recherche en bibliothèque ou dans Internet, ou il doit formuler des hypothèses logiques. À la fin, l'étudiant ou le gestionnaire doit bien maîtriser les diverses facettes du problème qu'il devra résoudre.

Deuxième étape : l'analyse du cas

Résoudre un problème n'est pas simple. On doit faire appel à ses compétences personnelles, telle l'intuition, mais aussi s'appuyer sur des bases théoriques. De plus, il faut avoir la capacité de déterminer les enjeux et les conséquences d'une décision et savoir bien communiquer cette décision une fois qu'elle est prise. Pour ce faire, la méthodologie ayant le mieux fait ses preuves comporte la collecte des données pertinentes liées au problème soulevé ; la description du problème ; l'analyse des enjeux, des causes et des conséquences ; la formulation des objectifs ; l'élaboration et l'évaluation des options ; le choix d'une option ; la planification et l'implantation de l'option choisie. De grands gestionnaires emploient cette méthodologie lorsqu'ils doivent prendre une décision ou présenter un problème à leurs collègues de travail en vue d'orienter un choix d'entreprise. Regardons plus en détail chacune des étapes.

Figure 1.2 Une vue d'ensemble du processus d'analyse de problèmes

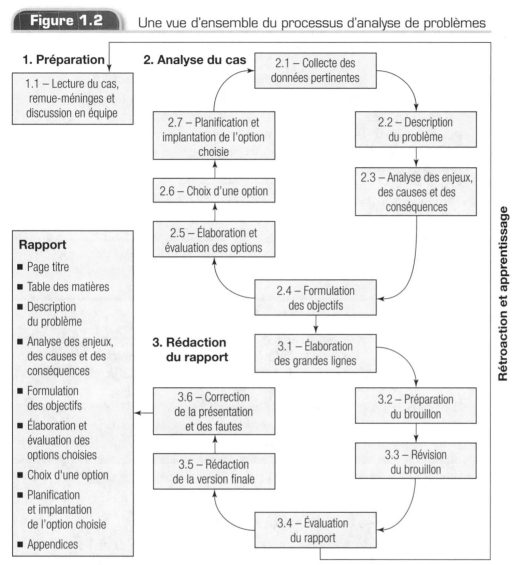

Source : Michel G. BÉDARD, Paul DELL'ANIELLO et Danielle DESBIENS, *La méthode des cas. Guide d'analyse, d'enseignement et de rédaction,* Boucherville, Gaëtan Morin Éditeur, 1991, p. 4.

La collecte des données pertinentes

Cette étape consiste à relever les faits saillants, les données pertinentes, l'information provenant de la haute direction et les données liées à une bonne compréhension de l'entourage, ainsi qu'à déterminer les liens existant entre les intervenants dans la chaîne d'approvisionnement (nous y reviendrons au chapitre 2 lorsque nous parlerons de l'objectif d'achat) et les personnes ayant un intérêt dans la situation présentée.

La description du problème

Reconnaître le problème consiste à détecter ce qui préoccupe l'acheteur ou son entreprise. Cette démarche requiert un investissement en ressources pour parvenir à une solution. Tout problème a son importance et mérite d'être réglé.

Dans un processus de gestion du temps, l'acheteur, s'il a la responsabilité de trouver une solution, doit faire ressortir le caractère urgent du problème soulevé pour que celui-ci reçoive une plus grande attention.

L'analyse des enjeux, des causes et des conséquences

Il faut déterminer les enjeux, les causes et les conséquences du problème, et non se contenter d'en décrire les symptômes ou les effets sur l'entreprise. Cette étape de raisonnement relève d'une démarche inductive et analytique. C'est aussi à cette étape que les liens entre les différentes données seront décelés, ce qui permettra d'en arriver à une estimation finale de la situation et à une décision. Il faut chercher à comprendre les facteurs internes et externes entourant la situation ainsi que les préférences des décideurs. L'acheteur établit le rendement attendu, les résultats obtenus et les écarts constatés pour chaque facteur de l'environnement. Chaque situation est différente ; c'est pourquoi on aurait tort de croire que tous les problèmes peuvent être étudiés de façon mécanique et rationnelle et que les réactions d'une personne sont les mêmes devant des problèmes similaires et répétitifs.

La formulation des objectifs

Les objectifs permettront de déterminer le fil directeur à considérer lors de la prise de décision. En étant bien formulés, ces objectifs confortent le bien-fondé des critères qui permettront de mesurer le succès de la décision. C'est aussi à cette étape que les contraintes et les limites opérationnelles seront envisagées dans la résolution de la problématique soulevée. À titre d'exemple, il est possible que la solution à une problématique soit d'effectuer un investissement important en capitaux, mais qu'elle soit inapplicable parce que la limite de crédit de l'entreprise est atteinte. Un autre exemple serait de tenter de résoudre le problème en ayant recours à l'expertise d'un membre de l'entreprise qui n'est pas disponible au moment de prendre la décision.

L'élaboration et l'évaluation des options

À cette étape-ci, il est nécessaire de proposer des solutions et de les analyser. Il convient donc de peser le pour et le contre de chacune d'elles et d'en venir à une conclusion. L'analyse comprendra notamment :

- une liste des critères et des priorités qui servent à évaluer les options, par exemple le risque couru, l'objectif visé, la perte ou le gain financiers, l'importance du facteur temps, l'effort à déployer pour atteindre un résultat, la disponibilité des ressources humaines, financières et matérielles, ainsi que les préférences des hauts dirigeants de l'entreprise ;
- une liste des contraintes éventuelles que l'option proposée représentera pour l'entreprise, son industrie et son marché.

L'acheteur qui entreprend l'étude des options est souvent aux prises avec trois difficultés : une conception étroite des gestionnaires qui croient être les seuls à pouvoir présenter des options valables en raison de leur expérience ; la simplification à outrance des options que les gestionnaires proposent aux problèmes complexes ; et le piège que cache la logique, à savoir que des gestionnaires trouvent adéquate l'explication d'une option sans avoir fait de recherche systématique pour la valider.

Le choix d'une option

L'acheteur recommande une option afin de régler le problème. Il fait appel à son intuition et à son jugement tout en se référant à ses connaissances théoriques et à ses expériences positives. Il doit aussi considérer le coût et le bénéfice liés à l'entreprise choisie. Il importe de planifier l'implantation de cette option en tenant compte de ses aspects humain, matériel, technologique, écologique, environnemental, culturel, juridique, politique et autres. L'acheteur ne doit pas sous-estimer les obstacles potentiels, telles les ressources, et il doit se demander si l'option choisie résout le problème le plus important et entraîne la disparition des autres problèmes majeurs. Il doit circonscrire ces derniers et montrer comment ils peuvent être surmontés. La recommandation doit être écrite, au même titre qu'une politique ou une procédure.

La planification et l'implantation de l'option choisie

Au cours de cette étape, il faut dresser la liste de toutes les tâches à entreprendre pour mettre en œuvre la recommandation. Pour chacune, l'acheteur nomme la personne qui sera responsable de son exécution, fixe les délais et attribue les ressources requises en précisant leur provenance. Ces tâches doivent être classées par priorités (degrés d'urgence), par fonctions (marketing, production, approvisionnement, finances et autres) ou selon leur durée (jours, semaines ou mois). L'acheteur doit aussi s'assurer de lier les étapes à une rétroaction éventuelle. Celle-ci consiste à revenir à l'origine de la démarche pour vérifier si la problématique est définitivement réglée.

Troisième étape : la rédaction du rapport

L'acheteur pourra être appelé à produire un rapport en lien avec la problématique analysée. La rédaction du rapport pourrait prendre la forme suivante :

- la description du problème : un bref énoncé du problème principal à résoudre et son degré d'urgence ;
- l'analyse des enjeux, des causes et des conséquences de ce problème ;
- la formulation des objectifs et la liste des critères qui auront servi à évaluer les options ;
- l'élaboration et l'évaluation des options en procédant à une énumération des avantages, des inconvénients et des risques pour l'entreprise de chacune de ces options ;
- le choix de l'option et son degré de pertinence, particulièrement en ce qui concerne les bénéfices ou les coûts pour l'entreprise ;
- la planification et l'implantation de l'option choisie en indiquant brièvement la marche à suivre pour la mettre en place.

1.2.3 La participation des autres

L'image de l'acheteur autocratique est révolue. Le succès de l'acheteur repose sur sa capacité de susciter l'esprit d'initiative, de mobiliser les énergies autour d'une vision unique, de valoriser les idées et les suggestions du personnel, de stimuler l'esprit d'équipe et de donner un pouvoir de décision à chaque personne.

Dans les organismes publics, cet aspect est un élément essentiel du processus. En effet, l'acheteur ne peut être un spécialiste de tout ce qu'il doit acheter. Ainsi, il aura de la difficulté à évaluer la conformité technique d'un produit. Pour valider ce point, il devra recourir au demandeur qui déterminera si les propositions des fournisseurs sont conformes. Toutefois, puisque l'acheteur doit pouvoir répondre à d'éventuelles questions de la part des fournisseurs, il doit comprendre le rapport de conformité émis par le demandeur.

Un autre point à souligner : les règles de gouvernance[8] de plusieurs entreprises, particulièrement les entreprises inscrites à la Bourse, doivent éviter la ségrégation des tâches liées à la gestion des achats. L'acheteur étant responsable de la gestion des achats, il ne doit pas effectuer l'ensemble des activités, c'est-à-dire émettre le bon de commande, recevoir et autoriser la facture ou le paiement du fournisseur. Il devra plutôt entraîner d'autres personnes de l'entreprise à effectuer certaines tâches et demeurer disponible pour régler les litiges.

1.3 Les droits du service de l'approvisionnement

Pour exercer sa fonction convenablement, le service de l'approvisionnement dispose de deux droits : faire préciser la demande d'achat et garder la mainmise sur le fichier des fournisseurs.

1.3.1 La précision de la demande d'achat

Dès qu'une demande d'acquisition de produits parvient au service de l'approvisionnement, il importe que l'acheteur comprenne ce qu'il doit acquérir. L'acheteur interrogera alors le service qui fait la demande afin de connaître les raisons qui ont suscité ce besoin et les mesures à prendre pour satisfaire à la demande reçue.

La meilleure décision à prendre peut consister à refuser la demande si le besoin est mal défini ou ne respecte pas les principes de transparence, d'équité et d'accessibilité entre les sources d'approvisionnement. L'intervention de l'acheteur permettra au demandeur de préciser le besoin à combler par l'achat. L'acheteur pourra proposer une option différente, telle l'utilisation d'un produit substitut déjà en stock, ou encore procéder à l'achat.

1.3.2 La conservation de la mainmise sur le fichier des fournisseurs

L'acheteur recherche constamment des sources d'approvisionnement afin d'améliorer les résultats par rapport aux sept critères définis au début du présent chapitre. Ses compétences lui permettent de sélectionner ces nouvelles sources. Celles-ci doivent être les plus fidèles possible à la culture et au mode de fonctionnement de l'entreprise que l'acheteur représente.

---

8. Nous ne voulons pas entrer dans le détail des règles de gouvernance de ces entreprises. Les lecteurs qui voudraient en savoir plus sur le sujet sont invités à consulter la *loi Sabarnes-Oxley* (États-Unis) ou le projet de loi 198 qui est en discussion au Canada.

C'est ainsi que l'acheteur est en droit de déterminer le prix et les conditions commerciales rattachés au contrat signé avec tous les fournisseurs. La confusion entre les renseignements transmis aux fournisseurs sera évitée si les directives proviennent d'un point central. Les acheteurs devraient avoir le droit de centraliser l'information. En effet, ils travaillent constamment avec les fournisseurs et utilisent le même vocabulaire. D'autre part, dans une telle situation, le fournisseur n'a pas à interpréter le désir de plusieurs personnes et à tenter de plaire à plusieurs maîtres.

De nos jours, l'information que requièrent les représentants des fournisseurs comprend beaucoup plus d'éléments techniques. Plusieurs utilisateurs veulent discuter directement avec le représentant (en approvisionnement, cette approche s'appelle « démarchage »). L'acheteur tentera de faciliter la rencontre entre les deux groupes. Toutefois, il interviendra si ces rencontres mènent à un achat. Afin de coordonner les relations avec le fournisseur, l'acheteur peut lui indiquer que toute demande d'acquisition d'un produit nécessite un numéro de bon de commande, que seul le service de l'approvisionnement peut émettre.

1.4 La politique d'achat

Le droit qu'accorde l'entreprise à un acheteur s'applique dans les limites d'une politique d'achat. Cette politique vise à encadrer les activités liées à l'approvisionnement en ce qui concerne un certain nombre de règles sur la politique produits, la politique fournisseurs, les règles de déontologie, etc. Les obligations d'un acheteur sont normalement incluses dans celle-ci.

Afin de faciliter la compréhension, voici un exemple d'une politique d'achat tirée d'une expérience vécue sur le terrain.

Exemple 1.1

Une politique d'achat

Approvisionnement
Contenu d'une politique d'achat du secteur privé

1. But

Cette politique vise à établir et à encadrer le rôle du service de l'approvisionnement de l'entreprise en ce qui concerne l'acquisition d'un objet d'achat qui prendra la forme d'un produit, d'un service, d'une licence informatique ou autre.

Des directives ou des procédures opérationnelles pourront découler de cette politique afin d'en faciliter l'application ou la compréhension. Elles seront émises par le président, les vice-présidents ou le service de l'approvisionnement et pourront être plus restrictives que les énoncés de cette politique.

2. Emplacements

Cette politique s'applique à tous les emplacements de l'entreprise.

3. Définitions

Achat : Objet acquis pour répondre au désir d'un demandeur de l'entreprise avec le souci d'optimiser les critères de l'approvisionnement qui sont la qualité, la quantité, le temps, le lieu, le service, la source d'approvisionnement et le coût.

Acheteur : Personne autorisée à acheter, à coordonner et à gérer les relations avec les sources d'approvisionnement de l'entreprise.

Approvisionnement : Processus regroupant toutes les étapes pour répondre à un désir d'achat, à l'approvisionnement mix[9], à la négociation, au choix du fournisseur et à la rétroaction ; ces étapes doivent tenir compte des rôles administratifs, économiques et légaux que ce processus requiert.

Catalogue de l'entreprise : Liste des numéros d'articles ou des produits disponibles dans les bases de données reconnues par l'entreprise.

Demande d'achat : Formulaire de l'entreprise qui vise à préciser ce qu'un demandeur désire d'un fournisseur, que ce soit un objet reconnu ou non reconnu dans le catalogue de l'entreprise.

Demandeur : Employé de l'entreprise qui suit et applique la présente politique.

Objet d'achat : Ce vers quoi tendent les désirs, la volonté, l'effort et l'action pour les activités de l'entreprise. L'objet comprend, sans se limiter :

- Les produits : la description précise d'un ou des éléments tangibles d'un bien comprenant la nature, les propriétés, l'aptitude objective à satisfaire la performance, la durabilité et l'effort pour l'acquérir.

- Les services : la description précise d'un ou des éléments intangibles d'une ou des activités de l'entreprise permettant de répondre à une performance attendue et à une qualité de processus.

- Les logiciels : l'ensemble des programmes et des procédures nécessaires au fonctionnement d'un système informatique. Inclut, sans en limiter la teneur, les systèmes d'exploitation (Windows, Unix), les logiciels d'utilisation générale (traitement de texte, tableur, calculateur, base de données, présentation graphique), les logiciels spécialisés liés à la raison d'être de l'entreprise et les modules d'extension de productivité (applications prédéveloppées, gabarits).

- Les immobilisations : tout bien qui représente un avantage futur en ce qu'il pourra, seul ou avec d'autres actifs, contribuer directement ou indirectement à engendrer des fonds pour les opérations futures.

- La maintenance : la série d'activités requises pour maintenir une immobilisation en état de marche.

- L'assurance : l'acquisition d'une ou des polices d'assurances requises pour les opérations de l'entreprise afin de prémunir celle-ci contre certains risques.

Processus d'approvisionnement : Étapes successives qui permettent d'acquérir un objet d'achat.

Service de l'approvisionnement : Service de l'entreprise ayant la responsabilité de gérer le processus d'acquisition d'un objet.

Stock : Ensemble des articles gérés dans les magasins reconnus par l'entreprise.

---

9. Nous verrons le concept de l'approvisionnement mix au chapitre 2.

4. Contribution à la stratégie de l'entreprise

La mission du service de l'approvisionnement s'intègre dans un système global unissant tous les services de l'entreprise. Les stratégies de l'approvisionnement doivent s'inscrire dans l'apport d'une contribution à la stratégie générale de l'entreprise.

La stratégie globale de ce service repose donc sur les trois aspects suivants :

- Payer le meilleur coût possible compte tenu de la réalité de l'entreprise dans ses activités.
- Procurer avec continuité à tous les demandeurs les objets d'achat requis pour le bon fonctionnement des activités de l'entreprise auprès de fournisseurs fiables et conformes.
- Anticiper les risques provenant du marché afin de minimiser les incertitudes de l'environnement pour l'entreprise.

5. Droits reconnus aux acheteurs

L'entreprise reconnaît à son service de l'approvisionnement les droits suivants :

- De remettre en question les demandes d'achat afin d'en connaître la teneur, et ce, afin qu'ils respectent :
  - les lois d'ordre public qui régissent le secteur d'activité de l'entreprise ;
  - la déontologie de la profession d'acheteur qui s'oriente autour de trois axes, à savoir :
    - l'égalité entre les fournisseurs ;
    - la qualité de la relation d'affaires à maintenir avec un fournisseur ;
    - le respect des engagements pris envers les fournisseurs ;
  - les principes de transparence, d'équité et d'accessibilité des sources probables d'approvisionnement ;
  - le mode de fonctionnement déterminé par l'entreprise.
- De garder la mainmise sur le répertoire de fournisseurs, y compris le droit de choisir le fournisseur, de déterminer la valeur de l'échange commercial et de coordonner la nature des communications avec les fournisseurs.

6. Limite d'autorisation pour accepter une demande d'achat ou un engagement

À partir du conseil d'administration de l'entreprise qui est l'autorité ultime en approvisionnement, la délégation de pouvoir pour faire une entente avec un fournisseur s'établit comme suit :

Contrats, conventions, ententes

Par définition, un contrat comprend quatre sections distinctes : a) la volonté des parties, b) la définition du mandat, c) les dispositions commerciales, d) les dispositions légales.

Par définition, une convention comprend trois sections distinctes : a) la volonté des parties, b) la définition du mandat, c) les dispositions commerciales.

Par définition, une entente comprend deux sections distinctes : a) la volonté des parties, b) la définition du mandat.

Un contrat, une convention ou une entente s'évaluent selon la valeur totale estimée de l'engagement. La signature suivra donc les étapes suivantes :

- les vice-présidents : les points techniques liés à leur secteur d'activité ; et

- la direction d'entreprise de l'approvisionnement : tout montant inférieur à 1 000 000 $ CA ;

- le directeur d'entreprise des matières ligneuses : tout montant inférieur à 1 000 000 $ CA lié à l'achat de matières ligneuses ;

- la direction générale de la chaîne d'approvisionnement : tout montant entre 1 000 000 $ CA et 5 000 000 $ CA ;

- la présidence : tout montant entre 5 000 000 $ CA et 10 000 000 $ CA ;

- le conseil d'administration : tout montant supérieur à 10 000 000 $ CA.

Liste de prix

Par définition, une liste de prix établit une correspondance entre l'objet et la valeur de celui-ci. L'acheteur est habilité à recevoir un tel document pourvu qu'il n'y ait pas d'engagement formel tant en ce qui concerne les quantités que le temps ou la valeur totale. Si c'est le cas, les règles déterminées au point ci-dessus s'appliquent.

Projets

Par définition, un projet est une immobilisation ou une demande de capitalisation visant à améliorer les actifs de l'entreprise. Tout projet doit être approuvé selon les règles d'autorisation déterminées par l'entreprise avant d'amorcer quelque action ou autorisation que ce soit dans le processus d'achat.

Approbation d'une demande d'achat ou d'une sortie de stock

Par définition, une « demande d'achat » ou une « sortie de stock » sont des expressions utilisées par l'entreprise qui visent à définir le désir d'un demandeur. L'approbation peut se faire manuellement ou électroniquement par le système informatique de l'entreprise. Les niveaux d'autorisation selon la valeur totale d'une demande d'achat ou d'une réservation sont les suivants :

- la supervision : tout montant inférieur à 1 000 $ CA ;

- la direction d'un service dans l'entreprise : tout montant entre 1 000 $ CA et 10 000 $ CA ;

- la direction d'usine : tout montant entre 10 000 $ CA et 50 000 $ CA ;

- la direction générale d'une ligne de produit : tout montant entre 50 000 $ CA et 100 000 $ CA ;

- la vice-présidence : tout montant entre 100 000 $ CA et 250 000 $ CA ;

- la présidence : tout montant supérieur à 250 000 $ CA.

Cependant, toute demande d'achat liée à certains objets doit aussi être approuvée selon les règles d'autorisation déterminées par l'entreprise avant d'amorcer quelque action ou autorisation que ce soit dans le processus d'achat.

Lorsque la valeur d'une demande d'achat n'est pas connue, le demandeur doit rencontrer l'acheteur ou discuter avec celui-ci pour en déterminer la valeur totale.

Approbation pour une opération d'achat

Par définition, une opération d'achat est un bon de commande avec un numéro distinct et elle comprend des termes et des conditions générales. Un bon de commande ne peut avoir qu'un attribut «fermé» (mandat distinct avec une date de fin) ou «d'étalement» (plusieurs dates de livraison probables). Le fournisseur choisi doit faire partie du répertoire de fournisseurs reconnus par l'entreprise. La responsabilité de mettre à jour ce répertoire appartient aux acheteurs liés par la présente politique d'achat.

Pour les bons de commande en général :

a) le technicien aux achats : valeur totale du bon de commande inférieure à 100 000 $ CA ;

b) l'acheteur : valeur totale du bon de commande entre 100 000 $ CA et 500 000 $ CA ;

c) le directeur d'entreprise de l'approvisionnement : valeur totale supérieure à 500 000 $ CA.

Pour les bons de commande d'urgence liés aux équipements requis en dehors des heures normales :

a) la supervision de l'entretien : valeur totale de la résolution de l'urgence inférieure à 1 000 $ CA ;

b) la direction de l'entretien : valeur totale de la résolution de l'urgence entre 1 000 $ CA et 10 000 $ CA ;

c) la direction d'usine : valeur totale de la résolution de l'urgence entre 10 000 $ CA et 50 000 $ CA ;

d) la direction générale d'une ligne de produit : valeur totale de la résolution de l'urgence entre 50 000 $ CA et 100 000 $ CA ;

e) la vice-présidence des opérations : valeur totale de la résolution de l'urgence entre 100 000 $ CA et 250 000 $ CA ;

f) la présidence : valeur totale de la résolution de l'urgence supérieure à 250 000 $ CA.

Pour les bons de commande d'urgence liés aux technologies de l'information :

a) la direction de l'entretien des technologies de l'information : valeur totale de la résolution de l'urgence entre 1 000 $ CA et 50 000 $ CA ;

b) la vice-présidence des technologies de l'information : valeur totale de la résolution de l'urgence entre 50 000 $ CA et 250 000 $ CA ;

c) la présidence : valeur totale de la résolution de l'urgence supérieure à 250 000 $ CA.

7. Fonctionnement lors de l'acquisition d'un objet d'achat[10]

Lorsqu'un demandeur désire un objet, il prépare une demande d'achat qu'il fait approuver. L'approbation suit le mode de fonctionnement de l'entreprise en ce qui a trait aux immobilisations, aux budgets, aux directives particulières liées aux technologies de l'information et à la valeur de la transaction.

Le demandeur entre en communication avec le magasin si l'article est en stock, ou avec l'acheteur le plus près. Ce dernier prépare les renseignements requis pour remplir la demande d'achat. Un bon de commande est rempli, signé selon le niveau d'autorisation décrit précédemment et envoyé au fournisseur. L'acheteur fait le suivi jusqu'à la réception.

---

10. Cette section de la politique d'achat sera approfondie au chapitre 2.

Responsabilités des intervenants		
Demandeurs	**Service de l'approvisionnement**	**Service des finances**
■ Identifier les objets adéquatement.	■ Respecter et appliquer la politique.	■ Profiter des escomptes offerts par les fournisseurs lorsque c'est possible et rentable de le faire.
■ Planifier les besoins afin que le service de l'approvisionnement puisse prévoir le temps nécessaire pour évaluer et acquérir les objets de façon efficace.	■ Diffuser la politique à l'interne.	
■ Recourir seulement aux fournisseurs choisis par le service de l'approvisionnement.	■ Aider les demandeurs à déterminer leurs requêtes.	
	■ Aider les demandeurs et le service des finances à établir les budgets.	
■ S'assurer que les objets reçus correspondent aux spécifications originales définies.	■ Solliciter et négocier des ententes d'approvisionnement.	
■ Faire un contrôle de qualité des objets et vérifier les quantités reçues.	■ Mesurer la performance des fournisseurs dans le but de l'améliorer.	
■ Saisir correctement l'information lors de la réception des requêtes.	■ Maintenir à jour l'information concernant les fournisseurs.	
■ Respecter le cycle d'approvisionnement.	■ S'assurer d'une diffusion des données liées à la transaction.	
■ Lire et accepter l'engagement à cette politique.	■ Lire et signer l'engagement à cette politique.	

Le service de l'approvisionnement de l'entreprise est responsable d'implanter la présente politique. De plus, il doit produire les guides de fonctionnement dans les relations avec les sources d'approvisionnement de l'entreprise, les communiquer et les mettre à jour.

Tous les employés de l'entreprise doivent adhérer à la présente politique.

Cette politique peut différer d'une entreprise à l'autre. Elle devra être enrichie de temps en temps afin de refléter les activités de l'entreprise. À la suite de cette politique, une série de procédures soutiendront les actions de l'entreprise au quotidien. L'ensemble s'appelle le « manuel de la politique et des procédures d'approvisionnement ».

En ce qui concerne le secteur public[11] ou les entreprises parapubliques[12], cette politique est encadrée par une série de lois, de décrets, d'orientations et de règlements qui sont votés par les élus. Et même dans le secteur public, la politique à suivre sera différente dans le cas d'une municipalité ou d'une commission scolaire.

---

11. Le secteur public regroupe les entreprises qui gravitent autour des gouvernements telles que la fonction publique, les commissions scolaires, les municipalités, les hôpitaux et les universités.

12. Les entreprises parapubliques comme Hydro-Québec, la Société des alcools du Québec et autres dépendent des fonds publics.

1.5 La typologie des structures organisationnelles

Chaque personne qui travaille dans une entreprise doit répondre aux attentes de l'entreprise et à ses attentes personnelles. En ce qui concerne les attentes de l'entreprise, chaque service doit mettre à profit les ressources humaines, monétaires, énergétiques, matérielles et informationnelles pour atteindre certains objectifs. Au début d'une période, l'entreprise fixe à chaque service des objectifs conformes à la mission de l'entreprise, ces objectifs devant être réalisables, quantifiables et évaluables.

Pour ce qui est des attentes personnelles, chaque être humain a des valeurs morales, des besoins à satisfaire et des désirs. L'individu est responsable des valeurs communes d'un groupe qui constituent une des raisons d'être du groupe.

Dans le cas du service de l'approvisionnement, il faut ajouter les attentes des autres. En effet, comme l'acheteur est constamment en contact avec de nombreux fournisseurs, il est en mesure de répondre efficacement à leurs désirs. Son habileté et ses compétences permettront ainsi à l'entreprise d'acquérir rapidement les produits et les services nécessaires au bon fonctionnement de l'ensemble des services.

Un service de l'approvisionnement doit donc être structuré au même titre que les autres services de l'entreprise. Il existe différents types de structures organisationnelles pouvant s'appliquer au service de l'approvisionnement. Étant donné les responsabilités de ce service, il convient de lui accorder une position hiérarchique importante. Ainsi, la direction peut adopter une approche technique ou stratégique. Selon l'approche technique, le service de l'approvisionnement tente de répondre à une demande à partir des règles établies par l'entreprise en ce qui a trait aux relations avec les fournisseurs et aux demandes admises. Selon l'approche stratégique, la direction définit la structure et les règles du service de l'approvisionnement au regard des objectifs de l'entreprise qui se dégagent de sa mission.

1.5.1 La structure formelle

La structure formelle détermine les niveaux d'autorité des individus. L'autorité peut se définir selon les fonctions (comme le marketing, l'approvisionnement, la production, les ressources humaines et les finances), les secteurs géographiques (tels que les provinces maritimes, le Québec, l'Ontario et les provinces de l'Ouest) ou les produits (par exemple les produits de consommation et les produits industriels). Il n'existe aucune règle permettant de choisir la meilleure répartition de l'autorité.

La structure formelle répartit le personnel d'une entreprise en deux catégories: l'**autorité hiérarchique** (*line authority*), qui a la responsabilité d'atteindre les objectifs de l'entreprise le plus efficacement possible, et l'**autorité fonctionnelle** (*staff authority*), qui fournit une expertise à l'autorité hiérarchique, compte tenu de l'étendue des responsabilités de cette dernière. La figure 1.3, à la page suivante, montre une structure hiérarchique possible pour un service de l'approvisionnement.

Figure 1.3 La structure hiérarchique
d'un service de l'approvisionnement

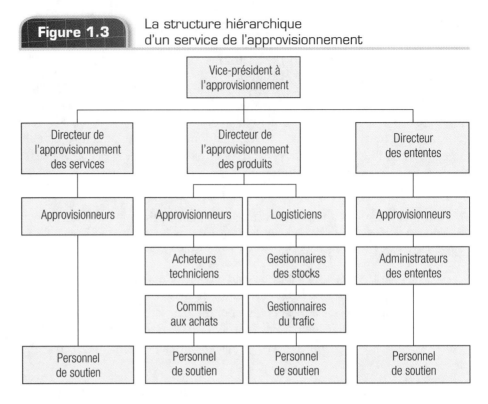

Dans cette structure, le vice-président à l'approvisionnement, qui relève du président ou du directeur général, est responsable de la bonne gestion de toutes les sorties de fonds qui se transigeront avec des sources d'approvisionnement externes de l'entreprise. Trois directeurs sont sous la responsabilité du vice-président.

1. Le directeur de l'approvisionnement des services. Dans cet exemple, ce directeur est responsable de la bonne gestion des contrats de service que l'entreprise requiert. Pour assumer adéquatement ses responsabilités, il travaillera avec des **approvisionneurs** professionnels, qui sont spécialisés dans les acquisitions de services, et du personnel de soutien.

2. Le directeur de l'approvisionnement des produits. Il a la responsabilité de prendre toutes les décisions relatives aux produits à acquérir. Pour lui permettre d'atteindre ses objectifs, il aura sous sa responsabilité des approvisionneurs professionnels, des logisticiens, des acheteurs techniciens, des **gestionnaires des stocks**, des **gestionnaires du trafic**, des commis aux achats et du personnel de soutien.

3. Le directeur des ententes. Il a la charge de tous les contrats qui lient l'entreprise à des fournisseurs privilégiés, à des groupes d'achat ou à des consortiums en approvisionnement. Il prend aussi des décisions coopératives, comme la participation à une grappe industrielle, et il soutient la tendance de l'entreprise. Pour l'assister, il pourra compter sur des approvisionneurs professionnels, des administrateurs des ententes et du personnel de soutien.

Outre le fait que les entreprises se basent sur un document qui décrit les responsabilités rattachées aux différentes fonctions, elles reconnaissent l'influence de certaines personnes dans leur évolution. Sur papier, ces personnes ont les mêmes droits et les mêmes pouvoirs que les autres, mais leur personnalité leur confère une plus grande influence. Cette structure organisationnelle prend alors le nom de « structure informelle ».

1.5.2 La structure matricielle ou structure par projet

La structure matricielle est utilisée principalement dans des entreprises qui traitent différents projets et qui doivent recourir à une répartition des ressources communes. Le tableau 1.1 montre de quelle façon trois acheteurs peuvent travailler à quatre projets différents. Ce type de structure s'applique dans le cas des projets de construction, d'agrandissement ou de financement, ou encore dans celui des campagnes de publicité. Les acheteurs redeviennent disponibles à la fin du projet. L'entreprise les affecte alors à un autre projet.

Dans le tableau 1.1, l'acheteur 1 travaille sur les projets 1 et 2, l'acheteur 2 sur les projets 2 et 4 et l'acheteur 3 s'occupe du projet 3. Au moment où un nouveau projet s'ajoute, l'acheteur 1, 2 ou 3 se verra confier la responsabilité d'assister l'équipe du nouveau projet.

Tableau 1.1 La structure matricielle

Acheteur	Projet 1	Projet 2	Projet 3	Projet 4
1	✓	✓		
2		✓		✓
3			✓	

1.5.3 La structure étoilée

Les entreprises ayant recours à la structure étoilée (*voir la figure 1.4, p. 26*) possèdent l'expertise leur permettant d'exécuter tous les mandats que leur confie un client. À titre d'exemple, la firme d'avocats Lavery De Billy a une conception basée sur le traitement spécialisé de toutes les demandes d'un client. Ainsi, le client pourra avoir recours à des spécialistes dans plusieurs domaines chez le même fournisseur. Les dossiers requérant l'intervention d'avocats spécialisés dans le droit du travail, le droit des assurances, le droit des sociétés, le droit fiscal ou toute autre spécialité du droit seront traités par des avocats qui possèdent une expertise dans le domaine en question. Ainsi, le client n'a qu'à sélectionner un cabinet d'avocats pouvant fournir l'ensemble des expertises dont il a besoin.

Il en est de même pour un service de l'approvisionnement qui, pour répondre aux demandes qui lui sont faites, dispose de spécialistes dans l'acquisition de services, de produits, de stock d'entretien et de réparation, et dans les ententes avec les fournisseurs.

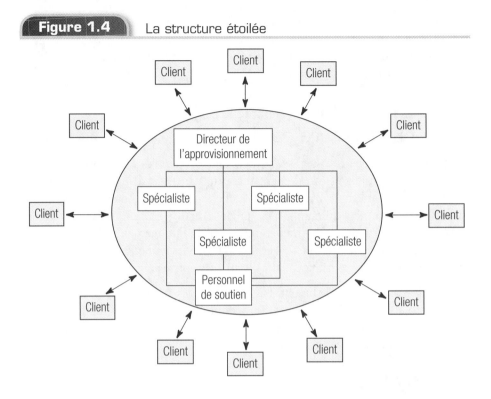

Figure 1.4 La structure étoilée

1.5.4 La structure centralisée et la structure décentralisée

La **centralisation** complète d'un service de l'approvisionnement donne aux acheteurs la responsabilité totale de l'approvisionnement de l'entreprise. En contrepartie, une structure décentralisée donne la liberté à chaque service de l'entreprise d'effectuer lui-même les achats dont il a besoin.

Les entreprises choisissent normalement une structure qui emprunte à la fois à la structure centralisée, où le contrôle prime, et à la structure décentralisée, dont le fondement est la liberté décisionnelle. Plusieurs entreprises ont traduit cette option mitoyenne par les expressions « centre de coûts » ou « centre de profits ». Cependant, peu importe la structure adoptée, l'entreprise doit pouvoir compter sur celle qui lui permettra de répondre le plus efficacement possible aux attentes des clients et de la direction générale, et d'atteindre les objectifs du service de l'approvisionnement. Le tableau 1.2 présente les avantages de ces deux structures ; mentionnons qu'un avantage de l'une correspond à un désavantage de l'autre.

La haute direction sait que la centralisation et la décentralisation comportent des coûts. Par contre, ces deux formules engendrent des bénéfices quantitatifs et qualitatifs. L'entreprise choisira la structure qui entraînera le plus grand écart entre les coûts et les bénéfices. Cette décision doit être rationnelle. Les entreprises sont composées de personnes auxquelles le pouvoir de dépenser confère une certaine autorité dans la communauté locale. Il arrive souvent que les gestionnaires fassent passer leurs intérêts personnels avant ceux de l'entreprise parce qu'ils ont l'impression d'obtenir le meilleur prix.

Tableau 1.2	Les avantages de la structure centralisée et de la structure décentralisée

Structure centralisée	Structure décentralisée
■ L'expertise est concentrée. ■ Il n'est pas nécessaire de former beaucoup d'individus. ■ Le processus de sélection des produits et des sources est standardisé. ■ Le processus nécessite moins d'écritures administratives. ■ Les politiques et les procédures de l'entreprise sont souvent mieux comprises, car elles sont interprétées par moins d'individus. ■ L'entreprise réduit certains coûts, car elle achète de plus grandes quantités. ■ L'entreprise peut répartir de façon plus équitable les stocks entre les clients dans le cas d'une allocation de ressources ou d'une pénurie de la part des fournisseurs. ■ Le fournisseur croit davantage les promesses de l'acheteur, car il contrôle la distribution des biens. ■ Il est plus facile d'implanter une technologie nouvelle. ■ L'entreprise a un meilleur contrôle sur la qualité des intrants.	■ La prise de décisions est répartie entre plusieurs personnes, favorisant davantage le travail d'équipe. ■ La réaction aux imprévus est souvent meilleure. ■ La flexibilité est maximale lorsqu'il s'agit de répondre aux besoins locaux. ■ Un plus grand nombre de personnes peuvent observer l'introduction de nouvelles sources. ■ Il existe chez le personnel un sentiment de participation aux activités de l'entreprise.

La figure 1.5 montre l'évolution des coûts et des bénéfices d'une structure par rapport à une autre, ce qui peut guider le gestionnaire dans la décision qu'il doit prendre. On peut observer, dans cette figure, que la structure centralisée coûte moins cher à l'organisation que la structure décentralisée. Par contre, les bénéfices sont plus élevés dans la structure décentralisée. Le gain, soit la différence entre les deux courbes, est maximale dans une structure qui n'est ni trop centralisée ni trop décentralisée.

Figure 1.5	L'évolution des coûts et des bénéfices des deux structures

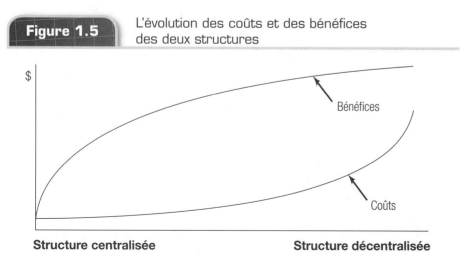

Source : Paul HOLGREN, *Comptabilité analytique de gestion*, Montréal, Les Éditions HRW, 1977, p. 701. Reproduit avec l'autorisation des Éditions Études Vivantes, une division de Groupe Éducalivres.

La différence entre la courbe des bénéfices et la courbe des coûts indique à la haute direction et aux gestionnaires la latitude que chaque personne possède dans le processus de décentralisation. La haute direction voudra garder son organisation décentralisée et accentuer l'autonomie d'une division, d'une filiale, d'un service ou d'un individu – que nous appellerons « entité » – dans la mesure où :

- cette entité travaille en harmonie avec les autres entités quant au partage des ressources communes de l'entreprise que sont notamment le capital, le service de la recherche et les ressources humaines ;
- cette entité n'entre pas en concurrence dans des territoires d'achat communs avec d'autres entités, par exemple en offrant un meilleur prix à un acheteur local servi par un fournisseur ou un représentant d'une autre entité de l'entreprise ;
- cette entité n'entreprend pas une négociation directe avec des fournisseurs communs aux autres entités ;
- cette entité travaille seule et refuse de soutenir les autres entités, particulièrement dans le transfert des ressources comme le stock ;
- cette entité respecte ses objectifs et ceux de la direction générale.

1.6 Les compétences de l'acheteur

Un service de l'approvisionnement regroupe de nombreuses compétences qui peuvent être mises au service des clients, des fournisseurs et des actionnaires. Par l'entremise du Collège de Bois-de-Boulogne, une équipe d'approvisionneurs professionnels s'est penchée sur les compétences requises pour exercer la profession d'acheteur. Par la suite, cet établissement d'enseignement collégial a mis sur pied une attestation d'études collégiales ainsi qu'un diplôme d'études collégiales qui mettent l'accent sur les applications et les compétences de cette profession dans le monde des affaires d'aujourd'hui. L'acheteur, se situant au niveau tactique, appliquera les concepts définis de l'approvisionnement. D'un autre côté, l'approvisionneur, qui se trouve au niveau stratégique, aura la possibilité d'influencer les résultats de l'entreprise.

Sur le plan technique, on reconnaît 10 compétences que doit posséder l'acheteur[13]. Examinons de plus près ces compétences.

1. La **définition du besoin** comprend : la recherche des attentes du demandeur ; la vérification des spécifications afin de sauvegarder les principes de transparence, d'équité et d'accessibilité entre les sources d'approvisionnement potentielles ; la validation de la pertinence d'acheter ; la reconnaissance des objets substituts ou complémentaires ; le respect du cycle d'approvisionnement, de la manifestation du désir jusqu'au paiement final du fournisseur ; la standardisation des désirs selon les modes de fonctionnement de l'entreprise.

---

13. Ce profil de compétences provient de l'attestation d'études collégiales en gestion de l'approvisionnement (LCA.72) et est repris pour la mise sur pied du diplôme d'études collégiales en approvisionnement, qui a été mis sur pied par le Collège de Bois-de-Boulogne avec la collaboration de six membres de la Corporation des approvisionneurs du Québec. Tous droits réservés.

2. L'**exploration du marché** s'effectue sur : la base de la mise à jour de l'information requise concernant les différents champs d'activité liés à l'entreprise ; l'utilisation des ouvrages de référence disponibles sur le marché ; la construction d'une banque de données ; la sélection des fournisseurs potentiels ; la certification des fournisseurs ; le développement des sources d'approvisionnement ; la recherche de produits ; etc.

3. La **gestion des stocks** inclut : le suivi et le respect des modèles de gestion des stocks préconisés par l'entreprise ; le calcul des quantités à commander en fonction des prévisions ; les stratégies visant à réduire les stocks dans la chaîne d'approvisionnement de l'entreprise ; la gestion de la disposition des surplus d'actifs ; le respect des contraintes environnementales liées aux stocks ; la maîtrise du flux des matières.

4. La **négociation** est : la capacité de sélectionner une méthode d'acquisition ; la planification d'une approche de négociation ; l'application d'un modèle de négociation approprié à la situation ; la facilitation d'une relation ouverte entre les divers intervenants de l'entreprise et les fournisseurs ; la gestion des conflits en cas de litige.

5. L'**analyse** tient compte : de l'utilisation d'une approche systémique ; du contexte de l'environnement externe de l'entreprise tel qu'il est défini dans l'objectif d'achat ; de l'interprétation des résultats ; du calcul du coût total pour l'entreprise ; de la préparation d'une recommandation en fonction des critères d'approvisionnement ; de la rédaction d'un plan d'action de la recommandation ; du développement et de l'utilisation des mesures de performance.

6. La **connaissance et le respect des lois, des politiques, des valeurs et des modes de fonctionnement** de l'entreprise inclut : l'assurance de l'application des politiques et des procédures régissant l'approvisionnement ; la conformité à un système de qualité ; le respect du **code de déontologie** lié à la profession d'approvisionneur ; le suivi des lois et des règlements d'ordre public ; l'application des dispositions du *Code civil* en matière de contrat ; la participation à la rédaction d'un contrat ou d'une entente ; le respect des dispositions techniques, commerciales et légales inscrites dans un contrat intervenu avec un fournisseur ; le respect de l'image de l'entreprise conformément à son mandat ; la participation à l'élaboration de politiques et de procédures en approvisionnement ; la documentation de dossiers d'achats.

7. L'**utilisation des outils technologiques** tels que : des logiciels de bureautique ; des logiciels liés à sa fonction ; le réseau Internet.

8. La **capacité de travailler en équipe** comprend : la démonstration de son expertise dans le domaine des relations avec les fournisseurs ; l'établissement de son réseau à l'interne ; la coordination des efforts d'une équipe multidisciplinaire ; la compréhension des prérogatives de chaque groupe ou individu de l'entreprise.

9. La **capacité de communiquer** comprend : la capacité d'extraire l'information pertinente d'un texte quelconque ; la rédaction des documents d'affaires ; la préparation et la présentation d'une approche ; la possibilité de s'exprimer correctement à l'oral et à l'écrit dans les langues officielles (français et anglais) ; la pratique d'une écoute active ; la promotion du rôle du service de l'approvisionnement à l'intérieur et à l'extérieur de l'entreprise.

10. La **manifestation des compétences personnelles** telles que : l'esprit d'initiative et la créativité ; la capacité de tenir compte de la dimension psychologique de l'individu ; l'esprit critique, l'ouverture d'esprit, la diplomatie, l'autonomie et l'intégrité ; l'habileté à vendre ses idées ; la capacité de réagir efficacement aux urgences, de gérer les priorités et de travailler efficacement, même dans l'incertitude.

Le niveau stratégique requiert non seulement des compétences supplémentaires de gestionnaire d'un service à l'intérieur d'une entreprise, mais aussi une capacité de bien maîtriser tous les éléments qui font partie de l'objectif d'achat. Bref, un acheteur de catégorie tactique doit mettre au service de l'entreprise l'ensemble de ces compétences. Il y ajoutera d'autres compétences et améliorera ses méthodes lorsqu'il atteindra le niveau stratégique. Nous examinerons ces compétences les unes après les autres. Cependant, il faut se rappeler que plusieurs compétences interviennent lorsque l'acheteur répond à une demande.

1.6.1 La définition du besoin à combler

À l'origine du processus d'acquisition de produits, l'acheteur doit connaître les attentes de la personne qui fait la demande. Une demande d'acquisition d'un produit ou d'un service s'actualise lorsqu'une personne la traduit sous forme de besoin. L'expression de ce besoin parvient au service de l'approvisionnement de différentes façons, soit par un formulaire, un coup de téléphone ou une visite. Plus l'organisation est grande, plus ce besoin se manifestera sous une forme structurée. Dès que la demande est reçue, l'acheteur doit s'assurer qu'il sait avec précision ce qu'il doit acquérir. S'il a un doute, il devra interroger la personne qui a fait la demande. Il est essentiel de bien comprendre le besoin et d'ordonner ses éléments selon leur importance. Quand l'acheteur aura bien saisi la demande, il pourra y donner suite en toute confiance.

1.6.2 L'exploration du marché

Une entreprise est toujours à l'affût de nouveaux fournisseurs qui lui permettront d'être plus productive. De nos jours, l'acheteur a de plus en plus la possibilité de découvrir de nouvelles sources avec les revues spécialisées, le service des ventes, les répertoires, le réseau Internet, les chambres de commerce ou les consulats et les ambassades. Afin de s'y retrouver dans toute cette information, l'acheteur doit se munir d'une technique de recherche. Au-delà de la recherche de nouvelles sources, l'exploration du marché signifie qu'il doit maintenir à jour ses connaissances dans le champ d'activité de son entreprise. L'acheteur tentera d'être « proactif » devant les occasions qu'offre le marché et d'évoluer avec celles-ci.

1.6.3 La gestion des stocks

De nos jours, la gestion des stocks a une importance cruciale pour une entreprise. Lorsque l'entreprise a un niveau trop élevé de stock, elle doit absorber des coûts de stockage, outre le fait de s'exposer à des risques de désuétude, de bris, de vol ou autre situation similaire. Lorsque l'entreprise manque de stock pour servir un client, elle se trouve dans une situation de pénurie et, partant, d'un manque à gagner, ou elle devra acheter en urgence, ce qui, dans les deux cas, nuira à la profitabilité de l'entreprise. L'acheteur doit donc bien déterminer le niveau de stock à maintenir en appliquant les différentes techniques de détermination des quantités et du moment optimal d'achat des produits requis par l'entreprise. Étant donné l'importance de cette compétence dans les activités d'un acheteur, les chapitres 4, 5 et 6 du présent ouvrage y seront consacrés.

1.6.4 La négociation des ententes

Le processus de négociation est un art qui s'apprend avec le temps. La première qualité d'un bon négociateur est de s'intéresser aux relations humaines. Le processus de négociation vise à réduire les écarts entre les propositions du fournisseur et les besoins du client. Il n'est pas nécessaire de chercher à tout négocier. Une excellente préparation permettra plutôt de déterminer les écarts importants et de réduire le temps requis pour finaliser une entente satisfaisante pour les deux parties.

Durant la négociation, le négociateur utilise un langage simple et précis de même qu'un langage non verbal afin d'améliorer sa présentation générale, le tout sans ternir sa réputation ni renoncer à son intégrité. Il importe qu'un acheteur se fixe des objectifs de négociation réalistes. Ces objectifs constituent les résultats que l'acheteur espère obtenir à la fin des pourparlers. L'acheteur atteindra plus efficacement ses objectifs s'il connaît son propre style ainsi que celui de son interlocuteur. Il pourra, par la suite, déterminer l'attitude à adopter pour chaque point à discuter. Ces attitudes[14] consistent à se montrer tour à tour :

- méthodique, c'est-à-dire appliquer scrupuleusement (et sans innover) certaines techniques d'achat pour satisfaire les demandes que lui ont adressées les divers services de son entreprise ;
- réceptif, c'est-à-dire être ouvert au dialogue et prêter une attention soutenue aux propos de son interlocuteur afin de commenter ceux-ci et de manifester son accord ou son désaccord ;
- déterminé, en demandant à l'interlocuteur des explications détaillées sur chaque point ;
- conciliant, en montrant sa volonté d'éviter des situations conflictuelles avec l'interlocuteur ;
- « battant », c'est-à-dire décidé à remporter la bataille sur le point en discussion.

1.6.5 L'analyse des propositions

Un service de l'approvisionnement efficace acquiert la capacité de bien analyser les propositions reçues du marché et de choisir la meilleure. Un bon acheteur ne se préoccupe pas uniquement du prix ; il examine aussi tout ce qui l'entoure en assurant à l'utilisateur que le produit fourni sera complet.

Prenons l'exemple d'un acheteur qui reçoit une demande pour acquérir un ordinateur. Lorsqu'il analysera les propositions reçues, il aura veillé, au nom de l'utilisateur, à ce que l'ordinateur soit déjà configuré et qu'il inclue les câbles, les

---

14. Roger PERROTIN et Pierre HEUSSCHEN, *Acheter avec profit,* Paris, Éditions d'Organisation, 1999, p. 91 à 94.

manuels d'instructions, les cédéroms et les DVD, que le fournisseur ait précisé en quoi consistent le service après-vente, les garanties et les conditions d'échange, que les logiciels soient inclus dans l'offre, que le formulaire du permis d'utilisation des logiciels soit rempli, etc. Bref, les utilisateurs actuels ne s'attendent pas, de la part des acheteurs, à ce qu'ils associent simplement un prix à une acquisition ; ils recherchent plutôt une solution complète à une demande.

1.6.6 La connaissance et le respect des lois, des politiques, des valeurs et des modes de fonctionnement

Un service de l'approvisionnement fonctionne à l'intérieur d'une société. Celle-ci établit des règles, des normes, des lois, une éthique et des politiques que l'acheteur doit connaître et ne pas transgresser. L'exemple 1.2, basé sur une situation vécue, permettra de comprendre l'importance de cette compétence.

Exemple 1.2

La petite entreprise québécoise ABC avait une entente avec Inter-Transport pour expédier de Montréal à Vancouver des marchandises d'une valeur de 60 000 $. Au départ, ABC prenait une assurance d'Inter-Transport car, selon la loi, en cas de perte totale, le transporteur avait une responsabilité limitée à 4,41 $/kg. Comme les marchandises expédiées par ABC pesaient, à chaque expédition, 8 000 kg, la couverture maximale admissible selon la loi était de 35 280 $ (4,41 $ × 8 000 kg). ABC prenait une assurance supplémentaire avec Inter-Transport dont le montant équivalait à la différence, soit 24 720 $ (60 000 $ − 35 280 $).

Un jour, ABC a décidé de signer un contrat avec une compagnie d'assurances indépendante. Cette entente couvrait l'ensemble de ses expéditions canadiennes, y compris la différence de 24 720 $ pour chaque expédition à Vancouver. Or, Inter-Transport, qui avait été avisée de la démarche d'ABC, n'a pas informé son client que, à l'occasion, une partie de la livraison était faite par un sous-traitant. Ce dernier empruntait des routes américaines pour effectuer le trajet. Durant une expédition, le sous-traitant a eu un accident mortel aux États-Unis. La marchandise d'ABC a été une perte totale. Elle a donc réclamé à Inter-Transport la somme de 35 280 $ et, à sa compagnie d'assurances, la somme de 27 720 $. La compagnie d'assurances a refusé de rembourser ABC, puisque la protection demandée par ABC portait sur les expéditions canadiennes, alors que l'accident avait eu lieu aux États-Unis. Cet accident a causé une perte importante à cette petite entreprise.

Une meilleure connaissance des lois aurait probablement permis à ABC de mieux se protéger contre une telle perte. L'acheteur doit donc connaître la réglementation qui s'applique à chaque entente. Lorsqu'il possède cette compétence, il assure une plus grande sécurité à l'entreprise qui l'emploie. En outre, l'acheteur est appelé à suivre les politiques et les procédures de l'entreprise qui constituent le cadre opérationnel en matière d'approvisionnement. Elles pourront être transgressées uniquement avec l'approbation de la personne qui aura approuvé ces modes de fonctionnement.

1.6.7 L'utilisation des outils technologiques

De nos jours, plusieurs logiciels et outils électroniques sont mis à la disposition des entreprises afin de leur permettre d'être plus productives dans la gestion du temps, de mieux coordonner l'information et de mieux gérer les différents services. L'acheteur doit bien connaître les outils technologiques utilisés par l'entreprise et même participer à leur implantation. Comme ils occupent une place de plus en plus importante, ils seront abordés dans cet ouvrage.

1.6.8 La capacité de travailler en équipe

Le service de l'approvisionnement traite des demandes provenant d'êtres humains. Afin d'offrir le meilleur service possible, l'acheteur doit comprendre les besoins de chaque client, établir un réseau de relations et participer à la vie de l'entreprise. Chaque client agit en fonction de ses perceptions, de ses motivations et de ses attentes. Par ailleurs, il réagira positivement ou négativement selon son degré de satisfaction. Afin de combler les besoins manifestés par son client, l'acheteur doit collaborer avec lui de façon régulière.

1.6.9 La capacité de communiquer

Le service de l'approvisionnement doit communiquer les résultats de ses recherches au moyen d'un vocabulaire compréhensible pour le client. La communication inclut l'écoute, la transmission de l'information et le questionnement. Toutefois, deux situations fréquentes peuvent réduire le degré de confiance du client envers l'acheteur. La première est celle où l'acheteur ne cherche pas à connaître exactement ce que désire le client et tente plutôt d'interpréter sa pensée. Quant à la seconde, il s'agit de celle où l'acheteur donne un espoir au client tout en sachant que la demande ne pourra être comblée parce que l'entreprise n'en obtiendra pas le bénéfice voulu ou que la demande va à l'encontre soit de l'orientation de l'entreprise, soit des lois ou des règles en vigueur.

Dans son travail, l'acheteur doit être capable d'utiliser le maximum d'éléments mis à sa disposition. Sa formation lui permettra de communiquer une recommandation qui satisfera autant l'entreprise que le client. Lors de la diffusion de la recommandation, l'acheteur doit préciser le risque lié à la décision d'acquérir un produit et la façon d'atténuer ce risque.

1.6.10 La manifestation des compétences personnelles nécessaires

Lorsqu'il arrive dans l'entreprise, le nouvel acheteur apporte tout un bagage de compétences personnelles qu'il mettra au service de celle-ci. Parmi les plus pertinentes, il faut mentionner l'esprit d'innovation et la gestion du temps, bien que plusieurs autres compétences soient aussi nécessaires pour améliorer sa productivité et sa valeur au sein de l'entreprise.

L'esprit d'innovation

L'acheteur doit introduire dans son environnement beaucoup de nouveaux produits, de nouveaux modes de fonctionnement et de nouvelles technologies. Pensons seulement à l'évolution technologique qu'a connue le service de l'approvisionnement. En 1985, chaque bon de commande était dactylographié ou écrit manuellement et expédié par la poste. Avec l'explosion des outils de communication modernes, ces méthodes sont dépassées. Par contre, il faut faire un choix : convient-il de télécopier le bon de commande ou de l'expédier par un moyen de communication électronique privé ou public ? L'acheteur doit examiner les différentes options et être à l'affût des nouvelles approches qui feront leur apparition sur le marché. L'acheteur est un agent de changement dans une entreprise. La croyance selon laquelle l'être humain résiste au changement n'a pas sa place dans un service de l'approvisionnement.

La gestion du temps

Au fil de ses multiples contacts à l'intérieur de l'entreprise, l'acheteur risque d'être beaucoup sollicité, et la qualité des services qu'il doit rendre pourrait s'en ressentir. Afin d'éviter de ternir la réputation acquise grâce à ses efforts, il doit gérer son temps efficacement. Ses rapports avec les utilisateurs comportent de nombreux imprévus, et l'acheteur doit être prêt à y faire face. Une simple évaluation des tâches à remplir dans une journée lui permet de les classer en deux catégories : les tâches réactives et les tâches proactives. Les tâches réactives nécessitent une attention immédiate, tandis que les tâches proactives peuvent être planifiées par l'acheteur. En calculant sommairement la portion d'une journée de travail consacrée à ces deux types d'activités, l'acheteur pourra mieux gérer son temps.

Ainsi, si l'expérience permet à l'acheteur de savoir que 60 % de son travail se compose de tâches réactives, il saura qu'il doit leur consacrer quatre heures et demie dans une journée de travail de sept heures et demie. Il lui restera trois heures pour faire des tâches proactives. Il est important pour un acheteur de se garder du temps afin de mettre à jour ses dossiers, d'enrichir son expertise et d'améliorer son mode de fonctionnement. Sinon, il risquera d'éprouver davantage de stress et de perdre une partie de sa motivation.

La patience n'est plus une vertu. L'acheteur recherche une réponse immédiate à son besoin. Il doit pouvoir joindre le représentant en tout temps. Il y a quelques années, un avocat devait accompagner ses clients pour la négociation finale d'un contrat. À présent, le client se déplace et l'avocat reste à son bureau. De cette manière, il peut faire plusieurs transactions en même temps et recevoir des communications de la part d'autres clients. Ainsi, sa journée est beaucoup plus rentable. Même le gouvernement, qui était jadis patient, lance maintenant des ultimatums.

Cette précipitation comporte toutefois des inconvénients. Par exemple, on peut songer aux maladies industrielles liées au stress. En outre, chaque fois que l'acheteur doit travailler dans des situations où il a peu de temps de réaction, il s'ensuit un coût d'acquisition du produit plus élevé. Enfin, dans une situation de réaction, l'impatience et l'anxiété font en sorte que l'on doit revenir constamment aux mêmes tâches, ce qui diminue la productivité.

Un acheteur est souvent confronté au manque de temps. Il acquerra ainsi des habiletés qui l'amèneront à être plus performant dans les situations pressantes. Lorsqu'il planifie son temps et utilise efficacement les outils de communication dont il dispose, l'acheteur se révèle compétent.

Résumé

Dans ce chapitre, nous avons vu que l'acheteur doit s'efforcer de bien comprendre son environnement de travail et les attentes de l'entreprise envers lui. L'approvisionnement comporte un rôle, des activités, des règles, des droits et des obligations, le tout s'inscrivant dans une structure organisationnelle. Il y a de grandes variations entre ce que nous avons décrit dans ce chapitre et ce qui existe sur le terrain. La raison en est fort simple : la majorité des dirigeants d'entreprise attribuent toujours davantage de responsabilités au service de l'approvisionnement et considèrent que son apport est de plus en plus significatif. Malheureusement, c'est au moment où les mouvements économiques du marché rendent difficile la rentrée de fonds dans l'entreprise que l'approvisionnement gagne ses lettres de noblesse. Les dirigeants s'attendent à ce que l'approvisionnement contribue directement à la réduction des coûts.

En plus du contrôle des sorties de fonds auprès des fournisseurs, le service de l'approvisionnement doit sécuriser l'entreprise en ce qui concerne les incertitudes et les menaces provenant du marché. Son rôle majeur est d'optimiser le rendement relativement aux sept critères de son environnement immédiat, à savoir un approvisionnement de la meilleure qualité, un approvisionnement selon la quantité requise, une livraison sans délai, une livraison au lieu désiré, la prestation d'un service professionnel, un approvisionnement provenant de la meilleure source et un approvisionnement au prix le plus bas. Pour y parvenir, l'entreprise devra parfois faire des compromis déchirants.

Pour que cette optimisation soit réelle, les acheteurs doivent respecter certaines règles. Ainsi, ils doivent prendre des risques calculés, faire participer les autres membres de l'entreprise à la prise de décisions et analyser les situations en profondeur. En retour, l'acheteur est en droit de s'attendre à ce que son entreprise étudie les demandes des clients, contrôle toutes les relations avec les fournisseurs et définisse la manière d'analyser les propositions reçues.

Dans ce chapitre, nous avons aussi étudié certaines structures organisationnelles dans lesquelles la fonction « approvisionnement » occupe une place déterminante. Dans la structure formelle, le service de l'approvisionnement est au centre d'ententes basées sur des demandes de produits. Dans la structure matricielle ou de projets, l'acheteur soutient les gestionnaires de projets et, dans la structure étoilée, l'acheteur spécialiste traite selon sa compétence propre une partie de la demande reçue.

Enfin, nous avons décrit les 10 compétences d'un acheteur qui travaille dans une entreprise. Certaines de ces compétences doivent être approfondies par une formation continue, des lectures régulières et des échanges d'information avec des personnes qui exercent la même profession. L'approvisionnement est en constante évolution. Il appartient à l'acheteur de tenir à jour ses compétences afin d'apporter une contribution maximale aux bénéfices de l'entreprise.

Termes à retenir :

- Compétences de l'acheteur
- Droits et obligations de l'acheteur
- Mission de l'entreprise
- Règles à suivre
- Rôles de l'acheteur
- Sept critères de l'approvisionnement
- Structure organisationnelle en approvisionnement

Questions

1. Pourquoi les décisions d'achat se prennent-elles généralement en équipe?

2. Définissez le rôle de l'acheteur dans une entreprise.

3. Que veut dire l'énoncé suivant: « L'acheteur doit apporter la meilleure contribution possible à l'entreprise »?

4. Nommez les étapes du processus de résolution d'un problème.

5. Déterminez les éléments importants dans le contenu d'un rapport sur la résolution d'un problème.

6. Nommez les droits fondamentaux d'un acheteur.

7. Nommez les obligations d'un acheteur.

8. Nommez 10 éléments contenus dans un manuel de politiques et de procédures.

9. Pourquoi une entreprise est-elle divisée en services?

10. Quels sont les sept critères qu'un acheteur doit optimiser?

11. La structure organisationnelle d'un service de l'approvisionnement dans une entreprise d'envergure fait intervenir trois types de direction. Quels sont-ils?

12. En quoi consiste la structure étoilée?

13. Donnez trois avantages de la centralisation et trois avantages de la décentralisation.

14. Nommez cinq compétences d'un acheteur.

15. Décrivez trois compétences d'un acheteur.

16. Pourquoi est-il important qu'un acheteur sache ce qu'il doit acheter?

17. À quoi s'expose un acheteur qui transgresse les lois d'ordre public?

18. Pourquoi est-il important qu'un acheteur fasse profiter l'entreprise de ses compétences personnelles?

19. Nommez cinq principes du code de déontologie des acheteurs.

20. Pourquoi une entreprise a-t-elle un manuel de politiques et de procédures?

21. « Un acheteur doit toujours refuser des cadeaux d'affaires de ses fournisseurs. » Comment réagissez-vous à cette affirmation?

22. Nommez les trois principes de base que doit respecter un appel d'offres du secteur public.

23. Selon la politique d'achat décrite dans le chapitre, définissez le terme « objet ».

24. Nommez des entreprises des secteurs public, privé et parapublic.

Exercices d'apprentissage

1. Donnez des exemples dans lesquels l'acheteur peut prévoir des incertitudes du marché qui peuvent modifier les enjeux et les conséquences pour une entreprise.

2. Donnez des exemples montrant comment l'acheteur peut apporter la meilleure contribution possible à l'entreprise.

3. Selon vous, pourquoi le service de l'approvisionnement occupe-t-il maintenant une place plus importante dans l'entreprise ?

4. Selon vous, qu'est-ce qui différencie l'acheteur du secteur public de l'acheteur du secteur privé ?

5. Selon vous, les règles décrites dans le présent chapitre sont-elles les mêmes pour le secteur privé que pour le secteur public ?

6. Selon vous, quelles sont les ressemblances ou les distinctions entre les droits de l'acheteur du secteur privé et les droits de l'acheteur du secteur public ?

7. Établissez une structure formelle comportant des niveaux d'autorité sur la base des fonctions, sur une base géographique et selon les marques d'un produit.

8. Pourquoi une entreprise a-t-elle intérêt à décentraliser sa prise de décisions ?

9. Comment un acheteur peut-il apporter une contribution dans le secteur manufacturier ? dans le secteur du commerce de détail ? dans le domaine des services ?

10. Comment un acheteur peut-il montrer aux dirigeants de l'entreprise qu'il représente une valeur ajoutée pour celle-ci ?

11. « Nul n'est censé ignorer la loi. » Que veut dire cette maxime pour un acheteur ?

12. « Un acheteur se doit d'obtenir le meilleur prix. » Commentez cet énoncé.

13. Voici une liste d'avantages liés soit à la centralisation, soit à la décentralisation du service de l'approvisionnement. Faites deux colonnes : titrez la première « Centralisation » et la deuxième, « Décentralisation ». Placez la lettre correspondant à l'énoncé dans l'une des deux colonnes.

    a) Favorise la standardisation des matières achetées.

    b) Favorise l'autonomie.

    c) Met l'accent sur un service plus direct et personnalisé.

    d) Assure la rapidité d'action.

    e) Permet d'obtenir des escomptes de quantité plus élevés.

    f) L'expertise est concentrée.

    g) Un plus grand nombre de personnes peuvent observer l'introduction de nouvelles sources d'approvisionnement.

h) Il est plus facile de contrôler la qualité.

i) Le moral des troupes est à la hausse, car plus de gens se sentent concernés.

j) Il est plus facile de répartir équitablement les stocks entre les différents clients (ateliers, divisions, filiales, etc.) dans le cas d'une allocation de ressources ou d'une pénurie chez les fournisseurs (par exemple, il pourrait être difficile de trouver du lave-glace au Québec et en Ontario dans les magasins à grande surface).

k) La prise de décision est répartie entre plusieurs personnes.

l) Il est plus facile d'implanter une nouvelle technologie.

m) Les procédures et les politiques sont souvent mieux comprises parce qu'elles sont interprétées par moins d'individus.

n) La formation de beaucoup d'individus est inutile.

14. Voici une liste des principaux inconvénients de la centralisation et de la décentralisation du service de l'approvisionnement. Faites deux colonnes : titrez la première « Centralisation » et la deuxième, « Décentralisation ». Placez la lettre correspondant à l'énoncé dans l'une des deux colonnes.

a) Il est difficile de réagir aux urgences et aux particularités locales.

b) Le coût de traitement des petits achats dépasse souvent la valeur des produits achetés.

c) Une grande polyvalence est exigée de la part des acheteurs.

d) Le traitement des réponses aux besoins est plus lent.

e) On constate une perte des escomptes de quantité.

f) Il y a des difficultés de fonctionnement lorsqu'une entreprise possède plusieurs usines et centres de distribution qui sont situés dans des secteurs géographiques différents et éloignés.

g) Les gens se sentent moins concernés.

h) La qualité du contrôle interne des achats n'est pas toujours égale, plusieurs intervenants étant concernés. De plus, leur connaissance et leur compréhension des procédures ne sont pas toujours adéquates.

i) La qualité des intrants est plus difficilement assurée.

j) Il y a beaucoup d'écritures administratives.

Exercices de compréhension

1. L'étudiant se rendra dans un centre commercial et fera une analyse de la concurrence entre les boutiques. Il tentera de déterminer comment devrait se comporter l'acheteur par rapport à la philosophie des propriétaires d'une boutique sur le plan de la gestion du risque ou de leur orientation stratégique.

2. « Le service de l'approvisionnement n'est qu'un centre de dépenses qui ne réalise aucun profit. » Êtes-vous d'accord avec cette affirmation ? Commentez-la.

3. « Le service de l'approvisionnement doit absolument travailler en vase clos afin de contrôler au maximum ses ressources humaines, matérielles et financières. » Êtes-vous d'accord avec cette affirmation ? Commentez-la.

4. Que signifie l'expression « être responsable de la prise de décisions » ?

5. Le métier d'acheteur est-il un métier risqué ? Expliquez votre réponse.

6. Quels liens existe-t-il entre un approvisionneur, un acheteur technicien, un logisticien et un gestionnaire du trafic ?

Cas

1. À la pêche au contrat

Un jeune acheteur, Pierre Desjardins, se voit confier de plus en plus de responsabilités par son supérieur, qui est très satisfait de son rendement. Les contrats à négocier gagnent en importance et Pierre se sent parfaitement à l'aise dans cette situation. Il prépare très bien ses rencontres et il connaît ses limites. D'ici quelques mois, il devra s'occuper de deux contrats d'envergure qui viendront à échéance. Le premier, qui concerne des équipements de sécurité, a été octroyé annuellement depuis trois ans à la firme Les Équipements Konar ltée et le second, qui a trait à la boulonnerie, a été accordé annuellement depuis deux ans à la firme Jacques Rivet inc.

Dernièrement, le représentant d'un concurrent de Jacques Rivet inc., Timothée Poisson, après un bon repas avec Pierre, l'a invité à une fin de semaine de pêche à l'île d'Anticosti, tous frais payés, car il sait que Pierre est un grand amateur de pêche. Le but de M. Poisson est de maintenir de bonnes relations d'affaires avec cet acheteur. Pierre se demande s'il doit accepter cette invitation.

Question

Pouvez-vous conseiller Pierre Desjardins ?

2. Regard sur une décision d'achat

Pauline Turgeon, une acheteuse travaillant dans le secteur de la transformation, évalue la possibilité d'acquérir une nouvelle technologie pour son entreprise. Son employeur lui demande de préparer un dossier d'achat complet qu'elle devra présenter à la haute direction afin que celle-ci puisse prendre une décision éclairée.

Question

Décrivez, à l'aide de tous les éléments étudiés dans le chapitre, comment Pauline pourra arriver à ses fins. Plus précisément, comment planifieriez-vous votre gestion du temps, et quels points devriez-vous étudier pour satisfaire à cette demande ?

3. Un dilemme entre la théorie et la pratique

Jacques Gagné, un jeune acheteur qui a été recruté directement sur les bancs d'école, est devant un dilemme. En effet, il a appris qu'un acheteur doit garder la mainmise sur les relations avec les fournisseurs. Or, le directeur des opérations de l'entreprise détermine en tout temps la source d'approvisionnement de ses achats.

Question

Si vous étiez Jacques Gagné, comment vous y prendriez-vous pour faire respecter votre droit ?

Annexe 1.1

Le code de déontologie de l'Association canadienne de gestion des achats

1. *Valeurs et normes de comportement éthique*

a) Valeurs

Les membres prendront leurs décisions et agiront en se basant sur les valeurs suivantes :

- Honnêteté et intégrité
  Maintenir un standard d'intégrité irréprochable dans toutes relations d'affaires tant à l'intérieur qu'à l'extérieur des entreprises pour lesquelles ils travaillent.

- Professionnalisme
  Contribuer au développement des normes rigoureuses de compétences professionnelles chez leurs subordonnés.

- Gestion responsable
  Utiliser avec le maximum d'efficience les ressources dont ils ont la charge, et ce, dans le meilleur intérêt de leur employeur.

- Intérêt du public
  S'abstenir d'utiliser leurs fonctions pour leur bénéfice personnel et rejeter et dénoncer toute pratique commerciale irrégulière.

- Conformité aux lois en ce qui concerne :
  a) les lois du pays dans lequel ils pratiquent ;
  b) les statuts et règlements de la Corporation ;
  c) les obligations contractuelles.

b) Normes de comportement éthique

Les membres doivent s'engager à :

- Garder bien en vue dans toute transaction les intérêts de leur employeur, croire en sa politique et mettre tout en œuvre pour la réaliser.

- Être réceptifs aux conseils avisés de leurs collègues, sans pour autant compromettre les responsabilités de leur fonction.

- Acheter en évitant les préjugés et en s'efforçant d'obtenir la valeur maximale pour chaque dollar dépensé.

- Se tenir à la fine pointe du progrès tant du point de vue de l'achat des matières que des procédés de fabrication et établir des méthodes pratiques dans l'exercice de leurs fonctions.

- Participer à des programmes de perfectionnement professionnel de façon à améliorer leur savoir et leur rendement.

- Être honnêtes et sincères dans toute transaction et dénoncer toute pratique malhonnête en affaires.

- Recevoir avec promptitude et courtoisie tous ceux et celles qui se présentent dans le but de traiter d'affaires avec eux.

- Se conformer au code de déontologie de l'**Association canadienne de gestion des achats** ainsi qu'à celui de la Corporation et des instituts affiliés, et encourager les autres à faire de même.

- Conseiller et aider leurs collègues acheteurs dans l'exercice de leurs fonctions.

- Collaborer avec tous les organismes et individus travaillant à promouvoir les activités de la profession d'approvisionneur et à en rehausser le prestige.

2. *Règles de conduite*

Dans l'application de ces préceptes, les membres devraient se conformer aux principes directeurs suivants :

a) Divulgation d'intérêts

Tout intérêt personnel susceptible d'influencer l'impartialité d'un membre ou qui pourrait être raisonnablement considéré comme tel, en ce qui concerne toute question relative à ses fonctions, doit être porté à la connaissance de son employeur.

b) Caractère confidentiel et exactitude des renseignements

Les renseignements confidentiels reçus dans l'exercice de leurs fonctions doivent être respectés et ne devraient pas être utilisés à des fins personnelles. Aussi, les renseignements fournis devraient être exacts et présentés de façon à ne pas induire en erreur.

c) Concurrence

Bien que le maintien de rapports suivis avec un fournisseur représente un avantage pour l'employeur du membre, tout arrangement qui pourrait entraver la bonne marche d'une concurrence loyale doit être évité.

d) Cadeaux d'affaires et marques d'hospitalité

En vue de préserver l'image et l'intégrité du membre, de son employeur et de la profession, les cadeaux d'affaires ne devraient pas être acceptés, sauf les articles de peu de valeur. Les gestes raisonnables d'hospitalité constituent dans une certaine mesure une expression de courtoisie admise dans le cadre des relations d'affaires. La fréquence et la nature des cadeaux ou des marques d'hospitalité acceptées ne devraient pas faire qu'en acceptant de tels cadeaux ou marques d'hospitalité les membres puissent être influencés dans leur prise de décisions ou donner l'apparence qu'ils l'ont été.

e) Discrimination et harcèlement

En tout temps, le membre ne fera pas de discrimination ni de harcèlement envers toute personne avec laquelle il ou elle entretient des relations d'affaires.

f) Environnement

Reconnaître sa responsabilité envers la protection de l'environnement et respecter les objectifs ou la mission de l'organisation pour laquelle le membre travaille.

g) Interprétation

En cas de doute sur l'interprétation de ces règles de conduite, les membres devraient se référer au Comité de déontologie de la Corporation.

3. *Procédures de renforcement*

Ces procédures s'appliquent, sauf si elles sont régies par une législation provinciale.

Les cas d'infraction présumée au code de déontologie seront adressés à la Corporation pour être étudiés par le Comité de déontologie.

a) Processus de plaintes

- Les allégations d'un manquement au code de déontologie doivent se faire par écrit par le témoin à la Corporation du membre.

- Sur réception de la plainte, la Corporation fera parvenir un accusé de réception au plaignant et avisera le membre en cause par écrit de la nature de la plainte tout en expliquant au membre qu'il fait l'objet d'une enquête.

b) Enquête

- Le Comité de déontologie mènera une enquête, au cours de laquelle le membre en cause aura l'occasion de présenter sa version des faits.

- Le Comité de déontologie devra, dans un délai raisonnable, soumettre son rapport au président de la Corporation. Le rapport devra inclure la nature de la plainte et la décision quant à son renvoi ou à la sanction à y appliquer.

- Le président fera par la suite parvenir la décision au membre en cause, lequel aura trente jours pour en appeler.

- Si le membre en cause décide d'en appeler, sa demande doit être faite par écrit au président.

- Le président convoquera alors le Comité d'appel avec les témoins, le membre en cause et toute personne pouvant apporter des informations nouvelles sur le cas.

- Le Comité d'appel fera connaître sa décision dans les trente jours de la réception de la demande d'appel. Sa décision est finale et sans appel.

c) Sanctions

- Tout membre jugé coupable est passible, selon les circonstances et la gravité de l'accusation, d'une réprimande, d'une suspension ou de voir son nom rayé de la liste des membres. Les détails des cas d'infraction au code de déontologie peuvent être publiés de la manière que la Corporation jugera appropriée.

- L'application des sanctions sera faite selon les exigences de la Corporation du membre.

Le processus d'approvisionnement

Objectif général

Démystifier la notion de service en matière d'approvisionnement, ou ce que l'on appelle le «processus d'approvisionnement».

Autres objectifs

- Décrire le processus d'approvisionnement.
- Expliquer le concept d'«approvisionnement mix» (les quatre «O», qui sont l'objet, l'objectif, l'organisation et l'opération d'achat).
- Déterminer les bénéfices pour l'entreprise.
- Appliquer l'effet de levier sur l'approvisionnement et sur les ventes.
- Comprendre le concept de ratio du rendement de l'actif.

Chaque expérience qui vous amène à affronter la peur décuple votre force, votre sagesse et votre confiance. Vous devez toujours vous surpasser.

– Eleanor Roosevelt (1884-1962), épouse de Franklin Delano Roosevelt et Première Dame des États-Unis de 1933 à 1945.

CIMENT ST-LAURENT

Ciment St-Laurent est le principal fournisseur de produits et services destinés à l'industrie de la construction au Canada et a des clients d'un bout à l'autre du pays. La société a connu une croissance remarquable depuis sa constitution en 1951. Aujourd'hui, son effectif compte plus de 3 000 employés et son chiffre d'affaires dépasse 1,3 milliard de dollars.

Pour Ciment St-Laurent, la création de valeurs est un objectif primordial. La société s'est bâti une réputation de premier ordre par la création de valeurs – valeur pour ses clients par l'offre de produits et services innovants, valeur pour ses employés par la formation et le perfectionnement qu'elle leur assure, et valeur pour la collectivité par sa détermination bien arrêtée à promouvoir le développement durable et par ses efforts en vue de s'acquitter de ses responsabilités sociales.

Ciment St-Laurent fait partie du Groupe Holcim, qui est établi en Suisse et qui s'inscrit parmi les grands fournisseurs de ciment, de béton et de granulats à l'échelle mondiale. Actif dans plus de 70 pays et sur tous les continents, le Groupe emploie plus de 90 000 personnes.

À titre de producteur et de fournisseur de ciment, de béton et de granulats, ainsi que de joueur clé dans le secteur de la construction, nous savons que la qualité va au-delà de l'offre de produits dont la performance est uniforme : cela signifie également offrir un produit de qualité, livré à temps, au bon endroit et au juste prix. Nous permettons aussi à nos clients de commander leur matière première en ligne, ce qui améliore notre service à la clientèle et allège le processus d'achat.

Gilles Paquin, ing.
Directeur de l'usine de Joliette

Introduction

Les principales activités du service de l'approvisionnement gravitent autour de la gestion des relations avec les fournisseurs, qui procurent les produits et les services nécessaires au bon fonctionnement de l'entreprise. Comme nous l'avons vu au chapitre 1, les comportements et les décisions des acheteurs apporteront deux types de contribution à l'entreprise, à savoir la participation à la mission de l'entreprise et l'information à lui donner en ce qui concerne les dangers provenant du marché.

Dans ce chapitre, nous décrirons le **processus d'approvisionnement,** qui est la base de la notion de service en matière d'approvisionnement. Ce processus s'inscrit dans une approche globale dont le but est d'acquérir un produit ou un service dont l'entreprise a besoin et qui se manifestera par une demande d'achat dûment autorisée. Étant donné la complexité des étapes de ce processus, nous traiterons du début du processus à l'intérieur de ce chapitre et, à partir de l'**exploration du marché,** nous verrons la suite du processus au chapitre 3. Le cœur du présent chapitre vise à définir le besoin et l'**approvisionnement mix,** c'est-à-dire les grandes lignes qui rendront la recherche productive et aideront l'acheteur à prendre une décision judicieuse.

2.1 Les étapes du processus d'approvisionnement

Comme nous l'avons vu lors de l'étude des compétences de l'acheteur, il est important de bien comprendre le besoin de l'utilisateur. Ce besoin prend la forme de spécifications ou, dans le cas d'un service, de la valeur du service, en tenant compte du résultat à atteindre et de la manière d'y parvenir. Une fois circonscrit, ce besoin deviendra, pour l'acheteur, l'objet à acheter. L'exemple suivant permettra de mieux comprendre la différence entre l'objet et le besoin. En tant qu'être humain, vous avez besoin de vous nourrir pour survivre. Lorsque vous avez le goût de manger du poulet, votre besoin à combler est celui de manger, alors que votre objet est l'aliment lui-même, soit le poulet. Il en est de même pour une entreprise. Celle-ci a différents besoins qu'elle tente de combler par l'acquisition d'objets. Prenons maintenant l'exemple d'une entreprise qui a besoin d'être informée. Son désir pourrait prendre la forme d'un logiciel de communication électronique qui lui apporterait l'information recherchée. Le logiciel deviendra donc l'objet à acheter.

La figure 2.1, à la page suivante, montre les étapes du processus d'approvisionnement dans une entreprise du secteur privé. Pour un organisme du secteur public, la négociation s'effectue avec l'utilisateur et précède l'exploration du marché. En effet, le choix du fournisseur est basé sur le principe du plus bas soumissionnaire conforme et, selon les règles du secteur public, l'ouverture des propositions a lieu en public. Nous avons ainsi défini ce qui sera traité au chapitre 2 et au chapitre 3.

Un cheminement complet s'effectue au moment de chaque acquisition. La durée d'une étape peut être très variable. Par ailleurs, le processus peut s'arrêter à tout moment, dès que l'acheteur croit qu'il se dirige vers une impasse. Il est impossible de passer à la prochaine étape avant d'être satisfait de l'étape en cours. Il appartient à chaque entreprise de définir ce degré de satisfaction. Par exemple, les organismes publics prennent beaucoup de temps à définir l'approvisionnement mix parce qu'ils doivent faire preuve d'accessibilité, de transparence et d'équité envers chacune de leurs sources d'approvisionnement. Par contre, les entreprises privées adoptent une approche différente par rapport à l'approvisionnement mix parce qu'elles n'ont pas à respecter les mêmes règles de conduite. Nous allons nous pencher maintenant sur l'éveil du besoin ainsi que sur l'approvisionnement mix.

2.2 L'éveil du besoin

Quatre approches permettent de décrire l'éveil du besoin : l'approche instinctive, l'approche provoquée, l'approche planifiée et l'approche contractuelle.

Selon l'approche instinctive, l'entreprise a appris par expérience à déterminer un événement ou à reconnaître une réaction instinctive qui déclenche le processus d'approvisionnement. Ce serait le cas pour un manque de stock sur les tablettes, pour un produit ayant atteint le stade du réapprovisionnement ou pour un avertissement émanant d'une personne.

Figure 2.1 Le processus d'approvisionnement

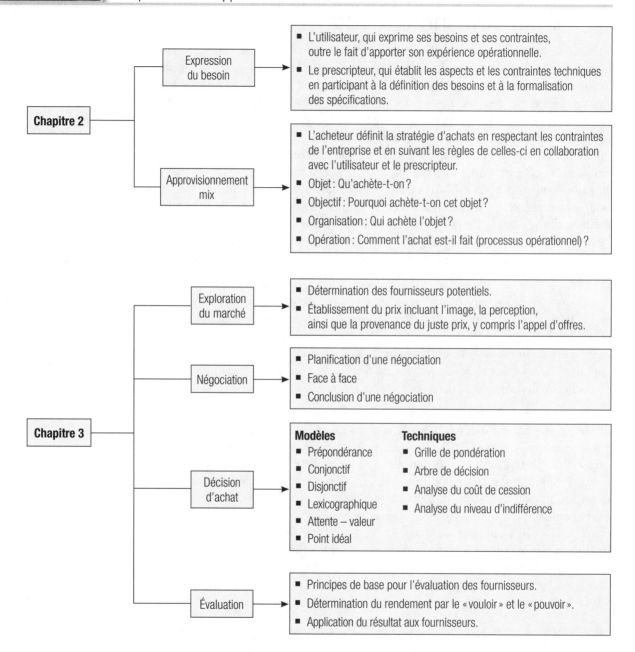

D'après l'approche provoquée, l'entreprise est alertée par un phénomène soudain ou extérieur. Ainsi, la panne d'un équipement engendre le désir d'acheter des pièces de rechange ; ou encore la mauvaise qualité de copies donne lieu à un appel auprès d'un fournisseur de photocopieurs.

Dans l'approche planifiée, l'entreprise détermine, selon ses ressources, le moment où elle entreprendra le processus menant à l'achat d'un produit ou d'un service. On peut citer, par exemple, la révision du contrat du service de sécurité à la fin de l'entente ou le choix du moment de poursuivre un client pour non-paiement de son compte.

Enfin, selon l'approche contractuelle, l'entreprise s'engage par contrat à effectuer un processus d'approvisionnement, comme pour l'entretien de certains équipements. Cela peut être l'obligation de procéder à l'entretien de moteurs d'avion après un certain nombre d'heures de vol ou encore d'acheter un certain volume durant une période donnée.

Cette première étape revêt une double signification. D'abord, elle incite l'entreprise à étudier les motivations susceptibles d'être liées au produit ou au service. Ensuite, elle lui permet de déterminer l'urgence et l'importance de l'objet à acquérir. Dans le cas d'une entreprise qui possède plusieurs camions, tant et aussi longtemps que les camions sont sur la route et que l'entreprise paie un coût d'entretien raisonnable, rien ne laisse prévoir l'amorce d'un processus d'approvisionnement. Par contre, si les camions sont en mauvais état, l'entreprise prêtera attention aux propositions de fournisseurs pouvant remplacer ses camions ou commencera une démarche pour acquérir des camions supplémentaires. La figure 2.2 illustre ce processus.

Figure 2.2   Le processus d'achat de camions

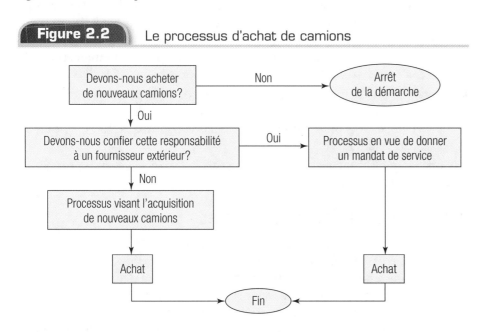

Au cours de cette phase, l'acheteur vérifie que la définition du besoin :

- répond aux attentes de l'entreprise ;
- ne contrevient pas aux lois d'ordre public ;
- permet d'approcher les fournisseurs selon les principes de transparence, d'équité et d'accessibilité autorisant une certaine concurrence entre les sources d'approvisionnement ;
- est exprimée en termes de « fait de », c'est-à-dire que l'on impose une solution, ou en termes de « fait pour », c'est-à-dire que l'entreprise cherche un résultat à partir d'une solution provenant d'un fournisseur ;

- détermine les différentes contraintes en lien avec le besoin, comme c'est le cas pour des enjeux réglementaires (sécurité, environnement, fiches signalétiques, etc.), des normes précises (équipements de production, étiquettes, etc.), des volumes, des délais de livraison, des lieux de livraison et autres.

2.3 L'approvisionnement mix

L'approvisionnement mix consiste à définir quatre variables (les quatre « O ») qui résument la procuration remise par le demandeur ou l'entreprise en vue d'acquérir un produit ou un service. En voici la description :

- L'objet d'achat est la description précise du produit, du service, du logiciel, de l'assurance, etc. L'acheteur comprend ce qu'il doit acheter, mais il n'est pas responsable de la description précise de l'objet. Le demandeur ou l'utilisateur est celui qui est le plus apte, dans l'entreprise, à définir correctement ce qu'il désire acquérir.

- L'objectif d'achat comprend les éléments requis pour juger de la pertinence de l'achat, de la gestion des compromis entre les attentes de l'entreprise et les offres probables des fournisseurs, de la détermination du bénéfice attendu de cet achat, de l'effet sur la mission de l'entreprise, de la possibilité de regrouper ses achats pour obtenir de meilleurs avantages, etc. Afin d'établir cet objectif, l'acheteur obtient des données provenant de la haute direction, de l'environnement externe de l'entreprise, de la **chaîne d'approvisionnement** et de l'interprétation des sept critères de l'approvisionnement.

- L'organisation d'achat est le capital humain de l'entreprise en lien avec la décision d'acheter. On peut penser à l'utilisateur, au décideur, à l'acheteur, à la personne susceptible d'influencer la décision, à l'expert, au financier, au conseiller juridique, etc.

- L'opération d'achat consiste en la maîtrise de l'acte d'achat et en la production des documents requis à cet effet.

2.3.1 Le premier « O » : l'objet

Selon la définition du dictionnaire *Le Petit Larousse illustré,* un « objet » est une chose considérée comme un tout, fabriquée par l'homme et destinée à un certain usage. Une entreprise ne fait pas uniquement l'acquisition d'un produit ou d'un service, mais d'une combinaison des deux. Dans certains cas, la partie « produit » prend plus d'importance que le service ; dans d'autres, l'expertise est davantage mise en évidence. La figure 2.3 permet de mieux comprendre le principe évoqué.

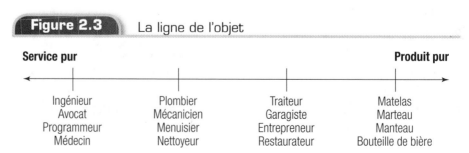

Figure 2.3 La ligne de l'objet

Service pur			Produit pur
Ingénieur	Plombier	Traiteur	Matelas
Avocat	Mécanicien	Garagiste	Marteau
Programmeur	Menuisier	Entrepreneur	Manteau
Médecin	Nettoyeur	Restaurateur	Bouteille de bière

L'objet peut aussi prendre une autre forme. À titre d'exemple, une assurance n'est, au moment de son achat, ni un produit ni un service. C'est lors d'un sinistre subi par l'entreprise que l'assurance prend la forme de produits ou de services requis pour réparer les dommages. Il arrive régulièrement qu'une entreprise achète des objets dont elle obtiendra l'usufruit plus tard. Un autre exemple est l'acquisition d'un droit d'utilisation d'une licence informatique. Dans ce cas, l'acheteur veut obtenir un résultat en utilisant un moyen, le logiciel informatique, auquel l'entreprise accède en achetant la licence informatique.

Comme nous l'avons déjà mentionné, le demandeur est responsable de la description précise de l'objet. Par contre, l'approvisionneur doit s'assurer de satisfaire la demande selon les deux critères suivants :

- La description complète de l'objet doit tenir compte des combinaisons possibles de toutes les caractéristiques requises pour le définir telles que les spécifications, la performance du service, les fonctionnalités de l'objet, l'entretien, etc. Elle permet à l'approvisionneur d'obtenir la meilleure entente possible pour l'entreprise.

- La description de l'objet respecte les principes de transparence, d'équité et d'accessibilité au regard des sources d'approvisionnement potentielles.

La description complète

La description complète de l'objet correspond à un ensemble de caractéristiques connues et inconnues qui définissent l'expression de la demande (*voir la figure 2.4*). Ces caractéristiques peuvent être réparties en cinq catégories.

Figure 2.4 La description complète d'un objet

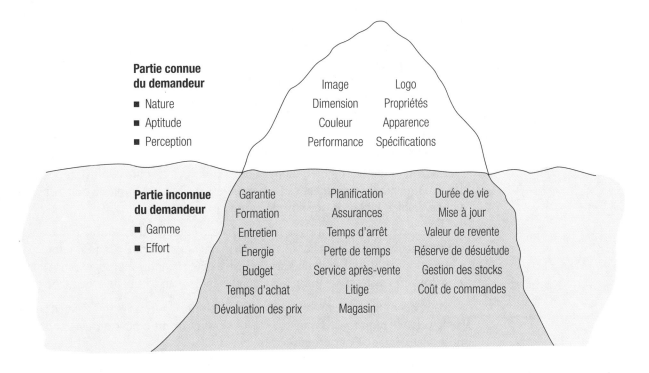

La nature de l'objet et ses propriétés physiques, chimiques et biologiques

Par exemple, une aspirine Bayer doit être blanche, ronde, marquée du mot « Bayer » en croix, composée d'un agglomérat de poudre et soulager le mal de tête. Dernièrement, le gouvernement du Canada a forcé une importante entreprise pharmaceutique à retirer ses produits des tablettes, car le contenu de chaque pilule variait, ce qui pouvait représenter un danger pour la santé de la population.

L'aptitude objective de l'objet à répondre aux désirs du client

Par exemple, un consommateur qui veut préparer des états financiers choisit un logiciel comptable plutôt qu'un logiciel de traitement de texte, ou encore un client peut désirer un téléviseur qui permet la transmission d'images pouvant être reproduites sur un écran dès la réception de celles-ci.

La perception psychologique et symbolique de l'objet

Par exemple, devenir propriétaire d'une Harley-Davidson, marque renommée de motocyclettes, peut être le signe que l'on est connaisseur en matière de motocyclettes ou encore que l'on s'identifie à un groupe de motards. De la même manière, la couleur d'une chaise peut avoir de l'importance parce qu'elle doit s'intégrer au décor de la réception de l'entreprise.

La gamme de l'objet

Il peut s'agir d'un produit durable (les immobilisations d'une entreprise, par exemple la machinerie), d'un produit non durable (un produit tangible utilisé généralement dans un temps limité, par exemple un aliment) ou d'un service (une activité ou un avantage qui donne lieu à une entente commerciale, par exemple un service de maintenance ou des soins médicaux).

L'effort pour acquérir l'objet

Cet objet peut être un produit d'achat courant (un produit de consommation que l'entreprise a l'habitude d'acheter fréquemment, avec un effort minimal de comparaison, par exemple un produit sanitaire ou de la papeterie), un produit nécessitant un achat réfléchi (un produit qui requiert une base d'évaluation, par exemple un camion ou un équipement technologique) ou un produit de spécialité (qui possède des caractéristiques uniques ou une image de marque bien définie appelant une certaine attention).

L'acheteur a intérêt à bien définir l'objet pour éviter toute confusion possible. Lorsqu'il explore le marché, sa recherche est ainsi facilitée parce qu'il a pris le temps de bien cibler ce que son demandeur désire.

En respectant les principes de transparence, d'équité et d'accessibilité, l'acheteur peut approcher adéquatement le marché et faire appel au plus grand nombre possible de sources d'approvisionnement. Ainsi, il peut répondre aux attentes de l'entreprise tout en s'assurant de remplir adéquatement le mandat qui lui est confié.

Pour accroître la compréhension de la section portant sur l'objet d'achat, nous verrons maintenant quelques façons qui peuvent améliorer la description de l'objet demandé par un requérant.

Les différents moyens de décrire l'objet d'achat

Il existe plusieurs moyens de décrire un produit ou un service. Les plus connus sont la marque de commerce, les spécifications du produit ou du service, les plans et devis, les échantillons, les normes déterminées par des associations reconnues du marché, l'analyse de la valeur d'un produit ou d'un service, l'image d'une nation, la fiabilité, la garantie, la valeur de rebut, la durabilité et l'espérance de vie.

La marque de commerce

On fait appel à la réputation d'une marque de commerce lorsque le service client connaît très bien une marque et est entièrement satisfait de cette dernière. On utilise également la réputation d'une marque pour faire l'acquisition d'un produit ou d'un service dans le cas où on ne peut investir ni temps ni argent dans la description complète d'un produit ou encore dans le cas où le fournisseur est unique dans son champ d'activité, comme Hydro-Québec dans le domaine de l'électricité.

Pour l'acheteur, cette façon de décrire un produit lui fait gagner énormément de temps, car il n'a pas à négocier un prix avec son fournisseur. Par contre, s'il prend l'habitude de travailler de cette façon avec ses fournisseurs, il risquera de perdre rapidement le pouls du marché et finira par acheter un produit qui ne sera pas le meilleur dans une situation donnée.

Les spécifications du produit ou du service

La méthode des spécifications du produit ou du service est la méthode la plus utilisée dans l'industrie. Il s'agit, pour le service qui fait la demande de même que pour l'acheteur, de décrire les caractéristiques du produit ou du service tant du point de vue physique et chimique que du point de vue du rendement attendu, et ce, dans le but d'éviter toute ambiguïté avec les fournisseurs. Il va sans dire que cette façon de faire demande plus de temps ; cependant, elle donne habituellement de bons résultats.

Il existe différents types de spécifications. Citons les suivants :

- les spécifications physiques telles que le poids, la taille ou les dimensions ;
- les spécifications chimiques telles que la composition chimique ou le degré de concentration ;
- les spécifications de rendement telles que la résistance au frottement ou la dureté ;
- les spécifications qualitatives telles que l'esthétique ou le goût ;
- les spécifications de transformation telles que le type de procédé à utiliser ou la précision d'usinage à respecter ;
- les spécifications industrielles telles qu'un boîtier de protection nema 12 dans le domaine électrique ou une vis en acier inoxydable à tête fraisée ;
- les spécifications gouvernementales telles que les normes de la Commission de la santé et de la sécurité du travail ou les exigences politiques quant à la charge de travail devant être exécutée à l'intérieur des frontières du Québec.

Les plans et devis

La méthode des plans et devis est très utilisée dans l'industrie de la construction et dans les industries dont les produits demandent un haut degré de précision comme l'industrie aérospatiale. Cette méthode consiste à reproduire le bien commandé sur du papier conçu à cet effet ; la reproduction faite à l'échelle constitue un plan. Le devis, qui sert d'accompagnement au plan, met en évidence tous les détails qui ne peuvent être inclus sur le plan, comme le pourcentage de précision de chaque matière entrant dans le produit à fabriquer ou les caractéristiques du rendement de chaque produit utilisé, par exemple du béton ayant une résistance en compression de 30 mégapascals et un affaissement de 75 millimètres.

Cette méthode ne laisse aucun doute quant au produit à acquérir. Elle peut susciter des réactions de la part de la concurrence, car il est plus facile de faire des comparaisons entre les produits avec cette façon de faire. Toutefois, cette méthode est longue, fastidieuse et coûteuse. Une entreprise doit être suffisamment structurée afin de faire un suivi efficace sur l'achat.

Les échantillons

L'acheteur peut demander à un fournisseur potentiel de lui donner un échantillon du produit qu'il désire acheter. Une fois l'échantillon reçu, il le montrera au service en cause, lequel approuvera ou non le produit suivant les caractéristiques recherchées.

Cette méthode est très utilisée dans l'industrie minière (dans les carrières, les sablières, etc.), dans l'industrie textile (le coton et la laine) ainsi que dans l'industrie agroalimentaire (les fruits et les légumes). Comme il y a un risque de variations d'un mois à l'autre dû à la différence entre les lots de production, l'entreprise qui fera l'achat doit être sur ses gardes. Pour ce faire, elle exigera un échantillon du produit à acheter.

Les normes déterminées par des associations reconnues du marché

Certains organismes de normalisation font autorité au Québec et au Canada. Beaucoup d'entreprises utilisent ces normes dans le but de faciliter les échanges avec les fournisseurs. Citons l'Association canadienne de normalisation (ACNOR), le Bureau de normalisation du Québec (BNQ), le Protocole national sur l'emballage (PNE), l'International Standards Organization (ISO), les normes QS9000 dans l'industrie automobile et les normes HACCP dans le domaine agroalimentaire. On pourrait également citer quelques associations qui, sans être des firmes de normalisation, en font office en ce qui concerne la qualité aux niveaux québécois, canadien et même international. On n'a qu'à penser à l'OIQ (Ordre des ingénieurs du Québec) ou à la CAQ (Corporation des approvisionneurs du Québec), ou encore à l'OTQ (Ordre des technologues du Québec).

L'analyse de la valeur d'un produit ou d'un service

L'analyse de la valeur d'un produit ou d'un service est une méthode systématique qui remet en question l'optimisation de la fonction du produit, le besoin de l'utilisateur, la qualité requise et le prix d'un produit ou d'un service pour répondre aux attentes de l'utilisateur. Nous examinerons cette approche au chapitre 8.

L'image d'une nation

Un produit fabriqué dans un pays donné peut être perçu comme étant de piètre qualité, ce qui aura pour effet de ne pas ajouter de valeur à l'échange commercial avec le pays importateur. Par exemple, qu'on se souvienne des années 1960 et 1970 où tous les produits qui affichaient l'inscription « Made in Japan » avaient réellement la réputation d'être des produits de qualité médiocre (ce qui a drôlement changé, surtout en ce qui concerne l'industrie automobile et l'industrie des produits électroniques). Les acheteurs de l'époque avaient énormément de réticences à acheter au Japon lorsqu'ils avaient besoin de produits de qualité.

La fiabilité

Avec l'avènement de philosophies de gestion comme le juste-à-temps et la qualité totale, l'acheteur a peu de marge de manœuvre quant à la qualité ainsi qu'au délai de livraison. Pour arriver à ses fins, il exigera d'un fournisseur qu'il soit fiable, c'est-à-dire qu'il soit en mesure de livrer en tout temps le même produit ou le même service, peu importe le processus de travail requis pour y parvenir. L'acheteur ne peut plus tolérer les mauvaises surprises en matière de constance du produit ou du service.

La garantie

L'acheteur saura reconnaître la garantie d'un produit comme faisant partie de l'achat d'un bien. Un fournisseur qui offre une bonne garantie sur son produit et respecte celle-ci démontre sans l'ombre d'un doute la confiance qu'il a dans son propre produit. Par conséquent, le service à la clientèle (service après-vente) d'un tel fournisseur ajoute une certaine valeur au produit qu'il met sur le marché.

La valeur de rebut

Il est avantageux d'acheter un produit neuf ou usagé quand on sait qu'il aura encore une bonne valeur dans la chaîne d'approvisionnement lorsqu'il sera considéré comme un rebut (la notion de logistique inversée décrite au chapitre 8 vous en donnera un bon aperçu). L'acheteur peut constater que l'achat d'un type de matériau plutôt qu'un autre lui donnera satisfaction et qu'en outre, au lieu de jeter le produit lorsqu'il sera arrivé à la phase de rebut, il pourra le revendre afin qu'il soit recyclé, réusiné ou réutilisé à d'autres fins. Par exemple, presque tous les produits polymères ou les produits en acier inoxydable ont encore une bonne valeur à l'état de rebut.

La durabilité et l'espérance de vie

Un produit durable est un produit qui offre une période d'utilisation supérieure à la moyenne. L'entreprise acheteuse n'aura pas à se départir du bien dans un court laps de temps et, par le fait même, elle pourra se consacrer davantage aux éléments primordiaux de sa gestion. Par exemple, une équipe cycliste qui fait l'acquisition de pneus en kevlar aura l'esprit beaucoup plus tranquille qu'une autre qui roule avec des pneus standards en caoutchouc, plus sujets à l'usure et aux crevaisons.

2.3.2 Le deuxième «O»: l'objectif

Le deuxième « O » de l'approvisionnement mix est l'objectif. Ce dernier consiste à rechercher les motifs de l'entreprise qui régissent la façon de transiger avec les fournisseurs. La figure 2.5 présente un résumé du contenu d'un objectif d'achat. L'objectif peut se dégager de la combinaison des six facteurs suivants:

- les motivations;
- l'influence de la haute direction;
- les bénéfices;
- la lecture de l'environnement;
- la chaîne d'approvisionnement;
- les critères de l'approvisionnement.

Les motivations

Les motivations sont les raisons qui incitent le demandeur à entreprendre le processus d'approvisionnement. Ces motivations proviennent des influences sociales et circonstancielles. Les influences sociales résident dans la personnalité, le rôle exercé dans l'entreprise, le niveau hiérarchique, la culture personnelle, les expériences vécues et les compétences. Quant aux influences circonstancielles, elles comprennent, entre autres, l'importance de l'achat pour l'entreprise, le facteur temps et les différents aspects financiers.

L'influence de la haute direction

La haute direction d'une entreprise influence les décisions d'achat à partir des trois grandes lignes directrices décrites ci-après.

La culture, les valeurs et les modes de fonctionnement de l'entreprise

L'être humain naît et grandit dans une culture qui modèle ses relations avec les autres et avec son environnement. Ce sont ces acquis culturels qui lui permettent d'accomplir toutes les activités qu'attend de lui la société à laquelle il appartient. Il en est de même pour une entreprise, qui est dirigée par des êtres humains. La culture d'une entreprise est constituée par son histoire et un ensemble de connaissances acquises dans un ou plusieurs domaines. Les valeurs des dirigeants de l'entreprise représentent les lignes de conduite à respecter sur le plan moral, intellectuel, physique, etc. Les modes de fonctionnement sont les règles de conduite que doit suivre chaque employé de l'entreprise. Nous devrions être en mesure de reconnaître ces notions et ces principes par les politiques et les procédures écrites et approuvées par les dirigeants de l'entreprise.

La mission de l'entreprise

Les dirigeants d'entreprise définissent une mission qui oriente l'action de l'ensemble de leurs employés. Cette mission prend la forme de buts, de plans d'affaires, de plans stratégiques, de plans d'action, d'objectifs, etc. La mission

Figure 2.5 Le résumé de l'objectif d'achat

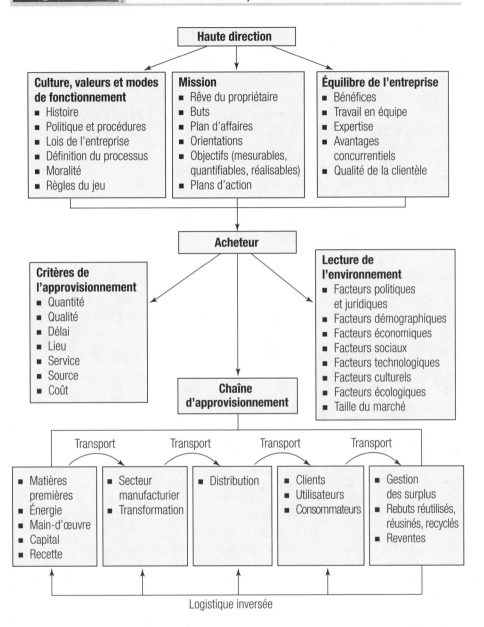

situe l'entreprise dans son domaine d'activité pour une période de 5 à 10 ans. Les buts permettent de fractionner la vision des dirigeants en différentes étapes. Les objectifs doivent être mesurables et réalisables, et préciser statistiquement les buts. Enfin, les tactiques sont les moyens employés pour atteindre les objectifs. L'encadré qui suit présente un exemple d'une entreprise qui a une vision basée sur quatre aspects, à savoir les clients, les actionnaires, les employés et l'environnement culturel des territoires où elle fait des affaires.

L'exemple de SNC-Lavalin[1]

Vision

L'expérience et l'innovation constituent les fondements de la vision de SNC-Lavalin. Cette vision suppose qu'elle renforce sa présence dans ses principaux secteurs d'ingénierie ; qu'elle acquière des nouvelles compétences et réalise de nouvelles activités ; qu'elle s'adapte à l'évolution des besoins des clients et des marchés. Pour assurer une croissance soutenue, elle a adopté une stratégie qui repose sur le développement de produits de calibre mondial, son vaste réseau international et ses solutions de financement.

Nous nous engageons à :

- améliorer notre réputation mondiale dans certains secteurs d'activité et à réaliser des initiatives dans des secteurs et des régions géographiques où nos avantages concurrentiels seront synonymes de valeur supérieure ;
- maintenir un réseau de marketing qui couvre l'ensemble de la planète ;
- demeurer un chef de file de la gestion de projets grâce à des systèmes de gestion dernier cri ;
- être une entreprise multiculturelle fière de son aptitude à travailler dans plusieurs langues et à s'adapter à la culture des pays et des communautés où elle est présente ;
- prendre part au développement de projets exigeant une participation au capital, de même qu'à la privatisation d'actifs de l'État ;
- faire preuve de flexibilité et d'ouverture à l'égard des besoins des clients en les écoutant et en respectant leurs points de vue, et en demeurant à l'avant-garde des nouvelles tendances et des percées technologiques ;
- nous constituer une clientèle stable en obtenant de nombreux renouvellements de mandat ;
- réaliser des profits soutenus à long terme et afficher une croissance optimale de manière que SNC-Lavalin se classe constamment parmi les 10 premières sociétés mondiales d'ingénierie-approvisionnement-construction (IAC) inscrites en Bourse au chapitre du rendement de l'avoir des actionnaires, et que ce rendement équivaille au rendement des obligations à long terme au Canada, majoré de 600 points de base.

Valeurs

Notre vision est indissociable de valeurs auxquelles nous adhérons tous, soit :

- voir à ce que le respect de normes élevées de santé et de sécurité soit un objectif fondamental de toutes les activités que nous réalisons à l'échelle mondiale ;
- respecter notre code de déontologie, l'environnement, la qualité et nos principes d'amélioration constante ;
- favoriser l'instauration d'une culture fondée sur la fierté et l'appartenance, et permettre à notre personnel d'exercer son esprit d'initiative et son sens des responsabilités ;

---

1. SNC-LAVALIN. *Site de SNC-Lavalin*, [En ligne], http://www.snc-lavalin.com (Page consultée le 16 mars 2009)

- offrir à notre personnel des possibilités de carrière stimulantes et variées dans un milieu de travail valorisant, où les chances d'avancement sont les mêmes pour tous ;
- assurer le développement du savoir-faire technique et des compétences en gestion de notre personnel, de manière que SNC-Lavalin demeure un chef de file dans ses secteurs d'activités ;
- encourager la participation de notre personnel au capital-actions de SNC-Lavalin.

Mission

SNC-Lavalin est l'un des chefs de file mondiaux de l'ingénierie, de l'approvisionnement, de la construction et des services techniques connexes offerts à des secteurs industriels et à des marchés géographiques déterminés.

SNC-Lavalin réalise sa mission grâce au savoir-faire de son personnel, en contribuant au succès de ses clients, à qui elle offre des services à valeur ajoutée, et en investissant constamment dans l'amélioration de ses compétences techniques et de gestion.

SNC-Lavalin s'engage à produire un rendement financier supérieur, au bénéfice de ses actionnaires.

L'équilibre de l'entreprise

L'entreprise est une synthèse d'éléments qui lui permettent d'avoir une place dans le monde des affaires. Cet ensemble regroupe les ressources matérielles, les ressources humaines, les actifs, le potentiel financier, etc. Les dirigeants doivent analyser chaque composante de cet ensemble afin d'établir l'écart qui existe entre l'équilibre actuel et les buts à atteindre. Parmi ces tâches d'analyse, se trouve une des notions les plus importantes pour l'approvisionnement, soit celle des bénéfices attendus, que nous abordons maintenant en raison de son importance.

Les bénéfices

Au fil du temps, l'acheteur permet à l'entreprise de réaliser toute une série de bénéfices. Les gestes qu'il pose, ses propos, la formation continue qu'il acquiert et ses échanges d'information avec d'autres acheteurs contribuent à l'atteinte des objectifs visés par l'entreprise qui l'emploie. Parmi les bénéfices attendus du service de l'approvisionnement, mentionnons l'effet de levier, l'**amélioration du rendement de l'actif,** la centralisation de l'information, le maintien de la position concurrentielle de l'entreprise, une meilleure image de l'entreprise sur le marché et un lieu de formation. Nous examinerons maintenant ces différents bénéfices.

L'effet de levier

Cet effet montre le résultat sur le bénéfice d'une variation à la hausse ou à la baisse du coût d'achat. L'exemple 2.1, à la page suivante, illustre l'effet de levier.

Exemple 2.1

Le chiffre d'affaires d'un distributeur de supports en acier pour arbres de Noël est de 900 000 $ annuellement. Le prix de vente unitaire est de 10 $, alors que le distributeur paie 7,50 $ l'unité. Les dépenses d'exploitation de l'entreprise imputables au produit totalisent 125 000 $ (*voir le tableau 2.1*).

Tableau 2.1   Les résultats de l'entreprise

Poste	Coût unitaire	Total
Ventes	10,00 $	900 000 $
− Coût d'achat	7,50 $	675 000 $
= Profit brut	2,50 $	225 000 $
− Frais d'exploitation	1,39 $	125 000 $
= Profit net	1,11 $	100 000 $

Si l'entreprise réduit son coût d'achat de 1 %, on obtient les résultats indiqués au tableau 2.2.

Tableau 2.2   Les résultats découlant d'une réduction de 1 % du coût d'achat

Poste	Coût unitaire	Coût total	Pourcentage	Coût total
Ventes	10,00 $	900 000 $		900 000 $
− Coût d'achat	7,50 $	675 000 $	− 1,00 %	668 250 $
= Profit brut	2,50 $	225 000 $		231 750 $
− Frais d'exploitation	1,39 $	125 000 $		125 000 $
= Profit net	1,11 $	100 000 $	+ 6,75 %	106 750 $

Ainsi, le profit net passe de 100 000 $ à 106 750 $, soit une hausse de 6 750 $ ou 6,75 %. Ce phénomène s'appelle l'**effet de levier sur l'approvisionnement**. On calcule l'effet de levier sur l'approvisionnement (ELA) de la façon suivante :

$$\text{ELA} = \frac{\text{\% de variation du profit net}}{\text{\% absolu de variation du coût d'approvisionnement}}$$

$$= \frac{\dfrac{\text{Profit net } a\ posteriori - \text{Profit net } a\ priori}{\text{Profit net } a\ priori} \times 100}{\left| \dfrac{\text{Coût d'approvisionnement } a\ posteriori - \text{Coût d'approvisionnement } a\ priori}{\text{Coût d'approvisionnement } a\ priori} \times 100 \right|}$$

$$= \frac{\dfrac{106\,750 - 100\,000}{100\,000} \times 100}{\left| \dfrac{668\,250 - 675\,000}{675\,000} \times 100 \right|}$$

$$= \frac{6,75\,\%}{1\,\%}$$

$$= 6,75 \text{ fois}$$

Ce résultat indique que chaque variation à la baisse de 1 % du coût d'achat provoque une variation à la hausse de 6,75 % du profit net (1 % × 6,75 fois).

Le tableau 2.3 indique les résultats qu'obtient l'entreprise lorsqu'elle réduit son coût d'achat de 5 %.

Tableau 2.3 Les résultats découlant d'une réduction du coût d'achat de 5 %

Poste	Coût unitaire	Coût total	Pourcentage	Coût total
Ventes	10,00 $	900 000 $		900 000 $
− Coût d'achat	7,50 $	675 000 $	− 5,00 %	641 250 $
= Profit brut	2,50 $	225 000 $		258 750 $
− Frais d'exploitation	1,39 $	125 000 $		125 000 $
= Profit net	1,11 $	100 000 $	+ 33,75 %	133 750 $

Ainsi, le profit net passe de 100 000 $ à 133 750 $, soit une hausse de 33 750 $ ou 33,75 %. On calcule l'effet de levier sur l'approvisionnement (ELA) comme suit :

$$\text{ELA} = \frac{\%\text{ de variation du profit net}}{\%\text{ absolu de variation du coût d'approvisionnement}}$$

$$= \frac{\dfrac{133\,750 - 100\,000}{100\,000} \times 100}{\left| \dfrac{641\,250 - 675\,000}{675\,000} \times 100 \right|}$$

$$= \frac{33,75\,\%}{5\,\%}$$

$$= 6,75 \text{ fois}$$

Ces résultats montrent que chaque variation à la baisse de 5 % du coût d'achat entraîne une variation à la hausse de 33,75 % du profit net (5 % × 6,75 fois). La progression est donc linéaire par rapport au tableau 2.2.

Le tableau 2.4, à la page suivante, illustre la situation d'une entreprise qui veut porter son profit net à 133 750 $ en adoptant une stratégie d'accroissement basée sur un volume accru d'unités et non sur une augmentation des prix de vente.

Pour trouver le pourcentage d'augmentation des ventes qui permettra d'obtenir le même bénéfice qu'avec une réduction des achats de 5 %, on utilise la règle de trois, soit :

225 000 $ correspond à 258 750 $

900 000 $ correspond à X

En isolant X, on trouve 1 035 000 $

et $\dfrac{1\,035\,750 - 900\,000}{900\,000} \times 100 = 15\,\%$

Tableau 2.4   Les résultats découlant d'une stratégie d'accroissement des ventes

Poste	Coût unitaire	Coût total	Pourcentage	Coût total
Ventes	10,00 $	900 000 $	+ 15,00 %	1 035 000 $
— Coût d'achat	7,50 $	675 000 $		776 250 $
= Profit brut	2,50 $	225 000 $		258 750 $
— Frais d'exploitation	1,39 $	125 000 $		125 000 $
= Profit net	1,11 $	100 000 $	+ 33,75 %	133 750 $

Ainsi, l'entreprise doit accroître ses ventes de 15 % pour obtenir le même profit qu'avec une réduction des achats de 5 %. L'augmentation des ventes peut se faire soit par un volume accru d'unités, soit par un prix de vente plus élevé, ou par une combinaison des deux. Ce phénomène s'appelle l'**effet de levier sur les ventes** (ELV).

$$ELV = \frac{\text{\% de variation du profit net}}{\text{\% de variation des ventes}}$$

$$= \frac{\dfrac{\text{Profit net } a\ posteriori - \text{Profit net } a\ priori}{\text{Profit net } a\ priori} \times 100}{\dfrac{\text{Ventes } a\ posteriori - \text{Ventes } a\ priori}{\text{Ventes } a\ priori} \times 100}$$

$$= \frac{\dfrac{133\,750 - 100\,000}{100\,000} \times 100}{\dfrac{1\,035\,750 - 900\,000}{900\,000} \times 100}$$

$$= \frac{33,75\,\%}{15\,\%}$$

$$= 2,25 \text{ fois}$$

Ces résultats indiquent que, pour chaque augmentation de 15 % des ventes, le profit net s'accroît de 33,75 % (15 % × 2,25 fois).

Le tableau 2.5 présente une situation dans laquelle l'entreprise a la possibilité de réduire son coût d'achat de 5 %, mais elle doit pour cela accroître ses frais d'exploitation de 15 000 $.

Tableau 2.5   Les résultats découlant d'une réduction du coût d'achat de 5 % et d'un accroissement des frais d'exploitation de 15 000 $

Poste	Coût unitaire	Coût total	Pourcentage	Coût total
Ventes	10,00 $	900 000 $		900 000 $
— Coût d'achat	7,50 $	675 000 $	− 5,00 %	641 250 $
= Profit brut	2,50 $	225 000 $		258 750 $
— Frais d'exploitation	1,39 $	125 000 $	+ 12,00 %	140 000 $
= Profit net	1,11 $	100 000 $		118 750 $

Les résultats de ce scénario indiquent que l'offre reçue permettra une augmentation de 18 750 $ du profit net. L'entreprise aura donc intérêt à investir. L'ELA sera alors le suivant :

$$\text{ELA} = \frac{\text{\% de variation du profit net}}{\text{\% absolu de variation du coût d'approvisionnement}}$$

$$= \frac{\dfrac{118\,750 - 100\,000}{100\,000} \times 100}{\left| \dfrac{641\,250 - 675\,000}{675\,000} \times 100 \right|}$$

$$= \frac{18,75\,\%}{5\,\%}$$

$$= 3,75 \text{ fois}$$

Ces résultats indiquent que, pour chaque réduction de 5 % du coût d'achat qui engendre une hausse des frais d'exploitation de 15 000 $, le profit net s'accroît de 18,75 % (5 % × 3,75 fois).

Le tableau 2.6 illustre une situation dans laquelle l'entreprise vise un profit net de 133 750 $ grâce à une stratégie d'accroissement des ventes basée sur un volume accru d'unités. Pour atteindre son objectif, elle doit augmenter ses frais d'exploitation de 75 000 $.

Tableau 2.6 Les résultats découlant d'une stratégie d'accroissement des ventes

Poste	Coût unitaire	Coût total	Pourcentage	Coût total
Ventes	10,00 $	900 000 $	+ 48,33 %	1 335 000 $
— Coût d'achat	7,50 $	675 000 $		1 001 250 $
= Profit brut	2,50 $	225 000 $		333 750 $
— Frais d'exploitation	1,39 $	125 000 $	+ 60,00 %	200 000 $
= Profit net	1,11 $	100 000 $	+ 33,75 %	133 750 $

Ainsi, pour atteindre son objectif, l'entreprise devra accroître ses ventes d'un peu plus de 48,33 %. On peut trouver ce fameux pourcentage en comparant notre profit brut *a priori* et *a posteriori,* une fois les frais d'exploitation augmentés et l'objectif du profit net considéré (*voir le tableau 2.6*). Puis, par déduction, la variation des coûts d'achat et celle des ventes correspondront au même pourcentage que la variation du profit brut, étant donné une hausse des ventes du nombre d'unités. Il appartient alors à ses dirigeants de statuer sur sa capacité d'accroître ses ventes d'un tel pourcentage. Dans ce cas, l'ELV deviendra :

$$\text{ELV} = \frac{\text{\% de variation du profit net}}{\text{\% de variation des ventes}}$$

$$= \frac{\dfrac{\text{Profit net } a\ posteriori - \text{Profit net } a\ priori}{\text{Profit net } a\ priori} \times 100}{\dfrac{\text{Ventes } a\ posteriori - \text{Ventes } a\ priori}{\text{Ventes } a\ priori} \times 100}$$

$$= \frac{\dfrac{133\,750 - 100\,000}{100\,000} \times 100}{\dfrac{1\,335\,000 - 900\,000}{900\,000} \times 100}$$

$$= \frac{33,75\,\%}{48,33\,\%}$$

$$= 0,6983 \text{ fois}$$

Ces résultats indiquent que, pour chaque augmentation de 48,33 % des ventes, le profit net s'accroît de 33,75 % (48,33 % × 0,6983 fois). Comme le résultat est inférieur à 1, on peut conclure qu'il n'y a pas d'effet de levier en tant que tel.

L'amélioration du rendement de l'actif

Les entreprises se soucient du rendement de leurs actifs. Pour obtenir une amélioration du rendement de l'actif, le gestionnaire utilise des ratios, un ratio étant un rapport entre deux grandeurs économiques ou financières. L'amélioration du rendement de l'actif (RA) provient de la multiplication du ratio du rendement des investissements (RRI) par le ratio de la marge bénéficiaire (RMB).

$$\begin{array}{ccccc}
\text{RA} & = & \text{RRI} & \times & \text{RMB} \\
\text{(rendement} & & \text{(ratio du rendement} & & \text{(ratio de la marge} \\
\text{de l'actif)} & & \text{des investissements)} & & \text{bénéficiaire)}
\end{array}$$

$$\text{d'où RRI} = \frac{\text{Ventes}}{\text{Actifs}}$$

$$\text{et RMB} = \frac{\text{Profit net}}{\text{Ventes}}$$

Pour calculer le rendement de l'actif, on suppose que l'entreprise distributrice de l'exemple précédent possède un actif total de 350 000 $. Avec des ventes de 900 000 $ et un profit net de 100 000 $, le rendement de l'actif sera le suivant :

$$\text{RRI} = \frac{900\,000\,\$}{350\,000\,\$}$$

$$= 2,57 \text{ fois}$$

$$\text{et RMB} = \frac{100\,000\,\$}{900\,000\,\$}$$

$$= 0,111$$

Le ratio du rendement de l'actif sera alors de :

$$\begin{aligned}
\text{RA} &= \text{RRI} \times \text{RMB} \\
&= 2,57 \text{ fois} \times 0,111 \\
&= 0,2853 \text{ ou } 28,53\,\%
\end{aligned}$$

Par conséquent, chaque dollar d'actif permet à l'entreprise d'avoir un rendement de 28,53 %. C'est ainsi qu'à partir de tableaux et d'exemples, on peut évaluer le ratio du rendement de l'actif et obtenir des résultats intéressants pour l'entreprise.

Revenons à la situation dans laquelle une réduction de 5 % du coût d'achat fait passer le bénéfice net de 100 000 $ à 133 750 $. La valeur du RRI ne sera pas modifiée, mais celle du RMB deviendra la suivante :

$$\text{RMB} = \frac{133\,750\,\$}{900\,000\,\$}$$
$$= 0,1486$$

Le ratio du rendement de l'actif sera alors le suivant :

$$\text{RA} = \text{RRI} \times \text{RMB}$$
$$= 2,57 \text{ fois} \times 0,1486$$
$$= 0,3819 \text{ ou } 38,19\%$$

Ainsi, une variation à la baisse de 5 % du coût d'achat donne maintenant une variation de 9,66 % à la hausse du rendement de l'actif (38,19 % − 28,53 %).

La centralisation de l'information

La position du service de l'approvisionnement lui permet de recueillir, auprès du marché, de l'information sur le mouvement des prix, les stocks disponibles, les nouvelles sources d'approvisionnement, les produits substituts, les nouveaux produits, les nouvelles technologies, la capacité du marché et les fusions et acquisitions d'entreprises. Bref, ce service est à l'écoute du marché. L'entreprise recueille ainsi une information pertinente qui, autrement, aurait exigé d'elle des ressources substantielles.

De nos jours, les nouvelles technologies de l'information prennent de plus en plus de place dans les entreprises. On peut définir l'information comme étant constituée de données structurées qui réduisent l'incertitude ou augmentent les connaissances du destinataire sur des faits passés, présents ou projetés concernant ses objectifs sociaux, économiques et culturels. Il est important pour l'entreprise de saisir la bonne information au bon moment. Le service de l'approvisionnement est un centre nerveux pour l'arrivée de l'information dans l'entreprise. Ainsi, les acheteurs ont des contacts avec les fournisseurs qui proviennent de l'extérieur de l'entreprise ; ils sont également d'excellents lecteurs de nouvelles et d'articles de toutes sortes ; enfin, ils possèdent un réseau de relations parmi les autres acheteurs. Un acheteur se doit de connaître et d'analyser l'information qu'il a en sa possession. Par contre, il doit garder secrète l'information privilégiée, comme le stipule son code de déontologie.

Le maintien de la position concurrentielle de l'entreprise

La recherche constante de la meilleure productivité pour chaque dollar dépensé, d'un meilleur coût total et de l'anticipation des risques touchant l'approvisionnement permet à l'entreprise de maintenir une position concurrentielle sur un marché donné ou de répondre aux exigences de nouveaux marchés. Le rendement d'une entreprise privée peut être mesuré au moyen de ses objectifs de ventes et de profits, de sa position concurrentielle et de la croissance de son marché. En revanche, comment peut-on évaluer le rendement d'une entreprise privée quant aux objectifs d'équité, de transparence, de libre concurrence, de libéralisation des marchés, de développement démographique et de promotion de l'économie sur les marchés étrangers? La fonction approvisionnement doit pourtant tenter d'atteindre ces objectifs, ce qui représente un défi de taille.

Pour les sociétés d'État, cependant, ce type de bénéfices est considéré sous un angle différent. L'État est à la fois protecteur, fournisseur de services, procureur, administrateur et entité démocratique. Ces multiples définitions imposent aux gestionnaires des sociétés d'État une vision différente de la notion de bénéfices à réaliser. Les gouvernements communiquent les différents rôles des entreprises publiques au moyen des discours politiques, des lois, des règlements, des directives, des publications, des décrets, des jugements, etc. C'est ainsi que les fonctionnaires exerçant la fonction approvisionnement dans les entreprises d'État sont tenus de respecter scrupuleusement une procédure et un mode de fonctionnement. Chaque mesure prise au regard de la procédure s'alignera sur les buts visés par le gouvernement et non sur les règles suivies dans le monde des affaires.

Lorsque les entreprises privées et les sociétés d'État interagissent sur le même marché, il n'est pas rare d'assister à des attaques des unes contre les autres. Pour comprendre ce phénomène, examinons la situation du Canadien National (CN) et du Canadien Pacifique (CP) au cours des années où le CN était la propriété exclusive du gouvernement fédéral alors que le CP était une entreprise privée. Un des présidents du CP, Edward Beatty, a un jour déclaré : «C'est une bien étrange anomalie : plus l'exploitation du réseau national est déficitaire, plus les impôts du Canadien Pacifique augmentent. Toutefois, lorsque les chemins de fer nationaux prospèrent en détournant la clientèle du Canadien Pacifique, nous perdons plus de revenus que nous ne récupérons d'impôts. » De son côté, le CN se devait, en tant que société d'État, de louvoyer : d'une part, il voulait rapporter de l'argent au gouvernement pour que celui-ci puisse soutenir ses politiques sociales et économiques ; d'autre part, il désirait que les profits obtenus puissent servir à l'amélioration du réseau ferroviaire. Comme on peut le constater, le bénéfice est divergent malgré une concurrence sur le même marché. Aujourd'hui, le CN est reconnu comme une entreprise privée et agit comme le CP. Par contre, le gouvernement oblige le CN à maintenir les services sur certains tronçons non rentables sur le plan économique, mais rentables sur le plan politique. Le CN a donc toujours un lien avec les instances gouvernementales fédérales.

Une meilleure image de l'entreprise sur le marché

Les entreprises dépensent beaucoup de ressources pour se créer une image et pour la maintenir. Ainsi, les mesures et les attitudes adoptées par le service de l'approvisionnement influencent la réputation de l'entreprise sur le marché. Lorsqu'un acheteur agit professionnellement avec un fournisseur, celui-ci aura tendance à citer cette entreprise durant ses rencontres avec ses autres clients. Cette publicité, qui est gratuite, augmente la confiance du public envers l'entreprise. Or, une telle confiance se répercutera sur la commercialisation de la marque de commerce de l'entreprise.

Un lieu de formation

Le service de l'approvisionnement est un lieu de formation idéal pour les nouveaux gestionnaires. C'est d'ailleurs la raison pour laquelle plusieurs gestionnaires appelés à une carrière intéressante dans l'entreprise font un stage dans ce centre nerveux de l'entreprise afin d'améliorer leur résistance au stress lié à la prise de décisions stratégiques, aux relations multiples avec les clients de l'entreprise, aux réactions suscitées par une pénurie, etc. Bref, un peu de temps passé dans ce service constitue un excellent investissement.

La lecture de l'environnement

Les acheteurs effectuent des recherches et des analyses, car le marché propose de plus en plus de façons d'acquérir un objet ou de répondre à un besoin. Ainsi, on pourrait définir l'analyse de l'approvisionnement comme étant l'examen complet, méthodique, indépendant et périodique des facteurs internes et externes de l'entreprise en vue d'accepter un plan d'action, d'obtenir la plus grande valeur de la part des fournisseurs et d'améliorer la productivité du service de l'approvisionnement.

Reprenons les différents éléments de la définition précédente. Il faut que l'examen soit complet, en ce sens qu'il doit permettre de réviser toutes les données que l'on possède sur les objets à acquérir. Il doit être méthodique, c'est-à-dire qu'il doit inclure une série ordonnée d'opérations qui permettront à l'entreprise de réaliser les bénéfices qu'elle recherche. En outre, il faut que cet examen soit indépendant ; autrement dit, l'examen doit être effectué par un groupe n'ayant aucun lien avec les services ou les divisions de l'entreprise. Ce groupe a le devoir de concentrer ses efforts sur le meilleur choix pour l'entreprise. Cependant, pour y arriver, il doit jouir de la confiance des services et des divisions ainsi que de la haute direction. Enfin, l'examen doit être périodique, c'est-à-dire que l'analyse de l'approvisionnement doit être revue régulièrement et non seulement en période de crise.

Les facteurs politiques et juridiques

Les facteurs politiques et juridiques ont trait aux gouvernements. Ces derniers votent des lois qui auront un effet sur les stratégies et les tactiques du service de l'approvisionnement. Les gouvernements devraient, en principe, jouer un rôle mineur qui se limite à la protection du territoire, au contrôle des travaux publics, à l'exploitation des services publics et à la réglementation permettant de maintenir la concurrence, la santé et l'instruction de la population. Néanmoins, ils interviennent aussi dans l'économie pour trois raisons principales : la protection des entreprises les unes à l'égard des autres, la protection du public contre les entrepreneurs sans scrupules et la défense des intérêts globaux de la société envers les activités individualistes des entreprises. La législation devient de plus en plus importante. Peu de secteurs de l'économie ne sont pas assujettis à un nombre excessif de lois.

Les facteurs démographiques

Les facteurs démographiques résident dans les caractéristiques de la population, l'explosion de la population sur la planète, la diminution de la taille de la famille, l'abandon de valeurs régissant la société, le vieillissement de la population, les modifications se produisant au sein de la famille, le déplacement de la population et l'instruction des membres de la société. Les changements intervenant dans la population influencent l'évolution et la position concurrentielle des fournisseurs susceptibles d'apporter les produits et les services à l'entreprise. Ces changements auront aussi un effet sur la position concurrentielle des entreprises. L'encadré qui suit, dont le texte est tiré du livre *Les Rôtisseries St-Hubert*[2], montre comment l'aspect démographique influe sur l'évolution des entreprises qui sont appelées à répondre à des changements que demandent les consommateurs.

Une question de synergie

Partout, les entreprises d'avant-garde se remettent en question, modernisent leur organisation et réajustent leurs produits. Les hiérarchies s'aplanissent au profit du travail d'équipe. Fini le temps des grosses organisations aux directives centralisées. On mise désormais sur la flexibilité et la créativité de chacun. Question de « synergie », on se réunit, on « communique » et on est « à l'écoute » des collègues, sans oublier le premier concerné… le client. *St-Hubert* n'échappe pas à la tendance. D'autant plus que la situation démographique a changé. À la vieille souche canadienne-française se sont ajoutés de nouveaux arrivants des quatre coins du monde amenant avec eux une diversité de goûts, de valeurs et d'expériences. Quant aux « pure laine », plus aisés et plus instruits que leurs parents, ils recherchent des mets et des décors plus raffinés. Impossible, pour les restaurateurs, de ne pas tenir compte de cette évolution.

Ces constats ne sont pas tombés du ciel. En fait, *St-Hubert* sort du plus long exercice de « remue-méninges » de son histoire. Trois mois durant, l'entreprise a été analysée et remise en question dans ses moindres détails. À la faveur de groupes de discussion réunissant actionnaires, détenteurs de franchise, cadres et employés, chacun a été invité à évaluer sans complaisance la performance des rôtisseries, c'est-à-dire à distribuer les bons et les mauvais points, tant dans l'organisation du travail que dans le contenu des assiettes. Tout a été scruté à la loupe, des méthodes de gestion aux plats offerts en passant par le service, l'accueil et les techniques de cuisson du fameux poulet Bar-B-Q – on les veut encore plus chauds, plus tendres à l'intérieur, plus croustillants à l'extérieur ! – sans oublier l'image de l'entreprise…

Mené de main de maître par Jean Saine, un expert reconnu en marketing, le projet a porté fruit.

[…]

La nouvelle formule maintient une certaine unité. Partout on retrouve la synthèse de tentatives qui ont gagné la faveur du public : le *St-Hub,* un resto-bar séparé de la salle à manger – laquelle offre une section grillades –, une verrière et une salle d'activités pour les enfants.

[…]

---

2. Béatrice RICHARD, *Les Rôtisseries St-Hubert – 50 ans de grands succès,* Montréal, Stanké, 2001, p. 116, 120 et 125.

Dans la foulée de cette refonte gastronomique, les diététistes font leur entrée dans les cuisines. C'est dans l'air du temps. Depuis quelques années, les Québécois se soucient de leur ligne et de la santé de leurs artères. Ils veulent manger moins gras et s'inquiètent de la teneur calorique de leurs repas. Spécialité de la maison, le poulet n'a plus à faire ses preuves sur le plan diététique. Mais les frites qui l'accompagnent ne conviennent plus à tous. Qu'à cela ne tienne, on intègre au menu des pommes de terre au four, des légumes verts et des salades à profusion.

[…]

Pour leur part, les fournisseurs sont triés sur le volet. Leurs produits ou services constituent en effet les ingrédients de base de la qualité et du bon goût *St-Hubert*. Aussi doivent-ils observer scrupuleusement les normes élevées de la chaîne et, surtout, partager ses valeurs : qualité, service, propreté et… innovation. Par conséquent, le fournisseur *St-Hubert* fait plus que vendre un produit. Il participe activement au succès de l'entreprise en restant toujours à l'affût des nouveautés et en suggérant de nouveaux équipements. Il conseille ou guide les membres du réseau sur le plan des normes de conservation et de préparation des aliments. De leur côté, les dirigeants de *St-Hubert* ont toujours encouragé cet esprit d'équipe et le sentiment d'appartenance qui en découle. Fidèle à ses fournisseurs, l'entreprise a su créer au fil des ans un climat de confiance mutuelle fécond. Le résultat s'impose de lui-même : tant de créativité, de motivation et d'efforts conjoints assurent à la chaîne un approvisionnement varié, continu et de qualité, à des prix concurrentiels.

Les facteurs économiques

Les facteurs économiques sont liés à la société capitaliste dans laquelle nous vivons, où la monnaie est le principal moyen de paiement des échanges commerciaux. Ainsi, la monnaie engendre le revenu, la valeur du produit ou du service, l'épargne, le profit, le coût du crédit, le salaire, l'inflation de même que le prix des échanges locaux, régionaux et internationaux. Le commerce s'internationalise de plus en plus. L'économie d'un pays est de moins en moins liée aux entreprises qui évoluent sur son territoire ou à la compétitivité de ses produits. En effet, la mobilité des marchandises, du savoir-faire, des capitaux et de l'information s'étend maintenant à l'ensemble de la planète. IBM, à Bromont, est une entreprise spécialisée notamment dans la vérification des composantes électroniques qui entrent dans la fabrication des produits IBM. Par conséquent, son produit fini constitue une composante des ordinateurs dont l'assemblage s'effectuera dans une autre usine, sur un autre territoire. Il en va de même pour Duracell, dont une usine canadienne fabrique des piles d'une catégorie, comme la AA, pour un vaste territoire, alors qu'une autre usine dans le monde fabrique les piles D vendues sur le territoire canadien. Il n'y a donc plus de lien entre le lieu de fabrication et le lieu de vente. Les relations traditionnelles en affaires doivent s'adapter aux stratégies mondiales des entreprises.

Les facteurs sociaux

Les facteurs sociaux, dont il faut tenir compte, consistent dans la culture et les valeurs d'une société, sachant que les sources d'approvisionnement se trouvent maintenant à l'échelle de la planète et que les échanges de produits et services s'effectuent de plus en plus rapidement, voire instantanément. Le service de l'approvisionnement doit donc s'adapter au mode de fonctionnement des différentes sociétés malgré la croyance selon laquelle le client a toujours raison. La mondialisation des marchés où évolue le fournisseur influencera les habitudes des acheteurs, ne serait-ce que sur le plan de la langue utilisée, des horaires ou des façons d'effectuer des transactions. L'encadré qui suit décrit les modifications que certaines entreprises ont apportées pour répondre aux changements d'habitudes de consommation de leurs clients.

Amway et la révolution du consommateur[3]

Amway est aujourd'hui une entreprise florissante parce qu'elle a pris la tête d'une révolution en matière de consommation qui place la facilité, la qualité et le service personnel au premier plan. Vous rappelez-vous l'époque où :

- il fallait faire vos opérations bancaires entre 9 heures et 14 heures du lundi au vendredi ? Si vous aviez oublié d'aller chercher de l'argent à la banque le vendredi après-midi, c'était tant pis pour vous jusqu'au lundi suivant ;

- il était impossible d'acheter du lait, du pain ou de l'aspirine après 21 heures ?

- l'épicier n'acceptait que les paiements « en argent comptant » et ne prenait ni les chèques ni les cartes de crédit ?

- la compagnie de téléphone – et non vous – était le propriétaire de votre téléphone et vous aviez le choix entre deux ou trois modèles et quelques couleurs ? Un installateur venait le brancher chez vous et vous ne pouviez plus le déplacer, parce que la prise n'était pas enfichable.

Je me souviens de chacun de ces « en ce temps-là » quand je pense à « ce qui se faisait avant et ce qui se fait maintenant ». Je présume que vous pourriez vous aussi dresser une liste des changements qui ont révolutionné votre vie. Aujourd'hui, j'achète par catalogue, je réserve mes voyages par Internet, je fais des courses 24 heures sur 24 et je ne crains jamais de manquer d'argent liquide parce que je suis toujours près d'un guichet automatique, même si je me trouve à des milliers de kilomètres de chez moi.

La facilité et la qualité passent avant tout, parfois même avant le prix. Nous sommes des consommateurs plus occupés que jamais ; pourtant, nous avons plus de choix qu'avant, en particulier avec l'augmentation spectaculaire de l'accès à l'information et aux techniques modernes. Le besoin d'une vaste gamme de nouveaux produits à l'échelle planétaire, associé à une concurrence mondiale grandissante, oblige les entreprises à changer également leurs procédés. Certains changements considérés comme nouveaux et révolutionnaires dérivent en fait de ce qui a déjà été essayé et confirmé. La vente au porte-à-porte et les achats sur catalogue font partie de l'histoire des petites villes du monde rural américain. Les familles de fermiers et celles qui habitaient loin des grandes villes n'avaient tout simplement pas le choix.

---

3. James W. ROBINSON, *Un empire de liberté – l'histoire de la société qui a transformé l'image du commerce au détail : AMWAY,* Saint-Hubert, Les Éditions Un monde différent ltée, 1999, p. 57-59.

Amway représente donc un retour à une conception du commerce plus personnelle et plus conviviale et, en même temps, cette entreprise adopte avec empressement de nouvelles manières de mettre au point des produits et des services, de les livrer, de les vendre et de les acheter. C'est un commerce extrêmement personnalisé à une époque où règne la technique de pointe. Amway a aujourd'hui du succès parce qu'elle n'a pas oublié ou abandonné le rôle des individus dans l'équation du commerce global.

Les facteurs technologiques

Les facteurs technologiques sont devenus la force motrice de l'économie capitaliste. En effet, l'innovation technologique permet aux entreprises et aux consommateurs de profiter de nouveaux produits et services qui améliorent constamment leur compétitivité ou leur niveau de vie. De nos jours, les changements technologiques ne cessent de s'accélérer, ce qui rend leur maîtrise de plus en plus ardue. Pour tirer profit des possibilités infinies de la technologie, les fournisseurs consacrent une part de plus en plus importante de leurs dépenses à la recherche et au développement dans leurs activités prépondérantes.

Les facteurs culturels

Les facteurs culturels sont les croyances, les valeurs et les normes qui permettent aux membres d'une société d'exprimer une opinion sur les produits et les services qui leur sont proposés. Les messages, le style de vie et les valeurs des clients influencent le service des ventes de l'entreprise et, par ricochet, le service de l'approvisionnement. La culture se transmet de génération en génération, principalement par l'entremise de la famille. Les minorités ethniques, les établissements scolaires et les institutions religieuses participent aussi à la transmission des valeurs. Par exemple, des religions interdisent la consommation de certaines viandes, ce qui aura un effet direct sur la mise en marché de certains produits.

Les facteurs écologiques

Les facteurs écologiques proviennent d'une préoccupation de plus en plus marquée de la société pour les politiques relatives à la gestion des surplus, les ressources naturelles non renouvelables, le coût croissant de l'énergie, l'aggravation de la pollution et la gestion des ressources naturelles. Cette pression que la société exerce force le service de l'approvisionnement à se tourner vers des produits écologiques et recyclables, à étudier des manières de disposer des déchets et à travailler avec de nouveaux fournisseurs vendant des objets recyclés. Plus personne n'a les moyens de gaspiller les ressources. L'eau, l'air, la nature et les matières premières sont la propriété de tous, et il y a une prise de conscience devant la fragilité de l'environnement qui se détériore plus vite qu'il ne se régénère. Dans un avenir proche, les produits recyclés seront un intrant dans l'entreprise.

La taille du marché

La taille de marché, sa croissance, sa distribution, sa rentabilité, son potentiel d'approvisionnement et son expertise intéressent le service de l'approvisionnement. Quatre éléments importants du marché influencent l'orientation et la compétitivité de l'entreprise, soit les clients, le public et les groupes de pression, la position de l'entreprise vis-à-vis de ses concurrents et les sources d'approvisionnement. Georges Chetochine avance ce qui suit au sujet de l'avenir de la distribution et de l'équilibre du marché :

> L'industriel aujourd'hui, s'il n'a pas une marque forte, s'il n'a pas la demande du consommateur, est condamné à subir les volontés du distributeur. Depuis le temps que l'on parle d'alliance stratégique, de relation gagnant/gagnant avec la distribution, si cela avait donné des résultats, on le saurait. La réalité est simple et brutale : il n'y a pas de coopération possible avec la distribution si l'industriel n'est pas supporté par une forte marque. Cela conduit les entreprises à faire des prix, donc à délocaliser leur production vers des pays à main-d'œuvre moins chère. Si le chômage persiste dans les années à venir, les fabricants réagiront. La plus grande faiblesse de la distribution, c'est sa force vis-à-vis des fabricants. Les acheteurs des grandes centrales reçoivent des instructions précises. Ils ne doivent pas dévoiler leurs sentiments, ils doivent traiter le fournisseur de la façon la plus déstabilisante possible et montrer que le produit qu'on leur apporte ne représente rien à leurs yeux. Plus ils sont durs, plus ils obtiennent. Cette façon de travailler crée des inimitiés que les distributeurs ne soupçonnent pas. Comme l'industriel représente plus d'emplois et d'électeurs que la distribution, rien ne dit que les monopoles de distribution ne trouveront pas un jour sur leur chemin une volonté très forte de les ramener à des tailles plus raisonnables, voire de leur interdire d'opérer tout simplement en leur mettant des bâtons dans les roues[4].

La chaîne d'approvisionnement

Il faut étudier cette chaîne à l'échelle industrielle, c'est-à-dire considérer l'ensemble des entreprises du secteur. À titre d'exemple, les entreprises GM, Ford, Chrysler, Toyota, Honda, Mercedes, Renault, Fiat, Porsche et autres font partie de l'industrie automobile. Cette industrie doit, pour pouvoir offrir des objets, posséder d'abord des matières premières, de la main-d'œuvre, du capital, de l'énergie et une « recette ». Ensuite, l'industrie commence la transformation des matières premières et utilise la main-d'œuvre et l'énergie pour produire des objets. Dans une troisième étape, les objets sont distribués par des entreprises spécialisées à cette fin. Les objets sont ensuite offerts à des clients, des utilisateurs, des consommateurs qui utiliseront l'usufruit et la performance de ces objets. Dès que le marché aura atteint un certain niveau de saturation, les distributeurs déclareront un surplus. Ce surplus sera géré par la chaîne et pourra être revendu, réutilisé, recyclé, réusiné ou tout simplement jeté.

Chaque entreprise participe à au moins un des maillons de la chaîne. Ainsi, le fabricant d'automobiles Chrysler fait partie du secteur manufacturier. Les concessionnaires automobiles représentant Chrysler sont dans le secteur de la distribution. Chaque entreprise a un regard différent sur l'industrie selon la place qu'elle y occupe. Le futur concessionnaire devra donc conclure une entente

---

4. Georges CHETOCHINE, *Quelle distribution pour 2020 ? Les nouveaux enjeux du commerce*, Paris, Éditions Liaisons, 1998, p. 161-162.

avec le fournisseur Chrysler s'il veut vendre ces automobiles à des consommateurs. C'est l'ensemble des maillons et des relations nécessaires au fonctionnement de l'industrie qui compose la chaîne d'approvisionnement. L'acheteur de la concession Chrysler et l'acheteur de la voiture Chrysler verront la chaîne d'approvisionnement sous un angle différent.

Les critères de l'approvisionnement

Le service de l'approvisionnement travaille sur la base de sept critères (la quantité, la qualité, le délai, le lieu, le service, la source et le coût) à propos desquels il doit parfois faire des compromis. Le demandeur voudrait obtenir la perfection à tous les points de vue, mais certains facteurs de l'environnement peuvent créer des obstacles. Le demandeur reçoit alors l'objet qui est disponible, et ce, dans des conditions qui ne sont peut-être pas idéales.

2.3.3 Le troisième « O » : l'organisation

L'organisation du processus d'approvisionnement comprend deux aspects, soit la structure de l'entreprise et son mode de fonctionnement. La structure de l'entreprise influence la décision d'achat et y réagit. Plusieurs personnes de l'entreprise peuvent être appelées à intervenir dans la décision d'achat. Parmi les rôles les plus reconnus, citons :

- l'initiateur : la personne qui entreprend la démarche en émettant le désir d'acheter ;
- l'influenceur : la personne qui, directement ou indirectement, exerce une influence sur la décision finale ;
- le décideur : la personne qui détermine les différents aspects de la décision en apportant des réponses aux questions « Est-il opportun d'acheter ? », « Quoi ? », « Où ? », « Quand ? », « Combien ? » et « Comment ? » ;
- l'acheteur : la personne qui procède à la transaction ;
- l'utilisateur : la personne qui exploite les fonctions de l'objet acquis.

D'autres rôles complémentaires devraient se joindre à ce groupe tels que des spécialistes sur les plans juridique, comptable, de l'ingénierie, des ressources humaines, de l'environnement, etc.

Le mode de fonctionnement explique la démarche à suivre pour répondre à la demande. Entre la formulation de la demande d'achat et sa réalisation, plusieurs embûches se dresseront, qui donneront lieu à des compromis ou à des solutions. Si un problème de financement survient, il faudra alors modifier le désir, accepter un compromis, vérifier la volonté de procéder à l'achat ou changer l'approche quant aux sources d'approvisionnement.

Guy Lafleur, un des meilleurs hockeyeurs du siècle dernier, fournit un excellent exemple au sujet des compromis qu'il faut faire entre la situation souhaitée et la situation possible. Il exprime sa volonté d'« acheter » un peu de liberté par son désir de piloter un hélicoptère : « Piloter un hélicoptère [...] m'emballe ; mais je n'ai pas le temps de m'y consacrer autant que je le souhaiterais. J'aime la sensation de liberté et de détente que cette activité me procure[5]. » C'est pourquoi il aime acheter tous les objets qui se rapportent à l'hélicoptère, car ces derniers lui permettent de se rapprocher de la satisfaction du besoin de liberté et de détente qu'il tente de combler. La demande d'achat ne s'effectuera qu'au moment où il réglera son problème de temps, lequel représente un frein. S'il persiste à vouloir satisfaire son désir, Guy Lafleur devra réorganiser son horaire de manière à se laisser suffisamment de temps pour piloter un hélicoptère.

2.3.4 Le quatrième « O » : l'opération

L'opération consiste à déterminer le procédé qui sera appliqué pour l'acquisition de l'objet. En ce qui concerne l'acheteur, l'opération se définit par des règles précises qui permettent à n'importe qui de se substituer à lui et d'obtenir en tout temps le même résultat. C'est la partie de ce travail que l'acheteur doit tenter de déléguer. L'acheteur doit s'efforcer d'amener chaque utilisateur à suivre le procédé de façon uniforme. Une délégation bien planifiée permettra à l'acheteur de libérer une partie de son temps, laquelle pourra être consacrée à l'amélioration des ententes et des communications avec le marché. L'opération du processus d'approvisionnement comprend quatre étapes, à savoir l'émission du bon de commande, la relance, la réception et le paiement.

L'émission du bon de commande

L'émission du bon de commande prend la forme d'un contrat, d'une entente entre deux parties. Un bon de commande est un document de transaction qui contient l'information suivante :

- l'information générale sur les parties, à savoir leur nom, leur adresse, la date, etc. ;
- la description de l'objet, c'est-à-dire les caractéristiques du produit, ses dimensions, la quantité, l'emballage, les spécifications, la valeur du service, etc., le fournisseur ne devant en aucun temps être appelé à interpréter un des éléments descriptifs de l'objet ;
- la détermination du prix, des escomptes, des ristournes, des remises, des clauses de protection de prix, des clauses d'indexation, de la monnaie choisie ;
- la détermination des engagements particuliers de chaque partie, soit les modalités de paiement, les dates de livraison, les conditions de transport, la responsabilité, la propriété de la marchandise durant le transport, les assurances, l'avance, l'acompte, les arrhes, l'arbitrage, le droit de retour, la garantie, le service après-vente, les références contractuelles écrites dans un contrat séparé sous forme de dispositions (générales, techniques, commerciales et juridiques), la valeur résiduelle, et ainsi de suite.

L'acceptation des obligations mentionnées sur le bon de commande (*voir la figure 2.6*) doit intervenir avant l'expiration du délai de validité de l'offre. Le fournisseur acceptera la commande et les conditions qui la régissent en signant le bon de commande ou en émettant un accusé de réception. La signature des

---

5. Jean BOUCHARD, « Le défi que s'est donné mon fils », *7 jours*, 28 février 1998, p. 14.

deux parties donne au contrat sa valeur juridique. Les parties doivent s'assurer que les signataires ont la capacité de passer un contrat, c'est-à-dire qu'elles ont reçu par délégation le pouvoir de négocier le contrat tel qu'il est présenté.

Figure 2.6 Un exemple de bon de commande

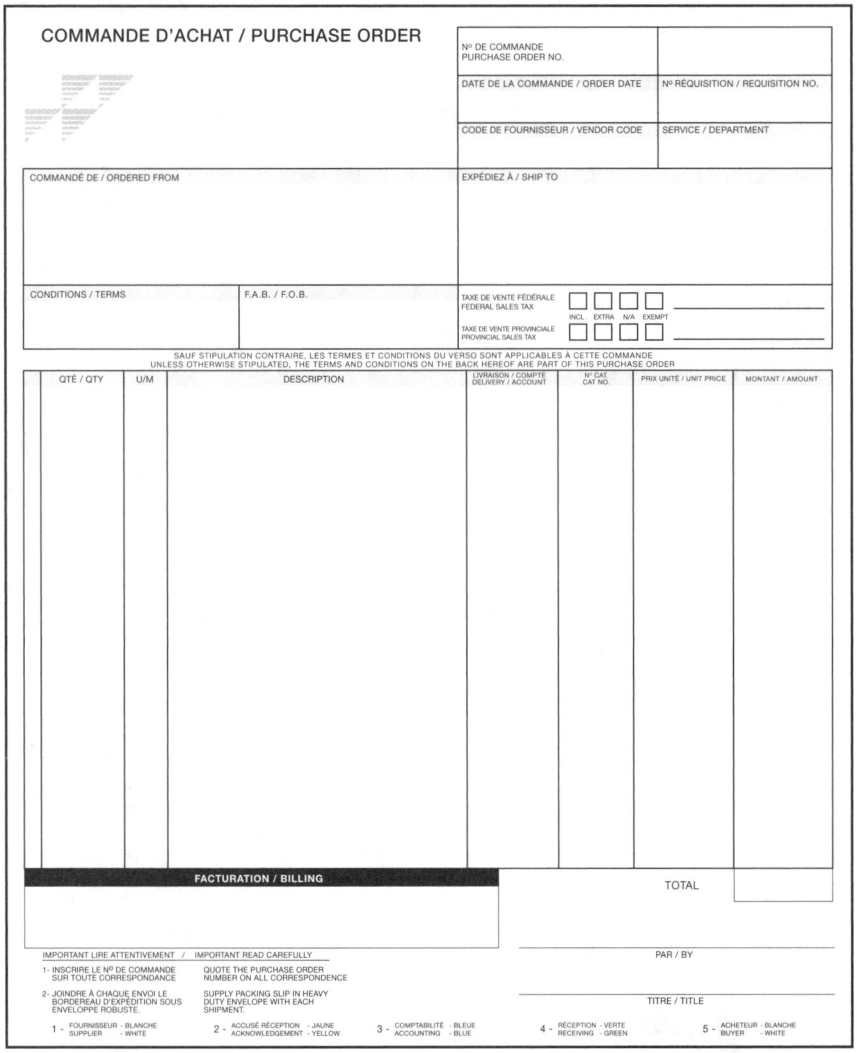

COMMANDE D'ACHAT / PURCHASE ORDER

Nº DE COMMANDE / PURCHASE ORDER NO.

DATE DE LA COMMANDE / ORDER DATE — Nº RÉQUISITION / REQUISITION NO.

CODE DE FOURNISSEUR / VENDOR CODE — SERVICE / DEPARTMENT

COMMANDÉ DE / ORDERED FROM — EXPÉDIEZ À / SHIP TO

CONDITIONS / TERMS — F.A.B. / F.O.B.

TAXE DE VENTE FÉDÉRALE / FEDERAL SALES TAX — INCL. EXTRA N/A EXEMPT

TAXE DE VENTE PROVINCIALE / PROVINCIAL SALES TAX

SAUF STIPULATION CONTRAIRE, LES TERMES ET CONDITIONS DU VERSO SONT APPLICABLES À CETTE COMMANDE
UNLESS OTHERWISE STIPULATED, THE TERMS AND CONDITIONS ON THE BACK HEREOF ARE PART OF THIS PURCHASE ORDER

	QTÉ / QTY	U/M	DESCRIPTION	LIVRAISON / COMPTE DELIVERY / ACCOUNT	Nº CAT. CAT NO.	PRIX UNITÉ / UNIT PRICE	MONTANT / AMOUNT

FACTURATION / BILLING — TOTAL

IMPORTANT LIRE ATTENTIVEMENT / IMPORTANT READ CAREFULLY

1- INSCRIRE LE Nº DE COMMANDE SUR TOUTE CORRESPONDANCE — QUOTE THE PURCHASE ORDER NUMBER ON ALL CORRESPONDENCE

2- JOINDRE À CHAQUE ENVOI LE BORDEREAU D'EXPÉDITION SOUS ENVELOPPE ROBUSTE. — SUPPLY PACKING SLIP IN HEAVY DUTY ENVELOPE WITH EACH SHIPMENT.

PAR / BY

TITRE / TITLE

1 - FOURNISSEUR - BLANCHE / SUPPLIER - WHITE
2 - ACCUSÉ RÉCEPTION - JAUNE / ACKNOWLEDGEMENT - YELLOW
3 - COMPTABILITÉ - BLEUE / ACCOUNTING - BLUE
4 - RÉCEPTION - VERTE / RECEIVING - GREEN
5 - ACHETEUR - BLANCHE / BUYER - WHITE

Source : Reproduit avec la permission de la compagnie Vidéotron.

Une entente peut aussi être conclue par téléphone. Par contre, l'acheteur n'est pas dans l'obligation de se conformer aux conditions d'un contrat. Cette absence de formalisme s'appuie sur le consensus.

La relance

La relance auprès du fournisseur permet à l'acheteur de clarifier l'information contenue dans le bon de commande. Afin d'éviter d'exercer sur le fournisseur une pression indue et de l'irriter, il est préférable de le relancer dans un délai raisonnable après l'émission du bon de commande. Avec tact, l'acheteur peut demander au fournisseur s'il éprouve de la difficulté à respecter l'échéance.

La réception

Le contrôle de la marchandise à l'entrepôt décharge, dans certaines circonstances, l'une ou l'autre partie des différentes responsabilités mentionnées au contrat d'achat en ce qui concerne la conformité des produits commandés, à savoir :

- le transporteur, lorsque le réceptionnaire constate que la quantité et l'emballage extérieur de chaque contenant sont conformes à ce que l'entreprise devait recevoir ;
- le fournisseur, lorsque le produit a subi une inspection en règle à la réception, au laboratoire ou par le demandeur.

Les anomalies constatées à la réception doivent faire l'objet d'un règlement entre le fournisseur et l'entreprise. Il n'est pas recommandé d'accorder au réceptionnaire la responsabilité de refuser une livraison ; celui-ci devrait plutôt communiquer avec le service de l'approvisionnement s'il détecte une anomalie. L'entreprise devrait prendre l'habitude d'accepter toute la marchandise qui lui est destinée ou de la refuser en entier. En effet, les transporteurs n'aiment pas servir d'entrepôt mobile ou se trouver au centre d'un litige. La rentabilité d'une entreprise de transport dépend essentiellement du renouvellement constant de la marchandise à transporter.

Dans le cas d'un service, la validation à l'effet que l'objet est conforme à ce qui a été commandé repose sur l'inspection effectuée par un responsable de l'entreprise désigné à cette fin. Lors de l'acquisition d'un service, le service de réception validera la conformité du service auprès du fournisseur et non auprès du transporteur. Il est à noter que l'achat d'un service de transport est considéré comme tout autre achat de service auprès d'un fournisseur.

Le paiement

Le paiement met fin à la transaction d'achat. Dans ce cas, il est préférable de traiter chacune des transactions séparément. Si l'une des factures est erronée, il vaut mieux communiquer avec le fournisseur pour corriger la situation que de se faire justice soi-même, c'est-à-dire de déduire un crédit attendu des sommes dues au fournisseur sans son consentement. C'est une question d'éthique et de maintien d'une bonne relation d'affaires.

Résumé

Dans ce chapitre, nous avons examiné le processus d'achat d'un produit ou d'un service. Les étapes à franchir sont la détermination du besoin, la planification de l'approvisionnement mix, l'exploration du marché, la décision d'achat et l'évaluation après l'achat.

Le cœur de l'orientation du processus repose sur l'approvisionnement mix. Ce concept est tiré de la définition des quatre « O » qui sont l'objet, l'objectif, l'organisation et l'opération d'achat. Pour l'acheteur, l'objet doit être défini et permettre de respecter les principes de transparence, d'équité et d'accessibilité entre les fournisseurs potentiels.

L'objectif d'achat, quant à lui, est la recherche des motifs de l'entreprise pour conclure une entente avec les fournisseurs. L'organisation d'achat réfère à la structure organisationnelle de l'entreprise et à ses façons de fonctionner. Enfin, l'opération d'achat consiste à déterminer la manière utilisée pour faire l'acquisition de l'objet.

Termes à retenir :

- Approvisionnement mix
- Bon de commande
- Effet de levier sur l'approvisionnement (ELA)
- Effet de levier sur les ventes (ELV)
- Éveil du besoin

- Facture
- Objectif d'achat
- Objet d'achat
- Opération d'achat
- Organisation d'achat
- Processus d'approvisionnement

Questions

1. Qu'est-ce que l'approvisionnement mix (les quatre « O ») ?

2. À quoi correspond l'objet dans l'approvisionnement mix ?

3. Quelle est la différence entre le secteur privé et le secteur public en matière de processus d'approvisionnement ?

4. Comment se manifeste l'éveil du besoin dans une entreprise ?

5. Qu'est-ce qui différencie l'approche des bénéfices dans l'entreprise privée et dans l'entreprise publique ?

6. Que représente l'effet de levier ? Quelle est l'utilité de le calculer ?

7. Est-il possible d'obtenir un effet de levier dans le cas d'une augmentation des ventes ? Expliquez votre réponse.

8. Quels ratios permettent de trouver le rendement de l'actif ?

9. Quelle est l'expression mathématique illustrant l'effet de levier par rapport à une variation du coût des achats ?

10. Quelle est l'expression mathématique illustrant l'effet de levier par rapport à une variation des ventes ?

11. Quelles sont les six étapes du processus d'approvisionnement ?

12. Définissez ce qu'est un objet complet.

13. Comment les facteurs psychologiques influencent-ils la décision d'achat ?

14. Quelles sont les principales façons de décrire l'objet d'achat ?

15. Quelle est la signification de l'acronyme ACNOR ?

16. Énumérez les bénéfices que le secteur de l'approvisionnement doit prendre en compte.

17. Comment les données internes influencent-elles le processus d'approvisionnement ?

18. Comment une bonne lecture des environnements interne et externe peut-elle influencer une décision d'achat ?

19. Comment l'objectif d'achat influence-t-il la décision d'achat?

20. Expliquez ce que sont les critères de l'approvisionnement.

Exercices d'apprentissage

1. Énumérez des objets qui ne sont, selon vous, ni des produits ni des services.

2. Comment peut se manifester l'éveil du besoin, qui correspond à la première étape du processus d'approvisionnement?

3. Donnez deux avantages liés au fait de décrire l'objet d'achat à l'aide d'une marque de commerce.

4. Dans quels secteurs utilise-t-on surtout la description d'un produit à l'aide de plans et devis? Pourquoi?

5. Distinguez la fiabilité de la durabilité en matière de description de l'objet d'achat.

6. Quelles données externes peuvent influencer un acheteur?

7. Donnez un exemple d'un environnement économique qui joue un rôle prépondérant pour un acheteur.

8. Donnez un exemple d'un environnement technologique qui joue un rôle prépondérant pour un acheteur.

9. Donnez un exemple d'un environnement écologique qui joue un rôle prépondérant pour un acheteur.

10. « Le poste "Stock de marchandises" dans un bilan financier peut être révélateur de l'importance qui lui est accordée et peut fournir une base de comparaison avec d'autres entreprises du même secteur d'activité. » Donnez un exemple de cette affirmation.

11. Quelle(s) méthode(s) de description de l'objet d'achat utiliseriez-vous dans les cas suivants? Il peut s'agir d'une utilisation individuelle ou familiale dans certains cas.

a)	Machine à laver	m)	Montre suisse
b)	Savon à lessive	n)	Paquet de cigarettes
c)	Alcool à friction	o)	Chauffe-eau
d)	Maison résidentielle neuve	p)	Grille-pain
e)	Gravier	q)	Avocat (le fruit)
f)	Lin du Mexique	r)	Poutre d'acier
g)	Table de salle à manger	s)	Abri d'hiver en toile
h)	Papier mouchoir	t)	Perceuse électrique
i)	Bateau de croisière	u)	Banquette arrière d'auto
j)	Stylo	v)	Nourriture pour chien
k)	Collier en or	w)	Tondeuse à gazon
l)	Formulaire de réquisition	x)	Shampooing

Exercices de compréhension

1. Précisez les données externes dans le cas d'un approvisionnement fait chez un manufacturier d'extincteurs.

2. Supposez que le chiffre d'affaires d'un distributeur de chaussures est de 1 million de dollars, que le prix de vente d'une paire de chaussures est de 50 $, que le coût d'achat d'une paire de chaussures est de 30 $ et que les dépenses d'exploitation sont de 200 000 $, dont 150 000 $ sont rattachés aux coûts d'entreposage.

   a) Calculez l'effet de levier sur l'approvisionnement dans le cas où il y a une baisse de 5 % du coût d'achat et de 2 % des coûts d'entreposage.

   b) Quelle devrait être l'augmentation en pourcentage des ventes pour que le profit net soit le même que dans le cas des baisses du coût d'achat ?

3. Quel serait le ratio du rendement de l'actif dans le cas du problème précédent si l'actif était de 400 000 $? Si l'on tient compte de la baisse de 5 % du coût d'achat et de 2 % des coûts d'entreposage, quel sera l'effet sur le ratio du rendement de l'actif ?

4. Un manufacturier de briquets à essence, qui a un chiffre d'affaires de 5 millions de dollars annuellement, une marge bénéficiaire brute de 40 % ainsi qu'un bénéfice net évalué à 5 % du chiffre d'affaires, désire augmenter son bénéfice afin de financer l'agrandissement de son usine. Pour ce faire, il embauche trois représentants commerciaux qui travailleront dans des territoires à peine exploités par l'entreprise. L'embauche de ces représentants créera des frais d'exploitation de 100 000 $. Cependant, le président de l'entreprise espère augmenter ses ventes de 7,5 %.

   a) Calculez l'effet de levier sur les ventes et interprétez le résultat obtenu.

   b) L'entreprise amorce un vaste programme de recherche en approvisionnement qui coûtera 40 000 $, mais qui devrait diminuer le coût des achats de 6 %. Calculez l'effet de levier sur l'approvisionnement et interprétez le résultat obtenu. Ne tenez pas compte de l'effet sur les ventes calculé en a).

   c) Si l'entreprise met en œuvre les deux stratégies précédentes en même temps, quel sera l'effet en pourcentage sur le bénéfice ?

5. Un distributeur de roulements à billes désire augmenter sa marge bénéficiaire brute, qui se situe actuellement à 750 000 $. Le coût de ses marchandises vendues représente 75 % de son chiffre d'affaires. Ses frais d'exploitation sont de 100 000 $. Afin d'augmenter son bénéfice, le distributeur entreprend une campagne de publicité qui lui permettra d'augmenter ses ventes de 10 %. Cette campagne lui coûte 50 000 $. De plus, un nouveau manufacturier de roulements à billes vient de s'implanter à quelques kilomètres du site d'affaires du distributeur. Sa stratégie de départ est de vendre ses produits finis au coût de production afin de pénétrer le marché très concurrentiel des roulements à billes. Cette stratégie aide grandement l'acheteur du distributeur. En effet, après avoir fait un calcul, celui-ci découvre qu'il

économisera 8 % sur le coût des roulements à billes achetés sans que cela occasionne des dépenses exorbitantes (les dépenses causées par cette baisse du coût d'achat sont presque nulles).

a) Calculez l'effet de levier sur les ventes ainsi que l'effet de levier sur l'approvisionnement, une stratégie à la fois. Interprétez les résultats obtenus.

b) Par rapport au bénéfice net, y a-t-il un avantage à utiliser les deux stratégies en même temps plutôt qu'une ?

6. Un manufacturier de ressorts servant à la suspension de certains véhicules a un chiffre d'affaires de 7 millions de dollars. Le prix de vente de chaque ressort est évalué à 200 $. Il lui en coûte 140 $ pour fabriquer ce type de ressort. Les frais d'exploitation de l'entreprise se chiffrent à 600 000 $.

a) Si l'acheteur de l'entreprise réussit à diminuer le coût de fabrication des ressorts de 140 $ à 130 $, grâce à des achats judicieux et sans affecter les frais d'exploitation, quel sera l'effet de levier sur l'approvisionnement ?

b) Quelle sera l'augmentation en pourcentage du chiffre d'affaires si l'on désire obtenir le même profit net que l'on a obtenu après le changement en a), en considérant le fait que l'on a dû augmenter les dépenses d'exploitation de 100 000 $? Quel sera l'effet de levier sur les ventes ? Interprétez le résultat.

Cas

Une nouvelle venue dans l'équipe

Marie Laflèche vient d'être engagée par la firme Jouets Internationaux inc. Son supérieur immédiat lui a indiqué, lors de l'entrevue de sélection, que l'entreprise venait de créer un poste d'acheteur pour la première fois de son histoire. Marie a une formation dans ce domaine. Son supérieur, qui est enthousiasmé par son choix, désire intégrer Marie Laflèche en l'invitant à participer à la réunion de planification avec les autres directeurs de l'entreprise. Il lui révèle alors les deux questions qui seront posées à l'occasion de cette réunion :

1. À quel moment les directeurs de l'entreprise devront-ils solliciter l'expertise de Marie Laflèche ?

2. Quels bénéfices supplémentaires peuvent-ils s'attendre à obtenir avec l'arrivée de la nouvelle acheteuse ?

Question

Pouvez-vous aider Marie Laflèche à préparer des réponses aux deux questions qui seront posées lors de la réunion des directeurs de l'entreprise ?

Les sources d'approvisionnement

Objectif général

Comprendre les concepts de sélection et de qualification des sources d'approvisionnement.

Autres objectifs

- Se familiariser avec la sélection et la qualification d'une source d'approvisionnement dans le secteur public et le secteur privé.
- Connaître les différentes approches qui s'offrent à un acheteur lors de la sélection d'un fournisseur.
- Se familiariser avec la théorie des prix et la négociation avec les fournisseurs.
- Connaître les avantages pour un acheteur de procéder par un appel d'offres.
- Se familiariser avec le contenu d'un contrat.
- Connaître quelques modèles d'évaluation des sources d'approvisionnement.
- Appliquer le modèle du niveau d'indifférence dans un contexte d'approvisionnement.

C'est l'action et non le fruit de l'action qui importe. Vous devez faire ce qui est juste, il n'est peut-être pas en votre pouvoir, peut-être pas en votre temps, qu'il y ait des fruits. Toutefois cela ne signifie pas que vous deviez cesser de faire ce qui est juste, vous ne saurez peut-être jamais ce qui résulte de votre geste, mais si vous ne faites rien, il n'en résultera rien.

– Gandhi
(1869-1948), dirigeant politique, guide spirituel important et symbole international de l'Inde libre.

TELUS Québec et ses fournisseurs : une relation gagnant-gagnant

TELUS Québec est membre de TELUS Corporation, le deuxième groupe national de télécommunications au Canada. Établie à Rimouski, où se trouve son siège social, la société exploite le deuxième réseau de télécommunications en importance au Québec. Elle est reconnue dans l'industrie pour ses innovations, sa maîtrise des réseaux à haut débit, ainsi que la qualité de son réseau IP de fibres optiques (*Carrier Class*). Par son appartenance au groupe TELUS, TELUS Québec compte également des partenaires prestigieux, dont Verizon, le plus important fournisseur de services câblés et sans fil aux États-Unis.

Depuis plus de 75 ans, TELUS Québec fait sa marque dans les télécommunications et les technologies de l'information. Aujourd'hui, l'entreprise dessert l'ensemble des régions et des grands centres du Québec. Elle assure partout à ses clients un guichet unique de solutions Internet, données, voix et sans fil (avec TELUS Mobilité), supportées par un réseau pancanadien de classe mondiale. L'entreprise se positionne comme leader, entre autres, dans l'Internet Haute Vitesse, les intranets et les extranets, la sécurité informatique, l'interconnexion de réseaux et l'hébergement de serveurs et de sites Web. TELUS Québec est perçue dans le marché comme l'un des fournisseurs les plus polyvalents en raison de la diversité de son offre globale.

Cette société de télécommunications se distingue par son expertise de haut niveau et l'approche personnalisée de son service à la clientèle. L'entreprise a d'ailleurs été récompensée sur le plan provincial pour la qualité de sa stratégie de service. Ses technologies d'avant-garde, son travail d'équipe inspiré, son leadership et sa bonne gestion planifiée constituent ses meilleurs gages de réussite pour l'avenir. Par sa capacité à mettre l'intelligence en réseau, TELUS Québec se présente comme un des acteurs majeurs de la nouvelle économie.

TELUS Québec favorise la relation gagnant-gagnant dans le choix de ses fournisseurs de biens et de services. Son approche dans la sélection de ses fournisseurs repose prioritairement sur la capacité de ceux-ci à lui procurer des produits et des services offrant une qualité de haute performance. Sa décision d'acquérir un produit (bien ou service) plutôt qu'un autre est influencée par plusieurs caractéristiques liées à ce produit, à son acquisition et à son utilisation. En effet, cette société recherche des produits de qualité, exempts de défaut, qui sont d'utilisation facile, disponibles rapidement et en quantité suffisante en un lieu précis. De plus, elle mise sur des produits obtenus au meilleur coût possible, respectueux de l'environnement et offrant la meilleure garantie disponible, le tout à la satisfaction ultime de ses clients.

Pour permettre à TELUS QUÉBEC de faire le meilleur choix possible, le fournisseur doit se conformer à la plupart des caractéristiques mentionnées, en plus de se qualifier selon un programme reconnu de sélection et de certification. Par la suite, la méthode d'évaluation de cette société lui permet de mesurer le rendement de ses fournisseurs à l'aide d'indicateurs de performance évolutifs, ce qui entraîne nécessairement la mise en place d'un processus d'amélioration continue. C'est de cette façon que TELUS Québec entend poursuivre sa relation de partenaire avec ses fournisseurs, tout en demeurant à l'avant-garde en matière de gestion de la chaîne d'approvisionnement.

Gilbert Roy
Directeur du secteur Approvisionnements

En entreprise

Introduction

Les fournisseurs sont des intervenants de premier plan. Dans le cas de nombreuses entreprises, ils se partagent plus de 60 % de chaque dollar de revenus. Il est donc important d'investir temps et argent afin de déterminer les meilleurs fournisseurs. Ces derniers doivent être en mesure de fournir les objets requis par l'entreprise, et ce, de manière optimale.

Selon Martin Beaulieu, chargé de cours au Diplôme d'études supérieures spécialisées (DESS) à l'école de gestion HEC Montréal[1], les fournisseurs n'occupent pas tous le même rang. Très souvent, selon la nature de l'objet transigé, la relation d'affaires sera plus intime et directe avec l'acheteur. Les achats ayant une haute valeur, une grande complexité, un caractère stratégique ou qui sont hautement personnalisés devraient être effectués auprès de fournisseurs de premier rang (*voir la figure 3.1*). Naturellement, les fournisseurs de premier rang seront moins nombreux que ceux qui sont classés dans le dernier rang. La classification des fournisseurs selon leur rang illustre bien leur inégalité aux yeux de l'acheteur. Cette inégalité peut également provenir de la contribution attendue.

Figure 3.1 La chaîne logistique

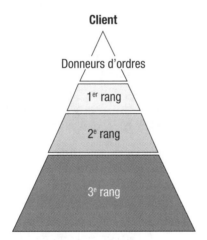

Le parc de fournisseurs de Doral[2]

Doral entretient des relations d'affaires avec plus de 600 fournisseurs offrant des matières premières, des fournitures de fabrication ainsi que des pièces pour la maintenance et l'entretien de l'équipement de production. Pierre Houde, directeur des achats, reconnaît

1. Le texte est tiré du cours n° 30-538-03, *Gestion stratégique de l'approvisionnement et de la logistique*, séance n° 4.

2. «Doral International: les enjeux de l'impartition dans la fabrication de bateaux de plaisance», cas conçu par Martin Beaulieu et Alain Halley, paru dans la *Revue internationale de gestion*, vol. 3, n° 3 (octobre 2005).

que ce nombre est élevé, mais qu'il résulte en bonne partie du développement historique de l'entreprise. De ce nombre, 20 sont considérés majeurs, dont la moitié sont situés dans la région de Grand-Mère. Cette concentration s'explique notamment par le fait que la Mauricie a une riche histoire liée à cette industrie. De nombreux fabricants de bateaux y avaient pignon sur rue au cours des années 1980 et 1990.

La recherche de nouvelles sources d'approvisionnement devient une fonction importante pour le service de l'approvisionnement. Le fait de vivre à l'âge de l'information permet aux acheteurs d'ouvrir leurs horizons sur des sources possibles à l'échelle planétaire. Historiquement, la nécessité d'effectuer la recherche de nouvelles sources provenait du fait que la matière première se faisait de plus en plus rare. Par la suite, les crises économiques ont forcé les entreprises à essayer de trouver des sources moins coûteuses. De nos jours, la recherche en approvisionnement est un procédé de planification proactif visant à prémunir les entreprises contre des changements susceptibles de se produire.

Tout acheteur recherche un fournisseur idéal, celui qui se rapproche le plus des attentes, des valeurs et du mode de fonctionnement de l'entreprise qu'il représente. Le fournisseur accompli doit posséder de nombreuses qualités dont les suivantes : satisfaire en tout temps aux exigences de l'entreprise ; ne pas nécessiter d'être relancé ; demeurer flexible ; livrer le lot optimal ; garantir un produit sans défaut ni rejet ; fournir une assistance technique accessible ; offrir un prix juste et des conditions commerciales avantageuses ; viser la réduction maximale des documents administratifs ; inspirer confiance ; démontrer une stabilité financière ; corriger les anomalies rapidement ; assumer le risque qu'il prend ; s'améliorer constamment. En somme, le fournisseur accompli est une source qui doit servir de modèle à toutes les autres sources.

Dans ses activités habituelles liées aux différentes relations d'affaires avec des fournisseurs, l'acheteur suit les étapes de sélection des sources, de qualification et d'évaluation. À l'étape de la sélection, l'acheteur suit un processus visant à cibler, à déterminer et à analyser les propositions, puis à les qualifier et à les adjuger. Dans ce processus, l'acheteur peut appliquer différentes stratégies. Celles-ci lui permettront d'atteindre le même résultat, mais par des chemins différents. Parmi les stratégies que nous traiterons plus en profondeur, mentionnons les suivantes :

- recourir à une source unique ou à plusieurs sources au niveau local, continental ou international, ou devenir membre d'un **groupement d'achats** ;

- acheter ou fabriquer le produit ; faire appel à la **sous-traitance** ; **louer** le bien ou le service ; travailler de manière traditionnelle ou selon une pyramide ou une **hiérarchie de fournisseurs** ; traiter avec le **manufacturier** ou un **intermédiaire** ;

- utiliser l'approche du **marketing à rebours** ou l'**enchère inversée**.

De nos jours, lors de la sélection, les acheteurs utilisent de plus en plus des outils électroniques et des portails pour solliciter les offres des fournisseurs. Nous verrons ces différents points dans ce chapitre.

Lors de la **sélection d'un fournisseur,** un des éléments importants consiste à déterminer le prix qui donne une valeur à la transaction. Nous consacrerons une partie du présent chapitre à cette question. Il est important de noter que le prix fait partie du coût total. La définition du coût total, l'**appel d'offres,** la négociation et les lois applicables aux prix seront vues plus en profondeur dans cet ouvrage. D'un autre côté, le prix dépend des fournisseurs et des fluctuations du marché.

La sélection d'une source d'approvisionnement étant un sujet très vaste, nous diviserons ce chapitre comme suit :

3.1 L'engagement de certaines entreprises

3.2 La détermination des sources

3.3 Les stratégies d'achat

3.4 Le coût d'acquisition (y compris les prix, les lois, l'appel d'offres et la négociation)

3.5 Le choix d'une source et l'adjudication

3.6 La **qualification des fournisseurs**

3.7 L'**évaluation des fournisseurs**

3.8 Les délais liés à la réalisation d'un mandat

3.1 L'engagement de certaines entreprises

De plus en plus d'entreprises mentionnent, lorsqu'elles décrivent leur mission, qu'une des clés de leur succès repose sur d'excellentes relations d'affaires.

Bombardier aéronautique

Bombardier aéronautique est l'un des leaders mondiaux dans la construction d'avions. Cette société décrit ainsi sa vision en ce qui concerne les relations d'affaires avec ses fournisseurs : « Pour offrir à l'industrie des avions et un service à la clientèle de niveau supérieur, nous travaillons avec des fournisseurs qui affichent le même engagement que nous envers l'excellence et le même sens de l'innovation. Nous travaillons avec eux pour dépasser les attentes de nos clients et ajouter une valeur réelle à nos produits et services. »

Source : BOMBARDIER. *Site de Bombardier,* [En ligne], http://www.bombardier.com/fr/aeronautique/fournisseurs (Page consultée le 16 mars 2009)

Kinecor

Kinecor est un important distributeur canadien de produits de roulement et de transmission de puissance de systèmes, de composantes hydrauliques ainsi que d'équipements de manutention des liquides. Un des points décrivant sa vision concerne les fournisseurs. La société écrit : « Nous nous engageons à travailler avec des fournisseurs de qualité et à établir une relation de confiance afin d'atteindre ensemble nos objectifs de croissance. »

Source : KINECOR. *Site de Kinecor,* [En ligne], http://www.kinecor.com/Frenchframeasp?section=home (Page consultée le 16 mars 2009)

▶

AXA Canada

AXA Canada, membre du Groupe AXA, est un des leaders mondiaux en matière de protection financière. La société offre une vaste gamme de produits d'assurances de dommages, d'assurances de personnes et de services financiers. Ces produits servent à bien protéger ses clients. La société les aide ainsi à construire leur patrimoine tout en leur permettant de réaliser leurs projets et d'envisager l'avenir en toute quiétude. Elle indique, en ce qui a trait à ses engagements à propos des fournisseurs, qu'il convient « de maintenir avec eux une relation de qualité basée sur une déontologie "achats" stricte et un dialogue suivi ».

Source: AXA CANADA. *Site d'AXA Canada,* [En ligne], http://www.axa.ca/fr (Page consultée le 16 mars 2009)

3.2 La détermination des sources

Grâce à l'utilisation de répertoires, de revues spécialisées, d'émissions de radio et de télévision ou du site Web de l'entreprise, l'acheteur détermine les sources potentielles. Au préalable, il prend soin de bien déterminer la source recherchée. L'annexe 3.1, à la page 141, présente une liste des répertoires disponibles permettant de sélectionner de nouvelles sources. Cependant, du fait que de nouveaux répertoires apparaissent régulièrement et qu'ils offrent de nouvelles possibilités à l'acheteur, cette annexe ne doit être considérée qu'à titre indicatif.

Les sources peuvent aussi provenir de représentants qui scrutent le marché, d'un réseau informatique tel Internet, de fichiers de l'acheteur sur les fournisseurs, de visites chez les fournisseurs actuels, d'un programme de publicité mis en place par le fournisseur, de la réception d'échantillons, de rencontres avec les collègues de l'acheteur ou d'autres relations professionnelles.

Dans le cas de plusieurs organismes publics, les fournisseurs sont invités à s'enregistrer sur un site Web.

S'enregistrer comme fournisseur potentiel du gouvernement du Canada

Le site *Travaux publics et Services gouvernementaux Canada* (www.tpsgc-pwgsc.gc.ca/app-acq/sat-ths/fournisseurs-suppliers/enregistrement-register-fra.html) permet aux fournisseurs de s'enregistrer pour obtenir des mandats du gouvernement fédéral.

S'enregistrer comme fournisseur potentiel du gouvernement du Québec

Le site *Portail d'approvisionnement du gouvernement du Québec* (www.approvisionnement-quebec.gouv.qc.ca) permet à un fournisseur de s'enregistrer comme source d'approvisionnement potentielle. Comme il s'agit d'un acte volontaire de la part du fournisseur, le gouvernement considère que celui qui s'enregistre veut avoir des mandats du gouvernement du Québec.

▶

Si vous désirez approvisionner les ministères et les organismes publics en biens et services, vous pouvez d'abord consulter le **Profil de nos clientèles** et considérer le portrait de la **Direction générale des acquisitions**.

S'enregistrer comme fournisseur potentiel d'Hydro-Québec

Le site *Pour vous inscrire, Hydro-Québec* (www.hydroquebec.com/soumissionnez/inscrire.html) est plus précis. En effet, le fournisseur peut s'enregistrer pour offrir des biens, des travaux et des services spécialisés ou encore des services professionnels.

S'enregistrer comme fournisseur potentiel de la Ville de Montréal

Le site *Les affaires, Fichier des fournisseurs* (http://ville.montreal.qc.ca/portal/page?_dad5portal&_pageid54657,28545571&_schema5PORTAL) indique : «Vous voulez vendre vos produits ou proposer vos services à la Ville de Montréal ? Le premier pas à faire est de vous inscrire au fichier des fournisseurs. Ce fichier central renferme les coordonnées de toutes les entreprises, organismes et individus désireux de faire affaire avec la Ville de Montréal, ainsi que la nature des biens ou des services que chacun est en mesure d'offrir. Les renseignements qu'il renferme permettent donc aux approvisionneurs d'identifier des fournisseurs pouvant être invités à soumettre des offres pour des acquisitions autres que celles devant faire l'objet d'un appel d'offres public.»

S'enregistrer comme fournisseur potentiel de la Ville de Québec

Le site *Ville de Québec, Fichier des fournisseurs* (www.ville.quebec.qc.ca/gens_affaires/approvisionnement/fichier_fournisseurs.aspx) mentionne : «Les fournisseurs de biens et de services désireux de faire affaire avec la Ville doivent nécessairement s'inscrire à son fichier des fournisseurs. Cette section s'adresse à eux ainsi qu'à ceux et à celles qui veulent apporter des modifications à leur dossier.»

Dans un article publié en 1988, Caroline Reich[3] énumère certaines caractéristiques du fournisseur idéal que recherchent plusieurs entreprises. Ainsi, le fournisseur idéal doit :

- recourir à l'informatisation autant ou davantage que ses clients et offrir un excellent service de tenue de dossiers et de production de rapports de consommation ;
- disposer d'un système de facturation flexible ;
- vérifier les délais d'exécution des commandes et mettre tout en œuvre pour les respecter ; s'il ne peut respecter les délais, il doit avertir son client rapidement ;
- être disposé à négocier un contrat global, à long terme, pour les produits ou les services usuels et doit même en faire la suggestion ;
- être en mesure de répondre à tous les besoins de ses clients, et pas seulement à une partie de ces besoins ;

---

3. Adapté de Caroline REICH, « Le choix du bon fournisseur vous fait économiser plus que de l'argent », *Purchasing World* (mars 1988).

- attribuer à ses représentants un territoire assez restreint pour que ceux-ci puissent consacrer le temps voulu à chaque acheteur ;
- entretenir de bons rapports avec les fabricants et les grossistes auprès desquels il s'approvisionne ;
- réaliser un profit raisonnable et faire des affaires depuis longtemps ;
- posséder une certaine flexibilité en matière d'expédition et de transport, notamment en s'assurant que l'**emballage** et la facturation des commandes de chaque service de l'entreprise soient distincts.

Une fois que l'acheteur est assuré que le fournisseur possède ces différentes caractéristiques, il lui reste à examiner ses prix. Atteindre un tel résultat n'est pas une sinécure. Dans chaque situation, l'acheteur tente de définir le fournisseur idéal. Caroline Reich a décrit sa perception du fournisseur recherché. Ce n'est pas la même dans tous les cas. Pour chaque demande, l'acheteur dresse un portrait du fournisseur désiré, mais aussi de celui qui s'adapte le mieux à l'approche que préconise l'entreprise. En effet, plusieurs entreprises mettent de l'avant une position claire quant au type de rapports qu'elles veulent avoir avec les sources d'approvisionnement.

3.3 Les stratégies d'achat

Comme nous l'avons décrit précédemment, l'entreprise doit déterminer soigneusement ses sources d'approvisionnement. D'un autre côté, elle peut utiliser différentes stratégies afin d'obtenir un même objet. Pour choisir la meilleure stratégie, l'entreprise doit se connaître et s'évaluer en fonction des points suivants : ses forces, ses faiblesses, ses opportunités, les menaces qui pèsent sur elle, son acceptation du risque, son plan d'affaires, ses valeurs, son histoire et autres. Nous aborderons les stratégies les plus importantes qui sont mises en œuvre sur le marché, et nous tenterons d'en dégager les éléments importants.

3.3.1 Le recours à une ou plusieurs sources

Au cours du processus de sélection des sources potentielles, l'acheteur se demande s'il fera affaire avec un ou plusieurs fournisseurs. Malgré l'adage selon lequel il est préférable de ne pas mettre tous ses œufs dans le même panier, il existe certains avantages à traiter avec une seule source. Le tableau 3.1 indique les avantages liés aux deux options.

Comme on peut le voir, il n'est pas facile pour une entreprise de déterminer si elle doit s'orienter vers une source unique ou des sources multiples. En pratique, l'entreprise préfère certaines sources par rapport à d'autres. Ainsi, il n'est pas rare de rencontrer des acheteurs qui accordent 70 % du volume de marchandises à un fournisseur, 20 % à un deuxième et 10 % à un troisième. Avec une telle approche, les acheteurs se ménagent une porte de sortie dans le cas où une source ne pourrait répondre adéquatement à leurs demandes. Cette méthode est judicieuse si la répartition s'effectue logiquement, sans discrimination, sans transgression du code de déontologie de la profession et dans le respect des lois sur la concurrence.

Tableau 3.1 Les avantages liés à l'utilisation d'une source unique ou de sources multiples

Source unique	Sources multiples
■ Propriété exclusive de certains procédés (brevets essentiels)	■ Maintien de la compétitivité entre les fournisseurs
■ Rendement hors pair de la part du fournisseur	■ Assurance en ce qui a trait à l'approvisionnement en cas d'imprévu sur le marché
■ Commande trop petite pour être divisée	■ Augmentation de l'indépendance envers un fournisseur
■ Économie d'échelle relativement au coût du transport et du produit lui-même	■ Introduction plus facile d'une nouvelle source
■ Produit fabriqué à partir de moules, de matrices ou de plaques	
■ Réduction plus facile des coûts administratifs	
■ Stratégie de flux de marchandises permettant de réduire considérablement les stocks	
■ Échange de l'information stratégique	

3.3.2 L'achat auprès d'une source locale ou internationale

Depuis plusieurs années, les entreprises sont enclines à établir des relations d'affaires avec des fournisseurs étrangers. Selon Roger Perrotin et François Soulet de Brugière[4], les principaux objectifs visés par les entreprises dans une stratégie de mondialisation sont les suivants :

- réduire les coûts de production ;
- utiliser les ressources locales d'un autre pays ;
- s'implanter sur de nouveaux marchés et trouver des débouchés suffisants pour rentabiliser les investissements ;
- profiter de conditions fiscales ou sociales avantageuses ;
- bénéficier de la productivité du travail ;
- contourner des quotas d'importation stricts imposés par certains pays ;
- participer à un échange commercial sous la forme d'un marché de compensation.

Malgré le fait que l'acheteur doive transiger avec un fournisseur, comme ce serait le cas avec une source d'approvisionnement locale, d'autres éléments sont à considérer, à savoir le pays et le commerce. Le tableau 3.2, à la page suivante, présente de manière succincte les éléments qui ajoutent de la complexité à l'opération d'achat.

---

4. Roger PERROTIN et François SOULET de BRUGIÈRE, avec la participation de Jean-Jacques PASERO, *Le Manuel des achats*, Paris, Éditions d'Organisation, 2007, p. 7-8. (Coll. « Eyrolles »)

| Tableau 3.2 | Les éléments qui ajoutent de la complexité à l'opération d'achat |

Pays	Commerce
■ Us et coutumes ■ Système juridique et éthique ■ Monde économique (taxes et accords) ■ Distance géographique ■ Système douanier (dédouanement)	■ Paiement – crédit documentaire ■ Taux de change ■ Origine d'un bien ■ Incoterms et transport ■ Assurances ■ Transitaire ■ Emballage et inspection des marchandises

3.3.3 L'achat ou la fabrication d'un produit

Au cours du processus de sélection, l'acheteur détermine s'il est préférable pour l'entreprise d'acheter le produit recherché ou de le fabriquer. Au-delà de la décision économique, il existe plusieurs raisons qualitatives de choisir une option plutôt qu'une autre (*voir le tableau 3.3*).

| Tableau 3.3 | Les raisons qui motivent l'achat ou la fabrication d'un produit |

Achat	Fabrication
■ La quantité requise est trop faible pour justifier la mise en route de la production. ■ Le système de production n'est pas en mesure de fournir un produit de même qualité. ■ Le fournisseur offre un meilleur service que le système de production interne. ■ Le fournisseur possède un droit, un brevet ou une technologie qu'il est impossible d'utiliser. ■ Le système actuel de production est en panne ou en période de maintenance. ■ Les fluctuations de la demande varient trop, ce qui crée une pression sur le système de production en place. ■ Le fournisseur apporte à l'entreprise un avantage concurrentiel autre que le produit fourni, tel que le développement de la clientèle sur un autre territoire, une meilleure position sociopolitique ou un profit indirect provenant d'autres mandats. ■ L'entreprise ne désire pas investir dans l'achat d'équipement.	■ L'entreprise possède l'expertise. ■ L'entreprise a des ressources sous-utilisées. ■ L'entreprise conserve le contrôle du développement technologique du produit. ■ L'entreprise prévoit une meilleure rentabilité à long terme. ■ L'entreprise veut réduire le nombre de ses fournisseurs. ■ L'entreprise n'a pas confiance en une source extérieure. ■ L'entreprise ne veut pas être dépendante d'une source. ■ Les employés exercent une pression sur l'entreprise pour garder la maîtrise de la fabrication.

De nos jours, le choix des entreprises s'est grandement modifié. Auparavant, l'entreprise recherchait une intégration verticale, c'est-à-dire qu'elle fabriquait les composantes, les sous-ensembles et les produits finis. Maintenant, elle concentre ses efforts uniquement sur les facteurs clés et sa compétence, laissant à des fournisseurs le soin de lui procurer certaines parties du produit fini. Par exemple, un comptable agréé, qui a pris l'habitude de confier certains services comptables à un fournisseur, peut demander une expertise fiscale à un confrère spécialisé dans cette matière. Son opinion est alors plus éclairée. On observe de plus en plus cette situation dans la médecine telle qu'elle se pratique aujourd'hui. Le rôle du médecin généraliste demeure, mais des spécialistes en tous genres gravitent autour de lui, l'aidant à poser des diagnostics là où son expertise est moins grande.

3.3.4 Le recours à la sous-traitance

La sous-traitance est un mode d'acquisition de biens ou de services visant à accroître la capacité d'une entreprise à répondre à une demande. Les sous-traitants se divisent en deux catégories : les sous-traitants permanents et les sous-traitants occasionnels.

Les sous-traitants permanents interviennent lorsque l'entreprise confie la responsabilité de certaines activités à des fournisseurs. On peut penser aux cas suivants : les services d'entretien, de transport, de cafétéria, de recherche, d'informatique, d'imprimerie, de téléphonie, de sécurité ou autres. À certains moments, un sous-traitant peut se voir confier la fabrication de certaines composantes d'un produit parce qu'il possède une technologie, une main-d'œuvre spécialisée ou un autre avantage concurrentiel.

En ce qui concerne les sous-traitants occasionnels, ces derniers soutiennent l'entreprise au moment d'une demande accrue du marché ou d'un arrêt de production (arrêt de travail dû au bris d'une machine, à une grève, à un incendie, à une tempête de verglas, etc.). Le tableau 3.4, à la page suivante, indique les avantages et les inconvénients du recours à la sous-traitance comme source d'approvisionnement pour une entreprise.

Ce mode de sélection est de plus en plus populaire au Québec. C'est pourquoi le monde des affaires s'est doté d'un organisme sans but lucratif unique au monde : Sous-traitance industrielle Québec (STIQ). La mission de cet organisme est de favoriser l'établissement et le renforcement de relations d'affaires entre les entreprises. Les services offerts par STIQ portent sur la recherche, l'évaluation et le développement de sous-traitants. Par exemple, STIQ a exécuté un mandat pour Marconi Canada, un chef de file reconnu mondialement dans la conception, la fabrication et la vente de produits électroniques de haute technologie tels que les systèmes d'avionique, les systèmes de communication, de radar et de navigation au sol, le matériel électronique destiné au transport de surface et les composantes électroniques spécialisées. Marconi voulait se doter d'un logiciel capable de rechercher des sous-traitants, d'évaluer leur rendement de même que celui des sous-traitants actuels, et ce, grâce à des répertoires électroniques. STIQ a alors reçu le mandat de concevoir, de faire fonctionner et d'améliorer le logiciel en question pour le service de l'approvisionnement de Marconi, de même qu'un mandat de sous-traitance pour contrôler les opérations liées au logiciel. Ce logiciel servira à perfectionner le mode de fonctionnement choisi par le fournisseur.

Tableau 3.4	Les avantages et les inconvénients de la sous-traitance

Avantages	Inconvénients
■ La sous-traitance peut avoir pour effet de transformer certaines faiblesses de l'entreprise en forces. ■ La sous-traitance permet de transformer des frais fixes en frais variables. ■ L'entreprise peut améliorer son image en intégrant les forces du sous-traitant à son procédé. ■ La sous-traitance peut permettre de réduire les coûts de recherche et de développement. ■ L'entreprise peut améliorer la gestion de sa trésorerie. ■ La sous-traitance entraîne la transparence quant aux coûts. ■ La sous-traitance peut apporter une solution à un problème interne. ■ La sous-traitance permet à l'entreprise d'augmenter sa capacité de production. ■ La sous-traitance peut donner lieu à un repositionnement des facteurs clés de l'entreprise.	■ La sous-traitance peut entraîner une sous-utilisation des ressources internes. ■ L'entreprise peut risquer de faire une mauvaise sélection. ■ Le fournisseur est susceptible d'augmenter ses prix lors du renouvellement du contrat. ■ L'entreprise risque de négliger le poids que représentent les frais indirects. ■ Le passage d'un mode de fonctionnement à un autre peut causer des problèmes de continuité et d'ajustement à court terme en ce qui concerne l'activité sous-traitée. ■ Les ressources humaines de l'entreprise peuvent réagir à une éventuelle perte d'emplois.

3.3.5 La location d'un bien ou d'un service

La location est une disposition contractuelle par laquelle un locateur établit des règles avec un locataire concernant l'utilisation d'un bien appartenant au locateur. Lorsque l'acheteur choisit cette option, il fait intervenir plusieurs fournisseurs. Si l'on prend l'exemple de la décision de louer des automobiles d'une valeur totale de 500 000 $ pour le service des ventes, l'acheteur traitera avec les intermédiaires suivants :

- le locateur, qui est propriétaire des automobiles ;
- le bailleur de fonds, qui prend le risque financier de la transaction, soit 500 000 $;
- le prêteur, qui avance les fonds de 500 000 $;
- le fabricant, qui garantit l'entretien et la maintenance des automobiles ;
- l'assureur, qui protège les automobiles au nom du locataire ;
- le locataire, qui reçoit le droit d'utiliser l'automobile ;
- l'utilisateur, qui dispose de l'automobile.

En somme, ce mode requiert une excellente compréhension du rôle joué par chacun dans l'attribution d'un contrat. Le tableau 3.5 énumère les avantages et les inconvénients liés à cette option.

Aujourd'hui, tout se loue. Certaines entreprises font de la location leur spécialité. Dernièrement, le Salon du livre religieux de Montréal a dû prendre une

Tableau 3.5   Les avantages et les inconvénients de la location

Avantages	Inconvénients
■ La location permet d'augmenter la capacité de production de l'entreprise pendant une très courte période. ■ La location permet d'utiliser l'équipement avant d'en faire l'acquisition définitive. ■ La location fait bénéficier l'entreprise d'un équipement plus récent. ■ La location permet à l'entreprise de se maintenir à la fine pointe de la technologie. ■ Le coût du bail est une dépense. ■ La location permet de transférer certaines parties de la maintenance au locateur.	■ Certaines clauses d'une entente de location d'un bien peuvent ne pas convenir à l'une ou l'autre des parties, comme la durée d'utilisation, les assurances ou l'entretien. ■ Dans certain cas, l'entreprise est obligée de prendre le service complet du locateur même si elle n'a besoin que d'une partie du service. ■ Le contrat de location peut comporter des coûts cachés qui deviennent importants à la fin de l'entente.

décision concernant la location de kiosques. Cet événement, qui dure trois jours, a lieu tous les deux ans. Durant les premières années de ce salon, les kiosques étaient loués au coût de 5 000 $ par année. Pour acheter des kiosques, le Salon devait débourser la somme de 12 000 $, soit un rendement de l'investissement sur 3 événements, ou 6 ans. L'acheteur du Salon a recommandé aux organisateurs de conclure des ententes de six ans avec les éditeurs, les diffuseurs et les libraires. Ainsi, l'investissement devenait une option intéressante. Faute d'une telle entente, le risque pour le Salon était trop élevé pour justifier l'achat des kiosques. Un contrat exhaustif a lié tous les intervenants et assuré l'engagement de chacun pour la durée minimale de trois événements. La commande de fabrication des kiosques a découlé de cette entente. L'annexe 3.3, à la page 145, présente les différentes clauses d'un contrat de location.

3.3.6   Le respect d'une pyramide ou d'une hiérarchie de fournisseurs

L'approvisionnement selon une pyramide ou une hiérarchie de fournisseurs est un processus d'organisation des fournisseurs qui vise à réduire le nombre d'interactions et le contrôle des différentes sources d'approvisionnement. Ainsi, l'acheteur n'a qu'à traiter avec les fournisseurs de premier niveau. Ces derniers supervisent les fournisseurs de deuxième niveau et ainsi de suite. C'est le cas de General Motors. Dans ce sens, John McMillan écrit : « Jusqu'au début des années 1980, General Motors assemblait les sièges automobiles dans ses usines, achetant les composantes (comme les structures, les ressorts ou les tissus) chez 8 à 10 fournisseurs. Maintenant, la société achète les sièges d'un fournisseur qui a la responsabilité d'acquérir les pièces d'autres fournisseurs[5]. » C'est ainsi que certaines entreprises canadiennes et québécoises fabriquent des composantes de sièges pour les automobiles de General Motors sans avoir reçu le contrat de General Motors.

---

5. John McMILLAN, « Managing Suppliers Incentive Systems in Japanese and U.S. Industry », *California Management Review* (été 1990), p. 38-55 (notre traduction).

Fedrick Markos, ancien vice-président d'Hydro-Québec et chargé de cours à l'école de gestion HEC Montréal, croit que l'industrie automobile adoptera sous peu le modèle de gestion de l'approvisionnement pyramidal des Japonais. En effet, selon certaines statistiques, General Motors produit 6 millions de véhicules par année et a besoin de 6 000 acheteurs pour traiter avec 1 500 fournisseurs, alors que Toyota produit 3,6 millions de véhicules avec 340 acheteurs et 180 fournisseurs de premier niveau. Ces 180 fournisseurs traitent avec 4 700 fournisseurs de deuxième niveau. Quant à ces derniers, ils traitent avec 31 600 fournisseurs de troisième niveau. La figure 3.2 permet de comparer l'approche traditionnelle avec l'approche pyramidale pour un fabricant de jeux de société.

L'industrie automobile qualifie ses sources selon le niveau qu'occupe chacune d'elles. Ainsi, certains fournisseurs sont de premier niveau, c'est-à-dire qu'ils reçoivent leurs mandats directement du fabricant automobile. La pression qui s'exerce sur cette source est énorme. En effet, une accumulation d'erreurs peut reléguer ce type de fournisseur au deuxième niveau, qui ne recevra qu'une partie du volume obtenu par le fournisseur de premier niveau. La concurrence entre les niveaux exige que les fournisseurs améliorent continuellement leurs produits.

3.3.7   Le recours au manufacturier ou à un intermédiaire

L'acheteur qui cherche à réduire le coût d'acquisition d'un objet doit aller au-delà de la chaîne de distribution traditionnelle. Le désir très répandu d'éliminer les intermédiaires tels que les agents manufacturiers, les grossistes, les détaillants et les courtiers vise à permettre à l'entreprise de récupérer la marge de profit prise par chacun d'eux. Le fait de payer plus cher un objet parce qu'il provient d'un intermédiaire plutôt que du manufacturier va à l'encontre de la mission de l'approvisionnement. Pourtant, les manufacturiers souhaitent pouvoir s'appuyer sur un réseau d'intermédiaires. Ce paradoxe s'explique. Un acheteur cherche auprès de ses intermédiaires une justification pour maintenir ses relations d'affaires avec eux, espérant obtenir d'autres bénéfices que le bénéfice économique. Sur ce point, Georges Chetochine écrit :

> […] les choses sont simples pour les distributeurs classiques s'exprimant à partir de petits points de vente. S'ils gèrent bien leurs achats, leur personnel, leur image de prix et s'ils savent fidéliser leurs clients, s'ils sont suffisamment vigilants et ouverts aux nouvelles technologies, rien de bien méchant ne devrait leur arriver dans un futur proche […] Tout laisse à penser que la distribution, dans tous les secteurs, va se concentrer, devenir omnipuissante et essentiellement de nature financière […] Le troisième millénaire, du moins dans le cadre de la distribution sera organisé, concentré et efficace[6].

Le tableau 3.6, à la page 94, énumère les avantages et les inconvénients de traiter avec un intermédiaire. Malgré les inconvénients mentionnés dans ce tableau, les fabricants tendent de plus en plus à recourir à des intermédiaires pour distribuer les produits qu'ils fabriquent.

---

6. Georges CHETOCHINE, *Quelle distribution pour 2020 ? Les nouveaux enjeux du commerce*, Paris, Éditions Liaisons, 1998, p. 96-97 et 169.

Figure 3.2   L'approche traditionnelle et l'approche pyramidale

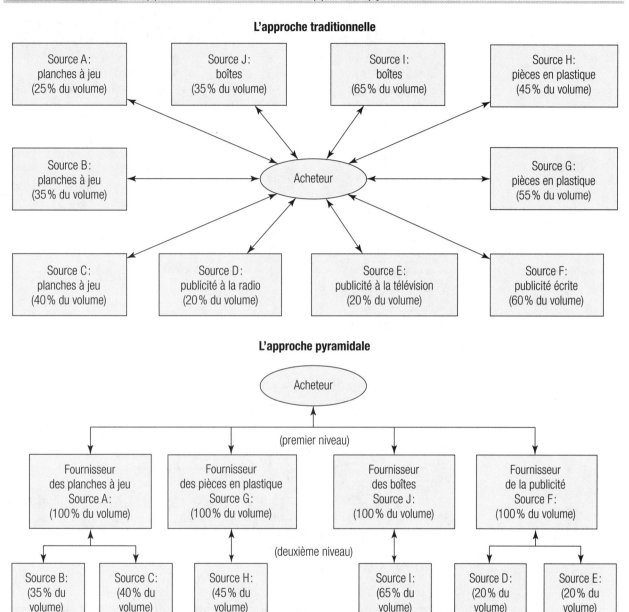

L'importance relative de la distribution

La distribution n'est pas un élément clé pour le fabricant ; elle n'est pas sa raison d'être. De plus en plus, les manufacturiers ont besoin de fonds pour investir dans la recherche et le développement de nouveaux objets. Plus ils conservent le contrôle de certains secteurs, plus cette mesure requiert de capitaux. C'est pourquoi ils préfèrent sous-traiter la distribution en s'adressant à des spécialistes plus performants qu'eux-mêmes.

Tableau 3.6	Les avantages et les inconvénients du recours à un intermédiaire

Avantages	Inconvénients
<ul><li>L'entreprise a la possibilité d'acheter en plus petites quantités.</li><li>L'entreprise peut faire financer les frais d'entreposage par l'intermédiaire.</li><li>L'entreprise obtient un service plus personnalisé.</li><li>L'entreprise reçoit son approvisionnement en général plus rapidement.</li><li>L'intermédiaire se trouve habituellement proche de l'entreprise.</li><li>L'entreprise peut acheter plusieurs produits au même endroit.</li><li>L'entreprise bénéficie de la connaissance de l'intermédiaire sur les produits complémentaires et les substituts.</li><li>En général, l'entreprise obtient une correction plus rapide des anomalies.</li><li>L'entreprise investit constamment dans le canal de distribution.</li></ul>	<ul><li>L'intermédiaire conserve la différence entre le coût d'acquisition et le prix de vente.</li><li>L'intermédiaire est moins au fait des progrès technologiques.</li><li>L'intermédiaire se préoccupe peu de recherche et de développement.</li><li>L'intermédiaire est à la merci du service qu'offre le manufacturier.</li></ul>

La mondialisation des marchés

La mondialisation des marchés a compliqué la distribution des biens. Auparavant, les entreprises effectuaient un simple déplacement des marchandises. Elles doivent maintenant composer avec une gestion de la logistique qui est devenue une fonction stratégique majeure dans le succès d'une entreprise. En effet, la logistique[7], telle qu'elle est définie actuellement, vise à optimiser la coordination dans la chaîne de distribution – qui comprend le ou les fournisseurs du fabricant, le fabricant, le distributeur et le client – pour favoriser le meilleur mouvement des biens au coût le plus bas possible.

La force de vente

Lorsque le fabricant possède sa propre force de vente, il doit gérer des ressources humaines et faire des dépenses liées à un réseau de vente. Ainsi, il est préférable de recourir à un intermédiaire, dont la force de vente porte sur plusieurs lignes de produits.

La gestion des stocks

La gestion des stocks est devenue la spécialité des intermédiaires. En effet, l'existence des intermédiaires dépend de la marge qui existe entre le coût d'acquisition du bien et le prix de vente. Alors que le fabricant contrôle 100 % de ses coûts, l'intermédiaire

---

7. Par définition, la logistique est la gestion des flux qui peuvent prendre la forme de flux physiques, d'information, d'administration et de trésorerie. Ce terme sera étudié plus en détail au chapitre 8.

tente de réaliser un profit avec des marges brutes variant entre 15 % et 25 %. La principale dépense d'une entreprise de distribution demeure l'acquisition de stocks. Très rapidement, les intermédiaires ont compris l'importance de bien gérer le niveau de stocks et ils ont acquis une expertise dans ce domaine.

La maîtrise de l'information

Les technologies de l'information exercent une pression additionnelle sur le fabricant qui voudrait tout contrôler lui-même. Les choses avancent si rapidement que chacun possède sa propre spécialité. Le fabricant doit maîtriser une partie de l'information considérable qui déclenche et oriente les transformations requises par le mouvement des biens.

L'approvisionnement dans une situation d'urgence

Autrefois, la présence du stock sur les lieux de transformation constituait la garantie de l'approvisionnement. Les clients du fabricant assumaient le coût des stocks requis pour entretenir leurs équipements. Plus tard, ce sont les clients qui ont demandé au fabricant de prendre en charge les stocks. Aujourd'hui, le fabricant a recours à des intermédiaires pour gérer les stocks. Par exemple, au lieu de garder toutes les pièces de plomberie pour parer à un bris de tuyau, le fabricant se tourne maintenant vers des distributeurs. Ces derniers font la gestion des tuyaux en se basant sur la probabilité qu'un maximum de quatre ou cinq de ses entreprises auront besoin d'un tuyau rapidement durant le délai de réapprovisionnement. L'intermédiaire aura donc réduit de moitié la quantité minimale de tuyaux.

L'emballage et le conditionnement

L'emballage et le **conditionnement** des produits constituent une dépense importante lors de la transformation des biens. Le fabricant tente de protéger les biens durant leur transport au-delà des exigences ou des besoins. D'un autre côté, l'expertise de l'intermédiaire, qui manipule quotidiennement ces biens, permet d'obtenir l'emballage approprié à leur protection.

3.3.8 La conservation de stock additionnel en cas de force majeure ou la confiance en ses fournisseurs

Depuis quelques années, on se préoccupe davantage de la garantie de l'approvisionnement en cas d'urgence ou de force majeure. Pensons à la tempête de verglas que le sud-ouest du Québec a connue en 1998 ou à celle de 2008 en Nouvelle-Écosse, à l'inondation majeure qui s'est produite dans la région de Winnipeg en 1997 ou à celle survenue au Saguenay en 1996, aux guerres en Irak en 1991 et en 2003, à la panne majeure d'électricité qui a touché plus de 50 millions de personnes en 2003, ou à la grève générale des travailleurs du Venezuela au début de 2003. Le service de l'approvisionnement doit établir un plan d'urgence en cas de problème ou de crise.

Voici un scénario : une pièce se brise. La production doit s'arrêter parce que le magasin ne dispose d'aucune pièce de rechange. Donc, les profits s'envolent. L'entreprise est en état d'alerte. Une des premières personnes appelées sur les lieux de la catastrophe est l'acheteur. À partir de ses réponses, la stratégie de remise en marche s'amorce. Des situations comme celle-là se produisent fréquemment de nos jours. Jadis, pour éviter un bris majeur, un approvisionnement risqué ou répondre à un cas de force majeure, la solution consistait à posséder un stock de sécurité. Mais aujourd'hui, alors que l'on se soucie d'optimiser la rentabilité du stock, les ruptures de stock sont gérées par les acheteurs.

Pour la direction, en cas d'urgence, la notion de service rendu à l'entreprise l'emporte sur le coût. Même dans une telle éventualité, l'acheteur doit régulariser la situation au moindre coût. Pour lui, le coût de rupture est une composante du coût total. Sa décision tient compte du coût total le plus bas, qu'il obtient en additionnant le coût d'acquisition et le coût de rupture.

Pour minimiser les répercussions d'un événement perturbateur, l'acheteur doit d'abord franchir les sept étapes suivantes[8] :

1. Avoir une capacité autonome d'information : établir les enjeux, évaluer le coût de rupture et déterminer les priorités quant aux services à rendre.

2. Prévoir divers scénarios avec des équipes de travail dans l'entreprise et avec la direction.

3. Construire un réseau avec des fournisseurs, des partenaires d'affaires et d'autres acheteurs.

4. Déterminer le pouvoir de décision de chaque intervenant, laissant le soin à chacun de prendre des risques calculés à l'avantage de tous.

5. Organiser un groupe de travail qui comprendra un décideur dont les responsabilités seront axées sur la résolution de la crise.

6. Établir les règles, les politiques, le mode de fonctionnement et les responsabilités des différents acteurs.

7. S'appuyer sur son jugement, qui constitue le principal atout dans une situation de crise.

Lorsqu'un cas d'urgence ou de force majeure survient, les différents acteurs doivent entrer en action. Ces derniers doivent pouvoir appliquer les règles établies en se fiant à leur jugement. Cependant, dans une situation de crise, une ressource importante est trop souvent oubliée : la prise de contact avec d'autres acheteurs. Ceux-ci constituent un réseau de spécialistes dont la contribution permettra de gagner du temps, de multiplier les options et de réduire le risque. Les membres de l'Association canadienne de gestion des achats ont la chance d'avoir accès à un réseau de plus de 8 000 acheteurs au Canada, dans tous les domaines. La plupart d'entre eux ont eu l'occasion de vivre des situations similaires.

---

8. Jean-Pierre MÉNARD, « Alerte, une crise au service de l'approvisionnement », *Revue Expéditeur*, vol. 10, n° 3 (avril 1997), p. 17.

3.3.9 L'utilisation du marketing à rebours

Le marketing à rebours est une approche imaginative, car elle demande à l'acheteur de présenter une offre à une source d'approvisionnement. L'offre doit être complète et répondre aux questions suivantes :

- Pourquoi ? En approchant un fournisseur en vue de l'intégrer à la stratégie globale de l'entreprise, l'acheteur doit définir parfaitement le rôle du fournisseur, le type d'approvisionnement qui s'établira avec lui et ses possibilités de réaliser un profit.

- Quoi ? L'acheteur décrit les objets inclus dans l'offre.

- Qui ? L'offre doit comporter le nom des personnes qui seront responsables de la négociation de l'entente et de celles qui auront la tâche d'évaluer la relation.

- Comment ? L'acheteur doit décrire les règles entourant l'approvisionnement (les transactions périodiques) et le mode d'évaluation des transactions.

- Où ? Cette question doit aller au-delà de l'aspect géographique. Il est important de préciser aussi le type de fournisseur recherché (un fournisseur local ou de classe mondiale), le nombre de points de livraison, le nombre de sources sollicitées à l'échelle mondiale ainsi que tous les aspects relatifs au flux des marchandises transigées.

- Quand ? Un calendrier d'approvisionnement doit être établi, car il aura une influence directe sur la rentabilité des transactions.

- Combien ? Il est nécessaire que le fournisseur connaisse le volume qui se transigera avec lui de façon globale et par transaction.

- Quel prix ? Le prix d'acquisition d'un objet peut être déterminé sur la base du coût, du marché ou de la position concurrentielle. Le prix basé sur le coût tient compte du coût de revient de fabrication qui est prévu. Quant au coût basé sur le marché, une recherche en marketing indiquera un prix de vente qui se traduira par un coût d'acquisition. L'entente reflétera alors le montant d'argent disponible pour conclure la transaction avec le fournisseur. Enfin, en ce qui concerne le coût basé sur la position concurrentielle, pour faire une percée sur le marché, le service du marketing doit offrir un meilleur prix que celui de la concurrence. Le coût d'acquisition indiqué sur le contrat devra concorder avec la position concurrentielle souhaitée.

Le fournisseur qui reçoit l'offre doit y trouver son profit. À ce titre, il peut accepter, refuser ou modifier la proposition reçue. Le plus grand défi pour l'acheteur est de ne pas se tromper dans l'adoption de sa stratégie. Le choix du fournisseur doit en effet s'aligner sur la stratégie globale de l'entreprise. Régulièrement, les deux parties doivent s'asseoir ensemble pour évaluer la relation ou la réorienter. Par exemple, un acheteur travaillant dans un hôpital peut approcher un fournisseur du service de la nutrition et lui faire une offre plutôt que d'attendre une proposition de ce dernier. Ainsi, il précisera que les repas doivent être conformes au *Guide alimentaire canadien,* être diversifiés, obéir à un cycle de 4 semaines (le même repas ne reviendra pas au menu avant 4 semaines) et représenter un coût unitaire de 4,75 $ qui inclut les coûts de la nourriture, de la main-d'œuvre et de la logistique. Quant au fournisseur, il peut accepter ou refuser cette offre.

3.3.10 L'adhésion à un groupement d'achats

Jean Nollet et Martin Beaulieu[9] définissent le groupement d'achats comme un cadre qui permet la consolidation des achats de diverses organisations. Le groupement étant autonome, il peut définir sa mission, ses buts et ses orientations. L'entreprise devient un membre du groupement. Il y a donc des possibilités de friction si les orientations prises par le groupement divergent de celles de l'entreprise. Malgré tout, les groupements d'achats par secteur existent et font partie de la réalité du monde des affaires. Au Québec, citons quelques groupements majeurs comme Métro-Richelieu dans le domaine de l'alimentation, Rona dans la quincaillerie, Novexco dans la papeterie de bureau, les 11 groupes d'achats régionaux dans le secteur de la santé, le regroupement des universités, etc. Le tableau 3.7 résume les avantages et les inconvénients d'un groupement d'achats.

Tableau 3.7 — Les avantages et les inconvénients d'un groupemement d'achats

Avantages	Inconvénients
■ Meilleurs prix ■ Plus grande facilité d'obtenir des rabais de volume ■ Réduction des coûts administratifs liés aux opérations d'achat ■ Concentration des expertises et des ressources ■ Amélioration des communications avec les fournisseurs ■ Réduction du temps d'amortissement de certaines immobilisations ■ Augmentation du nombre de services offerts aux membres ■ Meilleure image de l'entreprise	■ Méfiance de certains membres envers le groupement ■ Perte du contrôle de certains achats effectués directement par les membres à leur avantage, mais au détriment du groupement ■ Interdiction faite au fournisseur de traiter séparément avec certains membres en l'absence d'une entente avec le groupement ■ Obligation de se conformer à certaines règles liées au mode de fonctionnement du groupement

L'émergence des portails dans Internet pourrait rendre de plus en plus populaires les groupements d'achats. Les entreprises, en devenant membres d'un site, devront s'investir dans le groupement si elles veulent retirer le maximum de bénéfices de leur adhésion. À l'inverse, un groupement permet d'aider les acheteurs à mieux gérer les objets en lien avec la raison d'être de l'entreprise.

---

9. Jean NOLLET et Martin BEAULIEU, « Tirer le plein potentiel d'un groupe d'achat », *Gestion*, vol. 27, n° 4 (hiver 2003), p. 9-16.

3.3.11 L'enchère inversée

L'enchère inversée est une procédure d'adjudication d'un contrat d'approvisionnement au plus bas soumissionnaire d'un groupe de fournisseurs qualifiés par Internet, à l'intérieur d'une période déterminée[10]. Pour arriver à ses fins, l'acheteur suit les étapes ci-après.

- La sélection et la qualification des fournisseurs qui seront invités à participer (cela peut prendre plusieurs mois). L'acheteur et les fournisseurs savent que durant l'enchère, seul le prix constitue le facteur de positionnement vis-à-vis de leurs concurrents. Par contre, le prix n'est pas le seul facteur que l'acheteur considère lors de la sélection et de la qualification des fournisseurs.

- Le fournisseur invité reçoit un courriel confirmant sa participation. Ce courriel comprend une identification et un mot de passe qui permettent d'accéder au site extranet où se déroulera l'enchère.

- Le fournisseur confirme sa décision de participer.

- Le fournisseur reçoit le fichier du cahier de charges et des instructions (jour, heure, durée, mode, adjudication, etc.).

- Le fournisseur profite du temps entre la réception des documents et le jour de l'enchère pour se préparer. C'est une étape cruciale dans le processus.

- Au jour et à l'heure convenus, les fournisseurs inscrivent leur prix et suivent l'évolution de l'enchère inversée. Le déroulement d'une enchère inversée peut se faire en quelques jours ou en quelques minutes seulement. Toutefois, c'est dans les derniers moments que la majorité de l'action a lieu.

- La fermeture de l'enchère se produit lorsque la période de temps allouée est écoulée.

- Parmi les offres reçues, l'acheteur attribue le mandat à la meilleure source d'approvisionnement disponible. En effet, malgré l'objectif visé, l'acheteur conserve son droit de ne pas attribuer le mandat au plus bas soumissionnaire. Le prix peut finaliser sa grille de pondération, ce qui lui permet d'adjuger le mandat au fournisseur qui a obtenu la plus haute note et non à celui qui offre le meilleur prix. Ces conditions d'adjudication doivent être transmises au fournisseur avant le début de l'enchère inversée.

3.3.12 Les fournisseurs de classe mondiale

Voici une approche utilisée dans les entreprises qui ont plusieurs emplacements de fabrication dans divers pays. L'acheteur d'un des emplacements remarque un fournisseur de sa région dont la performance est excellente. Il croit pouvoir en faire bénéficier les autres emplacements de l'entreprise. C'est d'ailleurs pourquoi, dans le processus de qualification d'un fournisseur, l'acheteur s'intéressera en particulier à la capacité de production et de distribution du fournisseur à une échelle plus grande. Après que le fournisseur a prouvé la qualité de son rendement,

---

10. Session de formation intitulée « Les enchères inversées », Finances, Économie et Recherche, Gouvernement du Québec, avec la participation d'Emploi-Québec, p. 7.

l'entreprise l'appuie dans la distribution des objets vers les autres territoires de fabrication. Ce fournisseur bénéficie alors de l'expertise de l'entreprise sur le plan de la distribution et garantit l'utilisation de sa propre capacité de production. De son côté, l'entreprise bénéficie des bons services du fournisseur dans tous ses territoires de fabrication.

Comme on le voit, cette relation est profitable pour les deux parties. À titre d'exemple, un acheteur d'une entreprise multinationale reçoit une demande d'achat. Après avoir fait une recherche dans une banque mondiale de fournisseurs, l'acheteur remarque qu'une des divisions de l'entreprise, celle de l'Allemagne, a des relations d'affaires avec un fournisseur allemand qui a une division au Canada. L'acheteur communique avec la division de l'entreprise en Allemagne, et celle-ci le met en communication avec son représentant en Allemagne. Ce dernier communique avec le service des ventes de la division canadienne. Les conditions commerciales pourraient être une extension du contrat signé en Allemagne. Ainsi, l'acheteur canadien obtient un résultat plus rapidement et bénéficie de la synergie combinée avec la division allemande de l'entreprise.

3.4 Le coût d'acquisition

Le coût d'acquisition a des répercussions majeures sur les autres services de l'entreprise. Ces répercussions peuvent aller jusqu'à menacer la survie de l'entreprise. Le coût d'acquisition ne représente pas uniquement le prix directement payé pour un objet. Il inclut le prix de départ du fournisseur, le coût du transport, le coût de l'emballage, les frais de douane, le taux de change des devises, les frais de financement et d'autres frais inhérents à l'acquisition de l'objet. Le choix de l'acheteur se portera sur le coût d'acquisition le plus bas. Nous verrons maintenant une composante importante du coût d'acquisition, soit le prix, qui inclut l'image et l'interprétation du prix, la provenance des différents prix de même que les **remises**, les **rabais**, les **réductions** et les **escomptes**.

Dans ses pourparlers avec les fournisseurs, l'acheteur discute du prix qui représente la valeur d'un objet pour chaque fournisseur. Le coût d'acquisition est donc constitué de l'ensemble des prix d'achat et des efforts que l'entreprise doit investir pour obtenir l'usufruit de l'objet. Ainsi, pour le fournisseur, le prix s'établit à partir d'éléments provenant soit de l'environnement général (la conjoncture économique, les lois et la réglementation, ses propres politiques, les habitudes d'achat de ses clients), soit du marché (la concurrence, le cycle de vie du produit, l'offre et la demande, l'effort pour se procurer l'objet) ou encore des initiatives des fournisseurs qui désirent obtenir un bénéfice différent. La liberté de l'acheteur d'influencer les échanges commerciaux joue un rôle important dans la détermination du coût d'acquisition de l'objet. Cette liberté s'établit en fonction des marchés, qui sont :

- le marché concurrentiel – ce marché n'exerce aucune contrainte, ce qui permet une liberté et une fluidité dans les échanges ;
- les marchés non concurrentiels – dans ce cas, le cadre du marché concurrentiel ne s'applique pas. Parmi ces marchés non concurrentiels, citons :

- les monopoles d'État, c'est-à-dire lorsque les autorités politiques déterminent les prix, comme c'est le cas au Québec pour l'électricité, dont le gouvernement a fixé le prix plancher ;
- les oligopoles, c'est-à-dire lorsqu'un petit nombre de sources s'attribue le contrôle de la valeur de l'objet, comme c'est le cas pour l'essence au Québec ;
- les sources uniques, ce qui signifie qu'une seule source est capable d'offrir l'objet, soit à cause d'un avantage concurrentiel que la source a acquis, soit parce que celle-ci a obtenu, grâce à ses efforts, un brevet lui assurant l'exclusivité. Normalement, après un certain temps, lorsqu'il y a un profit à faire sur le marché d'une source unique, la concurrence apparaît, ce qui entraîne la détermination du prix selon un marché devenu concurrentiel ;
- les immobilisations acquises par l'entreprise au fil de son histoire. C'est le cas lorsque, par exemple, l'acheteur peut acheter certaines pièces de rechange uniquement auprès du fabricant d'origine ;
- les lourdeurs administratives de l'entreprise lorsqu'il faut traiter avec plusieurs fournisseurs. Prenons l'exemple d'un acheteur qui voudrait acquérir une calculatrice imprimante pour un demandeur ; son premier réflexe sera de consulter le catalogue de son fournisseur d'articles de bureau afin de ne pas avoir à amorcer une relation d'affaires avec un autre fournisseur ;
- les modes de fonctionnement de l'entreprise, qui imposent à l'acheteur de traiter avec une source. C'est le cas, par exemple, lorsque la haute direction de l'entreprise impose une homogénéité des ordinateurs dans ses différentes usines.

Enfin, l'acheteur ne doit pas mésestimer les lois régissant la détermination des prix, dont la plus connue est la *Loi sur la concurrence,* ainsi que les pratiques relatives aux marges, aux remises, aux rabais ou à d'autres avantages similaires. Toutes ces dispositions visent à laisser libre cours à la concurrence des prix sur le marché, à empêcher la formation de coalitions, de cartels ou de collusions, ainsi qu'à éviter la tricherie, la discrimination entre distributeurs, l'utilisation d'une force abusive dans la détermination du prix, les rabais illusoires, les remises occultes ou tout autre comportement répréhensible. Les gouvernements votent les lois, et la transgression de ces dernières mérite d'être dénoncée et punie. Sans compter que de telles pratiques peuvent ternir la profession tout entière.

3.4.1 L'image et l'interprétation du prix

Un acheteur doit savoir comment le fournisseur interprète la notion de prix. Pour l'un, le prix de vente provient de son prix de revient ajouté à son bénéfice (concepts américain et européen). Pour l'autre, le prix de vente moins son bénéfice détermine son prix de revient (concept asiatique). Cette nuance peut avoir un effet majeur sur le véritable prix à payer pour obtenir l'objet. Ainsi, une entreprise japonaise fabriquant des chaînes stéréo détermine, à partir de plusieurs études, un prix de vente sur le marché québécois. À partir de ce prix de vente, elle enlève le profit qu'elle recherche, ce qui lui laisse le coût de fabrication. L'entreprise japonaise tente de fabriquer le meilleur produit en fonction du coût de fabrication établi. Par contre, l'entreprise nord-américaine établit la qualité du produit recherché par le consommateur. Elle calcule ensuite son coût de fabrication et son profit, ce qui donne le prix de vente de la chaîne stéréo. En somme, l'entreprise japonaise a ciblé le prix de vente avant de fabriquer le produit, alors que l'entreprise nord-américaine a défini le produit avant de fixer le prix de vente.

Avant de décider d'un prix, l'acheteur doit s'assurer que le fournisseur choisi réalisera un bénéfice raisonnable. Un fournisseur qui vend à perte est une bombe à retardement qui constitue un risque important pour l'acheteur. En effet, le fait de reprendre la sélection et la qualification d'un nouveau fournisseur exige des ressources que l'entreprise ne tient pas à investir. La rentabilité de la transaction, à savoir qu'un bénéfice reviendra à chacune des parties, est une affaire d'éthique pour l'acheteur.

Par contre, un acheteur ne doit pas se laisser influencer par la notion de prix psychologique, c'est-à-dire avoir une idée préconçue du prix en l'associant à un autre paramètre. Par exemple, certains acheteurs établissent une relation entre le prix payé et la qualité d'un fournisseur. Un fournisseur habile démontrera à l'acheteur la qualité du produit offert pour ensuite lui faire accepter un écart entre le prix de vente réel et le prix que son client est prêt à payer. Quand l'acheteur prépare la rencontre visant à fixer un prix, il doit analyser les différentes possibilités qui s'offrent à lui. L'entreprise s'attend à ce que ce dernier achète au bon prix et non sur la base d'un prix établi selon une perception.

Un acheteur se doit d'être constamment au courant des prix de ses matières importantes. Au cours de la dernière décennie, les fournisseurs ont ajouté des surcharges occasionnées par les variations des prix sur le marché. Un récent sondage auprès des membres de la Corporation des approvisionneurs du Québec[11] a fait ressortir des surcharges sur le carburant, les matières premières (acier, cuivre, sucre et autres), l'environnement, la disposition des déchets, l'énergie, etc. Dans un contexte où plusieurs activités de production s'accélèrent, il arrive souvent que ces surcharges soient absorbées par les entreprises, ce qui réduit leur profitabilité. Ce phénomène requiert que l'acheteur exerce une certaine surveillance des prix du marché. La section 3.4.4, à la page 116, porte sur ce point.

3.4.2 La provenance des différents prix

Pour qu'un consentement soit accordé sur le prix de la transaction, il doit y avoir une offre au départ. Celle-ci provient de l'une ou l'autre des parties. L'acceptation de l'offre par l'autre partie détermine la valeur de l'objet qui sera acquis. Une offre doit être sérieuse, c'est-à-dire marquer une volonté réelle de s'engager, et complète, autrement dit comporter tous les éléments essentiels d'une entente. Si l'un des éléments est manquant, l'offre ressemblera

---

11. La Corporation des approvisionneurs du Québec est une association de personnes travaillant dans le secteur de l'approvisionnement. Elle réunit plus de 1 000 membres de tous les milieux. Nous avons demandé aux membres de mentionner les surcharges que les fournisseurs ajoutent aux factures pour compenser les variations de prix. Cet appel s'est fait en décembre 2008.

plutôt à une invitation à des pourparlers. Ainsi, le prix indiqué dans le pare-brise d'une voiture est une invitation à passer une entente ou un contrat, car il est fonction de la description complète de l'objet, soit la voiture, et d'une volonté sérieuse de transiger. De même, une enseigne « À vendre » d'un agent immobilier est une invitation à conclure une entente. En effet, la personne désirant acquérir l'immeuble présentera éventuellement une offre avec l'intention de l'acheter.

En général, le prix a pour origine l'une des quatre catégories suivantes: les prix inférieurs au marché, les prix négociés, les prix du marché et les prix supérieurs au marché. La figure 3.3 permet de situer les prix des quatre catégories énumérées. Il faut ajouter qu'une relation saine avec un fournisseur requiert que les deux parties y trouvent leur profit.

Figure 3.3 La courbe de la provenance des prix

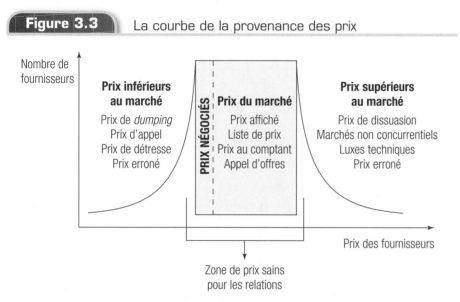

Source: Roger PERROTIN et Pierre HEUSSCHEN, *Acheter avec profit,* Paris, Éditions d'Organisation, 1999, p. 98.

Le prix de *dumping*

Par définition, un prix de *dumping* signifie que le prix du fournisseur est inférieur à son coût de fabrication. Par exemple, un fournisseur étranger peut obtenir une subvention gouvernementale d'aide à l'exportation de ses produits, ce qui lui permet d'être plus concurrentiel sur les marchés étrangers. Il se trouve donc avantagé par rapport aux fournisseurs nationaux qui sont incapables de concurrencer ses pratiques.

Le prix d'appel

Le prix d'appel s'obtient lorsque le fournisseur décide volontairement d'offrir à l'acheteur un prix plus bas que le prix du marché. Par exemple, un fournisseur offre un prix exceptionnellement bas dans le but d'obtenir un premier contrat avec une entreprise. Cette façon de procéder est populaire dans les

commerces de détail qui proposent certains produits à un prix inférieur tout en sachant que les consommateurs achèteront aussi d'autres produits offrant une marge bénéficiaire plus intéressante. Au bout du compte, le fournisseur obtient son bénéfice sur l'ensemble des objets achetés au lieu d'un bénéfice sur chaque objet vendu.

L'acheteur doit porter attention au prix d'appel et s'assurer qu'il ne provient pas de conditions artificielles de marché. Yvon Laprade décrit ainsi cette situation :

> Voilà un autre débat : dans une économie hésitante, nos gouvernements doivent-ils faire preuve de plus de vigilance dans la façon de verser l'aide financière aux entreprises qui sollicitent leur aide et leurs billets verts ? [...] En Beauce, les industriels en ragent encore. Dans le Bas-Saint-Laurent, par exemple, les entrepreneurs ont eu droit à une subvention sur les salaires de plus de 30 %. Avec une masse salariale réduite, ces employeurs ont pu ravir des contrats à leurs concurrents – en particulier ceux de la Beauce –, qui n'étaient pas de taille pour présenter des soumissions compétitives[12].

À court terme, l'acheteur en profite. Toutefois, cette façon de faire peut nuire à l'économie parce que les subventions gouvernementales ne sont pas attribuées à cette fin.

Le prix de détresse

Ce prix a cours lorsque le fournisseur agit pour une raison de survie ou de récupération d'actif. C'est le cas, par exemple, lorsqu'un fournisseur veut liquider des surplus ou est forcé de vendre du stock parce qu'il est dans une situation financière précaire.

Le prix erroné

Dans une relation d'affaires, il arrive parfois que le fournisseur donne à l'acheteur un prix erroné qui peut être à son avantage ou à son désavantage. Ce prix sera à l'avantage de l'acheteur s'il se trouve dans les prix inférieurs au marché, et il sera à son désavantage s'il se trouve dans les prix supérieurs au marché.

Le prix négocié

Le prix négocié est le prix obtenu à la suite d'une négociation au cours de laquelle les parties ont fixé la valeur de l'objet. Cette entente peut être privée ou semi-privée. Il y a deux types de prix négociés : le prix net à l'achat et le prix comprenant une remise à la fin d'une période. Le prix net à l'achat est semi-privé parce qu'il est indiqué sur la facture. En effet, si par mégarde cette facture est envoyée à la mauvaise adresse, il y a de fortes chances pour que le prix négocié soit connu des clients ou des concurrents,

---

12. Yvon LAPRADE, *La crise manufacturière au Québec. Ça va mal à shop !* Les Éditions Quebecor, 2008, p. 143.

ou encore qu'un prix spécial ne soit pas attribué aux fins prévues. Par exemple, un distributeur d'une matière première achète un wagon de 80 000 kg de cette matière à un prix net pour le projet A, lequel n'utilise finalement que 60 000 kg. Ce distributeur peut donc utiliser les 20 000 kg restants en tant qu'avantage concurrentiel pour le projet d'un autre client. La remise en fin de mois permet de préserver la confidentialité du prix final ; par contre, il faudra remplir davantage de documents administratifs pour y avoir droit. Ce choix relève du type de relation qui existe entre le fournisseur et le client.

La négociation

La négociation est une série d'entretiens, d'échanges de points de vue et de démarches qui sont entrepris entre deux ou plusieurs parties afin de parvenir à un accord commercial. Chaque point discuté peut influer sur le prix payé pour un objet. C'est la principale raison pour laquelle le prix négocié représente un compromis entre les parties, compte tenu des autres éléments inclus dans l'accord.

Il est à noter que dans le domaine public, bénéficier de prix négociés est assez rare. Les différentes lois exigent de procéder par appel d'offres et d'accorder le mandat au plus bas soumissionnaire conforme. Les règles d'évaluation sont généralement connues lors de l'émission de l'appel d'offres. Le domaine public cherche plus à s'attacher aux règles liées à la saine concurrence entre les sources d'approvisionnement plutôt qu'à encourager une compétition entre celles-ci. Par contre, non seulement le processus de négociation est ancré dans la façon de fonctionner du secteur privé, mais il est aussi appliqué. Avant de décrire l'émission de l'appel d'offres dans le secteur public, nous regarderons le mode de fonctionnement un peu plus en profondeur.

Une négociation combine deux dimensions : une dimension liée à une méthode et une dimension liée aux relations (*voir la figure 3.4*).

Figure 3.4 La négociation

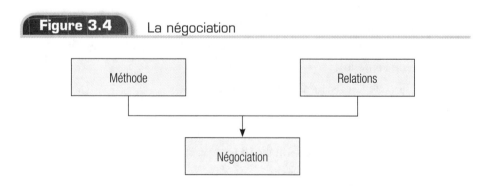

Dans les prochains paragraphes, nous étudierons la dimension liée à la méthode. La dimension liée à la relation s'établit avec l'expérience et selon certaines approches (*voir l'annexe 3.2, p. 143*). Ainsi, le processus de négociation comporte quatre étapes : la préparation, la rencontre, la négociation et la rédaction de l'entente.

La préparation

Partant du principe que tout est négociable mais que tout n'est pas à négocier, un acheteur porte une forte attention à la préparation. Richard Bourrelly définit les objectifs d'une négociation en posant quatre questions[13] :

- Sur quoi porte exactement la négociation ?
- Comment quantifier cet objectif ?
- Que devons-nous gagner ; que devons-nous éviter de perdre ?
- Quelles marges de négociation devons-nous nous donner ?

Une bonne préparation de la négociation tient compte des facteurs de l'environnement, comporte la définition de la demande d'achat (*voir le chapitre 2*) et examine les variables qui concernent la rédaction de l'entente éventuelle.

Les facteurs de l'environnement sont les suivants :

- les influences internationales, telles que les économies prédominantes dans le secteur d'activité, les avantages politiques de certains concurrents, les nouvelles sources (fournisseurs) de substitution ou complémentaires, la valeur de l'argent, les modalités de transport, les particularités culturelles des autres pays, l'environnement géopolitique du fournisseur et la garantie de l'approvisionnement ;
- le canal de distribution en amont, soit la façon dont le produit arrivera à destination, y compris le transport, les sous-traitants et les frais de douane ;
- les aspects légaux liés à l'entente, c'est-à-dire les garanties, les processus de règlement des litiges, les documents nécessaires aux paiements et la détermination du cadre juridique ;
- la philosophie de gestion, c'est-à-dire la place de l'informatique dans l'établissement de la relation, la culture et les valeurs des parties, les efforts touchant la réduction des coûts (il y aura beaucoup de discussions à cet effet, car il ne s'agira plus simplement de négocier un prix, mais d'acquérir un coût), l'importance de la réduction des niveaux de stock et la fixation des standards de qualité.

Les variables qui concernent la rédaction de l'entente éventuelle font partie des conditions ou des clauses de l'entente. Les principales variables sont :

- la durée de l'entente ;
- la limitation de l'utilisation de la gamme de produits ;
- l'expansion de la gamme de produits ;
- l'introduction de nouveaux produits dans la gamme actuelle ;
- l'évolution de l'échange de l'information ;
- les différents aspects financiers ;
- la formation du personnel ;
- les campagnes de publicité ;
- la liste des personnes-ressources ;

---

13. Richard BOURRELLY, *Méthodes et astuces pour mieux négocier*, Éditions d'Organisation, 2007, p. 15-19. (Coll. « Eyrolles »)

- le choix des personnes habilitées à approuver certains accords en cours de négociation ;
- la confidentialité de certains renseignements ;
- le mode d'évaluation du rendement ;
- le calendrier de présentation des rapports ;
- l'accessibilité des produits ;
- les exclusivités ;
- le contrôle de la relation ;
- la mise à jour des connaissances ;
- la contribution de chaque partie à la publication d'un catalogue ;
- les garanties offertes pour chaque produit ;
- les conditions à remplir pour respecter les garanties ;
- le retour des marchandises ne répondant pas aux attentes du client ;
- la documentation et les brochures ;
- le matériel de publicité ;
- les échantillons ;
- les variations dans les listes de prix ;
- les programmes d'incitation à la vente ;
- les programmes destinés aux usagers ;
- l'évaluation de la concurrence ;
- les bénéfices attendus ;
- les autres clauses particulières à chaque contrat.

Chacun de ces points peut être négocié. Il est important pour l'acheteur de bien préparer ce qu'il doit négocier et de cibler ses attentes pour chacun de ces points.

La rencontre

Selon le contexte, il faut déterminer si une rencontre s'impose. Dans l'affirmative, une des parties doit organiser la rencontre et communiquer à l'autre partie le lieu, la date, l'heure, le nom des personnes présentes, le contenu et le déroulement de celle-ci, le matériel requis, etc. Il faut s'attendre à ce que les réunions, dans un proche avenir, prennent la forme de vidéoconférences. De plus, les rencontres réuniront des équipes multidisciplinaires et non deux personnes, comme c'était le cas dans l'approche traditionnelle.

La négociation

Au début de la négociation, l'organisateur de la rencontre ouvre celle-ci et présente les participants. Il en explique le déroulement et fait un bref exposé du thème qui sera abordé. Pendant la rencontre, il s'assure du progrès de la discussion, note les points sur lesquels les parties s'entendent et veille à ce que soit respecté le temps alloué à chaque point. À la fin de la séance, il résume les points qui ont été réglés et procède à une évaluation de la rencontre (*voir l'exemple 3.1, p. 108*). Les résultats de celle-ci peuvent être de trois ordres : une entente est conclue, et les parties passent à l'étape de la rédaction de celle-ci ; une deuxième rencontre doit être planifiée ; les parties conviennent qu'il n'y aura pas d'entente.

Durant les échanges, l'acheteur choisit le chemin susceptible de le conduire au succès. La communication entre les parties démontre l'influence, les émotions, les réactions, la satisfaction ou l'insatisfaction et la position de chacune d'elles. L'annexe 3.2, à la page 143, présente 13 tactiques que l'acheteur peut utiliser pour parvenir à ses fins au cours de la rencontre de négociation.

Exemple 3.1

Un exemple de négociation

Les dirigeants d'une entreprise désirent renouveler une partie de leur flotte de camions. Ils doivent donc rencontrer les trois grands manufacturiers de l'industrie automobile. L'acheteur de l'entreprise doit pour sa part préparer son dossier de négociation. Dans sa préparation, il demande aux utilisateurs de décrire l'objet désiré. Ensuite, il vérifie si l'objet décrit est complet et respecte les principes de transparence, d'équité et d'accessibilité entre les sources (*voir le chapitre 2, l'objet d'achat*). Il recueille et analyse son objectif d'achat, y compris les attentes de la haute direction, et évalue ce que l'entourage de l'entreprise peut lui apporter ; il analyse les données liées aux différents fournisseurs et détermine avec les dirigeants de l'entreprise les compromis qui seraient acceptables durant la négociation (*voir le chapitre 2, l'objectif d'achat*). Par la suite, il cible les personnes qui participeront à la prise de décision et à la négociation (*voir le chapitre 2, l'organisation d'achat*). Il finit sa préparation en déterminant la manière dont se dérouleront ses relations avec les fournisseurs (*voir le chapitre 2, l'opération d'achat*).

L'acheteur invite ensuite les fournisseurs à proposer une entente à l'entreprise. Par la suite, il analyse les données fournies et invite les fournisseurs à une phase de négociation. Il valide les points importants pour l'entreprise et décide de l'approche à privilégier pour les atteindre (*voir l'annexe 3.2, p. 143*). Durant la phase de négociation, chaque point en suspens est discuté, et des compromis doivent être négociés pour l'ensemble de ces points. Lorsqu'elles se sont mises d'accord sur l'ensemble des points à discuter, les parties décident de la possibilité de faire des affaires ensemble. Si c'est le cas, elles passent à la rédaction de l'entente.

La rédaction de l'entente

À la quatrième étape, les différents points faisant l'objet de l'entente sont rédigés. Dès que les parties sont d'accord avec le libellé du document, elles signent ce dernier. Autrefois, une bonne entente se mesurait au nombre d'années durant lesquelles elle était appliquée. De nos jours, étant donné que 70 % des ententes stratégiques ne donnent pas les bénéfices escomptés, celles-ci sont constamment réévaluées et améliorées.

Le prix affiché et la liste de prix

Une des façons de connaître le prix de la transaction consiste à regarder l'étiquette des produits. Cette façon de procéder est souvent utilisée dans les magasins qui offrent leurs produits directement au public. Certaines ententes précisent que les prix peuvent fluctuer à la baisse ou à la hausse au fil du temps. Le fournisseur dresse alors une liste de prix comprenant une date d'entrée en vigueur, alors que le contrat indique la manière d'interpréter cette liste. Le tableau 3.8 donne un exemple de prix basés sur un volume d'achat.

Tableau 3.8   La liste de prix du fournisseur ABC

Produit	Prix unitaire				
	De 1 à 1 000 unités	De 1 001 à 5 000 unités	De 5 001 à 10 000 unités	De 10 001 à 20 000 unités	20 001 unités ou plus
A	0,18 $	0,17 $	0,16 $	0,15 $	0,14 $
B	0,21 $	0,19 $	0,17 $	0,15 $	0,14 $
C	0,33 $	0,32 $	0,31 $	0,30 $	0,30 $
D	0,28 $	0,28 $	0,28 $	0,26 $	0,26 $

Ainsi, l'acheteur a le choix d'acheter le produit A dans un volume de 1 à 1 000 unités à 0,18 $ l'unité, de 1 001 à 5 000 unités à 0,17 $ l'unité, de 5 001 à 10 000 unités à 0,16 $ l'unité, de 10 001 à 20 000 unités à 0,15 $ l'unité ou de 20 000 unités ou plus à 0,14 $ l'unité. À l'aide d'autres renseignements, il choisit le prix correspondant le mieux à ce que recherche son entreprise.

Le prix au comptant

Le prix au comptant est le prix qui provient de l'offre, de la demande et des stocks. Ce prix est généralement obtenu à la suite de mouvements boursiers, de décisions politiques qui s'y rattachent et de prévisions sur l'évolution du marché. Comme l'écrit Marie de Varney :

> Les produits de base sont souvent considérés comme des indicateurs de la croissance pour maintes raisons, et en particulier celle-ci, évidemment : un pays en pleine croissance achète des matières premières ; dans le cas contraire, il regarde à la dépense. La récession économique que traversent la plupart des pays industriels depuis quelques années est la cause première du plafonnement de la consommation et, par conséquent, de la baisse des prix[14].

L'appel d'offres

Le service de l'approvisionnement utilise fréquemment l'appel d'offres pour obtenir un prix. Un appel d'offres complet et bien préparé ne laisse place qu'à une inconnue, soit la détermination du prix. L'appel d'offres est utilisé dans deux cas distincts :

- lors d'une procédure d'appel à la concurrence entre plusieurs fournisseurs selon laquelle des demandes d'achats sont approuvées et des sources d'approvisionnement sont choisies en fonction des conditions établies ;

---

14. Marie de VARNEY, *Les Matières premières*, Paris, Le Monde Éditions, 1995, p. 122.

- lors d'une opération, appuyée par un cahier des charges, par laquelle l'acheteur éventuel de biens, de fournitures ou de services invite des fournisseurs potentiels à faire une proposition précise (soumission, devis, offre de service) en vue de la conclusion d'une entente.

Dans ces deux cas, l'appel d'offres vise à solliciter des propositions du marché sans garantir la volonté de transiger. Il existe deux types d'appels d'offres :

- l'appel d'offres sur invitation, auquel seuls les fournisseurs qui ont été conviés par l'entreprise peuvent soumissionner. Cette manière de faire comporte des avantages et des inconvénients (*voir le tableau 3.9*) ;

Tableau 3.9 Les avantages et les inconvénients de l'appel d'offres sur invitation

Avantages	Inconvénients
- Il s'agit d'une procédure assez rapide et peu coûteuse dans le contexte d'un organisme public. - Cette procédure s'adresse à des fournisseurs choisis. - Cette procédure permet de cibler l'expertise des fournisseurs. - Le choix s'effectue rapidement. - Cette procédure permet d'éviter des problèmes qui pourraient survenir avec des fournisseurs peu recommandables.	- Cette procédure élimine des fournisseurs potentiels. - Cette procédure favorise certaines sources au détriment d'autres. - Cette procédure peut susciter la réplique des fournisseurs qui n'ont pas été invités. - Cette procédure ne garantit pas le meilleur prix à l'entreprise.

- l'appel d'offres public qui consiste en un avis diffusé au public permettant à toutes les entreprises de soumissionner. Tout comme l'appel d'offres sur invitation, cette forme comporte des avantages et des inconvénients (*voir le tableau 3.10*).

Tableau 3.10 Les avantages et les inconvénients de l'appel d'offres public

Avantages	Inconvénients
- Cette procédure est une sollicitation juste et équitable des sources. - L'entreprise a plus de chances d'obtenir le meilleur prix. - Cette procédure laisse agir la libre concurrence entre les sources. - Cette procédure laisse peu de place à l'interprétation de l'approvisionnement mix.	- Cette procédure limite le choix au bien ou au service décrit. - Il s'agit d'un processus long et coûteux. - Cette procédure n'est pas flexible dans les situations d'urgence. - L'entreprise risque de recevoir des soumissions de la part de fournisseurs peu recommandables. - Cette procédure laisse peu de place aux avantages qualitatifs des fournisseurs. - Le rendement des fournisseurs n'est pas nécessairement considéré dans la décision concernant l'attribution d'un contrat. - Il y a beaucoup de documents administratifs à remplir.

La culture d'entreprise détermine le type d'appel d'offres voulu. Par contre, les organismes publics doivent suivre des règles très strictes en cette matière, comme la *Loi sur l'instruction publique* ou les Accords intergouvernementaux de libéralisation du commerce conclus par les gouvernements du Québec, de l'Ontario et du Nouveau-Brunswick. Ainsi, un appel d'offres public doit être publié dans un quotidien connu ou diffusé dans Internet auprès d'organismes qui rendront l'information accessible aux soumissionnaires potentiels. L'exemple 3.2 présente des appels d'offres publics.

Exemple 3.2

Des appels d'offres publics

Appels d'offres

Émetteur : Ville de Québec	Début de l'affichage : 18/08/2008
Catégorie : Villes et municipalités	Fin de l'affichage : 04/09/2008

Construction d'un système de contrôle de la migration du biogaz, secteur boulevard Rochette et rue Bertrand, arrondissement Beauport – PRE2003-124-VQ-32318

Description des travaux : Fourniture, installation et mise en service complète d'un réseau de collecteurs et d'une station de pompage et d'évacuation du biogaz.

Documents d'appel d'offres : Disponibles chez Bâtimo[1] [2].

Informations techniques :

Dépôt des soumissions : Au plus tard le 4 septembre 2008 à 14 h 15, date et heure de l'ouverture publique[3].

Le 13 août 2008

Serge Tremblay
L'assistant-greffier de la Ville

Réfection des rues Henry-Deyglun, Falardeau et Fauvet – PRE2002-002 et PRE2003-081-vq-31881

Description des travaux : Réfection des conduites d'aqueduc et d'égouts pluviaux et domestiques sur une longueur approximative de 460 mètres sur les rues Henry-Deyglun, Fauvet et Falardeau, ainsi que le démantèlement du poste de pompage d'égout domestique et la réfection et le démantèlement d'égout de surface au ruisseau Pincourt. Sont également incluses la réfection des branchements du service d'aqueduc et d'égouts, et celle de la structure de chaussée et des bordures sur une longueur approximative de 453 mètres.

Documents d'appel d'offres : Disponibles chez Bâtimo[1] [2] et chez Groupe Messier inc., 13345, Mgr Larose, Québec (Québec) G5A 4P3 ou au (123) 840-4444[2].

Dépôt des soumissions : Au plus tard le 5 septembre 2008 à 14 h 15, date et heure de l'ouverture publique[3].

Le 13 août 2008

Serge Tremblay
L'assistant-greffier de la Ville

> **Avis aux soumissionnaires**
>
> (1) MERX (http://www.merx.com) ou au 1-400-964-3333 ou
>   CONSTRUCTO (https://www.constructo.ca) ou au 1-400-482-2222.
>
> (2) L'obtention des documents est sujette à la tarification de ces organismes.
>
> (3) Les soumissions seront reçues à l'Hôtel de Ville, 26, rue du Sablier,
>   bureau 251, Québec, G1R 4Z9.
>
> Renseignements administratifs : Service des approvisionnements au (123) 641-5555.
>
> Des garanties financières et d'autres exigences peuvent être indiquées dans les documents d'appel d'offres.
>
> À moins d'indication contraire, cet appel d'offres est assujetti à l'annexe 502.4 de l'Accord sur le commerce intérieur (ACI) et, lorsque applicable, à l'Accord de libéralisation des marchés publics du Québec et de l'Ontario (AQO).
>
> La Ville n'encourt aucune responsabilité du fait que les avis écrits ou documents quelconques véhiculés par système électronique soient incomplets ou comportent quelque erreur ou omission que ce soit. En conséquence, tout soumissionnaire doit s'assurer, avant de soumissionner, d'obtenir tous les documents liés à cet appel d'offres.
>
> La Ville ne s'engage à accepter ni la plus basse ni aucune des soumissions reçues.

À cette étape, il faut déterminer le moment auquel un contrat sera établi entre l'émetteur de l'appel d'offres et un soumissionnaire. La Cour suprême du Canada reconnaît le principe selon lequel un contrat pourrait prendre naissance dès la présentation d'une soumission, les conditions de ce contrat étant prévues au dossier d'appel d'offres. Dans l'affaire 9071-8214 Québec inc. c. Rock Lessard Québec inc., la Cour d'appel du Québec ajoutera que l'obligation faite à l'émetteur de respecter le principe établi par la Cour suprême du Canada ne s'applique qu'à des soumissionnaires conformes.

Le document préparatoire à un appel d'offres s'appelle le « cahier des charges ». L'acheteur respecte les principes de transparence, d'accessibilité, d'équité et d'égalité entre les soumissionnaires lors de la rédaction du cahier. Ce cahier décrit en détail, dans un caractère lisible, l'objet et les règles du contrat. L'obligation 8 de l'entreprise envers les offres reçues est indiquée dans les clauses du cahier des charges. Les clauses contenues le plus souvent dans les appels d'offres sont les suivantes :

- les instructions à suivre pour remplir la soumission ;
- les dates de remise des offres ;
- la manière de choisir le fournisseur conforme, les offres retenues devant respecter toutes les clauses du cahier des charges sous peine d'être exclues ;
- la non-obligation de l'entreprise qui fait l'appel d'offres d'accepter l'offre la plus basse, un tel choix devant toutefois être justifié et ne pas contrevenir à l'éthique de l'acheteur envers ses sources ;
- l'obligation du fournisseur de posséder tous les permis requis pour remplir les obligations envers l'objet ;

- l'énumération en détail de l'objet d'achat, y compris toutes les normes requises ;
- les garanties financières requises ;
- les obligations de l'entreprise faisant l'appel d'offres entre l'attribution du contrat et la mise en vigueur des obligations contractuelles, nommées les « obligations implicites de diligence » ;
- des clauses de révision des structures de prix en cours de contrat ;
- des clauses de pénalité ou de bonis pour les jours au-delà ou en deçà de la fin prévue des travaux ;
- les recours pour les soumissionnaires rejetés ;
- le cautionnement ou la garantie de soumission, soit un montant qui, sans limiter la demande, varie généralement entre 5 % et 10 % de la valeur du contrat, pour couvrir 1 des 4 types de risques suivants : les cautionnements de soumission, d'exécution, de paiement de la main-d'œuvre et des matériaux (dits aussi de gages et matériaux) et d'entretien.

Les appels d'offres peuvent provenir d'entreprises privées ou d'organismes publics. Les entreprises privées sont régies par leurs manuels des politiques et des procédures au sujet des appels d'offres. Par ailleurs, les organismes publics sont régis par des lois et des règlements que leur imposent les gouvernements provinciaux ou municipaux.

Les outils électroniques permettent de plus en plus aux acheteurs de gagner en productivité. La technologie rend accessibles l'émission et la distribution des appels d'offres. Les institutions publiques utilisent les sites MERX ou SEAO pour émettre leurs appels d'offres électroniquement aux soumissionnaires.

Le Service électronique d'appel d'offres du gouvernement du Canada[15]

Les ministères doivent utiliser le MERX pour annoncer leurs besoins assujettis aux termes des accords commerciaux. Certains l'utilisent également pour d'autres achats. TPSGC utilise aussi le MERX pour diffuser les projets de marché portant sur les services d'imprimerie dont la valeur est estimée à 10 000 $ ou plus et sur la plupart des biens et des services dont la valeur est égale ou supérieure à 25 000 $. Il annonce les projets de marchés évalués à 100 000 $ ou plus pour la construction et la location. Les ministères annoncent également les projets de marché estimés à 76 500 $ ou plus pour les services de consultation en architecture et en génie et les services reliés aux biens immobiliers.

On diffuse dans le système MERX de plus en plus de projets de marché du gouvernement du Canada. MERX est accessible de n'importe quel endroit au Canada. Vous avez l'accès gratuit aux services de base qui comprennent le visionnement des appels d'offres affichés au site MERX, le téléchargement des documents d'appel d'offres et la création d'un profil de votre entreprise pour le service de jumelage d'avis d'appel d'offres de MERX. Des frais d'abonnement s'appliquent aux services additionnels. Veuillez prendre note que vous

---

15. GOUVERNEMENT DU CANADA. *Site du Service électronique d'appels d'offres,* [En ligne], http://www.contractscanada.gc.ca/fr/tender-f.htm (Page consultée le 16 mars 2009)

devez tout de même vous inscrire pour les services de base (autres que pour visionner les appels d'offres). Les services gratuits s'appliquent uniquement aux avis d'appel d'offres du gouvernement fédéral.

Le Système électronique d'appels d'offres du gouvernement du Québec

Le gouvernement du Québec utilise principalement le Système électronique d'appels d'offres, SEAO (https://www.seao.ca). Le SEAO diffuse les appels d'offres de la plupart des ministères et organismes publics au Québec, tant les avis relatifs aux biens et services que ceux qui concernent le domaine de la construction. Ce site transactionnel permet aux donneurs d'ouvrage de confier au gouvernement du Québec la gestion des documents d'appels d'offres (plans et devis) et aux utilisateurs de les commander en ligne et parfois même de les télécharger.

D'autres logiciels permettent d'émettre un appel d'offres en ligne. C'est le cas du logiciel ARIBA[16], qui aide les acheteurs à préparer un appel d'offres. Par la suite, les fournisseurs sélectionnés reçoivent un message électronique indiquant qu'ils sont invités à répondre à un appel d'offres. L'outil électronique permet aux fournisseurs de répondre directement avec le logiciel. Le jour de la fermeture de l'appel d'offres pour les fournisseurs, l'acheteur est en mesure d'évaluer les propositions reçues électroniquement et d'accélérer l'adjudication du contrat. Nous n'énumérerons pas tous les logiciels qui permettent de présenter des appels d'offres en ligne, car de nouveaux produits font régulièrement leur entrée sur le marché. Nous avons plutôt expérimenté le mode de fonctionnement des logiciels mentionnés pour savoir comment la pratique des acheteurs est améliorée avec l'utilisation de tels outils. Ce qui est certain, c'est que leur pratique changera rapidement avec la disponibilité de ces logiciels.

Le prix de dissuasion

Le fournisseur propose à l'acheteur un prix qui indique clairement son absence d'intérêt à faire affaire avec ce dernier.

Les luxes techniques

Si l'acheteur perçoit que l'objet a une valeur psychologique plus élevée que sa valeur réelle, le fournisseur peut profiter de cet avantage pour donner un prix supérieur au marché et conclure la transaction. C'est le cas de l'or et de certains métaux précieux dont il est difficile d'établir le prix et la valeur psychologique.

3.4.3 Les remises, les rabais, les réductions et les escomptes

Dans un premier temps, voici la définition des termes clés de cette section. La remise est une somme accordée à la suite de la réalisation d'un objectif fixé au

---

16. ARIBA. *Site d'ARIBA*, [En ligne], http://www.ariba.com (Page consultée le 16 mars 2009)

préalable. Par exemple, pour un achat de 200 000 $, l'entreprise accorde une remise de 1 %. Le rabais est une diminution faite sur le prix. Par exemple, le prix courant moins 15 %. La réduction est un montant accordé sur une certaine valeur d'achat. Par exemple, on accorde 2 $ sur un achat de 100 $. Enfin, l'escompte est une réduction accordée pour raccourcir le délai de paiement. Par exemple, on accorde un escompte de 2 % si le montant est payé dans les 30 jours.

Dans une discussion sur la fixation des prix, le fournisseur peut offrir une diminution des prix basée sur des obligations que l'acheteur doit respecter. Chaque avantage pécuniaire se négocie indépendamment des autres. Ces avantages peuvent prendre différentes formes. À titre d'exemple, le tableau 3.11 présente certains avantages pécuniaires supplémentaires qu'un important grossiste en fournitures de bureau peut obtenir d'un fabricant de papeterie. La colonne de gauche indique les paragraphes de l'entente, alors que la colonne de droite énumère les conditions liées aux avantages.

Tableau 3.11 Les avantages et les conditions d'une entente entre un grossiste et un fabricant

Avantages accordés sur le prix par le fabricant	Conditions liées aux avantages
Pénétration du marché.	Le fabricant accorde une meilleure «colonne» de prix pour chaque produit acheté.
2 %, 10 jours sur le paiement rapide des factures (2/10 ; N30).	Le fabricant accorde une réduction de 2 % si le paiement final de chaque facture est fait en moins de 10 jours, sinon le paiement sera complet, sans escompte, dans les 30 jours.
Escompte de 10 % sur le prix du produit en promotion.	Cet avantage s'applique pourvu que le produit soit annoncé dans une circulaire ou utilisé pour une promotion radiophonique ou télévisée. Le contrôle s'effectue par une preuve documentée de la promotion.
Réduction de 3 % sur le prix des produits montrés en couleur dans le catalogue du grossiste ; réduction de 1,5 % sur le prix des produits montrés en noir et blanc.	Cet avantage s'applique à chaque produit inclus dans le catalogue du grossiste. Le contrôle s'effectue par la remise au fabricant de deux exemplaires du catalogue.
Rabais de 1 % des achats pour une valeur d'achat annuelle de plus de 500 000 $; réduction de 1,5 % pour une valeur de 750 000 $; réduction de 2 % pour une valeur de 1 000 000 $.	La valeur d'achat doit être respectée sur la base de la valeur pécuniaire.
Rabais de 5 % la première année de l'introduction d'un nouveau produit.	Le grossiste doit bénéficier d'une localisation dans l'entrepôt afin d'y placer le produit pour une période minimale de trois mois.
Réduction de 1 % sur le prix unitaire pour la première commande de chaque mois.	Le fabricant doit s'assurer de réunir un maximum de produits devant faire partie de cette commande.
Réduction de 1 % sur le prix unitaire pour chaque commande dont le volume représente un demi-camion ; réduction de 1,5 % pour un volume représentant un camion complet.	Le fabricant doit s'assurer de la dimension de chaque produit pour veiller au respect de cet avantage.
Remise de 1 % sur le prix d'une catégorie de produits durant un programme d'incitation aux ventes de la part du grossiste.	Cet avantage est conditionnel à l'approbation du fournisseur quant à l'élaboration du programme.

Tableau 3.11 Les avantages et les conditions d'une entente entre un grossiste et un fabricant (*suite*)

Avantages accordés sur le prix par le fabricant	Conditions liées aux avantages
Protection du prix : 30 jours avant ou après l'annonce d'une modification de prix. S'il s'agit d'une augmentation, le prix sera majoré pour ce grossiste 30 jours après la date d'introduction officielle sur le marché. S'il s'agit d'une baisse de prix, le fournisseur paiera, à la date d'introduction officielle, la différence de prix pour la marchandise en entrepôt à la condition que les produits aient été commandés dans les 45 jours précédant cette date.	Le grossiste doit appliquer la politique de l'entreprise en matière de prévision des ventes à la suite de l'annonce d'une hausse de prix. Dans le cas d'une baisse de prix, le grossiste doit soumettre un document à l'appui.
Droit de retour de la marchandise chaque mois de mars et de septembre, dans le cas des produits standards seulement, à la condition que les emballages soient complets, faciles à revendre, et que ces produits aient été commandés dans un délai de 9 mois précédant la date du retour, le tout au prix unitaire de la commande originale moins 5 %.	Le grossiste doit soumettre un document à l'appui.

En somme, pour le grossiste, tous ces points négociés influent sur le prix qu'il devra payer pour le bien. D'autres clauses semblables peuvent s'ajouter au contrat. Mais peu importe les avantages offerts, l'acheteur doit comprendre chaque point touchant le prix. Ainsi, il peut administrer le tout correctement dans le meilleur intérêt de l'entreprise.

3.4.4 La surveillance

Lorsque l'on regarde le graphique de la figure 3.5, qui représente la variation du prix de l'éthylène entre le mois de janvier 2004 et le mois de novembre 2008, on remarque qu'il y a beaucoup de fluctuations selon les périodes. Si l'entreprise considère l'éthylène comme étant une matière importante, l'acheteur doit en surveiller le prix.

Figure 3.5 La variation du prix (en $) d'un type d'éthylène entre janvier 2004 et novembre 2008

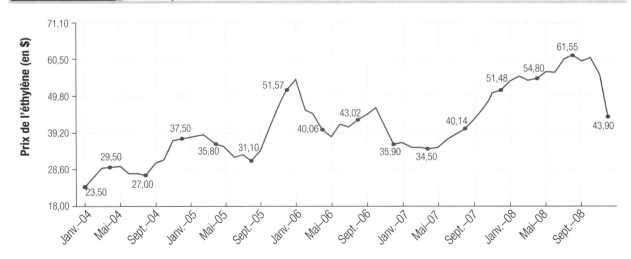

Il est fortement recommandé de se référer à un organisme indépendant et reconnu afin que celui-ci serve d'indicateur de prix fiable. L'acheteur ne sera pas surpris que son fournisseur d'éthylène augmente son prix lorsque le prix du marché est à la hausse. Toutefois, il veut aussi que le fournisseur tienne compte d'une baisse de prix quand la situation inverse se produit. Les fournisseurs sont souvent plus lents à réagir lorsque le prix du marché diminue.

D'un autre côté, l'acheteur peut appliquer des stratégies afin d'anticiper le prix du marché. Il peut déterminer s'il veut acheter plus de stock avant que le prix augmente et ralentir ses achats dans le cas contraire.

3.5 Le choix d'une source et l'adjudication

L'acheteur est appelé à prendre une décision sur les sources avec lesquelles il veut transiger. Afin de fixer son choix, il doit prendre le temps d'évaluer les offres reçues. Plusieurs techniques peuvent l'aider à faire cette évaluation. Nous en proposons quelques-unes, mais une technique personnelle peut tout aussi bien faire l'affaire si elle favorise la prise de décision. Ce processus d'évaluation peut être divisé en trois parties : les modèles connus, l'analyse du **coût de cession** et l'analyse du **niveau d'indifférence**.

L'acheteur qui travaille dans le secteur public doit porter son choix en respectant le principe du plus bas soumissionnaire conforme. Ce principe fait référence à trois étapes :

1. La conformité commerciale, c'est-à-dire que le fournisseur a respecté les conditions préalables demandées dans l'appel d'offres. Il peut s'agir, par exemple, du respect de l'heure du dépôt de la proposition, de la signature, des formulaires dûment remplis, des dépôts du cautionnement, etc. Si l'une des conditions n'est pas respectée, l'acheteur passe à l'étape 2.

2. La conformité technique signifie que le demandeur fait une analyse technique des propositions reçues. Il détermine, à l'aide d'un rapport, les propositions qui sont conformes sur le plan technique. Les fournisseurs disqualifiés ne passent pas à l'étape 3.

3. L'application du principe du plus bas soumissionnaire conforme veut dire que parmi les propositions retenues, celle qui est commercialement la plus intéressante se voit adjuger le mandat.

Si aucune des propositions n'est retenue, l'acheteur applique les règles des différentes lois qui régissent les appels d'offres du secteur public.

Certaines décisions dans le secteur privé sont de type qualitatif, c'est-à-dire qu'elles sont basées sur l'intuition, les préférences, la réputation, etc. D'autres décisions, comme c'est le cas dans le secteur public, sont de type quantitatif. Dans cette situation, la décision est fondée sur une interprétation mathématique des résultats.

3.5.1 Les modèles connus

À l'aide d'une analyse rationnelle, l'acheteur détermine une manière d'évaluer le résultat de ses recherches et des offres reçues. Il peut ainsi considérer six modèles pour effectuer son évaluation.

Le modèle de la prépondérance

Lorsqu'un objet dépasse ses concurrents en ce qui a trait aux attentes du client, il est évident qu'il sera choisi de préférence à toutes les autres offres. Ainsi, ce modèle entraîne l'élimination d'une option qui serait inférieure à une autre.

Le modèle conjonctif

L'acheteur peut catégoriser les offres en deux groupes : les offres acceptables et celles qui ne le sont pas. Par exemple, toute offre de service qui comporte un coût supérieur de 20 % par rapport aux attentes est classée dans le groupe des offres non acceptables. L'acheteur sélectionne donc une offre parmi celles qui sont acceptables.

Le modèle disjonctif

Selon ce modèle, l'acheteur retient uniquement les offres qui ont dépassé le seuil acceptable dans un certain nombre de catégories. Par exemple, pour être conservée, une offre doit avoir obtenu 75 % dans 4 des 10 catégories relatives à des besoins précis.

Le modèle lexicographique

C'est le principe de l'entonnoir selon lequel les offres sont évaluées par ordre d'importance des critères, ce qui amène l'élimination d'offres à chaque évaluation de critère. Par exemple, toutes les offres sont évaluées selon le critère des coûts. Celles qui passent cette étape avec succès sont évaluées en fonction de la qualité, puis les offres restantes sont évaluées selon la quantité. Et ainsi de suite, jusqu'à ce qu'il ne reste plus qu'une seule offre.

Le modèle attente-valeur

L'acheteur attribue un poids à chaque critère d'évaluation. Après avoir défini les critères recherchés lors de l'élaboration de l'approvisionnement mix, il pondère ceux-ci. Les critères ainsi pondérés permettent de faire une évaluation scientifique des offres reçues des différentes sources. La source qui obtient la meilleure note est retenue. L'outil utilisé s'appelle la « grille de pondération ». L'exemple 3.5, à la page 128, présente un exemple de grille de pondération ainsi que son fonctionnement.

Le modèle du point idéal

Ce modèle suggère une décision à prendre au regard des probabilités que des événements surviennent. L'outil utilisé est l'**arbre de décision**, dont un exemple est présenté à la figure 3.6 (*voir l'exemple 3.3*).

Exemple 3.3

L'arbre de décision

L'arbre de décision est une visualisation graphique permettant à l'acheteur d'évaluer les probabilités qu'un événement survienne. La branche qui donne le moins haut niveau de risque et la réalisation la plus probable représente le choix de l'acheteur.

Par exemple, un acheteur doit choisir quotidiennement entre trois quantités de pains à produire. Il ne peut reporter sa décision à une autre journée, car la mission de l'entreprise indique que la marchandise vendue est toujours fraîche. Alors les surplus sont jetés. Le tableau 3.12, à la page suivante, présente les ventes possibles de pains.

Une pénurie de marchandise coûte 10$ à l'entreprise, alors qu'un surplus constitue une perte de 2$. L'arbre de décision présenté à la figure 3.6 permet à l'acheteur de déterminer la quantité de pains à produire.

Figure 3.6 — L'arbre de décision pour déterminer la quantité de pains à produire

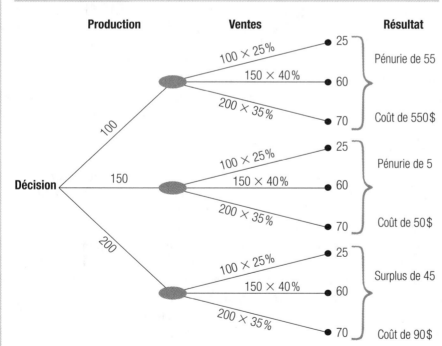

▶ La décision de l'acheteur sera de produire 150 pains, car la somme totale du risque associé à cette branche est de 50 $, alors que le risque pour la branche de 100 pains est de 550 $ et que le risque pour la branche de 200 pains est de 90 $.

Tableau 3.12   Les ventes possibles de pains

Quantité	Probabilités de vendre cette quantité
100	25 %
150	40 %
200	35 %

3.5.2 L'analyse du coût de cession

Lorsque l'acheteur utilise l'analyse du coût de cession pour déterminer le point d'indifférence, il recherche trois zones :

- la zone où l'option A est supérieure à l'option B ;
- la zone où l'option A est égale à l'option B (le point d'indifférence) ;
- la zone où l'option A est inférieure à l'option B.

Le coût de cession provient de la différence entre le coût que l'entreprise paie directement pour acquérir l'objet et le coût d'option provenant du fournisseur. Le coût direct payé pour l'acquisition d'un objet est le coût payé au fournisseur dans une relation directe pour l'acquisition d'un objet. Il faut inclure dans ce coût le prix facturé par le fournisseur ainsi que tous les coûts qui permettent de rendre l'objet accessible à l'utilisateur. Le coût du transport, les frais de douane, les frais financiers et le taux de change des devises ne sont que quelques exemples de coûts additionnels qui s'ajoutent au prix pour en déterminer le coût d'acquisition.

Quant au coût d'option, il consiste dans la possibilité pour une entreprise de réaliser un profit grâce à l'utilisation de ses ressources dans une activité rentable ou grâce au fait que son fournisseur est aussi un client. L'exemple suivant permet de se représenter ce qu'est le coût d'option pour une entreprise. Un cabinet d'avocats recourt à l'expertise d'un avocat afin que celui-ci prépare une cause pour laquelle il ne peut présenter d'honoraires ; cependant, faute de temps, il doit refuser un mandat lucratif. Si l'avocat en question était disponible, le second mandat aurait été accepté et il en aurait retiré un profit. Par contre, comme il a accepté un mandat qui n'est pas rentable, le profit est perdu à jamais. Il en est de même pour un imprimeur qui accepterait un mandat pour occuper sa presse au prix coûtant et qui ne serait pas disponible lorsqu'on lui offrirait un mandat rentable.

L'exemple suivant illustre la notion de coût de cession. Un imprimeur reçoit deux offres de cabinets d'avocats pour régler un litige auquel il est mêlé : le premier cabinet accepte le mandat pour un prix forfaitaire de 5 000 $; le second l'accepte pour un prix forfaitaire de 6 000 $. L'imprimeur en question choisit le premier cabinet d'avocats, car le prix de la transaction est de 1 000 $ inférieur à celui que propose le second cabinet. Le coût de cession sera donc de 5 000 $.

Par contre, une autre donnée non négligeable intervient dans la décision de l'imprimeur. Le second cabinet d'avocats est aussi un client de l'imprimeur, et ses demandes en services d'imprimerie apportent à l'imprimeur un profit de 1 500 $. L'évaluation finale de l'offre du second cabinet sera alors de 4 500 $ (6 000 $ − 1 500 $). L'imprimeur opte donc pour le second cabinet d'avocats. Le coût de cession sera de 4 500 $, tandis que la valeur de la transaction sera de 6 000 $.

3.5.3 L'analyse du niveau d'indifférence

L'analyse du niveau d'indifférence permet à l'acheteur de déterminer la quantité pour laquelle le fait de fabriquer lui-même le produit sera équivalent au fait de l'acheter. Le point de jonction se nomme le « point d'indifférence ». Abordons cette analyse avec l'exemple 3.4 qui suit.

Exemple 3.4

Le point d'indifférence

Un acheteur doit choisir entre les deux options suivantes :

- recommander l'option A, soit fabriquer le produit désiré (OF) ;
- recommander l'option B, soit acheter le produit désiré (OA).

Dans le cas de l'OF, les frais de départ de la production (frais fixes) sont de 1 000 $ et les frais de production (frais variables) sont de 20 $ par unité.

L'acheteur obtient les résultats finaux suivants :

$$1 \ \text{unité :} \quad 1\,000 + (1 \times 20\,\$) \ = \ 1\,020\,\$$$
$$10 \ \text{unités :} \quad 1\,000 + (10 \times 20\,\$) \ = \ 1\,200\,\$$$
$$25 \ \text{unités :} \quad 1\,000 + (25 \times 20\,\$) \ = \ 1\,500\,\$$$
$$50 \ \text{unités :} \quad 1\,000 + (50 \times 20\,\$) \ = \ 2\,000\,\$$$
$$100 \ \text{unités :} \quad 1\,000 + (100 \times 20\,\$) \ = \ 3\,000\,\$$$

Dans le cas de l'OA, le prix d'achat est de 40 $ par unité.

L'acheteur obtient les résultats finaux suivants :

$$1 \ \text{unité :} \quad (1 \times 40\,\$) \ = \ 40\,\$$$
$$10 \ \text{unités :} \quad (10 \times 40\,\$) \ = \ 400\,\$$$
$$25 \ \text{unités :} \quad (25 \times 40\,\$) \ = \ 1\,000\,\$$$
$$50 \ \text{unités :} \quad (50 \times 40\,\$) \ = \ 2\,000\,\$$$
$$100 \ \text{unités :} \quad (100 \times 40\,\$) \ = \ 4\,000\,\$$$

L'acheteur peut faire les déductions suivantes : pour moins de 50 unités, il vaut mieux recommander l'achat que la fabrication ; pour 50 unités, les deux options s'équivalent (c'est le point d'indifférence); au-delà de 50 unités, la recommandation sera la fabrication plutôt que l'achat. Sous une forme mathématique, l'acheteur obtient le point d'indifférence en équilibrant les deux options, soit en déterminant la valeur de Z:

$$OF = OA$$
$$1\,000 + 20\,Z = 40\,Z$$
$$20\,Z = 1\,000$$
$$Z = 50$$

La figure 3.7 illustre le résultat.

Figure 3.7 La décision de fabriquer ou d'acheter un produit

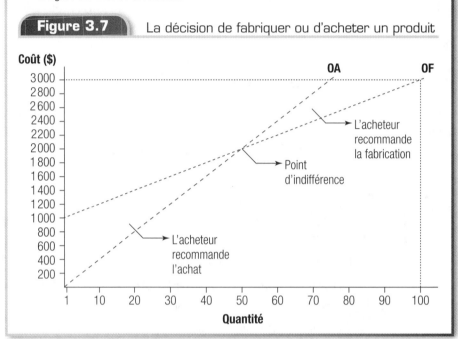

3.6 La qualification des fournisseurs

La qualification des fournisseurs est un processus d'évaluation structuré. Ce processus vise à découvrir les fournisseurs capables de procurer à l'entreprise les objets dont celle-ci a besoin. Le processus de qualification des fournisseurs comporte les six étapes suivantes:

1. La définition des besoins à combler: cette étape comprend la définition du mandat, l'établissement des critères, l'établissement des ressources nécessaires et la composition d'une équipe.

2. L'établissement des objectifs à réaliser: il s'agit de définir des objectifs quantifiables, mesurables et réalisables, qui prendront la forme d'indicateurs.

3. La méthodologie à appliquer au moment de l'évaluation: si l'évaluation met en cause plusieurs personnes ayant des compétences différentes, chacune doit évaluer les fournisseurs de la même façon.

4. La détermination des fournisseurs : l'équipe doit effectuer un premier tri.

5. L'évaluation : celle-ci comprend la visite et la vérification.

6. Le rapport et les conclusions.

Pierre Beaulé, directeur du service de l'approvisionnement à l'Université du Québec à Montréal, propose, dans le tableau 3.13, une liste de critères et d'indicateurs de qualification. Le but de l'utilisation de ces critères et indicateurs est de décupler leur pertinence à l'aide d'une technique simple.

Tableau 3.13 Des critères et des indicateurs de qualification

Critère	Indicateurs
La qualité	■ Un système de contrôle et d'amélioration de la qualité ■ La formation du personnel ■ Une ou des certifications telles qu'ISO et Acnor ■ Une gestion électronique de documents ■ Un code d'éthique et de responsabilité sociale
La livraison	■ La capacité de respecter les délais ■ La flexibilité ■ Les lieux de la source
L'appareil de production	■ La planification et le contrôle ■ La gestion des stocks à toutes les étapes ■ Le retrait des produits défectueux ■ Le contrôle des temps de production ■ Le désir de partager la technologie utilisée
Le prix	■ Le prix initial du produit ■ Les surcharges possibles ■ L'escompte ■ Les coûts associés (comme la livraison, les douanes)
La position financière	■ La rentabilité (profits bruts et nets, liquidités) ■ La croissance (ventes, profits et actifs)
La technique et l'innovation	■ La technologie utilisée ■ La formation du personnel ■ La R et D (recherche et développement) sur les produits et le niveau d'informatisation ■ Les brevets, les licences et les marques déposées ■ Les budgets d'investissement ■ Les compétences des chercheurs ■ La veille de l'information du marché

Tableau 3.13   Des critères et des indicateurs de qualification (*suite*)

Critère	Indicateurs
Le management et l'organisation	■ La structure de l'entreprise (les tâches, les fonctions, la spécialisation) ■ Les compétences des dirigeants et des cadres supérieurs ■ La compatibilité avec les valeurs et le mode de fonctionnement de l'entreprise ■ L'avantage concurrentiel ■ La compréhension des facteurs de succès ■ Les plans à long terme sur une expansion ■ Les autres changements organisationnels prévus
Le service après-vente	■ La formation du personnel de soutien ■ L'accessibilité des pièces
L'attitude et la volonté	■ La volonté du fournisseur de faire affaire avec l'entreprise ■ Les relations contractuelles passées (les problèmes éprouvés et le processus suivi pour les résoudre) ■ La possibilité de s'entendre à long terme ■ La compréhension du fournisseur quant aux objectifs de l'entreprise et à son contexte
La gestion des ressources humaines	■ Les relations de travail passées et actuelles ■ Le type de formation donnée et sa fréquence
L'approvisionnement	■ Les objectifs poursuivis dans ce domaine ■ Le processus d'inspection, de retrait et de retour des produits défectueux ■ La formation du personnel
D'autres critères	■ La taille de l'entreprise ■ Le type de clients servis et la satisfaction de ces derniers ■ La localisation du fournisseur ■ La facilité de communiquer avec lui

La norme CAN/CSA-ISO 19011-F03 (C2007) de l'ACNOR[17] fournit également un excellent point de départ pour établir une liste de critères et d'indicateurs. Sur le site, il y est indiqué que :

> La présente Norme internationale fournit des conseils sur les principes de l'audit, le management des programmes d'audit, la réalisation d'audits de systèmes de management de la qualité et/ou de management environnemental ainsi que sur la compétence des auditeurs de ces systèmes. Elle est applicable à tous les organismes qui doivent réaliser des audits internes ou externes de systèmes de management de la qualité et/ou de management environnemental ou manager un programme d'audit. La présente Norme internationale peut, en principe, s'appliquer à d'autres types d'audits, à condition toutefois d'accorder

---

17. Association canadienne de normalisation.

une attention particulière à l'identification des compétences requises pour les membres de ces équipes d'audit[18].

3.7 L'évaluation des fournisseurs

Lorsqu'une entreprise commence une relation avec un fournisseur, elle cherche à maintenir, voire à améliorer ses attentes avec le temps. Au moment de la sélection d'un fournisseur, un acheteur aura détecté les forces de ce fournisseur, là où il excelle le plus. En vérifiant constamment l'écart qui existe entre ce que l'entreprise a acheté et le résultat obtenu, l'approvisionneur s'assure que la relation établie est toujours saine pour chacune des parties. Comment évaluer l'écart ou la performance d'un fournisseur et savoir s'il donnera le rendement attendu ? Une simple formule permet d'y arriver.

Selon le *Lexique de gestion,* la performance se définit comme étant le « degré d'accomplissement des buts, des objectifs, des plans ou des programmes que s'est donnés une organisation. L'évaluation de la performance ou des performances peut s'appliquer à l'organisation dans son ensemble, ou aux acteurs pris individuellement ou encore à un aspect de l'organisation[19] ». Il faut que l'entreprise, par l'entremise de son acheteur, définisse très bien ce qui doit être acheté. Lors de l'établissement du contrat entre les parties, ce qui doit être livré ou rendu par le fournisseur sera décrit dans les dispositions techniques sous la forme de la reconnaissance de la qualité ou de la dimension de la qualité.

Un fournisseur est un des acteurs du succès de l'organisation ou de l'entreprise. En approvisionnement, la performance s'évalue et se calcule par la multiplication du « peut » et du « veut ». Le dictionnaire *Le Petit Larousse illustré* définit ainsi ces deux verbes :

- « pouvoir » signifie « avoir la capacité, la possibilité de faire quelque chose, d'accomplir une action, de produire un effet » ;
- « vouloir » signifie « appliquer sa volonté, son énergie à obtenir quelque chose ».

Pour bien illustrer cette formule, faisons une analogie avec une équipe de hockey, notre sport national. Il arrive parfois que la meilleure équipe sur papier ne gagne pas une partie. Les joueurs se blâment eux-mêmes de leur contre-performance ou certains joueurs félicitent l'autre équipe pour avoir mieux joué qu'eux. Certains commentateurs diront que la meilleure équipe sur la glace a gagné. Même si une équipe a le meilleur attaquant au monde mais que tous les autres joueurs sur la glace ne lui passent pas la rondelle ou font des passes en arrière de lui, il est impossible pour cet attaquant de faire ressortir tout son talent. Une équipe est un groupe hétérogène qui doit mettre ensemble tous ses talents et capacités (le « peut ») avec ses volontés (le « veut ») afin de

---

18. ASSOCIATION CANADIENNE DE NORMALISATION. *Site de l'Association canadienne de normalisation,* [En ligne], www.shopcsa.ca (Page consultée le 16 mars 2009)

19. Alain-Charles MARTINET et Ahmed SILEM, *Lexique de gestion,* 6ᵉ édition, Paris, Éditions Dalloz, 2003, p. 376.

gagner la partie (la « performance »). Lorsque les deux sont au rendez-vous en même temps, l'effet est multiplicateur et donne un excellent rendement, un résultat satisfaisant qui permet d'être la meilleure équipe sur la glace.

Si nous transposons cela à une relation avec un fournisseur, le « peut » signifie l'utilisation de ses forces et de ses opportunités qu'il est en mesure de livrer ou de rendre facilement, c'est-à-dire que cette source d'approvisionnement possède une dextérité et une excellente expertise pour produire certains biens ou rendre certains services. C'est en partie la raison d'être de ce fournisseur sur le marché.

La notion de « veut » s'établit peu à peu dans la relation en établissant une confiance mutuelle. Par exemple, une entreprise qui respecte les termes de paiement établis, qui transmet de bonnes prévisions de ses besoins et qui n'a pas toujours des demandes spéciales à faire au fournisseur contribue à bien entretenir une relation harmonieuse et une volonté de maintenir le lien d'affaires. Cela ne veut pas dire de toujours avoir des situations positives à discuter avec un fournisseur. Par exemple, lorsqu'une entreprise vit des périodes de turbulence au niveau de sa trésorerie, que sa liquidité est diminuée pour une courte période, un approvisionneur peut facilement communiquer avec le fournisseur pour déterminer la meilleure solution possible pour maintenir la relation, même en période de turbulence. Il ne faut pas que cette situation arrive toutes les semaines, ni que l'entreprise essaie de prendre des moyens détournés pour ne pas avertir un fournisseur (comme « le chèque a été posté » ou « impossible d'émettre le chèque car les employés de ce service sont en vacances »), car cela cause de l'irritation et affecte le « veut ».

Un bon rendement s'établit avec le temps. L'approvisionneur veut absolument déterminer la notion du « peut » dès le départ. Par la suite, la relation harmonieuse avec un fournisseur de l'entreprise contribuera à améliorer le paramètre du « veut » et, indirectement, la performance du fournisseur au succès de l'entreprise. Il ne faut pas oublier que si le « peut » = 10 % et que le « veut » s'accroît de 20 % à 90 %, le rendement global ne s'améliorera que de 7 % (de 2 % à 9 %) ; mais si le « peut » = 90 % et que le « veut » s'accroît de 20 % à 90 %, le rendement sera accru de 63 % (de 18 % à 81 %), toujours avec le même effort sur le « veut ».

Plusieurs entreprises croient que l'évaluation de la performance d'un fournisseur est de donner une note de passage. L'évaluation devrait plutôt prendre la forme suivante :

- s'assurer de la conformité de ce qui a été livré par rapport au contrat intervenu avec le fournisseur ;
- énumérer les opportunités d'affaires ;
- déterminer les problèmes de la structure actuelle ;
- adapter la stratégie de l'entreprise ou de l'approvisionnement ;
- réaffecter certaines ressources de l'entreprise ;
- reconnaître la progression de la relation d'affaires avec une source d'approvisionnement ;

- revoir les priorités de l'entreprise ;
- donner une rétroaction aux fournisseurs.

Lorsqu'une démarche de gestion de la performance est entreprise, l'acheteur cible trois aspects importants, soit :

- L'intérêt pour le fournisseur qui reçoit le résultat : l'acheteur doit s'interroger sur la réaction du fournisseur qui recevra l'évaluation de sa performance. Ainsi, un fournisseur performant peut s'attendre à une gratification, à une récompense, à un accroissement de ses revenus pour la prochaine période, etc. Par contre, une source d'approvisionnement non performante peut s'attendre à une demande d'action corrective ou à une pénalité. Si l'entreprise qui fait la gestion de la performance n'a rien d'autre à offrir à un fournisseur que de poursuivre une relation d'affaires, celui-ci recevra une note qui aura peu d'intérêt pour chacune des parties. Au moment de la présentation du résultat de performance d'un fournisseur, il faut considérer le potentiel d'accroissement du rendement de la relation d'affaires mise en place avec lui. Voici un exemple : un nouveau fournisseur d'une entreprise avait des résultats inférieurs aux attentes. Chaque année, l'entreprise qui effectuait l'évaluation de la performance organisait un gala à l'intention de ses meilleurs fournisseurs. La première année, ce nouveau fournisseur a été invité au gala. Durant l'événement, il a été impressionné par l'attention particulière qu'apportait l'entreprise à l'évaluation de ses fournisseurs et à la manière de le reconnaître. À la fin de la soirée, le nouveau fournisseur a signalé à l'acheteur de l'entreprise que l'année suivante il serait cité comme le meilleur fournisseur de sa catégorie et qu'il ferait partie des trois meilleures sources d'approvisionnement de l'entreprise. D'une position arrogante, ce fournisseur est devenu performant parce que l'entreprise a su le motiver et l'intéresser. L'année suivante, il était effectivement sur le podium.

- L'objectif initial de la relation d'affaires par rapport à ce qu'il est devenu après une certaine période : un objectif à atteindre doit comporter trois caractéristiques, soit être quantifiable, mesurable et réalisable. L'objectif doit être connu avant le début de la période de réalisation afin de bien aligner le résultat visé. Si l'approvisionneur ne détermine pas, au départ, le résultat à obtenir, il aura de la difficulté à affirmer au fournisseur qu'il a atteint ou qu'il va atteindre la cible à la fin de la période.

- La communication des résultats au fournisseur : durant la période entre la détermination de l'objectif et l'évaluation, le fournisseur doit connaître sa progression. L'acheteur annonce l'évolution de la performance à l'aide d'outils les plus visuels possible. Le graphique de la figure 3.8, à la page suivante, donne un exemple d'un moyen de communiquer les résultats au fournisseur chaque mois. Ainsi, ce dernier est en mesure d'apporter les correctifs pour atteindre le but visé, qui est évalué ici à 0,75 % de produits défectueux livrés par mois.

La gestion de la performance permet à l'entreprise d'espérer un meilleur rendement de la part de ses fournisseurs. Un rendement s'obtient par la multiplication du critère « veut » par le critère « peut ». Une gestion de la performance bien planifiée a donc comme but final d'accroître le rendement (*voir l'exemple 3.5, à la page suivante*).

Figure 3.8 Le pourcentage de produits défectueux

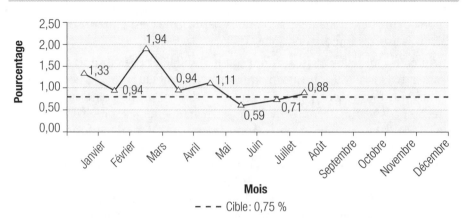

Exemple 3.5

Une grille de pondération pour l'évaluation d'entrepreneurs électriques et une analyse de la performance d'un fournisseur sur une période de 5 mois

- **Première étape : la réception du mandat**

  Un acheteur reçoit le mandat d'évaluer trois offres d'entrepreneurs électriques. Après avoir effectué une recherche préliminaire, il établit les paramètres de comparaison suivants : le nombre d'employés du fournisseur détenant des cartes de qualification, le temps requis pour accepter un contrat de travail, la durée de garantie après-vente, le coût des produits que l'entrepreneur utilisera pour faire le travail et le coût horaire unitaire des électriciens.

- **Deuxième étape : la préparation des paramètres d'évaluation**

  L'acheteur établit les notes accordées à chaque paramètre et l'importance relative de chacun (*voir le tableau 3.14*).

Tableau 3.14 L'attribution d'une note à chaque paramètre

Paramètre	Pondération	Attribution
Nombre d'employés du fournisseur détenant des cartes de compétence	25 %	Plus de 10 = 100 % Moins de 10 = $\dfrac{\text{nombre d'employés}}{10} \times$ pondération
Temps requis pour accepter un travail	10 %	$\dfrac{\text{Délai le plus court}}{\text{délai}} \times$ pondération
Durée de garantie après-vente	10 %	$\dfrac{\text{Délai}}{\text{délai le plus long}} \times$ pondération

Tableau 3.14   L'attribution d'une note à chaque paramètre (*suite*)

Paramètre	Pondération	Attribution
Coût des produits utilisés par l'entrepreneur pour effectuer le travail	20 %	$\dfrac{(\text{Prix le plus bas} + \text{marge})}{\text{prix}} + (\text{marge} \times \text{pondération})$
Coût horaire unitaire des électriciens	35 %	$\dfrac{(\text{Prix le plus bas} + \text{marge})}{\text{prix}} + (\text{marge} \times \text{pondération})$

■ **Troisième étape : l'exploration du marché**

À cette étape, l'acheteur reçoit de l'information des fournisseurs, qu'il inscrit dans deux tableaux, un pour les données (*voir le tableau 3.15*), l'autre pour l'analyse de ces données (*voir le tableau 3.16*).

Tableau 3.15   La collecte des données

Paramètre	Fournisseur A	Fournisseur B	Fournisseur C
Nombre d'employés du fournisseur détenant des cartes de compétence	12	25	7
Temps requis pour accepter un travail	2 jours	1 jour	4 jours
Durée de garantie après-vente	18 mois	12 mois	18 mois
Coût des produits utilisés par l'entrepreneur pour faire le travail	Plus 10 %	Plus 15 %	Plus 12 %
Coût horaire unitaire des électriciens	60 $/h	54 $/h	72 $/h

Tableau 3.16   L'analyse des données

Paramètre	Fournisseur A	Fournisseur B	Fournisseur C
Nombre d'employés du fournisseur détenant des cartes de compétence	$100 \% \times 25 = 25$	$100 \% \times 25 = 25$	$\left(\dfrac{7}{10}\right) \times 25 = 17,5$
Temps requis pour accepter un travail	$\left(\dfrac{1}{2}\right) \times 10 = 5$	$\left(\dfrac{1}{1}\right) \times 10 = 10$	$\left(\dfrac{1}{4}\right) \times 10 = 2,5$
Durée de garantie après-vente	$\left(\dfrac{18}{18}\right) \times 10 = 10$	$\left(\dfrac{12}{18}\right) \times 10 = 6,67$	$\left(\dfrac{18}{18}\right) \times 10 = 10$
Coût des produits utilisés par l'entrepreneur pour faire le travail	$\left(\dfrac{10 \%}{10 \%}\right) \times 20 = 20$	$\left(\dfrac{10 \%}{15 \%}\right) \times 20 = 13,4$	$\left(\dfrac{10 \%}{12 \%}\right) \times 20 = 16,67$
Coût horaire unitaire des électriciens	$\left(\dfrac{54}{60}\right) \times 35 = 31,5$	$\left(\dfrac{54}{54}\right) \times 35 = 35$	$\left(\dfrac{54}{72}\right) \times 35 = 26,25$
Total	91,5	90,17	72,92

- ### Quatrième étape : la recommandation

L'acheteur recommande le fournisseur A avec une note de 91,5 malgré le fait que l'investissement requis soit plus élevé. Son second choix est le fournisseur B.

L'évaluation de la performance d'un fournisseur

Les tableaux 3.17 et 3.18 montrent qu'il est possible d'évaluer des fournisseurs pour un produit ou un service donné. La grille de pondération permet aussi d'évaluer la performance d'un fournisseur au fil du temps. Ainsi, à partir de ces deux tableaux, l'entreprise peut évaluer la performance du fournisseur ABC.

Tableau 3.17 L'évaluation du fournisseur ABC après cinq mois

Paramètre	Description	Mois 1	2	3	4	5	Total
Qualité	Nombre d'unités acceptées (A)	1 380	1 290	1 185	1 400	1 197	6 452
	Nombre total d'unités reçues (B)	1 500	1 400	1 300	1 500	1 300	7 000
	Nombre de certificats reçus à temps (C)	140	128	117	141	123	649
	Nombre total de certificats reçus (D)	150	140	130	150	130	700
Quantité	Nombre de lignes en rupture (E)	23	28	18	22	33	124
	Nombre de lignes commandées (F)	500	450	425	500	430	2 305
Temps	Nombre de livraisons en retard (G)	5	3	5	1	3	17
	Nombre total de livraisons (H)	20	27	23	18	21	109
Lieu	Nombre de livraisons au bon endroit (I)	19	26	19	16	18	98
	Nombre total de livraisons (J)	20	27	23	18	21	109
Service	Nombre de commandes urgentes remplies à temps (K)	5	5	7	8	9	34
	Nombre total de commandes urgentes (L)	7	5	8	8	9	37
	Nombre d'appels pour revoir le contrat (M)	5	5	4	4	3	21
	Nombre total d'appels (N)	12	13	11	10	9	55
Coûts	Nombre de factures erronées (O)	8	6	4	3	1	22
	Nombre de factures traitées (P)	28	23	25	16	19	111

Tableau 3.18 Les résultats de l'évaluation du fournisseur ABC après cinq mois

Paramètre	Description	Calcul	Pondération p	Mois 1	2	3	4	5	Moyenne
Qualité	Acceptations	$\frac{A}{B} \times p$	15 %	13,8	13,8	13,7	14,0	13,8	13,8
	Certificats	$\frac{C}{D} \times p$	5 %	4,7	4,6	4,5	4,7	4,7	4,6

Tableau 3.18 Les résultats de l'évaluation du fournisseur ABC après cinq mois (*suite*)

Paramètre	Description	Calcul	Pondération p	Mois 1	2	3	4	5	Moyenne
Quantité	Rupture	$\left(1-\left(\dfrac{E}{F}\right)\right)\times p$	15 %	14,3	14,1	14,4	14,3	13,8	14,2
Temps	Retards	$\left(1-\left(\dfrac{G}{H}\right)\right)\times p$	20 %	15,0	17,8	15,6	18,9	17,1	16,9
Lieu	Livraison	$\dfrac{I}{J}\times p$	20 %	19,0	19,3	16,5	17,8	17,1	18,0
Service	Urgent	$\dfrac{K}{L}\times p$	15 %	10,7	15,0	13,1	15,0	15,0	13,7
	Appels	$\left(1-\left(\dfrac{M}{N}\right)\right)\times p$	5 %	2,9	3,1	3,2	3,0	3,3	3,1
Coûts	Factures	$\left(1-\left(\dfrac{O}{P}\right)\right)\times p$	5 %	3,6	3,7	4,2	4,1	4,7	4,0
Total			100 %	84,0	91,4	85,2	91,8	89,5	88,3

Note : Toutes les valeurs sont en pourcentage.

À la lecture du tableau 3.18, on peut conclure que le meilleur mois serait le quatrième avec une pondération totale de 91,8 %. De plus, la moyenne des 5 mois nous donne une pondération de 88,3 %. Les deuxième, quatrième et cinquième mois seraient au-dessus de la moyenne.

3.8 Les délais liés à la réalisation d'un mandat

La volonté de transiger avec une autre partie exige que la durée soit définie clairement. L'acheteur doit connaître les conditions rattachées à une entente ainsi que les délais requis pour une éventuelle révocation de celle-ci. Les conditions peuvent être futures et certaines, c'est-à-dire fixées dans le temps à la suite d'une série d'événements connus, ou être indéterminées.

En effet, sur le plan juridique, une offre acceptée qui comporte un délai précis s'appelle un « délai irrévocable ». L'une ou l'autre des parties ne peut renoncer à ses engagements pendant ce délai, sinon elle contreviendra aux articles sur les fautes contractuelles ou de mauvaise foi dans la formation de l'entente, selon le *Code civil du Québec*. Par contre, une procédure peut être entreprise si, durant ce délai, il y a un risque quant à la garantie d'un bien ou à la sécurité des êtres humains.

Un autre type de délai s'avère impératif au cours de la rédaction d'un contrat, soit les clauses de caducité d'une entente. Une entente devient caduque en raison de l'expiration du temps fixé ou des attitudes de l'autre partie. L'annexe 3.4, à la page 146, présente 10 clauses de caducité qui dictent la fin d'une entente. Dans le cas de l'application d'une clause de caducité, l'acheteur se doit de définir ce qui s'appliquera le jour où la relation d'affaires se terminera, à savoir qu'il s'agira :

- d'une terminaison abrupte : par exemple, l'entente se termine le 31 août. Par conséquent, les commandes en cours devront être complétées par le fournisseur qui prendra la relève dès le 1er septembre ;

- d'une terminaison graduelle : par exemple, l'entente se termine le 31 août. Le fournisseur ayant reçu un bon de commande le 30 août, il aura la responsabilité de remplir le bon de commande. Le nouveau fournisseur recevra les bons de commandes à partir du 1er septembre uniquement.

Afin de ne pas avoir de mauvaise surprise, l'acheteur devrait s'assurer que toutes les clauses de délai font partie intégrante de l'entente avec un fournisseur. Il est à noter que la notion de délai d'exécution est suspendue, selon la loi, dans les cas de force majeure, que l'on peut résumer par l'adage « à l'impossible nul n'est tenu ». Pour citer quelques exemples, pensons aux faits causés ou subis par les personnes (tels que les révolutions, les incendies, les guerres, les grèves, les vols, les maladies ou les accidents), aux caprices de la nature (les tempêtes de neige ou de verglas, les tremblements de terre ou les inondations) ou aux faits provoqués par les autorités (les lois, les règlements et les décrets). Dans tous ces cas, l'obligation de respecter le délai d'exécution est éteinte.

Résumé

Dans ce chapitre, nous avons couvert plusieurs aspects qui touchent les sources d'approvisionnement. Dans un premier temps, nous avons étudié la manière de faire la sélection. Nous avons vu comment déterminer les sources possibles, ce qui met à contribution la compétence qui consiste à explorer le marché. Dans une des annexes de ce chapitre, nous avons indiqué plusieurs répertoires de fournisseurs. Toutefois, l'acheteur doit demeurer à l'affût d'appels de fournisseurs, profiter de ses visites dans les foires commerciales et former un réseau avec un groupe d'acheteurs pour lui permettre de dénicher des sources nouvelles. Ces dernières représentent beaucoup d'opportunités de faire avancer l'entreprise dans l'atteinte de sa mission.

Dans un deuxième temps, nous avons décrit les stratégies possibles pour intervenir auprès des sources d'approvisionnement. L'acheteur ne perd pas de vue qu'il doit acheter l'objet qui répond aux attentes de l'entreprise, mais que plusieurs options permettent d'obtenir ce résultat. Nous avons fait l'éloge de plusieurs stratégies possibles et populaires sur le marché. Ainsi, l'acheteur s'interrogera pour savoir si l'entreprise traitera avec une ou plusieurs sources. L'entreprise fabriquera-t-elle le produit elle-même ou l'achètera-t-elle ? Fera-t-elle appel à la sous-traitance ? Louera-t-elle le bien ou le service ? Travaillera-t-elle de façon traditionnelle ou selon une pyramide ou une hiérarchie de fournisseurs ? Chaque stratégie amène une entreprise à se différencier par rapport à une autre quant à son mode de fonctionnement.

Nous avons ensuite examiné les différents aspects relatifs à la qualification d'un fournisseur. Après avoir sélectionné les sources, l'acheteur doit déterminer lesquelles sont susceptibles de combler la majorité des besoins des clients de l'entreprise. Ainsi, une entreprise qui a choisi de s'approvisionner auprès d'un seul fournisseur doit examiner l'ensemble des sources pour trouver celle qui répondra à ses attentes.

Le coût d'acquisition est un aspect qui a été couvert dans ce chapitre. Lorsque l'on parle de coût d'acquisition, on fait référence à la manière d'établir le prix qui représente la valeur de l'échange commercial. Cette section a été séparée afin de couvrir les différents aspects du prix qui modifient la valeur de la transaction et la surveillance. Ces aspects sont l'image et l'interprétation du prix, la provenance des différents prix incluant la négociation et l'appel d'offres, les remises, les rabais, les réductions et les escomptes. Nous avons regardé ce qu'était la zone de juste prix par rapport aux prix inférieurs ou supérieurs au marché. L'acheteur doit bien comprendre tous les aspects du prix qu'il paie afin que son entreprise demeure compétitive.

Dans une autre section, nous avons examiné la façon de faire un choix et l'adjudication, selon six méthodes connues et populaires. Parmi ces modèles, citons l'analyse du coût de cession et l'analyse du niveau d'indifférence.

Ensuite, nous avons abordé les délais relatifs à la réalisation d'un mandat qui lient les parties au moment de la transaction. Il existe deux types de délais : les clauses à respecter et les clauses de caducité. Il existe aussi deux manières de faire la jonction entre les sources : de façon abrupte ou de façon graduelle. Les premières clauses obligent les parties à donner suite à leur engagement. Les secondes consistent dans les règles qui mettent fin à une entente.

Nous avons terminé le chapitre en évoquant les raisons et la manière d'évaluer les sources d'approvisionnement, ainsi que les délais liés à la réalisation d'un mandat.

Termes à retenir :

- Achat ou fabrication
- Choix des fournisseurs
- Détermination des fournisseurs potentiels
- Détermination du coût total et du prix
- Durée du mandat
- Enchère inversée
- Évaluation des sources
- Fournisseurs de classe mondiale
- Location
- Manufacturier ou intermédiaire
- Marketing à rebours
- Pyramide de fournisseurs
- Qualification des sources
- Reconnaissance des fournisseurs dans certaines missions d'entreprise
- Regroupement d'achats
- Source locale ou internationale
- Source unique vs sources multiples
- Sous-traitance
- Stock additionnel ou confiance au fournisseur

Questions

1. Nommez trois caractéristiques qu'un fournisseur devrait posséder pour que les relations d'affaires avec son client soient harmonieuses.

2. Quelle est la différence entre la sélection et la qualification des fournisseurs ?

3. Nommez trois avantages et trois inconvénients liés au fait de traiter avec une source unique.

4. Nommez trois avantages et trois inconvénients liés au fait de recourir à un sous-traitant.

5. Nommez trois avantages et trois inconvénients liés au fait de traiter avec un intermédiaire tel un détaillant.

6. Nommez trois avantages et trois inconvénients liés au fait de louer le bien ou le service plutôt que de l'acheter.

7. Qu'est-ce que le marketing à rebours ?

8. En quoi consiste l'enchère inversée ?

9. Qu'est-ce que le coût de cession ?

10. Qu'est-ce que le point d'indifférence ?

Exercices d'apprentissage

1. Il existe deux types de sous-traitance, soit la sous-traitance permanente et la sous-traitance occasionnelle. Dans quelles situations utilise-t-on l'une ou l'autre dans l'entreprise ?

2. Donnez deux raisons pour lesquelles il est préférable de louer un outil plutôt que de l'acheter.

3. Quel est le principal avantage de fonctionner à l'aide d'une pyramide de fournisseurs ?

4. Citez deux inconvénients liés au fait de traiter directement avec un manufacturier plutôt que de passer par un détaillant.

5. Pourquoi un acheteur ne peut-il pas pratiquer le marketing à rebours tout de suite après son embauche dans une entreprise ?

6. Quels sont les six modèles d'évaluation des offres reçues ?

7. Relevez deux situations dans lesquelles un contrat peut devenir caduc.

8. Voici une liste d'avantages liés au travail dans un service de l'approvisionnement avec un ou plusieurs fournisseurs pour un produit donné. Indiquez, pour chacun de ces avantages, s'il s'agit d'un fournisseur unique ou de plusieurs fournisseurs.

    a) Assurance pour ce qui est de l'approvisionnement en cas d'imprévu sur le marché.

    b) Commande trop petite pour être divisée.

    c) Respect d'une politique de l'entreprise qui achète.

    d) Économie d'échelle relativement au coût du transport et du produit lui-même.

    e) Réduction plus facile des coûts administratifs.

    f) Augmentation de l'indépendance envers un fournisseur.

    g) Stratégie de flux des marchandises qui permet de réduire considérablement les stocks.

    h) Échange de l'information stratégique.

    i) Maintien de la compétitivité entre les fournisseurs.

    j) Rendement hors pair de la part du fournisseur.

    k) Produit fabriqué à partir de moules, de matrices ou de plaques.

9. Au moment de prendre la décision d'acheter ou de fabriquer un produit, quels éléments, parmi ceux qui sont mentionnés ci-dessous, feront pencher la balance en faveur de l'achat, et quels sont ceux qui, au contraire, la feront pencher en faveur de la fabrication ?

    a) Le fournisseur offre un meilleur service que le système de production interne.

    b) L'entreprise veut réduire le nombre de ses fournisseurs.

    c) L'entreprise a des ressources sous-utilisées.

    d) L'entreprise ne désire pas investir dans l'achat d'équipements de production.

e) L'entreprise possède l'expertise.

f) Les employés exercent une pression sur l'entreprise pour garder la maîtrise de la fabrication.

g) Le système actuel de production est en panne ou en période de maintenance.

h) L'entreprise ne veut pas être dépendante d'une source.

i) La quantité requise du bien est trop faible pour justifier la mise en route de la production.

j) Le système de production n'est pas en mesure de fournir un produit de la même qualité.

k) Les fluctuations de la demande sont trop grandes, ce qui crée une pression sur le système de production en place.

10. Voici une liste des avantages qu'il y a à traiter soit avec un manufacturier, soit avec un intermédiaire. Sélectionnez la source adéquate.

a) L'entreprise qui achète obtient un service plus personnalisé.

b) L'entreprise source est souvent plus avancée dans le domaine de la recherche et du développement.

c) L'entreprise source se trouve souvent à proximité de l'entreprise qui achète.

d) L'entreprise qui achète peut régler ses réclamations (litiges) plus rapidement.

e) L'entreprise peut faire financer les frais d'entreposage par l'entreprise fournisseuse.

f) L'entreprise source a une marge de profit moins élevée.

g) L'entreprise peut s'approvisionner sur le marché local.

h) L'entreprise a la possibilité d'acheter de plus petites quantités.

i) L'entreprise peut acheter plusieurs produits au même endroit.

j) L'entreprise qui achète peut bénéficier de très bons escomptes sur quantité.

11. Voici une liste d'énoncés sur la location comme moyen de s'approvisionner. Quels sont ceux qui plaident en faveur d'une location pour un bien ou un service donné au lieu d'en faire l'achat ?

a) La location permet d'augmenter la capacité de production de l'entreprise pendant une très courte période.

b) Elle exige que l'entreprise travaille avec plusieurs sources.

c) Elle permet l'utilisation de l'équipement avant une acquisition éventuelle.

d) Elle fait bénéficier l'entreprise d'un équipement ou d'un outil plus récent.

e) L'entreprise doit prendre le service complet de location même si elle n'a besoin que d'une partie de celui-ci.

f) Certaines clauses d'un contrat de location peuvent être irritantes (durée, assurances, maintenance).

g) Le coût du contrat de location est une dépense.

12. Quels énoncés parmi les suivants feraient en sorte que l'on pourrait être en faveur de la sous-traitance pour qu'une source extérieure fabrique un produit donné ?

a) La sous-traitance permet d'augmenter notre capacité de production.

b) Elle entraîne une sous-utilisation des ressources.

c) Les ressources humaines de l'entreprise risquent de réagir à une éventuelle perte d'emplois.

d) La sous-traitance a pour effet de changer certaines faiblesses de l'entreprise en forces.

e) Elle permet de transformer des frais fixes en frais variables.

f) Elle peut permettre de réduire les coûts de recherche et de développement pour l'entreprise.

g) L'entreprise peut tirer profit de la qualité des produits offerts par une source extérieure.

h) L'entreprise peut confier à une source externe les activités de son choix qui correspondent à des besoins qu'elle désire combler.

i) La sous-traitance donne lieu à un repositionnement des éléments stratégiques de l'entreprise.

j) La source externe risque d'augmenter ses prix lors d'un renouvellement de contrat.

Exercices de compréhension

1. Dans une stratégie de négociation acheteur-fournisseur, de quelle façon vous y prendriez-vous, en tant qu'acheteur, pour vous assurer d'obtenir le prix désiré?

2. Quel fournisseur de structures d'acier pour des cadres de portes d'acier une entreprise devrait-elle privilégier dans le cas suivant? Le premier fournisseur propose un prix de vente de 125 000 $; le deuxième fait un prix de 100 000 $; le troisième suggère un prix de 140 000 $. Précisons que le premier fournisseur est également un client de l'entreprise, avec lequel celle-ci réalise un profit de 20 000 $ pour la même période. De plus, le dernier fournisseur, qui est aussi un client, rapporte à l'entreprise un profit de 45 000 $ pour la même période.

3. Les responsables de l'approvisionnement et de la production d'une entreprise forment un comité afin de décider s'il vaut mieux fabriquer un produit que de l'acheter. Si l'entreprise fabrique elle-même ce produit, les coûts fixes engendrés s'élèveront à 35 000 $ par année. Le coût d'achat de la matière est de 32 $ par unité. Le coût de la main-d'œuvre est de 7 $ par unité. Cependant, si l'entreprise achète ce produit directement du fournisseur, le prix d'achat sera de 46 $ par unité. Que devrait décider ce comité? Représentez, sous forme de graphique, les courbes de coûts.

4. L'acquisition de socles en bois coûte 22 $ par unité. Toutefois, si l'entreprise décide de les fabriquer, les coûts fixes s'élèveront à 15 000 $ (équipements, outillage, etc.), et si l'on ajoute les frais variables (coût de la main-d'œuvre et de la matière, etc.), le coût sera de 16 $ par unité. Pour quel volume de production reviendrait-il au même de faire l'acquisition de socles en bois

ou de les produire ? Représentez, sous forme de graphique, les courbes de coûts. Déterminez à quel moment l'entreprise devrait acheter les socles en bois et à quel moment elle devrait les fabriquer.

5. Un sous-traitant connu propose de fabriquer les socles en bois de l'entreprise de la question précédente à un coût de 18 $ par unité. Cette mesure évitera à l'entreprise de demander à sa main-d'œuvre d'effectuer des heures supplémentaires. De plus, elle permettra, par le fait même, d'abaisser ses coûts variables de fabrication à 14 $ par unité. Quelle décision l'entreprise devrait-elle prendre maintenant qu'elle dispose de ces nouvelles données ? Représentez, sous forme de graphique, les coûts des trois options. Précisez tous les points d'indifférence, qu'ils soient pertinents ou non.

6. Un de vos amis d'enfance songe à devenir consultant dans le domaine de la conception mécanique. Il devra évidemment traiter une multitude de plans sur ordinateur. Par conséquent, il devra se procurer un appareil ayant une assez grande puissance pour concevoir et produire des plans le plus rapidement possible. Il se demande s'il serait plus avantageux pour lui d'acheter un ordinateur tout équipé ou encore de le louer. Pouvez-vous le conseiller ?

7. Quelle stratégie de distribution un fabricant devrait-il utiliser dans le cas d'un nouveau produit sur un canal de distribution déjà existant ?

8. Quelle est la principale différence entre une remise, un rabais, une réduction et un escompte dans la détermination d'un prix ?

9. Vous désirez faire l'acquisition d'un camion jouet. Vos critères d'achat sont les suivants :

   a) la résistance aux impacts ;
   b) l'esthétique ;
   c) le volume (espace) du jouet ;
   d) le prix.

   De plus, vous avez déterminé le degré d'importance à accorder à chaque critère. Il est respectivement de 30 %, de 10 %, de 20 % et de 40 %.

   Après avoir fait des recherches, vous savez qu'il existe trois fournisseurs capables de combler votre désir : Tounga, Prider Fishe et Tikkle Like. Vous avez pu dénicher, dans la revue consacrée aux consommateurs *Surveillez-les*, l'information selon laquelle une cote (de 0 à 1) est attribuée à chacun des critères, et ce, pour chaque fournisseur (*voir le tableau ci-après*).

Critère	Fournisseur		
	Tounga	Prider Fishe	Tikkle Like
Résistance aux impacts	0,8	0,5	0,3
Esthétique	0,5	0,8	0,7
Volume	0,7	0,4	0,5
Prix	0,2	0,6	0,6

Sur la base de cette information, pour quel fournisseur devriez-vous opter?

10. Quatre individus veulent se procurer une voiture, soit un étudiant, un ecclésiastique, un parent et un président d'entreprise. Chacun d'eux mentionne ses préférences en accordant une pondération aux trois critères que sont le confort, la tenue de route et le prix (*voir le tableau suivant*).

Critère	Individu			
	Étudiant	Ecclésiastique	Parent	Président
Confort	0,1	0,3	0,3	0,7
Tenue de route	0,2	0,3	0,2	0,3
Prix	0,7	0,4	0,5	0,0

De plus, dans la revue *Surveillez-les,* vous avez trouvé de l'information concernant quatre types de véhicules présentant les mêmes critères d'évaluation (*voir le tableau ci-après*).

Critère	Type de véhicule			
	Coccinelle	Tord Export	Minda Civil	Tatillac
Confort	0,1	0,3	0,5	1,0
Tenue de route	0,4	0,4	0,7	0,6
Prix	1,0	0,7	0,5	0,1

Sur la base de cette information, vers quel fournisseur de voitures chacun des quatre individus devrait-il se tourner?

11. Comparez la performance de deux fournisseurs en vous servant des données d'une année et en vous basant sur les six critères de rendement de l'approvisionnement présentés ci-dessous. Veuillez noter que chaque critère possède deux indicateurs de performance. Lequel des deux fournisseurs est le plus performant? Quel mois affiche le meilleur rendement pour chacun des deux fournisseurs?

Critère : quantité

A1 : Le nombre de commandes non satisfaites
A2 : Le nombre total de commandes

Critère : qualité

B1 : Le nombre d'unités acceptées
B2 : Le nombre total d'unités reçues

Critère : temps

C1 : Le nombre de livraisons en retard
C2 : Le nombre total de livraisons

Critère : lieu

D1 : Le nombre de livraisons au bon endroit
D2 : Le nombre total de livraisons

Critère : service

E1 : Le nombre de commandes urgentes livrées à temps
E2 : Le nombre total de commandes urgentes

Critère : coût

F1 : Le nombre de factures erronées
F2 : Le nombre de factures traitées

Le critère de la quantité compte pour 10 % dans la qualification (évaluation) des fournisseurs, celui de la qualité pour 20 %, celui du temps pour 25 %, celui du lieu pour 22,5 %, celui du service pour 15 % et, finalement, celui du coût pour 7,5 %.

À partir des données qui sont compilées dans les tableaux suivants, on peut déterminer le rendement de chacun des fournisseurs.

Le fournisseur A

Critère	Mois											
	1	2	3	4	5	6	7	8	9	10	11	12
A1	2	3	1	4	3	2	1	5	2	3	2	2
A2	23	25	27	22	24	21	20	24	28	24	25	23
B1	99	101	98	95	102	88	91	103	99	86	96	100
B2	104	110	114	100	108	103	99	116	107	104	105	109
C1	2	4	3	5	7	3	1	7	4	4	6	4
C2	25	27	29	24	24	22	22	26	30	27	28	29
D1	24	25	22	23	21	21	19	24	28	26	25	27
D2	25	27	29	24	24	22	22	26	30	27	28	29
E1	3	4	5	3	2	2	5	3	2	2	4	5
E2	5	6	6	4	5	4	7	6	9	3	6	6
F1	5	7	4	8	6	5	3	1	3	4	5	6
F2	27	29	32	24	26	23	22	26	27	28	30	25

Le fournisseur B

Critère	Mois											
	1	2	3	4	5	6	7	8	9	10	11	12
A1	3	2	4	3	5	4	7	6	1	2	3	5
A2	25	21	29	23	24	23	21	25	22	25	26	25
B1	96	104	89	97	90	93	92	103	95	99	102	91
B2	102	112	111	103	103	104	99	114	105	107	106	108
C1	5	3	4	2	3	7	7	1	5	3	8	2
C2	27	29	23	25	26	24	25	24	27	29	30	28
D1	22	24	23	21	20	20	21	25	27	24	23	26
D2	24	25	24	27	25	21	24	28	31	26	29	32
E1	2	4	3	3	1	2	3	3	4	2	3	5
E2	5	5	6	7	5	6	7	8	9	7	6	7
F1	4	6	3	9	5	4	1	3	6	5	4	8
F2	25	28	31	23	28	22	23	27	31	29	32	24

Cas

Une grève imprévue

Un jeune acheteur qui a été recruté directement sur les bancs d'école fait face à un dilemme. En effet, il a appris que le fait de traiter avec un seul fournisseur pour un produit donné était nettement préférable à celui de faire affaire avec plusieurs fournisseurs. Il met donc en pratique ce qui lui a été enseigné, soit d'utiliser une seule source dans le cas d'un produit. Le but est de diminuer le nombre excessif de fournisseurs qui sont sur les listes de l'entreprise. Le problème, c'est que même s'il compte sur de très bons fournisseurs pour les différents produits, les employés d'un des fournisseurs viennent de déclencher une grève, ce qui rend la livraison du produit impossible. Ce produit est par surcroît indispensable à l'entreprise. L'acheteur n'a prévu aucune clause dans le contrat entre les deux parties qui puisse lui venir en aide.

Question

Que feriez-vous à la place de cet acheteur ?

Annexe 3.1

La liste de répertoires permettant de sélectionner de nouvelles sources[20]

1. Abi Inform

Banque de données sur les affaires en général. Comprend approximativement 800 publications contenant de l'information non colligée qui a trait au monde des affaires et aux secteurs connexes et applicable à plusieurs types d'entreprises et d'industries.

2. BRS After Dark

Donne accès à plusieurs banques de données qui sont accessibles à un taux réduit en dehors des heures d'affluence.

3. Canadian Business & Current Affairs (DIALOG et disque)

Présente un index d'articles publiés dans plus de 500 périodiques et 10 journaux traitant des affaires au Canada. Propose des notes descriptives sur divers renseignements concernant des entreprises, des produits et des industries.

4. Dialog Information Services

Source d'information assez complète qui permet un accès instantané aux éléments suivants : résumés d'articles et de rapports, données financières détaillées, listes de directeurs d'entreprise, statistiques, résumés de nouvelles et articles complets. Ce service donne accès à plus de 350 banques de données dans tous les champs en lien avec le monde des affaires.

5. Info Globe

Plusieurs banques de données dans trois catégories : nouvelles, données financières et information gouvernementale.

6. Dun & Bradstreet

Canadian Dun's Market Identifiers : utile pour localiser les fournisseurs d'un millier de produits au Canada ; comprend 357 000 entreprises canadiennes.

European Dun's Market Identifiers : une information détaillée sur plus de 1,5 million d'entreprises situées dans 36 pays européens.

Electronic Yellow Pages : répertoire d'information sur plus de 8,2 millions d'entreprises et de professionnels répartis aux États-Unis.

Million Dollar Directory : information complète sur les affaires de plus de 160 000 entreprises publiques aux États-Unis.

7. FP Online

Pleine documentation du *Financial Post,* de la revue *Maclean's,* de la *Survey of Industrial,* de la *Survey of Mines & Energy Resources* et du *Directory of Directors.*

8. Kompass

Banque de données mondiales répertoriant, par ordre alphabétique, les produits et les services, les sources d'approvisionnement, les renseignements sur les entreprises et les agences, et les marques de commerce.

9. Management Contents

Répertoire d'articles provenant de plus de 120 journaux, de comptes rendus et de transactions aux États-Unis et à l'étranger.

10. Sympacriq

Donne le répertoire des produits vendus au Québec provenant des manufacturiers, des distributeurs et des grossistes.

11. Predicasts

PTS Prompt (Predicast Overviews of Markets and Technology) : information internationale sur les entreprises, les marchés, les produits et les technologies.

Forecasts : plus de 5 000 entrées fournies chaque mois sur le marché actuel, prévisions à moyen terme et à long terme sur des produits précis, les industries, les tendances, etc.

F & S Index : répertoire révisé chaque semaine donnant plus de 4 500 sommaires (une ou deux lignes) sur l'évolution des affaires dans le monde et résumant la presse commerciale.

---

20. D'après le *Séminaire sur la recherche en approvisionnement* de l'Association canadienne de gestion des achats.

New Product Announcements/Plus (NPA/Plus) : présente une information rapide concernant les nouveaux produits, la nouvelle technologie, les fusions et les acquisitions, les accords de licence et autres événements commerciaux. Cette information est fournie par les entreprises elles-mêmes ou par leurs agents commerciaux.

12. BOSS (Business Opportunities Sourcing System)

Répertoire publié en 1990 par le ministère de l'Industrie, du Commerce et de la Technologie de l'Ontario.

13. Business Periodicals Index

Répertoire de plus de 160 journaux publiés dans plusieurs pays traitant de presque tous les aspects du monde des affaires.

14. Canadian Periodical Index

Répertoire de journaux canadiens qui traitent des affaires en général.

15. Canadian Statistic Index

Liste bibliographique des publications statistiques canadiennes. Elle comprend les publications des gouvernements fédéral et provinciaux, celles des sociétés d'État, des maisons d'édition commerciales, des associations et groupes professionnels. Les publications régulières du Bureau de la statistique du Canada sont incluses (à l'exception des données sur le recensement).

16. Canadian Trade Index

Répertoire des manufacturiers canadiens présentés par ordre alphabétique et également selon leur localisation. Il comprend une liste par catégories de produits fabriqués par ces manufacturiers faisant affaire au Canada.

17. Fraser's Canadian Trade Directory

Répertoire des manufacturiers canadiens présentés par ordre alphabétique et par produit. Il donne aussi la liste des marques de commerce utilisées et la liste des entreprises étrangères (y compris leurs agents ou distributeurs) qui font affaire au Canada.

18. Répertoire des produits offerts au Québec

Publié par le Centre de recherche industrielle du Québec (CRIQ), ce répertoire donne la liste des manufacturiers, des distributeurs et des grossistes qui font affaire au Québec avec la liste des produits offerts.

19. Made in Ontario

Répertoire du ministère de l'Industrie, du Commerce et de la Technologie de l'Ontario listant plus de 12 000 manufacturiers et 40 000 produits vendus dans cette province.

20. Commercial News USA

Répertoire décrivant certains produits vendus aux États-Unis, que les ambassades et les consulats utilisent pour promouvoir les produits américains.

21. Microlog

Répertoire de publications gouvernementales (dans tous les domaines) et de plus de 150 organismes de recherche (publics et privés).

22. Point de repère

Répertoire de plus de 265 publications de langue française. Comprend principalement les périodiques publiés au Québec et une soixantaine de titres provenant d'Europe.

23. Scott's Directories

Répertoire régional et industriel qui donne une liste alphabétique des manufacturiers situés dans une région donnée. Les manufacturiers sont également listés par produit. On y trouve une liste d'agences gouvernementales et une liste de références du SIC USA avec le répertoire du SIC de Statistique Canada.

24. Thomas Register of American Manufacturers

Information sur approximativement 148 000 entreprises manufacturières nord-américaines comprenant plus de 50 000 classes de produits et plus de 110 000 marques de commerce.

25. Trade Publication's Buyers' Guides

Numéro annuel spécial publié par la plupart des journaux commerciaux : se veut un guide de l'acheteur.

26. Protégez-vous

Revue publiée par l'Office de la protection du consommateur du Québec, qui décrit aux consommateurs le résultat des analyses effectuées sur une famille de produits destinés au même usage.

27. Guide du transport

Répertoire publié par les éditions Bomart, qui liste les entreprises de transport routier faisant affaire dans les différentes zones nord-américaines.

Annexe 3.2

Les 13 tactiques à la disposition de l'acheteur

Tactique	Exemple
1. Partir à la découverte L'acheteur vérifie les arguments préparés par l'autre partie, cherche à connaître les motivations de cette dernière ou recueille toute information complémentaire. Ensuite, il accepte la position de l'autre partie.	*L'acheteur :* Nous avons reçu votre offre. Une clause indique que nous devons payer le transport. Pourquoi ? *Le fournisseur :* Nous savons que nous ne sommes pas compétitifs dans ce domaine. Nous y travaillons, mais nous ne voulons pas perdre l'occasion de faire des affaires à cause du transport. *L'acheteur :* Nous comprenons. Nous nous occuperons donc du transport.
2. Attaquer l'autre partie dans le but de susciter une réaction ou de faire monter la pression La partie adverse perdra beaucoup d'énergie en répondant à l'agression, ce qui laissera la place à des solutions provenant d'un changement de perception de la demande.	*L'acheteur :* Une entreprise de votre importance nous demande de nous occuper du transport ! Sans une clause sur le transport, dites adieu à une entente possible. (Une discussion s'amorce.)
3. Utiliser un leurre L'acheteur choisit un point de discussion sur lequel aucun accord n'est possible. Les parties se battent résolument jusqu'à la rupture. L'acheteur passe à un deuxième point de discussion aussi problématique que le premier. Finalement, il propose un accord selon lequel une partie accepte le premier point et l'autre partie, le second.	*L'acheteur :* Vous payez 50 % des frais de transport. *Le fournisseur :* Cela ne fait pas partie de l'entente proposée. (Une discussion suit.) *L'acheteur :* Vous êtes responsable des réclamations en cas de litige sur le transport. *Le fournisseur :* Nos structures ne nous permettent pas de prendre une telle responsabilité. *L'acheteur :* Alors, payez 50 % des frais de transport et nous nous occuperons des litiges, s'il y en a.
4. Commencer par une demande excessive L'acheteur choisit un point et annonce des exigences très élevées. Il laisse la partie adverse argumenter. Avec le temps, l'acheteur propose une solution moins contraignante, qui sera acceptée avec soulagement par l'autre partie.	*L'acheteur :* Vous payez 100 % des frais de transport. *Le fournisseur :* D'accord, mais notre prix sera majoré de 15 %. *L'acheteur :* Nous paierons 50 % des frais de transport, mais votre prix demeurera identique à votre offre initiale.
5. Donner pour recevoir L'acheteur négocie certains points à l'avantage de la partie adverse. À un moment donné, un point important arrive dans la discussion et l'acheteur remet sur la table la série de points accordés antérieurement dans le but d'obtenir un accord qui lui est favorable sur le dernier point.	*L'acheteur :* Vous choisissez le transporteur. *Le fournisseur :* Non, c'est vous qui le choisissez. *L'acheteur :* D'accord, nous le choisirons, mais vous demeurez propriétaire de la marchandise en transit. *Le fournisseur :* Non, vous êtes propriétaire. *L'acheteur :* Bon. Mais vous réglez les litiges. *Le fournisseur :* C'est plutôt votre responsabilité. *L'acheteur :* D'accord, mais vous paierez les frais de transport. *Le fournisseur :* Non, c'est à vous de les payer. *L'acheteur :* Vous avez obtenu notre accord sur le choix du transporteur, la propriété de la marchandise en transit et le règlement des litiges : vous pourriez faire un effort en payant 50 % des frais de transport. *Le fournisseur :* Ça va.

Les 13 tactiques à la disposition de l'acheteur (*suite*)

Tactique	Exemple
6. Proposer une alternative L'acheteur soumet deux options à l'autre partie. Cette dernière choisira l'option qui l'avantage, ce qui conviendra de toute manière à l'attente de l'acheteur.	*L'acheteur :* Vous payez 50 % des frais de transport ou vous prenez la responsabilité de régler les litiges. *Le fournisseur :* Nous paierons 50 % des frais de transport.
7. Faire intervenir dans la négociation un associé inconnu L'acheteur prétend que son associé ou son patron n'acceptera pas un point tel qu'il est présenté.	*L'acheteur :* Mon client interne ne sera pas très content d'assumer toutes les responsabilités touchant le transport. Assumez 50 % des frais de transport pour démontrer votre bonne foi. *Le fournisseur :* D'accord.
8. Manier le lasso L'acheteur tourne autour de la question pour interpréter à sa satisfaction l'information communiquée par la partie adverse.	*L'acheteur :* Comment faites-vous la livraison chez vos autres clients ? *Le fournisseur :* Trois fois par semaine, nous louons un camion pour faire la livraison. *L'acheteur :* Quel secteur couvrez-vous ? *Le fournisseur :* Nous faisons la livraison dans un rayon de 100 km autour de notre usine. *L'acheteur :* Dois-je comprendre que nous aurons droit à ce service, car nous sommes à 90 km de chez vous ? Pour les deux autres fois, nous paierons les frais de transport.
9. Faire appel au saucissonnage Utiliser une analyse globale de la dépense pour faire une offre sur une base unitaire.	*L'acheteur :* Nous savons que les frais de transport seront de 100 000 $ l'année prochaine pour 1 000 livraisons. Nous voudrions payer 5 $ par commande qui seraient ajoutés à la facture afin de faciliter la procédure administrative. Cela ne représente que 50 % de moins en ce qui concerne les frais de transport. *Le fournisseur :* D'accord, nous procéderons ainsi.
10. Utiliser un langage positif L'acheteur choisira des mots positifs pour présenter sa proposition.	*L'acheteur :* Nous sommes prêts à donner 5 $ par commande pour vous permettre d'amortir vos frais de transport. Avons-nous un accord sur ce point ? *Le fournisseur :* Oui.
11. Susciter l'espoir de progrès dans la négociation L'acheteur fait valoir à la partie adverse qu'un accord sur un point permettra d'aborder le point suivant, qui n'est pas acquis pour celle-ci. Il s'agit pour elle d'une possibilité de progresser.	*L'acheteur :* Un accord sur les frais de transport est essentiel si on veut passer au point touchant le volume. *Le fournisseur :* C'est bon, nous paierons 50 % des frais de transport, mais vous demeurez responsable des autres aspects liés au transport. *L'acheteur :* La proposition est intéressante. Passons au prochain point.
12. Faire un échange sous forme de condition L'acheteur utilise la formule « si... alors ». Une réponse positive de la partie adverse à la demande rattachée au « si » permet de continuer la discussion sur la proposition « alors ».	*L'acheteur :* Si nous arrivons à un accord sur les frais de transport, alors vous pourrez obtenir une plus grande part de notre volume. *Le fournisseur :* Nous paierons 50 % des frais de transport pour un volume accru de 20 %, et 75 % pour un volume accru de 30 %. *L'acheteur :* D'accord. Regardons maintenant la question du volume.

Les 13 tactiques à la disposition de l'acheteur (*suite*)

Tactique	Exemple
13. Peser le pour et le contre L'acheteur présente les arguments positifs et négatifs en mettant l'accent sur les arguments positifs afin de démontrer à la partie adverse le bien-fondé du point qu'il veut faire accepter.	*L'acheteur :* Si vous payez 50 % des frais de transport, les deux parties seront satisfaites et nous pourrons investir dans la relation, nous associer pour plusieurs années et viser un volume supérieur. De votre côté, la rentabilité de cette entente sera réduite de quelques dollars seulement. *Le fournisseur :* Devant de tels arguments, nous acceptons de payer 50 % des frais de transport.

Source : Adapté de Jean-Paul DURAND, *Le Langage des achats,* Poitiers, Éditions Méthodes et Stratégies, 1995, p. 97-101.

Annexe 3.3

Les clauses d'un contrat de location

Un contrat de location comprend plusieurs clauses, dont les plus répandues sont les suivantes :

1. La description du produit

La description doit être suffisamment précise pour que chaque partie puisse distinguer le bien entre plusieurs biens. Il est important d'avoir une excellente description de ce bien en cas de dommage ou de perte du bien durant la période de l'entente.

2. La durée de l'entente

Il faut déterminer le délai d'exploitation du bien au-delà duquel les règles régissant la fin de l'entente s'appliqueront. Certains contrats permettent de mettre prématurément fin au contrat dans certaines conditions telles que l'amélioration technologique du bien ou la maintenance rendue impossible à cause des conditions du marché.

3. Le paiement du loyer

Chaque partie détermine le prix du loyer, le délai requis entre chaque paiement, les clauses relatives à l'augmentation du loyer durant l'entente et les coûts d'utilisation variables qui se rattachent à celle-ci.

4. Les assurances

Chaque partie doit savoir qui assurera les dommages causés au bien, qui paiera la police et quel est le processus de règlement des litiges.

5. Le droit d'utilisation

Il faut établir une distinction entre une exploitation normale du produit et une exploitation abusive ou hors des limites permises. Le locataire doit recevoir du locateur une formation adéquate en vue d'une exploitation normale.

6. Les clauses d'entretien

Chaque partie doit savoir ce qu'elle a l'obligation de faire pour maintenir le bien dans un bon mode de fonctionnement. Les parties doivent aussi connaître les conditions qui s'appliquent à la suite de la perte de jouissance du bien durant la période de maintenance.

7. Les règles régissant la fin de l'entente

Sur le marché, il existe deux types de règles : le locataire remet le bien à la fin de l'entente ou il acquiert ce bien aux conditions établies à l'origine de la transaction.

Annexe 3.4

Les clauses de caducité d'une entente

Lors de la rédaction d'une entente d'approvisionnement, les conditions relatives à la durée doivent être bien définies. Il arrive que pendant l'exécution d'une entente la notion de durée soit altérée. Il existe 10 clauses de caducité reconnues légalement.

1. L'une des parties désire mettre fin aux transactions à la fin du délai irrévocable fixé. Par exemple, un paragraphe de l'entente pourrait indiquer : «L'une ou l'autre des parties peut mettre fin à l'entente en signifiant à l'autre partie, dans un délai de 60 jours, sa volonté d'y mettre fin. »

2. Le délai qui lie les parties est expiré. Par exemple : «La présente entente prendra fin après trois années suivant la date de la dernière signature de l'acceptation du contrat. »

3. Après un délai raisonnable, si l'entente est assujettie à un délai révocable.

4. Dans le cas du refus de l'offre de transiger. Par exemple, une offre d'achat d'un immeuble précise : «L'offre deviendra caduque si aucune réponse n'est parvenue à l'offrant dans les 10 jours suivant la réception du document. »

5. Si le tribunal fixe les modalités de la fin de l'entente.

6. Dans le cas du décès de l'une ou l'autre des parties, de sa mise en faillite ou de sa mise sous un régime de protection.

7. Dans le cas où il y a eu des anomalies lors de la signature de l'entente telles que des manœuvres frauduleuses (ou déclarations mensongères), des lésions (par exemple l'exploitation de l'une ou l'autre des parties, comme le précise la *Loi sur la protection du consommateur*) ou le recours à la peur (comme la signature d'une entente effectuée à la suite de menaces verbales ou d'une prise d'otages des membres de la famille d'une partie).

8. Dans le cas où l'objet n'est plus accessible, comme un immeuble dont la prise de possession est prévue dans six mois, ou qui est détruit par le feu (les règles juridiques ou le tribunal détermineront la responsabilité de chaque partie dans un éventuel litige).

9. Il existe des conditions suspensives ou résolutoires provenant d'événements futurs, incertains ou qui ne peuvent se produire, comme une mention dans une offre d'achat d'un immeuble selon laquelle «l'achat s'effectuera si la banque accepte le contrat de financement y afférant ».

10. Toute autre forme de caducité indiquée dans le contrat, mais qui ne contrevient pas aux lois d'ordre public.

Chapitre 4

Les concepts de coût et de quantité

Objectif général

Familiariser le lecteur avec tous les éléments rattachés aux critères du coût et de la quantité dans le domaine de l'approvisionnement.

Autres objectifs

- Décrire tous les types de stocks qui sont susceptibles d'être gérés dans une entreprise.
- Comprendre l'utilité des stocks.
- Préciser les principaux coûts pertinents dans la gestion des stocks.
- Appliquer la loi de Pareto pour classifier les stocks dans une entreprise.
- Connaître les principales méthodes qui permettent de faire des prévisions.
- Déterminer la quantité nécessaire de stock de sécurité.

L'extraordinaire richesse de l'expérience humaine y perdrait de sa joie gratifiante s'il n'y avait pas de limites à dépasser. Les sommets atteints ne seraient pas aussi exaltants sans les tristes vallées à traverser.

– Helen Keller (1880-1968), écrivaine, activiste et conférencière américaine sourde, muette et aveugle, dont la détermination a suscité l'admiration, principalement aux États-Unis.

Novexco est une entreprise membre de Business Products Group International (BPGI), une organisation internationale regroupant plus de 4 000 détaillants indépendants et générant un pouvoir d'achat annuel de 14,5 milliards de dollars américains. Novexco est une organisation entièrement canadienne appartenant aux détaillants-membres BuroPLUS. Avec près d'une centaine de magasins BuroPLUS et plus de 1 500 clients et revendeurs, Novexco est le plus important réseau de détaillants d'articles de bureau dans l'est du pays. Le siège social de l'entreprise est situé à Laval et emploie environ 200 personnes.

Novexco offre une gamme complète d'articles de bureau et de papeterie, d'appareils de bureau, d'accessoires informatiques, de consommables d'impression et d'ameublement. Sa taille lui permet de négocier efficacement afin d'offrir des prix concurrentiels à ses clients.

Novexco possède l'un des plus importants centres de distribution de produits de bureau au Canada (110 000 pieds carrés) avec plus de 12 000 produits entreposés et 130 employés. Entre 1998 et 2001, plus de un million de dollars ont été investis pour la modernisation des installations et la technologie. Au cours de 2009, Novexco procédera à l'implantation d'un nouveau système de gestion d'entrepôt (WMS) et d'un système de gestion d'entreprise (ERP).

Ces investissements ont permis d'atteindre des sommets d'efficacité. La préparation des commandes est exacte dans plus de 99 % des cas ; le taux de rupture des stocks est parmi les meilleurs de l'industrie ; les commandes sont suivies de façon avancée ; et la gestion de l'approvisionnement et des stocks est entièrement informatisée.

Novexco est, par ailleurs, à la fine pointe en matière de commerce électronique interentreprises (B2B). En plus des activités régulières de commerce en ligne, son site Web offre une variété de services d'affaires en ligne, notamment le suivi des commandes, l'annulation des commandes de produits en rupture de stock, les demandes de retour de marchandise, les rapports de consommation, les listes d'achats futurs, la gestion multiutilisateurs, etc. Il est aussi possible de contacter en tout temps le service à la clientèle du détaillant affilié.

Joanne Quesnel
Directrice de la commercialisation

En entreprise

Introduction

Le mot « stock » peut être défini comme un produit que l'on garde en réserve pour une utilisation ultérieure. Selon le dictionnaire de l'*APICS* (*American Production and Inventory Control Society*), ce mot désigne des articles en stock ou encore des produits emmagasinés prêts pour la vente ainsi que des articles de toutes sortes en magasin. Dans toutes les entreprises, on conserve des stocks. La gestion des stocks doit être de plus en plus stratégique. En effet, les membres de la haute direction réalisent que ce poste représente une part importante des dépenses et de l'actif d'une entreprise. En établissant le ratio financier appelé « ratio de liquidité » (l'actif à court terme divisé par le passif à court terme) et en le comparant avec le ratio de liquidité immédiate (l'actif à court terme moins le stock divisé par le passif à court terme), on réalise qu'il existe un écart majeur entre ces deux ratios dans le cas de nombreuses entreprises.

Le fait de garder une quantité considérable de stocks en tout genre peut nuire à la gestion de l'entreprise. En effet, il arrive que les stocks occupent énormément d'espace, dépérissent, nécessitent souvent un emprunt bancaire et mobilisent beaucoup d'individus (un réceptionnaire, un manutentionnaire, un acheteur, un gestionnaire des stocks, etc.). Toutefois, les stocks sont nécessaires pour se protéger des aléas liés aux délais de livraison, au comportement des consommateurs et aux canaux de distribution. L'acheteur situe le niveau des stocks à détenir entre les quatre grandes fonctions de l'entreprise : le marketing, la production, les finances et les ressources humaines. Si les stocks de produits finis ou de produits en cours viennent à manquer, le service de marketing exercera des pressions pour en accroître le niveau. L'aggravation de la pénurie, les ventes manquées, la perte de la réputation et l'insatisfaction des représentants payés à la commission sont de nature à inquiéter les dirigeants des ventes. Par contre, dans le cas d'un niveau élevé des stocks, le service des finances exercera des pressions pour le réduire ; il justifiera ce geste en rappelant qu'il est responsable de la gestion des deniers des actionnaires, de la hausse des coûts de stockage, des obligations provenant de l'extérieur (la banque, les actionnaires, etc.), de l'espace d'entreposage requis, des normes d'étalonnage et ainsi de suite. Le service de production, quant à lui, voudra posséder un lot adéquat de matières premières et de composantes afin de produire en quantité suffisante, et ce, dans le but de réduire les coûts unitaires de production. Finalement, le service des ressources humaines est susceptible d'avoir à gérer plus d'accidents de travail si le niveau des stocks gardés est trop élevé et encombre les lieux de passage de la main-d'oeuvre. Bref, la gestion des stocks est un défi quotidien.

La figure 4.1, à la page suivante, présente un diagramme de circulation des stocks dans une entreprise manufacturière. La section qui suit explique quels sont les principaux types de stocks dans une entreprise et présente des exemples pour chacun d'eux.

4.1 Les types de stocks

Les différents types de stocks que nous allons maintenant définir sont les matières premières, les produits en cours, les produits finis, les composantes,

Figure 4.1   Le diagramme de circulation

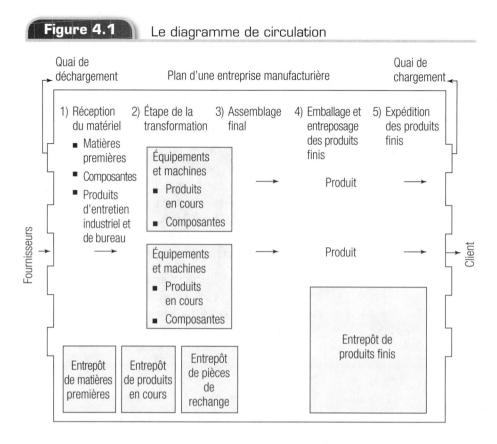

les produits d'entretien et de réparation industriels, les **produits d'entretien de bureau** et les fournitures, ainsi que les **surplus.**

4.1.1 Les matières premières

Les matières premières envisagées dans un contexte économique constituent les éléments extraits de la surface de la terre, de l'intérieur de la terre, de la mer et de l'atmosphère. Les éléments extraits de la surface de la terre comprennent, entre autres, le bois, le sable, l'humus, le blé et la roche. Les éléments extraits de l'intérieur de la terre et de la mer sont les minerais et les roches économiquement rentables ainsi que le pétrole. Finalement, les éléments tirés de l'atmosphère incluent l'azote, l'oxygène et certains gaz.

Dans un contexte manufacturier, les **matières premières** d'une usine donnée peuvent plutôt correspondre à un dérivé des matières premières d'un point de vue économique. Si l'on prend l'exemple d'une entreprise d'extrusion d'aluminium (procédé par lequel l'aluminium, une fois chauffé, est poussé à l'aide d'une presse dans une matrice), l'entreprise qui veut fabriquer des profilés s'approvisionne en aluminium, qui constitue sa matière première. Toutefois, avant d'en faire de l'aluminium, son fournisseur, en l'occurrence l'aluminerie, doit avoir reçu sa matière première sous forme de minerai de bauxite. Ce dernier a ensuite été transformé en alumine, puis en aluminium.

Un autre exemple peut nous aider à mieux cerner ce type de stock. Une manufacture de poêles à bois a comme principale matière première des feuilles d'acier de 4 pi (1,20 m) de largeur sur 8 pi (2,40 m) de longueur[1], de différentes épaisseurs. Cependant, cette matière première représente un produit transformé pour l'aciérie. En effet, celle-ci a fait fondre du minerai de fer et des retailles d'acier pour créer différentes formes, par exemple des feuilles rectangulaires, des rouleaux d'acier ou des feuillards pour l'emballage.

Dans le cas d'une entreprise qui se limite à faire de la distribution et ne procède donc à aucune transformation, une matière première deviendra un produit prêt à être vendu. Pour ce qui est d'une manufacture, la matière première subira une série de transformations et deviendra par le fait même un nouveau type de stock.

4.1.2 Les produits en cours

Le **produit en cours** représente un type de stock qui n'est plus une matière première ni un produit rendu à la fin du stade de la transformation. Il constitue plutôt un produit qui a subi une ou quelques transformations qui ont nécessité de la machinerie et de la main-d'œuvre ainsi que diverses dépenses que l'on appelle communément des « frais généraux de fabrication ». Comme exemple, on pourrait citer un cycle d'approvisionnement inachevé, c'est-à-dire que l'acheteur se trouve à l'étape de l'émission d'un bon de commande pour un besoin donné, mais il n'a pas reçu la facture de la part du fournisseur. De même, une chaussure sans talon représente un produit en cours pour un manufacturier de chaussures. Les coûts liés à ce type de stock peuvent être exorbitants dans certaines usines, par exemple les ateliers d'usinage, si les commandes ne sont pas coordonnées judicieusement.

4.1.3 Les produits finis

Pour un manufacturier, le **produit fini** signifie le bien fabriqué qui a passé par tous les stades de la transformation, y compris le conditionnement. Dans le cas d'une entreprise de génie-conseil, le produit fini correspond au service rendu relatif au contrat signé entre l'entreprise et son client. Pour un distributeur, le produit acheté comme une matière première constitue un produit fini lorsqu'il est prêt à être vendu. Tous les produits finis ou services rendus propres à la consommation, et donc mis sur le marché par les manufacturiers et les entreprises de services, constituent des produits finis. On peut citer, par exemple, une bouteille de boisson gazeuse, une tondeuse à gazon, une table de travail ou un prêt hypothécaire signé par les deux parties.

4.1.4 Les composantes

Ce type de stock représente un produit qui n'est ni une matière première ni un produit en cours. Toutefois, il est inclus dans le processus de transformation du produit par l'intermédiaire d'un sous-traitant. Supposons que vous êtes un manufacturier de moteurs pour les hors-bord. Vous concevez le bâti du

---

1. En ferblanterie, on travaille encore beaucoup avec le système impérial.

moteur et effectuez la fabrication générale de ce dernier. Cependant, vous ne fabriquez pas certaines pièces essentielles comme le stator et le rotor du moteur. Une entreprise les fabrique et vous les vend. Dans votre système de stocks, le stator et le rotor sont considérés comme des **composantes.**

Un autre exemple est la fabrication de foyers. Quand un manufacturier vend un foyer, celui-ci comprend un tuyau flexible isolé qui sert d'entrée et de sortie d'air pour faciliter la combustion. Le tuyau flexible n'est pas nécessairement fabriqué par le manufacturier de foyers. Ce n'est donc pas une matière première ni un produit en cours parce que le manufacturier ne transforme pas ce produit ; il s'agit plutôt d'une composante. Pour ce type de stock, l'acheteur envoie toujours un calendrier d'approvisionnement au fournisseur pour ne pas passer en second lieu. En effet, les composantes sont rarement des produits qui font de l'acheteur un client privilégié auprès de son fournisseur. À l'aide de ce calendrier, la gestion des stocks est facilitée.

4.1.5 Les produits d'entretien et de réparation industriels

Toutes les entreprises qui transforment une matière première pour obtenir un produit fini utilisent des machines et des outils qui ont une durée de vie préétablie. Cependant, celle-ci peut être réduite s'ils ne sont pas entretenus. Certains produits permettent de conserver les machines quasiment intactes. Ce sont les huiles et les graisses de lubrification. Il existe également des produits qui servent de pièces de rechange dans le cas de réparations éventuelles. On peut citer, par exemple, les roulements, les valves, les paliers, les détecteurs d'approche ou les commutateurs.

Les entreprises de distribution conservent également ce type de stock. En effet, dans les centres de distribution, on recourt énormément aux chariots élévateurs ou aux transpalettes. Les quais de chargement et de déchargement sont constamment utilisés. Les étagères peuvent aussi être sujettes à des bris. Pour toutes ces raisons, les **produits d'entretien et de réparation industriels** sont indispensables.

Ainsi, le stock d'entretien et de réparation industriels joue deux rôles : il assure les périodes de maintenance (arrêt de la production des usines de traitement du minerai, de l'aluminium, du verre ou des pâtes et papiers) et il prévient les bris impromptus (stock conservé en cas de besoin). Dans le premier cas, l'entreprise peut planifier ses besoins lorsqu'elle connaît la période d'arrêt pour l'entretien des machines. Dans le second cas, le stock est plus difficile à gérer parce que l'entreprise ignore toujours avec exactitude le moment où elle en aura besoin par suite d'un bris. Des recherches dans le domaine de l'approvisionnement ont permis de concevoir des solutions pour assurer une alimentation très rapide dans des situations de bris. Nous retiendrons deux des solutions les plus utilisées.

La première solution consiste, pour l'entreprise, à connaître l'importance (du volume et du coût) des stocks de son fournisseur. Si l'article représente une somme importante (volume ou coût) pour le fournisseur, il est probable que celui-ci aura l'article en stock. Ainsi, il sera toujours possible d'obtenir l'article rapidement. Il restera seulement la question de la distance à régler. Dans le cas où, en raison de sa stratégie de gestion, le fournisseur risque de ne pas avoir l'article voulu ou si le délai de réapprovisionnement est relativement long, il serait opportun pour l'acheteur de disposer de ce stock.

La deuxième solution consiste à déléguer à un fournisseur la responsabilité du stock d'entretien et de réparation industriels au nom de l'entreprise. Les entreprises multinationales utilisent fréquemment ce type de stratégie. Un fournisseur sélectionné par le service de l'approvisionnement dispose d'un espace dans l'entreprise. Ainsi, après la détermination du stock de maintenance par l'entreprise cliente, le fournisseur a la responsabilité de mettre du stock en consignation chez le client. Le service de l'entretien de l'entreprise cliente aura accès à ce stock et prendra le stock nécessaire pour effectuer ses travaux. À la fin d'une période donnée, le fournisseur approvisionne de nouveau l'entreprise cliente et prépare une facture uniquement pour la partie utilisée.

Une pièce de rechange peut demeurer longtemps (soit plus de deux ans) en stock sans être utilisée. Cette situation occasionne des frais. L'acheteur s'assurera toujours que les frais liés au stockage de la pièce sont inférieurs aux frais causés par la pénurie de cette pièce.

4.1.6 Les produits d'entretien de bureau et les fournitures

Ce type de stock comprend la papeterie, les formulaires, l'équipement de bureau, le matériel de bureau, l'équipement d'entretien des toilettes et tout ce qui a trait au bureau. Dans les entreprises, ce type de stock est souvent géré par un commis qui ne fait pas nécessairement partie du service de l'approvisionnement. Cet employé peut en effet relever directement du service des finances ou encore d'un service auxiliaire. Il va sans dire que certains produits d'entretien et de réparation industriels peuvent également faire partie de ce type de stock qui est destiné au bureau. On peut citer par exemple les tubes fluorescents, les formulaires d'impression ou encore le savon. Il s'agit du genre d'articles que l'on trouve à la fois dans les bureaux et dans l'usine.

4.1.7 Les surplus

Jusqu'à récemment, les entreprises se préoccupaient peu de leurs résidus de fabrication. Tous les résidus étaient rejetés dans des sites d'enfouissement ou dans les cours d'eau avoisinant les entreprises. Encore aujourd'hui, certains **déchets** irrécupérables sont envoyés dans des sites d'enfouissement ou à l'incinérateur. Par contre, la sensibilisation au recyclage aidant, certaines entreprises récupèrent leurs déchets dans le but de les revendre. Autrement dit, certains déchets d'une entreprise représentent une matière première pour une autre entreprise. Ainsi, la sciure de bois (bran de scie) dans les scieries peut être revendue à des usines de pâtes et papiers, qui l'incorporent dans leur procédé de fabrication. Le principe est le même pour les vitreries et les quincailliers qui travaillent le verre. La vitre cassée (résidu de verre ou groisil) est vendue à des usines qui l'incluent dans leur procédé de fabrication en tant que matière première.

La gestion des surplus fait partie d'une approche de développement durable qui prend de plus en plus d'importance dans les entreprises. Le service de l'approvisionnement est un acteur important dans l'implantation réussie d'une stratégie ou d'une politique de développement durable. C'est le cas de plusieurs villes et gouvernements. En conséquence, nous avons ajouté une section sur le sujet au chapitre 8. Néanmoins, nous voulons faire ressortir ici que les surplus représentent un type de stock.

4.2 L'utilité des stocks

Nous avons énuméré les différents types de stocks qu'une entreprise peut posséder. Nous essaierons maintenant de comprendre pourquoi l'entreprise garde des stocks, sachant que ces derniers représentent une grosse somme d'argent dans la plupart des cas. En fait, il y a quatre raisons de conserver des **stocks** : par mesure de sécurité, par souci de **prévision**, à cause d'un besoin **cyclique** ou parce qu'ils sont **en transit**.

4.2.1 Le stock de sécurité

Voyons maintenant quelques raisons pour lesquelles une entreprise doit conserver du **stock de sécurité**.

La protection contre une variation de la demande

Le comportement d'un client à l'égard d'un produit donné, qu'il soit consommateur ou usager, est quasi impossible à déterminer avec précision. De ce fait, l'entreprise doit conserver du stock pour éviter les pénuries, lesquelles entraîneraient l'insatisfaction chez plusieurs clients. Dans l'industrie, il n'existe pas une demande d'un produit quelconque qui soit constante (à moins d'une entente de partenariat avec un fournisseur dans certaines situations d'achat). Si c'était le cas, la gestion des stocks n'aurait aucune raison d'être, puisqu'il serait inutile de conserver du stock.

La protection contre une demande et un délai de livraison instables

Il peut arriver qu'un fournisseur accorde un délai de livraison qui n'est pas respecté à cause d'un bris ou d'une gestion non orientée vers le client. Dans cette situation, par mesure de prudence, l'entreprise cliente devrait planifier une quantité de stock additionnelle pour ne pas être prise au dépourvu.

De même, il arrive souvent que l'entreprise éprouve une incertitude totale tant en ce qui concerne la demande que le délai de livraison. Par exemple, si l'entreprise a l'habitude de s'approvisionner en Irak, il est fort possible que l'incertitude politique actuelle nuise à la livraison et, qui plus est, au réapprovisionnement pour un produit donné.

4.2.2 Le stock de prévision

Une entreprise garde un **stock de prévision** pour les raisons décrites ci-après.

La hausse ou la baisse prévue du prix

Certaines industries, comme celles du pétrole ou du textile, subissent des hausses de prix draconiennes. L'acheteur cherche alors à garder un certain stock pour ne pas être pénalisé. Ici, il suffit de s'assurer que le fait de garder du stock en grande quantité ne coûte pas plus cher que la hausse éventuelle du prix du produit. On devrait également considérer l'espace d'entreposage additionnel, ce qui ne doit évidemment pas représenter une contrainte pour l'entreprise. À l'inverse, dans le domaine de l'informatique, les prix des composantes et des micro-ordinateurs baissent rapidement. Il faut donc s'assurer de ne pas garder une trop grande quantité de stock, mais plutôt de favoriser une rotation fréquente.

La grève d'un fournisseur important ou la rareté soudaine d'un produit

Les relations de l'entreprise cliente avec un fournisseur peuvent être telles que celui-ci connaît le prix de revient de l'entreprise et participe activement au développement du produit. Dans ce cas, il serait opportun de conserver des stocks additionnels en provenance de ce fournisseur si celui-ci mentionne qu'il y a une menace de grève. Dans le cas contraire, l'entreprise risque de voir s'interrompre la transformation de son produit ou encore de voir se modifier la distribution de ce produit durant un certain temps. Cette situation peut occasionner des pertes de plusieurs centaines de milliers de dollars. Lorsqu'elle était encore en exploitation, l'usine General Motors (GM), à Boisbriand, a vécu cette situation avec son fournisseur situé à Indianapolis. Elle pratiquait le juste-à-temps, une méthode de gestion axée sur l'élimination du gaspillage (*voir le chapitre 8*). Cette méthode consiste à pratiquer une gestion avec le moins de stocks et de pièces défectueuses possible. L'entreprise d'Indianapolis était le seul fournisseur du produit en question avec lequel GM traitait. Quand les employés de cette entreprise se sont mis en grève, GM a dû interrompre ses activités de production et elle a perdu une somme considérable.

Un autre exemple illustre assez bien la modification de la distribution et donc de la gestion des stocks d'un produit. De décembre 1997 à avril 1998, une grève des débardeurs s'est produite dans le port de Québec. Une entreprise exportatrice de la région de Québec, qui avait l'habitude de transiger avec le port de Québec, a vu sa gestion des stocks et sa distribution modifiées légèrement. Cette entreprise devait alors transiger avec un autre port de la vallée du Saint-Laurent, en l'occurrence celui de Gros-Cacouna ou de Bécancour. Elle a été obligée de conserver davantage de stocks pour pallier l'augmentation du délai de livraison. De même, il arrive que la rareté d'un produit soit prévisible. Par exemple, si une catastrophe naturelle survenait (comme un ouragan en Floride), un acheteur dans le secteur agroalimentaire devrait courir le risque de garder plus de stocks.

La période d'arrêt de production

La plupart des usines de traitement du minerai d'or, de cuivre, de zinc, etc., les raffineries de pétrole, les usines de pâtes et papiers et les aciéries se réservent environ deux semaines pendant l'année pour arrêter la production. Cette ferme-ture est communément appelée *shutdown*. Les usines procèdent alors à l'entre-tien nécessaire des machines et effectuent les réparations majeures. Durant cette période, l'acheteur doit prévoir un arrêt de travail de la part de son fournisseur et s'approvisionner en conséquence.

De nouveaux produits

Une entreprise met sur le marché de nouveaux produits qui peuvent être soit nouveaux pour le marché, soit nouveaux pour l'entreprise, mais pas pour le marché car des entreprises concurrentes l'offrent déjà, ou encore substitués à un produit du catalogue de l'entreprise. L'entreprise a peu d'historique au sujet de la performance de ce stock. Sur le plan de la gestion, elle fera une commande de départ, surveillera la performance de vente du produit et adaptera son volume de stock en fonction de l'évolution du produit. Il n'y a pas de grandes méthodes pour gérer ces stocks. La plupart des entreprises gèrent la période d'introduction avec des mécanismes de contrôle manuel. Après un certain temps, en se basant sur des statistiques significatives, l'entreprise ajoute ces nouveaux produits à la gestion quotidienne des stocks.

Une stratégie de l'entreprise

Certaines entreprises adoptent parfois des stratégies qui visent à accroître leur part de marché dans certaines catégories de produits. Lorsque cette croissance est basée sur le fait d'offrir aux clients le stock plus rapidement, une des appro-ches consiste à accroître volontairement le niveau des stocks. Dans la période de croissance, la gestion des stocks de cette catégorie reste sous contrôle afin de ne pas perdre les opportunités espérées.

4.2.3 Le stock pour les besoins cycliques

Dans la période des Fêtes et à l'occasion, par exemple, de la fête des Mères et de la fête des Pères, les dépenses des consommateurs sont supérieures à la moyenne annuelle. Les entreprises tendent à profiter de cette situation pour faire de la promotion dans le but d'augmenter leurs ventes. L'acheteur doit alors être vigilant et conserver plus de stocks que dans les périodes habituelles.

L'exemple qui suit permet d'expliquer le fonctionnement de ces cycles dans le contexte d'une promotion destinée aux consommateurs. Un groupement d'achats en papeterie de bureau veut préparer la saison du retour à l'école, dont la période intense de vente se déroule du 15 août au 15 septembre d'une année de référence. Le cycle commence au mois de décembre de l'année précédente. Les acheteurs du groupement demandent aux fournisseurs de préparer leurs propositions. Celles-ci arrivent en janvier de l'année de référence. Elles comportent les prix spéciaux offerts par les fournisseurs pour la période de promotion. Y sont ajoutés des avantages supplémentaires, par exemple un budget de promotion ou des conditions de paiement spéciales (net 30 jours à partir du 1er septembre de l'année de référence).

Un comité du groupement d'achats se réunit pour évaluer les propositions et préparer les outils promotionnels. Il peut s'agir de prospectus ou d'une campagne promotionnelle télévisée ou radiophonique. Puisque ce groupement d'achats réunit plusieurs détaillants, le comité pourrait organiser une exposition des produits en février. Ainsi, les détaillants pourront préparer une commande préparatoire, communément appelée *booking*. Au mois de mars, le groupement compile les commandes préparatoires. Il évalue ses propres besoins pour les commandes supplémentaires des détaillants (communément appelées *repeats*) dans la période de promotion ou pour ses besoins habituels. En effet, un produit sélectionné étant aussi vendu sur une base régulière, le groupement veut bénéficier du prix de promotion.

Une fois le travail préparatoire terminé, le groupement d'achats passe ses commandes aux fournisseurs pour des livraisons entre le 15 juin et le 15 juillet de l'année de référence. Le groupement reçoit la marchandise et la distribue aux marchands afin que ceux-ci aient toute la marchandise au plus tard le 15 juillet. Ainsi, tout est prêt pour recevoir le consommateur. Les ventes débutent graduellement. Les fournisseurs doivent assumer les coûts liés à cette promotion. Ils ont payé des frais administratifs pour la préparation de cette période, acheté ou fabriqué des échantillons, livré leurs produits au plus tard le 15 juillet, reçu le paiement à la fin du mois de septembre et payé les frais de promotion pour les produits sous forme de circulaires ou autres.

Par cet exemple, on doit comprendre que la préparation ne peut être négligée, car les effets sur tous les intervenants sont importants. Un produit invendu dans cette période signifie des ventes à perte ou devoir assumer des coûts de stockage durant plusieurs mois.

4.2.4 Le stock en transit

La plupart des entreprises multinationales possèdent plusieurs usines ou entrepôts régionaux. Avec la rapidité actuelle des échanges, on imagine facilement que du stock d'une certaine usine puisse se trouver dans un camion ou un train à un moment donné et circuler vers une autre usine, et inversement. Il est essentiel de garder du stock en circulation pour éviter des pénuries dans une partie du réseau.

On comprend donc que les stocks demeurent indispensables, malgré les contraintes quant à leur durée de vie (les fruits, les légumes, les journaux, etc.), leur taille (les feuilles d'acier, les motoréducteurs, les vis sans fin, etc.) ou l'investissement requis (un emprunt bancaire).

4.3 Le coût en matière d'approvisionnement

Maintenant que nous avons précisé les types de stocks ainsi que leur utilité, nous nous attarderons sur les coûts liés à la gestion de l'approvisionnement. Un acheteur est toujours devant un dilemme. D'un côté, il se dit : « Ça coûte cher de garder trop de stock. » D'un autre côté, il pense : « Si je ne garde pas assez de stock, je risque d'en manquer. Ça peut donc me coûter aussi cher que si j'en garde beaucoup. » Toute personne sensibilisée aux problèmes d'approvisionnement a déjà fait ces deux affirmations. Nous essaierons donc de démystifier les types de coûts afin de pouvoir proposer une réponse à l'acheteur. Il existe quatre types de coûts pouvant influer sur les décisions liées à l'approvisionnement d'une quantité de produits, soit le coût d'acquisition, le **coût de stockage**, le **coût de commande** et le **coût de rupture**.

4.3.1 Le coût d'acquisition

Le coût d'acquisition doit être considéré de deux façons différentes : selon le coût d'acquisition unitaire du produit ou selon le coût de fabrication unitaire du produit. Le coût d'acquisition unitaire du produit correspond au prix payé lors de l'achat d'un produit. Il comprend le coût unitaire du produit, les frais de transport, les frais de douane, les assurances, les frais d'emballage, les taxes de vente fédérale et provinciale et l'escompte de caisse. Dans ce cas, le coût d'acquisition (Ca) est égal au coût d'acquisition unitaire (Ca_u) multiplié par la demande annuelle (D) du produit (on travaille habituellement en années). Mathématiquement, on a donc :

$$Ca \ = \ Ca_u \times D$$

Quant au coût de fabrication unitaire du produit, la question est un peu plus complexe. En effet, le coût unitaire fait intervenir trois types de coûts intermédiaires qui sont le coût de la main-d'œuvre directe, le coût du matériel et les frais généraux de fabrication.

Le coût de la main-d'œuvre directe est le coût lié à la main-d'œuvre qui participe directement à la fabrication du produit. Ici, on doit faire une distinction entre la main-d'œuvre directe et la main-d'œuvre indirecte. La main-d'œuvre indirecte représente une main-d'œuvre de supervision, tel un contremaître de production. En ce qui concerne le coût du matériel, il correspond au coût d'acquisition du produit. Enfin, les frais généraux de fabrication représentent tous les coûts rattachés à la production de façon indirecte, par exemple l'énergie utilisée pour faire fonctionner les équipements, le chauffage de l'usine ou la main-d'œuvre indirecte. Ce type de coût intermédiaire pourra être vu en profondeur dans un cours de comptabilité du prix de revient.

Pour un manufacturier, il paraît donc logique que le coût de stockage unitaire d'un produit fini soit plus élevé que le coût de stockage unitaire d'un produit en cours, qui lui-même est plus élevé que le coût de stockage unitaire d'une matière première. Le coût d'acquisition unitaire du produit est inversement proportionnel à la quantité fabriquée ou achetée. Dans le cas de la quantité fabriquée, cela fait intervenir le concept d'économies d'échelle. Ainsi, pour un manufacturier, le fait de fabriquer des lots importants réduit le coût de fabrication unitaire. Par conséquent, il peut accorder un escompte additionnel à ses clients. On dit alors que le manufacturier bénéficie d'économies d'échelle. Pour ce qui est de la quantité achetée, dans le cas où l'acheteur fait l'acquisition d'un produit en grande quantité, on dit qu'il bénéficie d'un escompte sur quantité ou d'une remise quantitative. Nous reviendrons sur ce concept au chapitre 5 lors de l'étude de certains modèles quantitatifs rattachés à la gestion des stocks.

4.3.2 Le coût de stockage

Le coût de stockage est le coût obtenu en faisant la somme de trois coûts distincts : le coût d'option, le coût d'entreposage et le coût de détention. Le coût d'option est basé sur la décision de l'entreprise d'investir dans les stocks plutôt que d'obtenir des intérêts de la banque ou d'investir dans un autre projet. En ce qui concerne le coût d'entreposage, il s'agit du coût lié au fait de posséder un espace pour détenir la totalité des stocks, ce coût étant réparti selon l'espace occupé par chaque produit d'après une analyse comptable. Les assurances de la bâtisse, le chauffage, les impôts fonciers et l'entretien font partie de ce type de coût. Enfin, le coût de détention est le coût lié à l'environnement requis pour protéger un produit précis. Il inclut les risques de désuétude et d'obsolescence[2], les bris, les disparitions mystérieuses, les systèmes de chauffage ou de refroidissement nécessaires aux produits, les fiches signalétiques dans le cas des matières dangereuses, le salaire du magasinier lorsque celui-ci travaille exclusivement dans les stocks et le salaire du manutentionnaire.

Pour évaluer le coût de stockage, on détermine un pourcentage du coût unitaire pour chacun des trois types de coûts liés au coût de stockage. Par exemple, le coût du capital relatif à un emprunt bancaire est relativement bas si l'on se fie aux taux d'intérêt que l'offrent les caisses populaires et les banques à charte depuis quelques années. En additionnant les trois pourcentages calculés, on trouve le pourcentage total, que l'on appelle « taux de stockage » (t) et qui est normalement établi sur une base annuelle. Maintenant, pour connaître le coût de stockage unitaire (Cs_u) ou, si l'on préfère, le coût pour garder en stock un article, on multiplie le taux de stockage (t) par le coût unitaire du produit qui correspond au coût d'acquisition unitaire (Ca_u). Finalement, pour trouver le coût de stockage (Cs), on multiplie le coût de stockage unitaire (Cs_u) par le **stock moyen** relatif à la période comprise entre deux approvisionnements. Mathématiquement, on a donc :

$$Cs_u = Ca_u \times t$$

et

$$Cs = Cs_u \times \frac{Q}{2}$$

---

2. Une distinction s'impose entre la désuétude et l'obsolescence d'un produit. On dit qu'un produit est « désuet » lorsqu'il ne peut plus être utilisé pour cause d'usure. Par ailleurs, un produit est dit « obsolescent » lorsqu'une nouvelle conception de ce produit apparaît sur le marché, l'ancien produit reste vendable, mais s'avère moins attrayant aux yeux des clients.

Pour trouver le stock moyen $\left(\frac{Q}{2}\right)$, on additionne le stock initial et le stock final. Le stock initial, par convention dans le domaine de la gestion des stocks, correspond au stock maximal entre deux approvisionnements. Le stock final, par convention, correspond au stock minimal à conserver entre deux approvisionnements. On divise le résultat par 2, car on suppose que la consommation du stock se fait de façon régulière et continue dans la période donnée. Plus loin dans cet ouvrage, nous verrons que le stock minimal à conserver correspond au stock de sécurité. De même, le stock maximal correspond à la quantité de commande additionnée du stock minimal (stock de sécurité). Il est évident que, dans ce cas, si le stock de sécurité est nul, cela implique que le stock minimal est égal à 0.

Dans une vidéo[3], Pierre Malbœuf affirme que le coût de stockage le plus répandu sur le marché est de 2 % par mois ou 24 % par année du coût d'acquisition. Le risque de désuétude du produit influe beaucoup sur ce pourcentage. L'acier risque peu de devenir désuet. Par conséquent, le pourcentage peut être moins élevé que s'il s'agit de viande dans une épicerie. La durée de vie de celle-ci étant très courte, le pourcentage peut augmenter. Aux fins de plusieurs exercices ou à des fins de compréhension, nous donnerons le pourcentage du coût d'acquisition unitaire à utiliser ou le coût de stockage unitaire par unité entreposée (*voir l'exemple 4.1*).

Exemple 4.1

Une ébénisterie veut connaître le coût de stockage de la moulure XYZ fréquemment utilisée pour les cadres de porte. On sait que cette moulure doit être commandée par lots de 500 unités à la fois. Par mesure de prudence à cause des fluctuations qui se produisent couramment dans l'industrie du bois, le propriétaire de l'ébénisterie se garde un stock de sécurité (SS) de 50 unités*. Le coût d'acquisition de chaque moulure est de 24,30 $. Finalement, on sait que le coût du capital est de 5,75 % du coût d'acquisition, et que le coût d'entreposage et le coût de détention représentent respectivement 4 % et 3 % du coût d'acquisition. Le coût de stockage unitaire est égal au coût d'acquisition multiplié par le taux de stockage :

$$Cs_u = Ca_u \times t$$
$$= 24{,}30\ \text{\$/unité} \times (5{,}75\ \% + 4\ \% + 3\ \%)/\text{année}$$
$$= 3{,}10\ \text{\$/unité-année}$$

Le coût de stockage est égal au coût de stockage unitaire multiplié par le stock moyen :

$$Cs = Cs_u \times \text{stock moyen}$$
$$= Cs_u \times \left(\frac{\text{stock max} + \text{stock min}}{2}\right)$$
$$= Cs_u \times \left(\frac{Q + SS + SS}{2}\right)$$
$$= 3{,}10\ \text{\$/unité-année} \times \left(\frac{500 + 50 + 50}{2}\right)$$

---

3. *Les principes de l'approvisionnement stratégique,* (coll. « Organisation et Gestion »), 7P11, section de Pierre Malbœuf, ing. ind., associé principal, Eminencia.

$$= 3,10\,\$/\text{unité-année} \times \frac{600}{2}$$

$$= 3,10\,\$/\text{unité-année} \times 300\ \text{unités}$$

$$= 930\,\$/\text{année}$$

* Si le stock de sécurité était nul, la solution serait un peu différente. En effet, le stock de sécurité représente le stock minimal. Dans notre cas, le coût de stockage serait égal au coût de stockage unitaire multiplié par la quantité de commande, cette dernière étant divisée par 2 $\left(\text{Cs} = \text{Cs}_u \times \frac{Q}{2}\right)$. En chiffres, le Cs = $3,10\,\$/\text{unité-année} \times \frac{500}{2} = 775\,\$$.

4.3.3 Le coût de commande

Le coût de commande (Cc) représente le coût pour passer une commande (coût de commande unitaire [Cc_u]) multiplié par le nombre de commandes passées dans la période retenue. Le coût de commande est l'ensemble des coûts rattachés à l'appropriation d'un produit. On y trouve principalement le salaire de l'acheteur, le salaire du commis aux achats, le salaire total ou partiel de l'adjoint administratif, le salaire du réceptionnaire, le coût du téléphone local et interurbain, le coût du télécopieur local et interurbain, les formulaires comme le bon de réquisition et le bon de commande, les écritures administratives, etc. Il existe différentes façons de déterminer le coût de commande, dont la suivante : on fait le total de tous les coûts relatifs aux commandes et on le divise par le nombre de commandes passées dans une certaine période.

Le nombre de commandes passées (*voir l'exemple 4.2*) dans une période donnée correspond à la consommation pour cette même période (D) divisée par la quantité achetée lors de l'approvisionnement (Q). Mathématiquement, on a donc :

$$\text{Cc} = \text{Cc}_u \times \left(\frac{D}{Q}\right)$$

Exemple 4.2

Le propriétaire de l'ébénisterie de l'exemple 4.1 estime, après certains calculs, que le coût de commande unitaire équivaut à 32 \$. De plus, la quantité consommée annuellement est de 11 250 moulures. Sachant que l'entreprise commande par lots de 500, déterminez son coût de commande.

$$\text{Cc} = \text{Cc}_u \times \left(\frac{D}{Q}\right)$$

$$= 32\,\$/\text{commande} \times \left(\frac{11\,250\ \text{moulures/année}}{500\ \text{moulures/commande}}\right)$$

$$= 720\,\$/\text{année}$$

Il faut noter que la période donnée que nous avons mentionnée précédemment peut être exprimée en heures, en jours, en semaines, en mois ou en années. Le plus important, dans ce type de coûts, est de toujours comparer des pommes avec des pommes. Autrement dit, si le coût de commande est exprimé en années, on doit en faire autant pour les trois autres coûts.

Nous ne pouvons donner de statistiques précises sur le coût de commande unitaire. En effet, ce coût varie d'une entreprise à l'autre, principalement à cause de la politique d'achat, des lois, de la structure de coût et du degré d'utilisation des outils électroniques.

4.3.4 Le coût de rupture

Il y a rupture de stock lorsque l'entreprise ne peut satisfaire à une demande. Sa position pourra être de refuser la commande ou de remplir celle-ci de toute urgence. Peu importe sa décision, l'entreprise devra tenir compte d'un coût de rupture (Cr), c'est-à-dire :

- l'interruption de la production, avec des coûts additionnels d'expédition, d'heures supplémentaires, de mise en route de la machinerie, d'embauche et de formation de la main-d'œuvre ;
- un coût supplémentaire pour poursuivre la production qui ne rapporte pas ;
- un manque à gagner sur les ventes perdues ;
- des escomptes sur quantité éventuellement perdus ;
- des achats supplémentaires et des coûts de transport accrus ;
- une perte de prestige.

Mathématiquement, on considère le coût de rupture ainsi : le coût de rupture unitaire (coût d'une unité manquante) multiplié par le nombre d'unités manquantes multiplié à nouveau par le taux de rupture. En termes mathématiques, on a donc :

$$Cr = Cr_u \times Um \times t_r,$$

$$\text{où } Cr_u = \text{ le coût de rupture unitaire ;}$$

$$Um = \text{ le nombre d'unités manquantes ;}$$

$$t_r = \text{ le taux de rupture.}$$

Pour calculer un coût de rupture (*voir l'exemple 4.3*), on se base sur la consommation annuelle d'un produit donné étalée sur une base mensuelle. À partir des données de consommation mensuelle, on dresse un tableau statistique de fréquences qui donne les fréquences de chaque niveau de consommation ainsi que les fréquences relatives de ces mêmes niveaux de consommation. Ces fréquences relatives aident à déterminer le taux de rupture. Finalement, les fréquences cumulées peuvent aider à déterminer le niveau de service que l'on peut rendre au client selon les différents niveaux de consommation durant l'année.

Exemple 4.3

On estime que le coût de rupture d'une moulure XYZ (*voir l'exemple 4.1, p. 160*) est de 3,75 $. De plus, on connaît l'historique de consommation des moulures de la dernière année, et ce, de façon mensuelle. Le tableau ci-après présente la consommation mensuelle des moulures XYZ pour la dernière année.

	Janv.	Févr.	Mars	Avr.	Mai	Juin	Juill.	Août	Sept.	Oct.	Nov.	Déc.
Période	2009	2009	2009	2009	2009	2009	2009	2009	2009	2009	2009	2009
Consommation	900	950	900	950	850	850	950	1 000	1 000	950	950	1 000

Le total de la consommation annuelle correspond à 11 250 moulures (*voir l'exemple 4.2, p. 161*). En ce qui a trait à la consommation mensuelle moyenne, elle correspond à 937,5 moulures (environ 938). Ces données sont importantes parce que le calcul du coût de rupture est basé essentiellement sur celles-ci.

En ramenant le tableau de consommation mensuelle de moulures sous la forme d'un tableau statistique de fréquences (nombre de fois que la consommation en moulures se produit annuellement), on obtient le tableau ci-après.

Consommation mensuelle	Fréquence	Fréquence relative (%)	Fréquence cumulée (%)
850	2	16,7	16,7
900	2	16,7	33,3
950	5	41,7	75,0
1 000	3	25,0	100,0

La fréquence représente le nombre de fois que l'on a obtenu la consommation mensuelle. Par exemple, la consommation de 850 moulures s'est produite 2 fois durant l'année. La fréquence relative représente la fréquence en pourcentage. Dans ce cas-ci, la consommation de 850 moulures s'est produite 2 mois sur 12, c'est donc dire qu'elle s'est produite 16,7 % du temps durant l'année. Pour ce qui est de la fréquence cumulée, elle permet de connaître le niveau de service que l'on offrira à la clientèle. Par exemple, si l'on gardait 950 moulures en permanence, on pourrait servir de façon adéquate 7,5 clients sur 10.

Ce qui précède implique que si l'on conserve uniquement un stock mensuel de 938 moulures, qui correspond à la consommation mensuelle moyenne (sans stock de sécurité), alors dans 41,7 % des situations on aura une rupture de 12 moulures, et dans 25 % des situations on aura une rupture de 62 moulures.

On a donc tout en main pour calculer le coût de rupture. On sait que :

$$Cr = Cr_u \times Um \times t_r$$
$$= (3,75 \text{ \$/moulure-année} \times 12 \text{ moulures} \times 0,417)$$
$$+ (3,75 \text{ \$/moulure-année} \times 62 \text{ moulures} \times 0,25)$$
$$= 76,90 \text{ \$/année}$$

Finalement, le coût total d'approvisionnement est donc (Ct) = Ca + Cs + Cc + Cr.

Dans l'exemple qui nous concerne, le coût total lié aux moulures est :

$$Ct = Ca + Cs + Cc + Cr$$
$$= (11\,250 \text{ moulures/année} \times 24,30 \text{ \$/moulure}) + (930 \text{ \$/année})$$
$$+ (720 \text{ \$/année}) + (76,90 \text{ \$/année})$$
$$= 275\,101,90 \text{ \$/année}$$

Il faut donc trouver un compromis entre ces différents coûts pour déterminer la quantité adéquate de stock à conserver. Ce sujet fait l'objet d'une section au chapitre 5.

Exercice sur les coûts en matière d'approvisionnement

Vous êtes responsable de l'approvisionnement dans une école secondaire. Vous utilisez annuellement 5 500 cahiers de marque Canada VR 39 à feuilles millimétrées. Le contrôleur de la commission scolaire vous envoie les renseignements suivants concernant les coûts annuels rattachés à ces cahiers :

1. Coût à l'achat : 1,12 $/cahier

2. Salaire du responsable de l'approvisionnement : 5 $/commande

3. Chauffage de l'entrepôt : 4 $/semaine

4. Frais de transport à l'achat : 0,04 $/cahier

5. Frais de télécopie : 0,50 $/commande

6. Coût des fournitures (formulaires, etc.) nécessaires à l'achat : 6 $/commande

7. Coût du capital : 2,9 %

8. Impôts fonciers : 0,07 $/cahier

9. Loyer de l'entrepôt : 1 % de la valeur annuelle du stock

10. Frais de suivi des commandes : 1 $/commande

11. Salaire du magasinier : 0,05 $/cahier

12. Salaire du manutentionnaire : 0,02 $/cahier

13. Assurance de l'entrepôt : 0,04 $/cahier

14. Taux d'obsolescence : 0,1 % de la valeur du stock

15. Coût d'un cahier manquant : 0,40 $/cahier-année

Vous devez évaluer la situation afin de pouvoir ultérieurement commander par lots. Ainsi, la transaction sera la plus économique possible. Vous devez effectuer les opérations décrites ci-après.

a) Associez le numéro de chacun des 15 coûts mentionnés ci-dessus aux coûts pertinents suivants :

> Coût d'acquisition (Ca) : 1, 4
>
> Coût de stockage (Cs) : 3, 7, 8, 9, 11, 12, 13, 14
>
> Coût de commande (Cc) : 2, 5, 6, 10
>
> Coût de rupture (Cr) : 15

b) Calculez le coût d'acquisition de 1 cahier.

$$1,12\ \$ + 0,04\ \$ = 1,16\ \$/\text{cahier}$$

c) Calculez le taux de stockage.

Taux d'option : correspond au coût n° 7, soit 2,9 %.

Taux d'entreposage sur la valeur du stock : les coûts relatifs à l'entreposage sont les suivants : 3, 8, 9, 13. On ramène tous les coûts sur la même base de calcul, soit en dollars par année.

Pour le n° 3, on a : 4 \$/semaine $\times$ 52 semaines	= 208 \$/année
Le n° 8 donne : 0,07 \$/cahier $\times$ 5 500 cahiers/année	= 385 \$/année
Le n° 9 : 1 % $\times$ 5 500 cahiers/année $\times$ 1,16 \$/cahier	= 63,80 \$/année
Enfin, le n° 13 : 0,04 \$/cahier $\times$ 5 500 cahiers/année	= 220 \$/année

En additionnant le tout, on arrive à 876,80 \$/année, ce qui représente, en pourcentage du stock :

$$\frac{876,80 \text{\$/année}}{1,16 \text{\$/cahier} \times 5\,500 \text{ cahiers/année}} \times 100 \quad = \quad 13,74 \%$$

Taux de détention sur la valeur du stock : les coûts relatifs à la détention du stock sont les suivants : 11, 12 et 14. En prenant la même base de calcul que pour le taux de détention, on trouve :

N° 11 : 0,05 \$/cahier $\times$ 5 500 cahiers/année	= 275 \$/année
N° 12 : 0,02 \$/cahier $\times$ 5 500 cahiers/année	= 110 \$/année
N° 14 : 0,1 % $\times$ 1,16 \$/cahier $\times$ 5 500 cahiers/année	= 6,38 \$/année

Ce qui donne un total de 391,38 \$/année. Pour obtenir le pourcentage relatif au taux de détention, on divise ce résultat par la valeur totale du stock, soit :

$$\frac{391,38 \text{\$/année}}{1,16 \text{\$/cahier} \times 5\,500 \text{ cahiers/année}} \times 100 \quad = \quad 6,13 \%$$

La somme du taux du capital et du taux d'entreposage et de détention donne alors le taux de stockage (t) : $t = 2,9 \% + 13,74 \% + 6,13 \% = 22,77 \%$.

d) Calculez le coût d'une commande.

Les coûts nos 2, 5, 6 et 10 sont pertinents ici. En faisant l'addition, on trouve :

5\$/commande + 0,50\$/commande + 6\$/commande + 1\$/commande
= 12,50 \$/commande

e) Calculez le coût de rupture.

On considère, de façon hypothétique et indépendamment de la quantité de commande, que la consommation mensuelle est relativement stable. Elle correspond à une quantité de 400 pour 5 mois de l'année et à une quantité de 500 les 7 autres mois de l'année.

En établissant le tableau statistique de fréquences, on a donc :

Consommation	Fréquence	Fréquence relative (%)	Fréquence cumulée (%)
400	5	41,7	41,7
500	7	58,3	100,0

Si l'on consomme une moyenne de 458 cahiers mensuellement $\left(\frac{5\,500\ \text{cahiers}}{12\ \text{mois}}\right)$, on risque donc d'être en rupture de 58 cahiers dans 41,7 % des cas. Dans ce cas, le coût de rupture est donc :

$$Cr = Cr_u \times Um \times t_r$$
$$= (0,40\ \$/\text{cahier-année} \times 58\ \text{cahiers} \times 0,417)$$
$$= 9,67\ \$/\text{année}$$

Étant donné que la consommation mensuelle de cahiers est indépendante de la quantité de commande, le coût de rupture sera le même peu importe la quantité de commande.

f) Cherchez le coût total rattaché à l'achat par lots de 100, de 220, de 500, de 1 100, de 2 750 et de 5 500. Tenez pour acquis qu'il n'y a pas de stock de sécurité.

Quantité de commande	Stock moyen	Nombre de commandes	Coût d'acquisition ($)	Coût de stockage ($)	Coût de commande ($)	Coût de rupture ($)	Coût total ($)
100	50	55	6 380,00	13,21	687,50	9,79	7 090,50
220	110	25	6 380,00	29,05	312,50	9,79	6 731,34
500	250	11	6 380,00	66,03	137,50	9,79	6 593,32
1 100	550	5	6 380,00	145,27	62,50	9,79	6 597,56
2 750	1 375	2	6 380,00	363,18	25,00	9,79	6 777,97
5 500	2 750	1	6 380,00	726,36	12,50	9,79	7 128,65

Pour ce qui est du calcul du stock moyen, on a vu précédemment dans ce chapitre qu'en l'absence de stock de sécurité, le stock moyen représente la quantité de commande divisée par 2. Pour une quantité de commande de 100 unités, on a donc un stock moyen de $\frac{100}{2} = 50$ unités.

Quant au nombre de commandes, il représente la consommation annuelle divisée par la quantité de commande. Donc, pour une quantité de commande de 100 unités, on a :

$$\frac{5\,500\ \text{cahiers/année}}{100\ \text{cahiers/commande}} = 55\ \text{commandes/année}$$

Le coût d'acquisition annuel n'a aucun lien avec le lot de commande et le stock moyen. Par conséquent, il est toujours identique, peu importe la quantité de commande. Le coût d'acquisition annuel est donc de 1,16 $/cahier $\times$ 5 500 cahiers/année = 6 380 $/année.

On peut déterminer le coût de stockage unitaire en multipliant le taux de stockage par le coût d'acquisition unitaire. Ainsi, dans cet exemple, le coût de stockage unitaire est de :

$$22,77\ \%/\text{année} \times 1,16\ \$/\text{cahier} = 0,2641\ \$/\text{cahier-année}$$

Puis le coût de stockage se calcule en multipliant le coût de stockage unitaire par le stock moyen. Dans le cas d'une commande de 100 cahiers, on a donc :

$$0,2641 \text{ \$/cahier-année} \times 50 \text{ cahiers} = 13,21\text{\$/année}$$

On calcule le coût de commande annuel en multipliant le coût d'une commande (coût de commande unitaire) par le nombre de commandes par année. Avec une quantité de commande de 100 cahiers, on a donc:

$$12,50 \text{ \$/commande} \times 55 \text{ commandes/année} = 687,50 \text{ \$/année}$$

Le coût de rupture correspond au coût calculé en e).

Finalement, le coût total (Ca + Cs + Cc + Cr), dans le cas d'un lot de commande de 100 cahiers, est de:

$$6\,380 \text{ \$/année} + 13,21 \text{ \$/année} + 687,50 \text{ \$/année} + 9,79 \text{ \$/année}$$
$$= 7\,090,50 \text{ \$/année}$$

On peut constater que, sur la base des 6 quantités de commande calculées plus haut, le lot de commande le plus économique est de 500 cahiers à la fois. On verra dans le prochain chapitre comment trouver la quantité qui rendra la transaction la plus économique possible sans procéder par essais et erreurs.

Source: Lise ROBITAILLE et collaborateur, cégep François-Xavier-Garneau.

4.4 La classification ABC ou la loi de Pareto

Un des premiers outils que l'acheteur doit élaborer dans son travail est ce que l'on appelle la **classification ABC**[4]. Pour retracer l'origine de cette dernière, mentionnons qu'un économiste et sociologue du XVIIIe siècle, Wilfredo Pareto, a avancé que 80 % de toutes les richesses de la Terre étaient possédées par seulement 20 % des individus du globe. Ce constat a servi de base à tous les systèmes de classification utilisés. En effet, dans le domaine de la gestion des stocks, on peut affirmer qu'environ 20 % des articles en stock représentent 80 % de la valeur monétaire de ce même stock. Il s'agit alors de grouper les articles selon leur importance.

Il est essentiel pour un acheteur de connaître ce fondement, car il convient d'accorder beaucoup plus de temps aux articles qui correspondent à une importante somme d'argent. Les critères permettant de faire ce genre de classification sont le volume en dollars d'un article dans une période pré-établie (souvent une année), le délai de livraison, l'espace d'entreposage, la disponibilité du matériel et de la main-d'œuvre, le risque de vol et le coût de rupture. Nous verrons d'abord le volume en dollars d'un article. Le tableau 4.1, à la page suivante, présente le degré d'importance de chaque classe en pourcentage.

---

4. Certaines entreprises utilisent des synonymes comme la loi de Pareto, la classification des stocks ou le principe 20/80. Aux fins de cet ouvrage, nous utiliserons la classification ABC.

Tableau 4.1   Le degré d'importance de chaque classe

Type de classe	Pourcentage d'articles	Pourcentage de la valeur monétaire
A	De 5 % à 20 %	~ 80 %
B	De 20 % à 50 %	~ 20 %
C	De 40 % à 75 %	Le reste de la valeur monétaire

Dans l'industrie, les acheteurs ont souvent devant eux une liste très longue d'articles (de 200 à 20 000 articles différents, selon l'endroit où ils évoluent). Un moyen utilisé fréquemment consiste à effectuer une classification ABC pour chaque type de stock. Autrement dit, on classe le stock de matières premières par ordre d'importance et on fait de même pour les produits en cours, les produits finis, les composantes, les produits d'entretien et de réparation industriels, les surplus (déchets, **rebuts,** etc.) s'il y a lieu. Une autre pratique assez courante est de classer les articles qui n'entrent pas normalement dans notre pratique de gestion courante comme les articles obsolètes par un « O », les articles désuets par un « D », les nouveaux produits par un « N », les articles substituts sans historique par un « S », les articles achetés au niveau international par un « I » et, finalement, les articles visibles au catalogue électronique mais non disponibles en stock par un « X ». À partir de là, tous les autres articles font l'objet d'une classification ABC. Pour qu'un outil de gestion soit efficace, il faut suivre une procédure. Ainsi, l'encadré suivant présente une façon de concevoir une classification ABC. Normalement, on devrait se fier au pourcentage du nombre d'articles pour établir la classification ABC.

La procédure à suivre pour établir une classification ABC sur une base annuelle

1. On détermine la quantité consommée pour chaque article.
2. On associe la quantité consommée de chaque article à son coût unitaire.
3. On trouve la valeur monétaire de chaque article en multipliant la quantité consommée par le coût unitaire de l'article correspondant.
4. On calcule la valeur monétaire totale en faisant la somme des valeurs monétaires des différents articles.
5. On détermine le pourcentage de la valeur monétaire pour chaque article par rapport à la valeur monétaire totale.
6. On dresse la liste des articles par ordre décroissant selon les pourcentages trouvés.
7. On refait la séquence, c'est-à-dire que l'on réinscrit la description de chaque produit, mais cette fois dans le même ordre que celui établi au point 6.

8. On établit le pourcentage cumulé afin de se faciliter la tâche lors de la conception des classes.

9. Finalement, on est prêt à former les classes (*voir l'exemple 4.4*).

Exemple 4.4

Un distributeur de boulons et d'écrous possède 15 articles en stock. Les quantités consommées (ou, si l'on préfère, les quantités vendues) varient énormément d'un article à l'autre. Le tableau 4.2 présente les articles ainsi que la quantité vendue et le coût unitaire de chacun d'eux.

Tableau 4.2 — La liste des articles, y compris la quantité vendue et le coût unitaire de chacun d'eux

Nom de l'article	Quantité vendue	Coût unitaire ($)
A	100 000	0,04
B	4 000	0,10
C	200	0,20
D	350	0,09
E	5 500	0,05
F	2 700	0,15
G	20 000	0,24
H	7 200	0,02
I	450	0,11
J	25 000	0,01
K	100	0,52
L	3 000	0,13
M	1 200	0,07
N	12 500	0,03
O	950	0,08

À partir de la procédure et des données qui précèdent, on peut facilement établir une classification ABC. En suivant la procédure, on multiplie la quantité vendue par le coût unitaire de chaque article. On trouve alors la valeur monétaire de chaque article (*voir le tableau 4.3, p. 170*).

La prochaine étape consiste à trouver la valeur monétaire totale. Pour ce faire, on additionne toutes les valeurs de la dernière colonne du tableau 4.3. En faisant cette opération, on trouve 11 372 $.

Tableau 4.3 — La valeur monétaire de chaque article

Nom de l'article	Quantité vendue	Coût unitaire ($)	Valeur monétaire ($)
A	100 000	0,04	4 000,00
B	4 000	0,10	400,00
C	200	0,20	40,00
D	350	0,09	31,50
E	5 500	0,05	275,00
F	2 700	0,15	405,00
G	20 000	0,24	4 800,00
H	7 200	0,02	144,00
I	450	0,11	49,50
J	25 000	0,01	250,00
K	100	0,52	52,00
L	3 000	0,13	390,00
M	1 200	0,07	84,00
N	12 500	0,03	375,00
O	950	0,08	76,00

L'étape suivante consiste à déterminer le pourcentage de la valeur monétaire de chaque article par rapport à la valeur monétaire totale. Pour ce faire, on divise la valeur monétaire de chaque article par la valeur monétaire totale. Le résultat sera multiplié par 100. Le tableau 4.4 présente les données obtenues.

À la prochaine étape, il s'agit de mettre les articles par ordre décroissant d'importance, selon les pourcentages trouvés à l'étape précédente (*voir le tableau 4.5*).

Par la suite, on réinscrit la description de l'article mais, cette fois, en fonction de l'ordre décroissant des pourcentages. Le tableau 4.6, à la page 172, montre ce nouvel ordre.

Une fois que l'ordre d'importance des articles est établi, on calcule le pourcentage cumulé. En principe, le résultat de ce calcul devrait donner 100 % au 15e article. Toutefois, il dépassera de peu 100 % ou y sera légèrement inférieur à cause des arrondissements à 1 ou à 2 décimales. La façon de compter les pourcentages cumulés est simple. Effectivement, chaque pourcentage cumulé est le résultat de l'addition des pourcentages qui le précèdent avec le pourcentage correspondant à l'article pour lequel on fait le calcul. Par exemple, le pourcentage cumulé du troisième article correspond à l'addition du pourcentage du premier article avec le pourcentage du deuxième article et le pourcentage du troisième (*voir le tableau 4.7, p. 172*).

Tableau 4.4 Le pourcentage de la valeur monétaire de chaque article

Nom de l'article	Quantité vendue	Coût unitaire ($)	Valeur monétaire ($)	Pourcentage de la valeur monétaire (%)
A	100 000	0,04	4 000,00	35,17
B	4 000	0,10	400,00	3,52
C	200	0,20	40,00	0,35
D	350	0,09	31,50	0,28
E	5 500	0,05	275,00	2,42
F	2 700	0,15	405,00	3,56
G	20 000	0,24	4 800,00	42,21
H	7 200	0,02	144,00	1,27
I	450	0,11	49,50	0,44
J	25 000	0,01	250,00	2,20
K	100	0,52	52,00	0,46
L	3 000	0,13	390,00	3,43
M	1 200	0,07	84,00	0,74
N	12 500	0,03	375,00	3,30
O	950	0,08	76,00	0,67

Tableau 4.5 L'ordre d'importance des articles en pourcentage

Nom de l'article	Quantité vendue	Coût unitaire ($)	Valeur monétaire ($)	Pourcentage de la valeur monétaire (%)	Pourcentage en ordre décroissant (%)
A	100 000	0,04	4 000,00	35,17	42,21
B	4 000	0,10	400,00	3,52	35,17
C	200	0,20	40,00	0,35	3,56
D	350	0,09	31,50	0,28	3,52
E	5 500	0,05	275,00	2,42	3,43
F	2 700	0,15	405,00	3,56	3,30
G	20 000	0,24	4 800,00	42,21	2,42
H	7 200	0,02	144,00	1,27	2,20
I	450	0,11	49,50	0,44	1,27
J	25 000	0,01	250,00	2,20	0,74
K	100	0,52	52,00	0,46	0,67
L	3 000	0,13	390,00	3,43	0,46
M	1 200	0,07	84,00	0,74	0,44
N	12 500	0,03	375,00	3,30	0,35
O	950	0,08	76,00	0,67	0,28

Tableau 4.6 La description des articles par ordre d'importance

Nom de l'article	Quantité vendue	Coût unitaire ($)	Valeur monétaire ($)	Pourcentage de la valeur monétaire (%)	Pourcentage en ordre décroissant (%)	Nom par ordre d'importance
A	100 000	0,04	4 000,00	35,17	42,21	G
B	4 000	0,10	400,00	3,52	35,17	A
C	200	0,20	40,00	0,35	3,56	F
D	350	0,09	31,50	0,28	3,52	B
E	5 500	0,05	275,00	2,42	3,43	L
F	2 700	0,15	405,00	3,56	3,30	N
G	20 000	0,24	4 800,00	42,21	2,42	E
H	7 200	0,02	144,00	1,27	2,20	J
I	450	0,11	49,50	0,44	1,27	H
J	25 000	0,01	250,00	2,20	0,74	M
K	100	0,52	52,00	0,46	0,67	O
L	3 000	0,13	390,00	3,43	0,46	K
M	1 200	0,07	84,00	0,74	0,44	I
N	12 500	0,03	375,00	3,30	0,35	C
O	950	0,08	76,00	0,67	0,28	D

Tableau 4.7 Le pourcentage cumulé

Nom de l'article	Quantité vendue	Coût unitaire ($)	Valeur monétaire ($)	Pourcentage de la valeur monétaire (%)	Pourcentage en ordre décroissant (%)	Nom par ordre d'importance	Pourcentage cumulé (%)
A	100 000	0,04	4 000,00	35,17	42,21	G	42,21
B	4 000	0,10	400,00	3,52	35,17	A	77,38
C	200	0,20	40,00	0,35	3,56	F	80,94
D	350	0,09	31,50	0,28	3,52	B	84,46
E	5 500	0,05	275,00	2,42	3,43	L	87,89
F	2 700	0,15	405,00	3,56	3,30	N	91,19
G	20 000	0,24	4 800,00	42,21	2,42	E	93,61
H	2 700	0,02	144,00	1,27	2,20	J	95,81
I	450	0,11	49,50	0,44	1,27	H	97,08

Tableau 4.7 Le pourcentage cumulé (*suite*)

Nom de l'article	Quantité vendue	Coût unitaire ($)	Valeur monétaire ($)	Pourcentage de la valeur monétaire (%)	Pourcentage en ordre décroissant (%)	Nom par ordre d'importance	Pourcentage cumulé (%)
J	25 000	0,01	250,00	2,20	0,74	M	97,82
K	100	0,52	52,00	0,46	0,67	O	98,49
L	3 000	0,13	390,00	3,43	0,46	K	98,95
M	1 200	0,07	84,00	0,74	0,44	I	99,39
N	12 500	0,03	375,00	3,30	0,35	C	99,74
O	950	0,08	76,00	0,67	0,28	D	100,02

Ensuite, on arrive à l'étape ultime, c'est-à-dire à l'établissement des classes. Pour ce faire, il faut revenir au tableau 4.1, à la page 168, qui donne les pourcentages relatifs de chaque classe. Le tableau 4.8 représente la classification elle-même.

Tableau 4.8 La classification des articles

Nom de l'article	Quantité vendue	Coût unitaire ($)	Valeur monétaire ($)	Pourcentage de la valeur monétaire (%)	Pourcentage en ordre décroissant (%)	Nom par ordre d'importance	Pourcentage cumulé (%)	Type de classe
A	100 000	0,04	4 000,00	35,17	42,21	G	42,21	A
B	4 000	0,10	400,00	3,52	35,17	A	77,38	A
C	200	0,20	40,00	0,35	3,56	F	80,94	B
D	350	0,09	31,50	0,28	3,52	B	84,46	B
E	5 500	0,05	275,00	2,42	3,43	L	87,89	B
F	2 700	0,15	405,00	3,56	3,30	N	91,19	B
G	20 000	0,24	4 800,00	42,21	2,42	E	93,61	B
H	7 200	0,02	144,00	1,27	2,20	J	95,81	B
I	450	0,11	49,50	0,44	1,27	H	97,08	C
J	25 000	0,01	250,00	2,20	0,74	M	97,82	C
K	100	0,52	52,00	0,46	0,67	O	98,49	C
L	3 000	0,13	390,00	3,43	0,46	K	98,95	C
M	1 200	0,07	84,00	0,74	0,44	I	99,39	C
N	12 500	0,03	375,00	3,30	0,35	C	99,74	C
O	950	0,08	76,00	0,67	0,28	D	100,02	C

On remarque que 2 articles seulement seraient classés A parmi les 15 articles du distributeur. Il va sans dire que l'on aurait pu insérer le troisième article le plus important dans la classe A. À ce stade-ci, il importe de respecter les pourcentages établis au tableau 4.1, à la page 168, tant pour ce qui est du volume en dollars que du nombre d'articles. Cela veut dire que, dans notre exemple, il n'était pas possible d'avoir 4 articles classés A, mais bien un maximum de 3 articles (de 5 % à 20 % des articles : $\frac{3}{15} = 20\%$). Également, l'article H aurait pu être classé B plutôt que C. La démarcation entre les classes n'est pas immuable. Le jugement de l'acheteur entre ici en ligne de compte.

On a donc effectué la classification ABC de 15 articles d'une entreprise fictive en considérant strictement la valeur monétaire des articles (la quantité vendue multipliée par le coût unitaire). Toutefois, dans la réalité, il arrive fréquemment que certains articles soient soumis à des contraintes diverses, par exemple un délai de livraison très long, un coût de rupture exorbitant, l'absence de produits sur le marché pour remplacer un produit donné, l'obsolescence prochaine du produit ou les cycles connus. On pourrait donc refaire la classification ABC en intégrant ces diverses contraintes. Le tableau 4.9 présente les contraintes rattachées à chaque article du distributeur de boulons et d'écrous.

Tableau 4.9 — Les contraintes rattachées aux articles pour la classification ABC

Nom de l'article	Quantité vendue	Coût unitaire ($)	Type de classe	Contrainte
A	100 000	0,04	A	Aucune
B	4 000	0,10	B	Livraison prenant 8 semaines
C	200	0,20	C	Aucune
D	350	0,09	C	Pas de substituts
E	5 500	0,05	B	Aucune
F	2 700	0,15	B	Aucune
G	20 000	0,24	A	Aucune
H	7 200	0,02	C	Aucune
I	450	0,11	C	Aucune
J	25 000	0,01	B	Aucune
K	100	0,52	C	Fournisseur en Allemagne
L	3 000	0,13	B	Aucune
M	1 200	0,07	C	Aucune
N	12 500	0,03	B	Aucune
O	950	0,08	C	Lot minimal de 1 000 unités

À partir des contraintes qu'il connaît, l'acheteur peut corriger la classification ABC effectuée en tenant compte du critère de la valeur monétaire du stock utilisé. En effet, pour les articles comportant des contraintes, l'acheteur prendra soin de hausser la classification qui peut nuire au bon déroulement de la gestion de l'entreprise. Autrement dit, si un article était classé C avant de tenir compte de la contrainte qui peut compliquer le réapprovisionnement, alors il sera reclassé B. On appliquera le même principe à un article classé B *a priori* (sans tenir compte de la contrainte) ; il se verra ainsi octroyer la classe A. Finalement, pour un article classé A *a priori*, il est évident qu'il restera classé A puisqu'il ne peut y avoir de classe supérieure ; l'acheteur devra prêter une attention particulière à cet article, s'il y a lieu.

4.4.1 La gestion des articles des diverses classes

Pour gérer les articles de la classe A, l'acheteur devrait effectuer les opérations suivantes :

1. Dénombrer ces articles toutes les semaines.

2. S'assurer d'avoir la bonne quantité de stocks afin de se prémunir contre une variation de la demande trop accentuée.

3. S'assurer que les données informatiques relatives aux stocks sont pertinentes, et ce, de façon permanente.

4. Faire un suivi serré pendant le délai de livraison lors d'un approvisionnement de ce type d'articles.

En ce qui a trait aux articles de la classe B, l'acheteur effectuera sensiblement les mêmes opérations que pour les articles de la classe A, mais moins fréquemment. Enfin, les articles de la classe C étant moins onéreux à garder en stock, l'acheteur s'assurera de toujours en avoir en stock et de les dénombrer sur une base semestrielle ou annuelle. L'acheteur doit comprendre que la classification ABC n'est pas statique. Elle doit être révisée de façon périodique. En effet, les quantités vendues et les contraintes associées à chaque article peuvent varier selon la période pour laquelle la classification est établie (habituellement chaque année).

La classification ABC peut être utilisée chaque fois que l'on juge nécessaire de distinguer les éléments importants de ceux qui le sont moins. Dans le contexte d'une entreprise, on pourrait essayer de classer les déplacements d'un magasinier dans un entrepôt pour déterminer les articles qui devraient être entreposés près de lui. De même, on pourrait, grâce à cette classification, évaluer l'importance des clients et celle des fournisseurs.

Il faut cependant agir avec circonspection quand on applique la classification ABC, surtout quand il est question d'établir les quantités consommées pour chaque article. Certains articles peuvent être consommés de manière très cyclique. De ce fait, les quantités de ces articles peuvent varier substantiellement d'une unité de temps à une autre, le tout pouvant modifier un peu le résultat si le processus est appliqué à des intervalles trop fréquents. Si le coût des articles varie à l'intérieur de l'espace de temps (souvent une année) sur lequel on travaille, on utilise une moyenne pondérée pour déterminer la résultante du coût. En conclusion, on pourrait affirmer que la classification ABC est un bon point de départ pour la gestion des stocks, car elle est un outil de diagnostic fiable.

4.5 Les prévisions

Nous verrons maintenant différents modèles susceptibles d'être très utiles à un acheteur qui s'occupe de gestion des stocks. Une fois que les articles ont été déterminés et que leur importance est connue, l'acheteur tiendra compte de l'utilisation de chacun d'eux dans l'entreprise. Il devra donc savoir quels produits requièrent un réapprovisionnement, à quel moment et dans quelle quantité. Ces questions fondamentales dans le domaine de la gestion des stocks semblent très simples. Toutefois, de nombreuses connaissances sont nécessaires afin d'y répondre adéquatement.

Une des premières choses à faire dans la gestion des stocks est de planifier les mouvements (entrées et sorties du matériel) internes et externes des stocks eux-mêmes. L'acheteur, avec l'aide de son supérieur immédiat, doit effectuer une recherche sur les mouvements antérieurs, sur les mouvements prévus ainsi que sur l'anticipation ou l'interprétation de l'évolution des prix et des marchés. Un groupe de personnes à l'intérieur de l'entreprise qui peut lui être très utile est celui affecté au marketing et aux ventes. En effet, ce groupe prend le pouls du marché parce qu'il travaille avec les clients de l'entreprise. Il fera donc à l'acheteur un pronostic sur les ventes futures de l'entreprise. Ce pronostic correspond aux prévisions dans le langage de l'entreprise. Il existe deux grands types de prévisions, soit les **prévisions qualitatives** et les **prévisions quantitatives.**

4.5.1 Les prévisions qualitatives

Les prévisions qualitatives sont des prévisions qui, comme leur nom l'indique, relèvent de l'intuition, du jugement, de l'expérience et de l'expertise des individus. Une méthode de prévision qualitative qui est souvent utilisée dans l'entreprise consiste à faire appel à un individu expérimenté. Cette personne travaille depuis longtemps au sein de l'entreprise et en connaît les rouages. Comparable à une encyclopédie vivante de l'entreprise, elle peut donner des réponses très précises aux questions de l'acheteur. Une autre méthode est l'étude de marché. Celle-ci consiste à bâtir un questionnaire auquel devra répondre un échantillon représentatif de la population. Les questions visent à cerner le comportement des clients devant un produit donné. Cette méthode, qui permet de faire de bonnes prévisions, est cependant très coûteuse.

Par ailleurs, la méthode Delphi consiste à réunir plusieurs experts (jusqu'à 20) afin de connaître leur opinion sur un produit quelconque. Chaque expert communique à l'entreprise son point de vue par écrit. Par la suite, l'entreprise envoie une copie de chacune des opinions à chaque expert. Ainsi, les experts ont la chance de raffiner leur opinion. Ce processus, qui est effectué deux ou trois fois, exige de trois à six mois. Cette méthode, également très dispendieuse, ne peut vraisemblablement pas être utilisée par une petite ou moyenne entreprise (PME).

Enfin, le groupe d'experts est une méthode de prévision qui s'apparente à la méthode Delphi. Cependant, les experts se rencontrent et cherchent à arriver à un consensus. De plus, ils ne donnent leur avis qu'une fois. Par exemple, une entreprise peut demander à chacun de ses représentants des ventes son opinion concernant les ventes futures. Les représentants sont en quelque sorte les experts du point de vue des ventes de l'entreprise.

4.5.2 Les prévisions quantitatives

Les prévisions quantitatives sont beaucoup moins coûteuses que les prévisions qualitatives dans la plupart des cas. Quand l'entreprise possède des données sur le mouvement des produits, elle peut utiliser des modèles relativement simples.

Les méthodes de prévisions qualitatives, quant à elles, sont surtout employées lors de l'introduction d'un produit sur le marché, puisque l'entreprise ne dispose d'aucune donnée permettant de l'aider.

Le premier modèle servant à faire des prévisions est la moyenne arithmétique. Ce modèle est sans contredit le plus simple à utiliser. Toutefois, plus le nombre de données est faible, plus la précision du modèle diminue. En outre, si les données ne suivent pas une certaine tendance ou si elles sont plutôt disparates, le modèle laissera à désirer quant à sa précision.

Un autre modèle est la **moyenne mobile** (*voir l'exemple 4.5*). On peut recourir à cette dernière lorsque la demande d'un produit demeure sensiblement la même d'une période à l'autre. Cette méthode est utilisée également lorsque les membres de l'entreprise qui font des prévisions quantitatives n'ont pas de connaissances mathématiques. Il s'agit de prévoir les ventes, la consommation d'un produit ou tout autre élément sujet à des prévisions pour une certaine période (souvent un mois, selon le nombre de données accessibles) à partir des données des mois précédents. Le nombre de mois dépend de la base choisie par l'acheteur, cette base pouvant varier de deux mois à plusieurs mois. Toutefois, sauf dans le cas d'un produit requis pour répondre à un cycle connu, il est déconseillé de dépasser six mois. Sinon, les prévisions risquent d'être peu fiables, à moins bien sûr que les données ne soient quasi identiques de mois en mois. Quelle base sera la meilleure ? Il est difficile de répondre à cette question. En général, on utilise comme indicateur l'écart absolu moyen entre les prévisions et la réalité. Le plus petit écart absolu moyen peut être la meilleure base pour une situation donnée, mais ce n'est pas toujours le cas. Par exemple, si l'on choisit une moyenne mobile de base 3, on calculera les prévisions en faisant la moyenne des 3 mois qui précèdent le mois pour lequel on veut avoir des prévisions.

Dans le cas d'un produit pour les cycles connus, le travail s'effectuera en fonction de l'utilisation des données portant sur les années antérieures ou sur des variations du cycle. Prenons l'exemple des fleurs pour la fête des Mères. Celle-ci a lieu le deuxième dimanche du mois de mai de chaque année. À l'approche de cette fête, il y a automatiquement une croissance des ventes par rapport aux mois précédents. Le gestionnaire des stocks peut utiliser les données obtenues durant les années antérieures. Il peut aussi accroître la prévision obtenue d'un certain pourcentage, par exemple la moyenne mobile de 3 mois multipliée par 130 %.

Exemple 4.5

Le propriétaire de l'ébénisterie de l'exemple 4.1, à la page 160, veut prévoir les ventes de moulures pour le mois de septembre 2009, alors qu'il connaît celles de janvier à août 2009. Il se demande s'il doit utiliser une base de 2 mois ou de 5 mois pour faire ses prévisions.

Il doit d'abord établir les prévisions pour les mois connus avec les deux bases. Ensuite, il calcule l'écart absolu (en valeur absolue) entre les ventes elles-mêmes et les prévisions. Par la suite, il prend le total des écarts absolus pour les deux bases et calcule une moyenne dans les deux cas, soit l'écart absolu moyen. Le plus petit écart absolu moyen entre les deux bases indique au propriétaire quelle base il doit utiliser afin de faire les prévisions pour septembre 2009 (*voir le tableau 4.10*).

Tableau 4.10 Les prévisions et les écarts absolus sur des base de 2 mois et de 5 mois avec le modèle de la moyenne mobile

Mois	Ventes	Base 2	Écart absolu	Base 5	Écart absolu
Janvier	900				
Février	940				
Mars	950	920	30		
Avril	910	945	35		
Mai	930	930	0		
Juin	900	920	20	926	26
Juillet	910	915	5	926	16
Août	960	905	55	920	40

Après avoir déterminé les écarts absolus pour les deux bases de calcul, on trouve l'écart absolu total et finalement l'écart absolu moyen.

Base 2 (écart absolu total) : $30 + 35 + 0 + 20 + 5 + 55 = 145$

Base 5 (écart absolu total) : $26 + 16 + 40 = 82$

Base 2 (écart absolu moyen) : $\dfrac{145}{6} = 24{,}17$

Base 5 (écart absolu moyen) : $\dfrac{82}{3} = 27{,}33$

Le propriétaire de l'ébénisterie donc ses prévisions pour le mois de septembre à l'aide de la base 2. Pour ce faire, il utilise les ventes de juillet et août 2009. Il les additionne, puis les divise par 2 :

$$910 + 960 = \dfrac{1\,870}{2} = 935$$

Selon ce modèle, les prévisions concernant le nombre de moulures qui seront vendues en septembre 2009 s'établissent donc à 935.

Un cas particulier de la moyenne mobile est la moyenne mobile pondérée. Ce modèle est beaucoup plus représentatif de la réalité. En effet, il permet d'attribuer un poids différent (une importance différente) à chaque mois afin de déterminer l'importance de chacun. Habituellement, on accorde un poids plus important aux mois qui sont les plus près de ceux pour lesquels on effectue des prévisions (*voir l'exemple 4.6*).

Exemple 4.6

À partir de l'exemple 4.5 de la page 177, on attribue un poids équivalant à 2 dans le cas du mois le plus près des prévisions et un poids de 1 (autrement dit pas de poids du tout) pour l'autre mois dans le cas où l'on utilise une base de calcul de 2 mois. Le calcul se fait ainsi pour les prévisions du mois de mars 2009 :

$$\frac{(940 \times 2) + (900 \times 1)}{(2 + 1)} = 926,67$$

Si l'on prend une base de calcul de 5 mois, les poids correspondants seront de 5 pour le mois le plus près, de 4 pour le deuxième plus près, de 3 pour le suivant, de 2 pour l'avant-dernier et de 1 pour le dernier mois. Les prévisions pour le mois de juin 2009 s'établissent donc comme suit :

$$\frac{(930 \times 5) + (910 \times 4) + (950 \times 3) + (940 \times 2) + (900 \times 1)}{(5 + 4 + 3 + 2 + 1)} = 928$$

Il faut noter que l'attribution des poids dépend la plupart du temps de chaque situation. Elle est laissée au jugement du gestionnaire.

Les autres valeurs se trouvent dans le tableau 4.11.

Tableau 4.11 — Les prévisions et les écarts absolus sur des bases de 2 mois et de 5 mois avec le modèle de la moyenne mobile pondérée

Mois	Ventes	Base 2	Écart absolu	Base 5	Écart absolu
Janvier	900				
Février	940				
Mars	950	926,67	23,33		
Avril	910	946,67	36,67		
Mai	930	923,33	6,67		
Juin	900	923,33	23,33	928,00	28,00
Juillet	910	910,00	0,00	919,33	9,33
Août	960	906,67	53,33	914,00	46,00

Base 2 (écart absolu moyen) =
$$\frac{(23,33 + 36,67 + 6,67 + 23,33 + 0 + 53,33)}{6} = 23,89$$

Base 5 (écart absolu moyen) = $\dfrac{(28 + 9,33 + 46)}{3} = 27,78$

Pour effectuer ses prévisions, le propriétaire de l'ébénisterie aurait avantage à prendre la base de calcul de 2 mois. En effet, l'écart absolu moyen est plus petit que celui de la base de calcul de 5 mois.

Les prévisions pour le mois de septembre 2009 sont donc les suivantes :

$$\frac{(960 \times 2) + (910 \times 1)}{(2 + 1)} = 943,33 \text{ moulures}$$

On voit que la base utilisée est la même d'un modèle à l'autre. Le résultat aurait pu être différent si les valeurs des ventes avaient été plus instables et radicalement différentes, ce qui aurait indiqué une ou des interférences dans les données.

La **régression linéaire** est une méthode de calcul très utilisée pour connaître le lien qui existe entre deux variables, par exemple l'âge des travailleurs et leur revenu annuel. Pour que cette méthode soit concluante, le lien entre les deux variables étudiées (s'il y a plus de deux variables, on parlera alors de régression linéaire multiple) doit absolument être linéaire (*voir l'exemple 4.7*). Sinon, la méthode sera vouée à l'échec. On définit toujours *a priori* une variable dépendante Y et une variable indépendante X. Le fait que la variable Y est dépendante et que la variable X est indépendante est strictement conventionnel. À partir d'une série de données, on peut établir l'équation de la droite de régression de la forme $Y = mX + b$, où m est la pente de la droite et b, l'ordonnée à l'origine. Après avoir déterminé la valeur de m et de b, pour une valeur de X (variable indépendante qui, dans ce cas-ci, serait l'âge des travailleurs) qui ne ferait pas partie des données initiales, on pourrait prévoir une valeur de Y (variable dépendante qui, dans ce cas-ci, serait le revenu annuel des travailleurs). Ces prévisions seront adéquates dans la mesure où le lien entre les deux variables est linéaire.

Pour mesurer la force du lien linéaire, on recourt à un coefficient appelé « coefficient de corrélation linéaire », noté r, qui varie de -1 à 1. Un coefficient de corrélation linéaire de 0 signifie qu'il n'existe aucun lien linéaire entre les deux variables étudiées. D'un autre côté, un coefficient de corrélation linéaire égal à 1 indique un lien linéaire positif et parfait. Vous avez sans doute deviné qu'un coefficient de -1 signifie que le lien linéaire est également parfait, mais que ce lien est négatif, c'est-à-dire que si la variable indépendante X augmente, la variable dépendante Y diminue.

Les séries chronologiques ou temporelles sont une autre méthode souvent employée. Cette méthode est un cas particulier de la régression linéaire. L'exemple classique d'une **série temporelle** dans le domaine de l'administration est la comparaison des ventes d'une entreprise au fil des ans. Cette méthode s'utilise surtout lorsque l'on remarque une tendance dans les données.

Exemple 4.7

Dans le cas de l'ébénisterie de l'exemple 4.1, à la page 160, on cherche maintenant à prévoir le budget qui sera alloué à la publicité pour l'année 2009. En se basant sur les données des 10 dernières années (*voir le tableau 4.12*), on peut chercher à connaître la droite de régression qui aidera à prévoir le budget de publicité pour 2009.

Tableau 4.12   Le budget de publicité des 10 dernières années

Année (variable indépendante X)	Budget de publicité en dollars (variable dépendante Y)
1999	20 000
2000	22 000
2001	24 000
2002	26 000
2003	28 000
2004	30 500
2005	33 000
2006	35 500
2007	38 000
2008	40 500

À partir de ces données, on doit trouver l'équation de la droite de régression afin de prévoir le budget de publicité pour l'année 2009. En effet, si l'on dispose les données mentionnées ci-dessus dans un tableur de type Excel et que l'on utilise les fonctions statistiques disponibles telles que Ordonnée.origine, Pente et Coefficient.corrélation, on trouve respectivement :

l'ordonnée à l'origine « b » = 16 053,40 ;

la pente « m » = 2 402,91 ;

et, finalement, le coefficient de corrélation linéaire « r » = 0,98.

À la lecture du coefficient de corrélation linéaire, on constate tout de suite que la relation entre les deux variables étudiées est fortement linéaire et positive.

L'équation de la droite est donc la suivante :

$$Y = (2\,402,91 \times X) + 16\,053,40$$

Maintenant, pour calculer la prévision de l'année 2009 qui correspond vraisemblablement à la 11ᵉ année de notre modèle, on aura :

$$Y = (2\,402,91 \times 11) + 16\,053,40$$
$$Y = 42\,485,41\,\$$$

En d'autres mots, le budget de publicité est estimé à 42 485,41 $ pour l'année 2009.

On pourrait chercher à savoir si le budget prévu pour l'année 2009 est une donnée fiable. Normalement, on peut affirmer qu'un modèle de prévision est fiable dans la mesure où l'erreur moyenne est égale ou inférieure à 10 %. Pour savoir si le modèle est fiable, on pourrait calculer l'erreur moyenne à l'aide du tableau 4.13, à la page suivante.

Tableau 4.13 Le calcul de l'erreur moyenne

Valeur de X	Valeur de Y	Y′ (prévision)	|Y − Y′|	|(Y − Y′)/Y|
1	20 000	18 456,31	1 543,69	0,077
2	22 000	20 859,22	1 140,78	0,052
3	24 000	23 262,13	737,87	0,031
4	26 000	25 665,04	334,96	0,013
5	28 000	28 067,95	67,95	0,002
6	30 500	30 470,86	29,14	0,001
7	33 000	32 873,77	126,23	0,004
8	35 500	35 276,68	223,32	0,006
9	38 000	37 679,59	320,41	0,008
10	40 500	40 082,50	417,50	0,010

Si l'on additionne toutes les valeurs de la dernière colonne, on trouve l'erreur totale relative à la variable Y, soit le budget de publicité. On trouve donc 0,204 ou 20,4 %. L'erreur moyenne recherchée correspond à la moyenne des valeurs de la dernière colonne ou à l'erreur totale déjà trouvée divisée par le nombre de valeurs du modèle. Ici l'erreur moyenne est de 0,0204 ou 2,04 %.

L'erreur moyenne se trouve sous la barre des 10 %. On peut donc conclure sans trop se tromper que la valeur calculée pour la prévision de l'année 2009, en ce qui a trait au budget de publicité, ne devrait pas être loin de ce qui se produira, toutes choses étant égales par ailleurs (*ceteris paribus*).

Le **lissage exponentiel** est une méthode de prévision que l'on utilise lorsque la demande est peu stable, c'est-à-dire lorsque celle-ci est saisonnière. C'est le cas au Québec pour la plupart des produits dérivés de la construction (les poêles à bois, les supports métalliques d'arbres de Noël, les bains à remous, etc.). De même, le lissage exponentiel est très utilisé lorsque l'on s'aperçoit que la demande du client suit une certaine tendance au fil des ans. Le lissage exponentiel simple fait intervenir seulement un facteur de pondération (α), qui tient compte d'un facteur comme les saisons. Quant au lissage exponentiel multiple, il peut faire intervenir jusqu'à trois facteurs de pondération. Ces facteurs tiennent compte des saisons, des cycles ou tendances ainsi que du hasard.

La méthode du lissage exponentiel simple ressemble étrangement à la méthode de la moyenne mobile pondérée, si ce n'est que le facteur de pondération est toujours le même. De plus, ce facteur est utilisé pour pondérer l'écart existant entre la donnée réelle de la période précédente et la prévision de la période précédente. Afin de trouver les prévisions pour une période donnée, on multiplie le facteur de pondération choisi (entre 0 et 1) par les données du mois précédent, et on additionne le produit du complément du facteur de pondération et des prévisions pour le mois précédent. Mathématiquement, on obtient donc :

Prévision de la période (n) = Prévision de la période ($n - 1$)
+ α [donnée réelle de la période ($n - 1$) – prévision de la période ($n - 1$)]

En développant un peu l'équation, on trouve :

Prévision de la période (n) = Prévision de la période ($n - 1$)
+ α [donnée réelle de la période ($n - 1$)] – α [prévision de la période ($n - 1$)]

Ensuite :

Prévision de la période (n) = Prévision de la période ($n - 1$)
– α [prévision de la période ($n - 1$)] + α [donnée réelle de la période ($n - 1$)]

Et :

Prévision de la période (n) = ($1 - \alpha$) [prévision de la période ($n - 1$)]
+ α [donnée réelle de la période ($n - 1$)]

Finalement, on obtient :

Prévision de la période (n) = α [donnée réelle de la période ($n - 1$)]
+ ($1 - \alpha$) [prévision de la période ($n - 1$)]

Comme pour les autres modèles de prévision, l'écart absolu moyen est utilisé pour déterminer quel sera le meilleur modèle parmi un ensemble de facteurs de pondération utilisés.

Comme on peut le constater, l'acheteur aura l'embarras du choix lorsque viendra le temps d'employer une méthode de prévision. Les tableaux 4.14 et 4.15 résument respectivement les avantages et les inconvénients des différentes méthodes de prévisions qualitatives et quantitatives. Cependant, l'acheteur doit toujours se rappeler que les données historiques que l'entreprise possède sur un produit quelconque ne garantissent pas un avenir identique. Il doit donc faire montre de jugement lorsqu'il utilise ces méthodes. Par exemple, si l'entreprise a conçu et amorcé une campagne de publicité pour l'année qui vient et que, de plus, cette stratégie est nouvelle, l'acheteur qui se base sur des données historiques risque de prévoir des résultats en deçà de la réalité. En outre, par mesure de prudence, il faudrait que, dans le contexte de ces méthodes, les données antérieures portent sur une période minimale de 2 ans (de 24 mois si les données sont mensuelles). Rappelons que pour qu'un modèle soit efficace, celui-ci doit fournir le plus petit écart absolu moyen possible. Finalement, plus l'entreprise veut que les prévisions soient précises, plus elle devra investir du temps, de l'argent et des ressources humaines. En d'autres mots, dans certains cas, des prévisions qualitatives peuvent suffire lorsque les visées ne sont pas stratégiques.

Tableau 4.14 Les avantages et les inconvénients des méthodes de prévisions qualitatives

Méthode	Avantages	Inconvénients
Encyclopédie vivante	■ Très rapide ■ Peu coûteuse	■ Favorise la résistance au changement

Tableau 4.14 Les avantages et les inconvénients des méthodes de prévisions qualitatives (*suite*)

Méthode	Avantages	Inconvénients
Étude de marché	▪ Bonnes prévisions	▪ Coûteuse
Méthode Delphi	▪ Excellent pronostic	▪ Très coûteuse ▪ Très long processus
Groupe d'experts	▪ Excellent pronostic	▪ Relativement longue

Tableau 4.15 Les avantages et les inconvénients des méthodes de prévision quantitatives

Méthode	Avantages	Inconvénients
Moyenne mobile	▪ Très simple ▪ Requiert peu de mathématiques	▪ Peut s'écarter beaucoup de la réalité
Régression linéaire	▪ Donne de bons résultats dans la mesure où le lien est linéaire	▪ Assez longue ▪ Demande une base en informatique et en mathématiques
Séries chronologiques ou temporelles	▪ Donne de bons résultats dans la mesure où le lien est linéaire	▪ Assez longue ▪ Demande une base en informatique et en mathématiques
Lissage exponentiel	▪ Assez conforme à la réalité	▪ Demande une bonne base en mathématiques

4.6 La détermination du stock de sécurité

La quantité qui doit être gardée comme stock de sécurité est fréquemment établie en fonction d'un certain niveau de service. Par exemple, si l'entreprise désire avoir un niveau de service de 98 %, cela veut dire qu'elle cherche à servir sans contrainte 98 % de ses clients (commandes sans rupture). Certes, un niveau de service de 100 % peut entraîner des coûts exorbitants pour l'entreprise, ces coûts n'étant pas nécessairement justifiés. Un niveau de service de 95 % et un niveau de service de 100 % peuvent signifier une différence énorme quant à la quantité de stock à garder. Habituellement, les entreprises ont comme politique de satisfaire convenablement 8 ou 9 clients sur 10.

Il existe une méthode pour déterminer la quantité de stock de sécurité à conserver (*voir l'exemple 4.8, p. 186*). Premièrement, on doit évaluer l'écart absolu moyen (EAM) de la consommation ou des ventes à l'aide de données historiques. Cela signifie qu'il faut mesurer l'écart moyen entre la consommation réelle et la consommation prévue. Par la suite, à l'aide d'une table[5] (*voir le tableau 4.16*), on détermine un facteur de sécurité en fonction d'un niveau de service choisi au préalable. Enfin, on multiplie l'écart absolu moyen par le facteur de sécurité trouvé dans la table. Évidemment, plus le niveau de service désiré est élevé, plus le facteur de sécurité l'est et, par le fait même, le stock de sécurité aussi.

Tableau 4.16 — Les facteurs de sécurité à considérer dans le calcul d'un stock de sécurité selon un niveau de service

Niveau de service (pourcentage de commandes ou d'articles en commande selon le cas sans rupture ou qui ne sont pas en souffrance)	Facteur de sécurité utilisé avec l'écart absolu moyen (EAM)
50,00	0,00
75,00	0,84
80,00	1,05
84,13	1,25
85,00	1,30
89,44	1,56
90,00	1,60
93,32	1,88
94,00	1,95
94,52	2,00
95,00	2,06
96,00	2,19
97,00	2,35
97,72	2,50
98,00	2,56
98,61	2,75
99,00	2,91
99,18	3,00
99,38	3,13

5. James B. DILWORTH, *Production and Operations Management, Manufacturing and Non-Manufacturing,* 4e éd., New York, Random House, 1989, p. 276.

Tableau 4.16 Les facteurs de sécurité à considérer dans le calcul d'un stock de sécurité selon un niveau de service (*suite*)

Niveau de service (pourcentage de commandes ou d'articles en commande selon le cas sans rupture ou qui ne sont pas en souffrance)	Facteur de sécurité utilisé avec l'écart absolu moyen (EAM)
99,50	3,20
99,60	3,31
99,70	3,44
99,80	3,60
99,86	3,75
99,90	3,85
99,93	4,00
99,99	5,00

Source : Traduit et adapté de George W. PLOSSL et Oliver W. WIGHT, *Production and Inventory Control,* Englewood Cliffs, N. J., Prentice-Hall, 1967, p. 108. © 1967. Reproduit avec l'autorisation de Prentice-Hall, Inc., Upper Saddle River, N. J.

Exemple 4.8

Reprenons l'exemple 4.5 de la page 177, dans lequel il était question de la méthode de prévision quantitative que l'on appelle la « moyenne mobile ». Nous avons trouvé un écart absolu moyen (EAM) de 24,17 avec la base de calcul de 2 mois. Si l'entreprise d'ébénisterie désire offrir un niveau de service de 95 %, c'est-à-dire si elle veut servir sans contrainte ses clients 95 % du temps, quel stock de sécurité de moulures doit-elle conserver ?

Lorsque l'on regarde le tableau 4.16, on se rend compte qu'à un niveau de service de 95 % correspond un facteur de sécurité de 2,06. Dans ce cas, le niveau de stock de sécurité à conserver sera celui-ci :

$$\text{stock de sécurité} = \text{facteur de sécurité (EAM)}$$
$$= 2,06 \times 24,17$$
$$= 49,79 \text{ ou } 50 \text{ moulures}$$

L'acheteur devra donc conserver 50 moulures pour remédier aux irrégularités des approvisionnements.

On suppose maintenant que l'ébénisterie désire satisfaire ses clients sans contrainte 99 % du temps. En se référant au tableau 4.16, on trouve un facteur de sécurité équivalant à 2,91.

Le stock de sécurité à conserver sera donc de :

$$2,91 \times 24,17 = 70,33 \text{ ou } 71 \text{ moulures}$$

La question, ici, est de savoir s'il est plus coûteux de conserver 21 moulures supplémentaires en stock en servant 99 % des clients ou d'absorber une pénurie de 21 moulures en décidant de servir sans contrainte 4 % moins de clients. En connaissant le coût de rupture (le coût d'une unité en pénurie) ainsi que le coût de stockage unitaire, on peut connaître la solution la plus bénéfique pour cette entreprise d'ébénisterie.

En effet, si le coût unitaire est de 3,55 $ pour perdre une vente ou combler un manque de façon urgente, et que le coût de stockage unitaire d'une moulure est de 3,10 $ (24,30 $ × 12,75 %), il serait avantageux de travailler avec un niveau de service de 99 %. En effet, le coût de rupture $(3,55 \text{ \$/unité} \times 21 \text{ unités} = 74,55 \text{ \$})$ est plus important que le coût de stockage $(3,10 \text{ \$/unité} \times 21 \text{ unités} = 65,10 \text{ \$})$. Il faut noter que le stock moyen serait augmenté de 21 unités dans le calcul du coût de stockage, et non de $\frac{21}{2}$, car les unités servent de stock de sécurité.

Résumé

La gestion des stocks occupe une place très importante dans l'entreprise si l'on se fie aux chiffres qui apparaissent aux états financiers de la plupart des entreprises. Il existe plusieurs types de stocks : les matières premières, les produits en cours, les produits finis, les composantes, les produits d'entretien et de réparation industriels, les produits d'entretien de bureau et les surplus. Les principales raisons pour lesquelles on garde des stocks sont la protection contre une variation de la demande, la protection contre un délai de livraison instable, une hausse ou une baisse prévue du prix, une grève chez un fournisseur important ou la rareté soudaine d'un produit, une période d'arrêt de production chez un fournisseur, la grosseur des lots commandés, la variation des articles trouvés dans les catalogues de l'entreprise et le transit. Le coût total d'approvisionnement peut être déterminé par quatre coûts, soit le coût d'acquisition du produit acheté ou fabriqué, le coût de stockage, le coût de commande et le coût de rupture.

Un des outils de base de l'acheteur est la classification ABC ou loi de Pareto. Une fois qu'il connaît bien ses articles et leur importance, l'acheteur est en mesure d'élaborer des modèles de prévision en se basant sur des données antérieures. Il existe deux grandes catégories de prévisions : les prévisions qualitatives et les prévisions quantitatives. Le chapitre se termine par l'explication d'une méthode pour déterminer le stock de sécurité.

Termes à retenir :

- Calcul du stock de sécurité
- Classification ABC
- Composantes
- Coût d'acquisition
- Coût de commande
- Coût de rupture
- Coût de stockage
- Groupe d'experts
- Lissage exponentiel
- Matières premières
- Méthode Delphi
- Moyenne mobile
- Moyenne mobile pondérée
- Prévisions qualitatives
- Prévisions quantitatives
- Produits d'entretien de bureau et fournitures
- Produits d'entretien et de réparation industriels
- Produits en cours
- Produits finis
- Régression linéaire (séries temporelles)
- Stock cyclique
- Stock de prévision
- Stock de sécurité
- Stock en transit
- Surplus

Questions

1. Pourquoi les stocks occupent-ils une place importante dans l'entreprise?

2. Nommez quatre types de stocks et donnez un exemple pour chacun d'eux.

3. Pour quelles raisons une entreprise doit-elle garder des stocks?

4. Comment s'appelle le coût relatif aux stocks si une entreprise perd une vente?

5. De quel type de coût le salaire d'un acheteur fait-il partie dans la gestion des stocks?

6. Qu'est-ce que la loi de Pareto?

7. Qu'est-ce que l'acheteur doit connaître afin d'effectuer une bonne classification ABC?

8. Quelles sont les deux grandes catégories de prévisions?

9. Quels inconvénients sont liés à l'utilisation de la méthode Delphi?

10. Donnez un avantage de la moyenne mobile.

11. Qu'est-ce que le stock de sécurité?

Exercices d'apprentissage

1. Quelles matières premières entrent dans la fabrication d'un grille-pain?

2. Quels déchets recyclables trouve-t-on dans un centre de distribution alimentaire?

3. Nommez une composante qui entre dans la fabrication d'un grille-pain.

4. D'après vous, un produit fini d'une entreprise donnée peut-il devenir une matière première pour une autre entreprise? Si oui, donnez un exemple. Sinon, expliquez votre réponse.

5. Le chauffage d'une usine fait partie de quel coût intermédiaire pour un manufacturier?

6. Le fait de contracter un emprunt bancaire pour acquérir du stock a-t-il une incidence sur le coût total d'approvisionnement? Si oui, avec quel type de coût devrait-on l'associer?

7. Calculez le nombre de commandes pour un article donné qu'un acheteur devra passer dans une année si sa consommation annuelle est de 10 000 unités et qu'il s'approvisionne par lots de 200.

8. Quelle est la valeur monétaire annuelle d'un bien qui a un coût unitaire de 5,23 $ et dont on achète 200 unités par mois?

9. Que devrait-on faire avec un article classé C *a priori* (sans tenir compte des contraintes) dont le délai de livraison varie d'un approvisionnement à l'autre?

10. Dans quelle méthode de prévision trouve-t-on le concept de pente d'une droite?

Exercices de compréhension

1. Calculez le coût de fabrication unitaire d'un produit dont la matière première vaut 12,50 $. On sait qu'il faut 3 employés pour fabriquer le produit. La fabrication de chaque unité prend 1 h 45. Les employés gagnent 10,33 $ l'heure. On a besoin d'un superviseur, qui a un salaire de 15 $ l'heure. On évalue, grâce aux factures d'électricité, un montant de 18,75 $ d'électricité par heure. Le reste des frais peut être chiffré à 2 000 $ pour une semaine de 80 heures.

2. Déterminez le coût de stockage unitaire d'un article valant 13,66 $ si le coût du capital pour se procurer cet article est de 6 % du coût unitaire. De plus, on sait que les salaires de tous les employés ayant un lien avec l'entrepôt représentent 5 % du coût de l'article. Les taxes municipales et scolaires ainsi que les assurances équivalent à 1,5 % du coût unitaire. Le coût du chauffage, de l'électricité et de l'entretien général de l'entrepôt s'élève à 4,5 % du coût. Finalement, étant donné que le produit sera abandonné dans les semaines qui suivent, il existe un coût d'obsolescence important qui est de 7 % du coût unitaire.

3. Calculez le coût de commande d'un produit si la consommation annuelle de ce produit est de 1 200 unités. On commande par lots de 60 unités. L'acheteur a un salaire de 30 000 $ par année ; l'adjointe administrative, qui consacre la moitié de son temps à la passation de commandes, gagne 20 000 $ annuellement. Les fournisseurs étant tous à proximité de l'entreprise, il n'y a aucuns frais d'interurbains. On évalue à 25 $ par semaine les coûts de papeterie. Les frais de réception représentent 2 $ par commande. Finalement, le préposé aux comptes fournisseurs a un salaire annuel de 25 000 $.

4. Vous êtes responsable de la gestion des stocks dans un hôpital. Le taux annuel de consommation du médicament Nétylol est de 50 000 comprimés. Ce comprimé est manipulé avec soin à cause de sa rareté sur le marché des fournisseurs internationaux. Vous recevez, de la part des services comptables de l'hôpital, des renseignements sur les coûts annuels de ce comprimé (*voir le tableau ci-dessous*).

   Vous êtes chargé d'évaluer la situation actuelle qui consiste à commander par petits lots d'unités. La directrice générale de l'hôpital désire que vous lui fassiez des recommandations sur l'approvisionnement de ce comprimé afin de modifier le mode d'approvisionnement auprès de son fournisseur.

Le coût annuel du Nétylol	
1. Coûts administratifs de commande	8 $/commande
2. Prix payé lors de l'achat	0,60 $/comprimé
3. Coût en capital	3,3 %

Le coût annuel du Nétylol (*suite*)	
4. Salaire de l'acheteur	3 $/commande
5. Fournitures et formulaires nécessaires au service des achats	1 $/commande
6. Frais de douane	0,02 $/comprimé
7. Frais de télécopie	2 $/commande
8. Frais relatifs à l'impôt foncier sur l'entrepôt	0,03 $/unité entreposée
9. Frais d'assurance de l'entrepôt	0,08 $/unité entreposée
10. Loyer de l'entrepôt	1,5 % de la valeur du stock
11. Frais d'assurance sur le transport à l'achat	0,04 $/comprimé
12. Coût d'un comprimé manquant	5,50 $/comprimé-année
13. Salaire du commis aux achats	1,25 heure/commande à 12 $/heure
14. Frais de transport à l'achat	0,03 $/comprimé
15. Frais de relance téléphonique	2 $/commande
16. Chauffage et maintenance de l'entrepôt	45 $/mois
17. Salaire du magasinier	28 $/1 000 unités entreposées

a) Mettez de l'ordre dans les renseignements relatifs aux coûts en choisissant les numéros des renseignements pour le coût d'acquisition, le coût de stockage, le coût de commande et le coût de rupture :

$$Ca: \quad Cs: \quad Cc: \quad Cr:$$

b) Calculez le coût d'acquisition d'un comprimé ($/comprimé).

c) Calculez le taux de stockage (t). Trouvez le taux d'option, le taux d'entreposage sur la valeur du stock et le taux de détention sur la valeur du stock.

d) Calculez le coût d'une commande ($/commande).

e) Calculez le coût de rupture, sachant que la consommation annuelle a un peu fluctué. La consommation a été de 2 mois à 3 000 comprimés, de 6 mois à 4 000 comprimés et de 4 mois à 5 000 comprimés.

f) Testez quelques hypothèses de quantités par commande : 500, 1 000, 4 000 et 5 000 comprimés. Supposez qu'il n'y a aucun stock de sécurité.

Q : quantité commandée à la fois

S_{moy} : stock moyen

$\frac{D}{Q}$: nombre de commandes

Ca : coût d'acquisition

Cs : coût de stockage

Cc : coût de commande

Cr : coût de rupture

Q	S$_{moy}$	$\frac{D}{Q}$	Ca	Cs	Cc	Cr	Coût total
500							
1 000							
4 000							
5 000							

5. Établissez la classification ABC dans le cas d'une petite entreprise qui démarre et qui gère seulement 8 produits. Voici des précisions au sujet de ces produits.

Nom de l'article	Consommation annuelle	Coût unitaire ($)
ABC	13 450	2,25
DEF	132	0,12
GHI	1 961	1,76
JKL	2 354	1,95
MNO	333	1,03
PQR	1 002	0,67
STU	567	2,10
VWX	2 222	0,04

6. On vous demande de classer les articles suivants selon la classification ABC (loi de Pareto) tout en respectant le nombre d'articles par classe.

Numéro de l'item	Consommation annuelle	Coût unitaire moyen ($)
4 837	6 850	1,20
9 261	371	8,60
4 395	1 292	13,18
3 521	62	91,80
5 223	12 667	3,20
5 294	9 625	10,18
6 081	7 010	1,27
4 321	5 100	0,88
8 046	258	62,25
9 555	862	18,10
2 926	1 940	0,38
1 293	967	2,20

7. Un fabricant de yoyos vend 10 sortes de yoyos aux consommateurs. Il se demande dans quel ordre il devrait les gérer. Il vous fournit les renseignements suivants :

Nom de l'article	Ventes annuelles	Coût unitaire ($)	Contrainte
Yoyo A	350	2,50	Aucune
Yoyo B	1 200	3,50	Délai de livraison non fiable
Yoyo C	15	15,50	Importation des îles Fidji
Yoyo D	13 000	2,00	Aucune
Yoyo E	1 300	1,50	Aucune
Yoyo F	15 000	2,25	Aucune
Yoyo G	275	5,00	Yoyo dernière vague, donc un risque de vol
Yoyo H	135	1,75	Aucune
Yoyo I	1 500	3,00	Aucune
Yoyo J	500	10,00	Yoyo fait en bois d'acajou, donc assez rare

Établissez la classification ABC pour cette entreprise afin d'améliorer sa gestion des stocks.

8. Un manufacturier désire adopter une démarche qualité. Il se demande quels fournisseurs il devrait privilégier parmi les 15 avec lesquels il fait des affaires dans le même champ d'activité. Les données suivantes indiquent le total des achats chez chaque fournisseur ainsi que les contraintes ou les remarques pertinentes :

Numéro du fournisseur	Achats annuels ($)	Contrainte ou remarque
FO 1	5 000 000	Fournisseur fiable
FO 2	100 000	Aucune contrainte
FO 3	3 500 000	Aucune contrainte
FO 4	650 000	Nouveau fournisseur
FO 5	200 000	Aucune contrainte
FO 6	700 000	Aucune contrainte
FO 7	350 000	Fournisseur ayant la certification ISO 9001
FO 8	500 000	Aucune contrainte
FO 9	250 000	Vieille connaissance recyclée dans une seconde carrière
FO 10	1 000 000	Fournisseur ayant la certification ISO 9001
FO 11	300 000	Aucune contrainte

Numéro du fournisseur	Achats annuels ($)	Contrainte ou remarque
FO 12	400 000	Aucune contrainte
FO 13	150 000	Aucune contrainte
FO 14	50 000	Délai de livraison instable
FO 15	425 000	Aucune contrainte

Établissez une classification ABC qui aidera le manufacturier à mettre de l'ordre dans ses affaires.

9. Voici les données concernant le nombre de zancles pêchés en une année sur la côte est de l'océan Indien :

Mois	Zancles (centaines)
Janvier	99
Février	105
Mars	114
Avril	111
Mai	106
Juin	116
Juillet	100
Août	101
Septembre	107
Octobre	118
Novembre	103
Décembre	102

On vous demande de calculer l'écart absolu moyen (EAM) à l'aide des méthodes suivantes :

a) la moyenne arithmétique ;

b) la moyenne mobile avec une base de 2 mois ;

c) la moyenne mobile avec une base de 4 mois ;

d) la moyenne mobile avec une base de 6 mois ;

e) la moyenne mobile pondérée à 3 mois en considérant le fait que le mois le plus récent est 3 fois plus important que le mois le plus éloigné pour l'établissement des prévisions, et que le deuxième mois est 1,5 fois plus important que le mois le plus éloigné pour l'établissement des prévisions.

Calculez les prévisions pour le mois de janvier de l'année suivante selon les cinq méthodes. Avec quelle moyenne mobile trouve-t-on les meilleures prévisions ?

10. L'entreprise Septembre inc. est spécialisée dans les cartes de souhaits virtuelles. Elle prépare son budget de promotion des ventes pour l'année 2009. Des données antérieures sur le budget octroyé à la promotion sont disponibles.

Année	Budget de promotion en dollars ($)
1999	110 000
2000	115 000
2001	123 000
2002	129 000
2003	132 000
2004	130 000
2005	137 000
2006	144 000
2007	151 000
2008	155 000

En vous servant de ces données, faites une étude de régression linéaire afin de déterminer le budget de promotion en dollars de la société Septembre inc. pour l'année 2009, et ce, à l'aide du tableur Excel. En d'autres mots, déterminez le coefficient de corrélation linéaire r de ces deux variables. Par la suite, déterminez les coefficients m et b de la droite de régression $Y = mX + b$ afin de trouver la prévision pour l'année 2009. Utilisez les fonctions statistiques d'Excel.

Finalement, tracez le graphique illustrant l'évolution du budget de promotion des ventes de cartes de souhaits virtuelles au fil des ans.

11. En utilisant les données du problème 10, calculez la prévision pour l'année 2009 en utilisant :

a) la moyenne mobile sur une base de 2 ans ;

b) la moyenne mobile sur une base de 3 ans ;

c) la moyenne mobile sur une base de 4 ans ;

d) la moyenne mobile sur une base de 5 ans ;

e) la moyenne mobile sur une base de 6 ans ;

f) la moyenne mobile pondérée à 4 ans, en considérant le fait que l'année la plus récente par rapport à la prévision effectuée est 3,5 fois plus importante que l'année la plus éloignée, que la deuxième année est 2,5 fois plus importante que l'année la plus éloignée, toujours par rapport à la prévision effectuée, et que la troisième année est 1,5 fois plus importante que l'année la plus éloignée, qui correspond à la quatrième année.

Selon vous, quelle moyenne mobile serait la plus appropriée pour prévoir le budget de promotion de la société Septembre inc. pour l'année 2009? Expliquez votre réponse.

12. Dans le cas où l'équation de la droite de régression correspond au nombre d'échecs dans le cours de gestion de l'approvisionnement et des stocks depuis 10 ans, $Y = 0,4X + 1,3$. Quel sera le nombre d'échecs prévus pour l'année correspondant à la 11e année étudiée?

13. Faites des prévisions pour le 13e mois à l'aide de la moyenne mobile avec des bases de 2 mois, 3 mois et 4 mois dans le cas d'une entreprise qui distribue une bouilloire électrique dont les ventes pour les 12 mois précédents ont été les suivantes: 150, 175, 165, 185, 205, 225, 215, 200, 160, 155, 145, 170.

14. Refaites le problème précédent mais, cette fois, avec la méthode du lissage exponentiel: premièrement avec un facteur de pondération alpha (α) de 0,2 et deuxièmement, avec un facteur de pondération (α) de 0,8.

15. Déterminez le stock de sécurité en unités dans le cas où l'on possède l'historique suivant des livraisons pendant un délai de livraison quelconque, et en tenant compte du fait que la probabilité de pénurie tolérée est de 10%.

Historique des livraisons passées	Prévision pendant le délai	Demande réelle pendant le délai
1	250	262
2	250	276
3	250	240
4	250	252
5	250	236
6	250	282
7	250	240
8	250	237
9	250	222
10	250	253

16. Déterminez le stock de sécurité en disques compacts dans le cas où l'on possède l'historique suivant des ventes mensuelles de disques compacts:

Ventes mensuelles	Demande réelle pendant le mois	Prévision mensuelle
Septembre	5 250	5 500
Octobre	4 900	5 000

Ventes mensuelles	Demande réelle pendant le mois	Prévision mensuelle
Novembre	5 150	5 000
Décembre	4 050	4 000
Janvier	3 850	3 500
Février	3 850	4 000
Mars	4 650	4 500
Avril	4 700	4 500
Mai	4 850	4 500
Juin	5 550	6 000
Juillet	5 900	6 000
Août	6 200	6 000

On se base sur un niveau de service de 85 %. Refaites l'exercice avec un niveau de service de 95 % et de 99 %.

La différence de stock de sécurité entre les trois niveaux de service vous paraît-elle significative ? Commentez votre réponse.

Cas

1. Où sont les données ?

Pierre Brébeuf est acheteur à la société Draperie santé inc. Il revient tout juste d'un séminaire où l'on vantait les bienfaits de la loi de Pareto en matière de gestion des stocks. Comme tout acheteur qui se respecte, il décide de faire une classification ABC dans l'entreprise où il travaille, après en avoir parlé avec son supérieur Gérard Lallemand. Il se rend toutefois compte que l'entreprise ne garde pas de registres informatiques sur la consommation antérieure de chaque produit. Il n'a en sa possession que le coût unitaire de chaque article.

Question

Si vous étiez à la place de Pierre Brébeuf, que feriez-vous pour effectuer la classification ABC ?

2. Des prévisions irréalistes

À la société Portes et fenêtres soleil inc., on essaie chaque année, au mois de février, de prévoir les ventes pour la saison estivale. Daniel Lacroix, jeune acheteur de l'entreprise, a toujours eu énormément de difficulté à évaluer correctement les besoins futurs de l'entreprise. Depuis deux ans, ses prévisions sont réellement très loin de la réalité. On sait que les chiffres de vente varient énormément d'un mois à l'autre et, qui plus est, d'une année à l'autre. Daniel recourt surtout au modèle de la moyenne arithmétique ainsi qu'à l'intuition d'un jeune contremaître de production pour faire ses prévisions.

Question

Que conseilleriez-vous à Daniel dans une telle situation ?

Chapitre 5

Les modèles de gestion des stocks

Objectif général

Familiariser le lecteur avec les modèles quantitatifs de détermination de la quantité à commander pour une demande dépendante ou pour une demande indépendante.

Autres objectifs

- Appliquer les modèles à paramètres fixes ou variables (quantité de commande et intervalle entre chaque approvisionnement).
- Utiliser la QEC (quantité économique de commande) et les différents modèles dérivés de celle-ci (QEC avec une réception échelonnée ou QEP [quantité économique de production], QEC avec un escompte).
- Tracer un graphique de l'évolution des stocks.
- Connaître les intrants d'une PBM (planification des besoins de matières).
- Effectuer une PBM.
- Connaître la différence entre la PBM et la PBD (planification des besoins de distribution).
- Effectuer une PBD.

Rien au monde ne peut remplacer la persévérance. Ni le talent – les hommes talentueux qui n'ont pas réussi sont légion – ni le génie – les histoires de génies méconnus sont quasi proverbiales. Seules la persévérance et la détermination sont toutes-puissantes.

– Calvin Coolidge (1872-1933), devenu 30ᵉ président des États-Unis en 1923. Il a succédé à W. G. Harding, mort en cours de mandat.

Johnson & Johnson INC.

Johnson & Johnson vend des produits dans 175 pays et gère plus de 250 entreprises dans 57 pays. Elle sert une clientèle allant du simple consommateur aux marchés pharmaceutiques et répond aux besoins des professionnels de la santé, en incluant des outils de diagnostic. Les ventes en 2007 ont été de 61,1 milliards de dollars américains, dont environ la moitié provenait de l'extérieur des États-Unis. La firme Johnson & Johnson peut compter sur une main-d'œuvre hautement qualifiée de 113 800 employés, dont 42 900 aux États-Unis. Johnson & Johnson tire sa force d'une activité représentant plus de 7,68 milliards de dollars américains dans les domaines de la recherche et du développement.

Au Canada, Johnson & Johnson est active dans la vente, dans la recherche et dans la fabrication de produits, allant des produits pour bébés aux produits vendus sur ordonnance.

L'usine de Montréal exporte ses produits d'hygiène féminine dans plus de 30 pays et se procure des matières premières et des services d'une valeur de plusieurs dizaines de millions de dollars annuellement. Elle génère ainsi des emplois pour plusieurs centaines de personnes.

Dotée de systèmes de gestion avant-gardistes, elle utilise des outils modernes de gestion informatique tels que :

- des systèmes évolués de gestion d'inventaires comme des lecteurs de code à barres et des mises à jour instantanées des inventaires par transmission de fréquences radio ;
- une transmission de données automatisée vers les fournisseurs et les clients de l'entreprise ;
- une maintenance exhaustive de ses systèmes d'information pour approvisionner aux niveaux préétablis ses unités de production et surtout en temps requis pour lui permettre d'effectuer des expéditions internationales planifiées.

Une gestion serrée et efficace des stocks de Johnson & Johnson permet à l'entreprise de réagir adéquatement et à moindre coût aux fluctuations de ses marchés extrêmement compétitifs de produits de consommation, de dégager une plus grande marge bénéficiaire et d'investir dans des équipements à la fine pointe de la technologie pour satisfaire une clientèle de plus en plus exigeante sur la qualité et le rendement de ses produits.

Comment réagir instantanément à la compétition sur le marché chinois, par exemple, avec un décalage horaire de 12 heures et une langue de travail qui n'utilise pas la même terminologie ? Ou encore, quel processus d'approvisionnement doit-on mettre en place pour répondre à un client australien lorsque le Centre de recherche sur les adhésifs se trouve au New Jersey, le fournisseur en Alabama, le fabricant d'équipement en Allemagne et la production à Montréal ?

La réponse à ces questions réside dans la gestion serrée de tous les processus de Johnson & Johnson qui sont liés au temps : l'amélioration de la collecte et du traitement de l'information, la réduction des délais de fabrication de ses fournisseurs et de livraison des approvisionnements, l'accélération de la mise sur le marché des produits, la détection et la correction rapide des écarts de standards, et, surtout, l'amélioration et l'intensification de la formation de tous ses employés.

Gaétan Chevalier
Chef national des approvisionnements

En entreprise

Introduction

Dans le domaine de la gestion des stocks, l'acheteur peut utiliser de nombreux modèles mathématiques pour déterminer une quantité à commander. Il doit toujours se rappeler les deux questions fondamentales en matière de gestion des stocks : combien (quelle quantité) commander ? quand commander ? Nous verrons dans ce chapitre que tous les modèles sont conçus en fonction de ces deux interrogations de base.

Certains modèles s'appliquent lorsque la quantité à commander est fixe et que l'intervalle entre deux approvisionnements est également fixe. On constatera aussi qu'il existe des modèles pour une quantité de commande fixe et un intervalle variable, ainsi que des modèles pour une quantité de commande variable et un intervalle fixe. Finalement, les modèles les plus difficiles à conceptualiser, même s'ils se rapprochent davantage de la réalité, sont ceux dans lesquels la quantité à commander et le temps entre chaque approvisionnement sont variables. Ces modèles sont utilisés surtout lorsque la demande d'un article donné est indépendante, c'est-à-dire quand l'entreprise a très peu de contrôle sur la consommation de cet article. C'est le cas des produits finis achetés par les consommateurs et des produits d'entretien et de réparation (pièces de rechange).

Il existe aussi des modèles pour une demande dépendante, c'est-à-dire lorsque la consommation d'un article dépend de la consommation d'un autre article. On peut citer par exemple les matières premières ou les produits en cours de fabrication. Si on doit fabriquer 20 bicyclettes, on aura besoin de 40 jantes, de 20 guidons, de 20 pédaliers, de 40 pédales, de rayons pour combler 40 roues, etc. Dans le cas d'une entreprise manufacturière, on parle de **planification des besoins de matières (PBM).** Dans l'industrie, on utilise beaucoup l'expression anglaise *material requirements planning* (MRP). Enfin, dans le cas d'une entreprise de distribution, il existe un modèle analogue à la PBM qui porte le nom de **planification des besoins de distribution (PBD)** ou *distribution requirements planning* (DRP).

5.1 Les modèles de détermination des quantités à commander

Nous allons maintenant décrire deux modèles de détermination des quantités à commander, soit les modèles de la quantité de commande fixe et les modèles de la quantité de commande variable.

5.1.1 Les modèles de la quantité de commande fixe

En ce qui concerne les modèles de la quantité de commande fixe, le modèle le plus simple est celui où la demande est constante, c'est-à-dire que la consommation demeure la même tout le temps. En fait, ce modèle est peu réaliste. Dans les entreprises, la demande d'un produit donné ne peut être constante. Elle est toujours variable, si minime soit la variation. Les produits d'entretien sanitaire peuvent entrer dans cette catégorie. Toutefois, le nombre d'employés d'une période à l'autre doit être relativement constant. Des ententes peuvent être conclues avec des fournisseurs pour la livraison de certains produits. Ces ententes peuvent faire en sorte que la consommation de l'entreprise soit constante d'une période à l'autre. Par exemple, une entente annuelle portant sur des gants de cuir pour les travailleurs pourrait prendre la forme suivante : « Livraison de 200 paires de gants par mois pendant 12 mois. » Dans ce cas, la demande sera constante pendant toute l'année, ce qui sera beaucoup plus facile à gérer.

Dans une situation comme la précédente, la façon de commander consiste, pour l'acheteur, à se fixer arbitrairement une période où il disposera d'une quantité minimale tout en s'assurant d'éviter une rupture de stock. Il y a plusieurs manières de ne pas oublier de passer une commande quand le stock se trouve à un certain niveau. On peut soit programmer un seuil minimal par article dans le système d'information de gestion (SIG), soit insérer une fiche entre deux unités d'un même article dans le magasin. On peut également ajouter un trait de couleur sur le côté du compartiment, à la hauteur du niveau de stock désiré. La quantité minimale atteinte est ce que l'on appelle le **point de commande.** Nous étudierons les principales variantes de la méthode du point de commande.

La méthode du min-max

La méthode du min-max est une méthode de gestion des stocks qui met en valeur deux quantités de stocks : la quantité minimale et la quantité maximale. Dans ce modèle, la quantité de commande ne varie pas. Cependant, l'intervalle entre les approvisionnements peut être fixe ou variable. L'intervalle est fixe quand la consommation de l'article est stable (*voir la figure 5.1*). Par contre, l'intervalle est variable quand la consommation entre chaque approvisionnement est instable (*voir la figure 5.2, p. 202*). On passe donc une commande lorsque l'on atteint un certain seuil critique, c'est-à-dire une quantité précise fixée d'avance et qui est le point de commande. La quantité calculée d'avance ou choisie arbitrairement ne doit pas dépasser le seuil maximal établi *a priori,* lequel tiendra compte de la consommation pendant le **délai de livraison.** Pour utiliser ce modèle de façon efficiente, la demande doit être relativement constante de la part des consommateurs. De plus, le fournisseur doit être fiable, c'est-à-dire que le délai de livraison doit être assez stable.

En regardant la figure 5.1, on remarque que la droite qui correspond à la consommation de l'article a toujours la même pente. Cela signifie que la consommation ou la demande du produit est constante, commande après commande. Lorsque l'on arrive au point de commande qui correspond au taux moyen de consommation durant le délai de livraison (le taux de consommation multiplié par le délai de livraison) auquel s'ajoute un stock de protection que l'on appelle « stock de sécurité ou SS », l'acheteur est appelé à passer une commande dont le délai de livraison correspond à deux semaines[1]. La quantité achetée équivaut à la quantité maximale si l'entreprise ne garde pas de stock de sécurité. Cette même quantité peut être fixée arbitrairement par l'acheteur, basée sur l'expérience vécue au sein de l'entreprise, ou encore établie selon un

---

1. Le graphique de la figure 5.1 a été établi avec des périodes exprimées en semaines. Ces périodes auraient pu être des jours ou des mois, selon l'article à acheter.

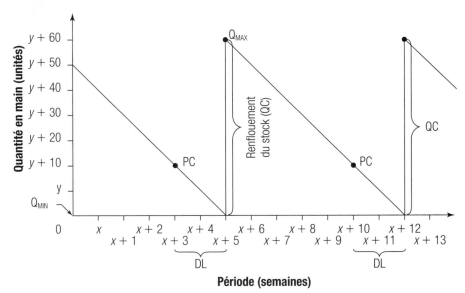

Figure 5.1 Le modèle min-max dans le cas d'une demande stable

Où : Q_{MIN} = quantité minimale ou seuil minimal de stock (ici, Q_{MIN} = 0, car on ne considère aucun stock de sécurité)

Q_{MAX} = quantité maximale à conserver pour l'article

DL = délai de livraison de chaque commande

PC = point de commande (correspond au niveau de stock auquel on doit passer une commande pour éviter une rupture de stock)

QC = quantité de commande

modèle quantitatif comme la **quantité économique de commande (QEC)**, que nous étudierons un peu plus loin.

Ici, pour bien comprendre les graphiques d'évolution des stocks (*voir les figures 5.1, et 5.2 à 5.6, p. 202 à 207*), un bref rappel s'impose. En examinant un des graphiques, on observe que le stock maximal à conserver correspond toujours à la quantité de commande additionnée à un stock de sécurité (Q_{max} = Q + SS). Le stock minimal, quant à lui, correspond au stock de sécurité (Q_{min} = SS).

En ce qui a trait à la figure 5.2, les conclusions sont semblables à celles qui ont été tirées pour la figure 5.1. Toutefois, la consommation varie entre chaque approvisionnement, ce qui modifie l'**intervalle de commande** ainsi que le point de commande.

La méthode du min-max est employée autant par le profane que par l'initié en matière de gestion des stocks. Elle est utilisée pour presque tous les types d'articles, parfois à tort. La plupart du temps, on utilise cette méthode pour les articles de moindre importance qui ne sont pas liés directement à la fabrication d'un bien. On peut citer, par exemple, les pièces de rechange à vocation mécanique, électrique, pneumatique ou hydraulique dans un magasin de pièces à l'intérieur d'une usine de pâtes et papiers ou d'une verrerie (*voir l'exemple 5.1, p. 202*).

Figure 5.2 Le modèle min-max
dans le cas d'une demande instable

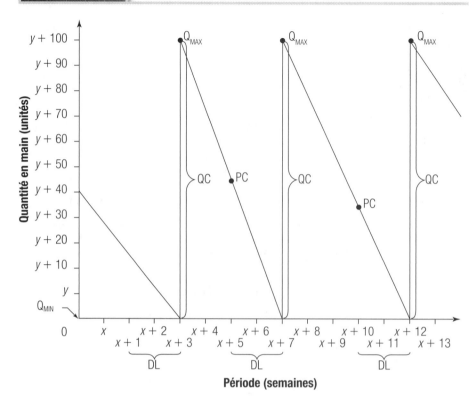

Où : Q_{MIN} = quantité minimale

Q_{MAX} = quantité maximale

DL = délai de livraison

PC = point de commande

QC = quantité de commande

Note : La consommation entre chaque réapprovisionnement varie d'un intervalle à l'autre, ce qui fait différer, par le fait même, les quantités aux points de commande.

Exemple 5.1

La quantité de commande de protecteurs des voies respiratoires jetables en papier est de 500 par mois. Le taux de consommation et donc les intervalles entre les approvisionnements sont variables. Ils sont établis comme suit :

■ 250 protecteurs par semaine pour les 2 premières semaines ;

■ 50 protecteurs pour les 10 autres semaines ;

■ 100 protecteurs par semaine pour le reste de l'horizon de planification.

On cherche à connaître les points de commande selon l'horizon de planification pour des délais de livraison de deux semaines. On suppose qu'il n'y a aucun stock de sécurité et que le stock est maximal au début de l'horizon de planification.

On peut trouver mathématiquement chaque point de commande (PC) grâce à l'équation vue précédemment :

$$PC = \text{taux moyen de consommation durant le délai de livraison} + \text{stock de sécurité}$$

$$= (\text{consommation par période} \times \text{nombre de périodes du délai de livraison}) + \text{stock de sécurité}$$

Pendant le premier intervalle, 250 protecteurs sont utilisés par semaine. Comme le délai de livraison est de 2 semaines, le taux de consommation pendant ces 2 semaines sera de 500 protecteurs. Dans les intrants de l'exemple, il n'y a pas de stock de sécurité ; cela veut dire que le premier point de commande de l'horizon de travail (PC_1) sera de $500 + 0 = 500$ protecteurs. Graphiquement (*voir la figure 5.3*), le point PC_1 sera situé au début de l'horizon de planification, à 0 semaine.

Figure 5.3 — Le modèle min-max avec une demande instable

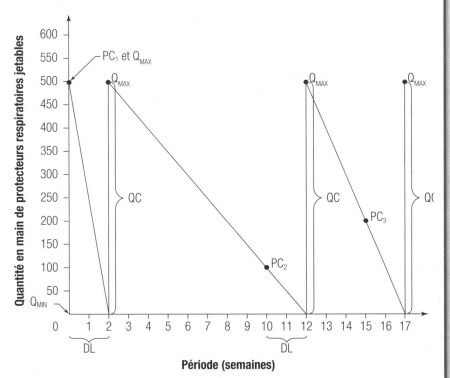

Où : Q_{MIN} = quantité minimale = 0 protecteur (aucun stock de sécurité)

Q_{MAX} = quantité maximale à conserver = 500 protecteurs

DL = délai de livraison = 2 semaines

PC = point de commande

PC_1 = 500 protecteurs

PC_2 = 100 protecteurs

PC_3 = 200 protecteurs

QC = quantité de commande = 500 protecteurs

▶ Pendant le deuxième intervalle, 50 unités sont consommées par semaine en moyenne. Comme la quantité commandée est de 500 unités, cela signifie que cet intervalle sera échelonné sur 10 semaines. Le taux moyen de consommation pendant le délai de livraison s'établit donc comme suit :

50 protecteurs par semaine $\times$ 2 semaines de délai de livraison   =   100 protecteurs

Encore une fois, étant donné que l'entreprise ne garde aucun stock de sécurité, le point de commande sera de 100 protecteurs. Graphiquement (*voir la figure 5.3, p. 203*), on le reconnaîtra comme étant PC_2 ; le point sera donc situé à l'intersection de la semaine 10 et du nombre de protecteurs équivalant à 100.

Pour ce qui est du dernier intervalle, la consommation moyenne est de 100 protecteurs par semaine. En conséquence, le raisonnement demeure strictement le même. Le PC_3 est alors de 200 protecteurs. Graphiquement, il se situe à la 15e semaine.

La méthode du min-max avec un stock de sécurité

La plupart du temps, lorsque l'acheteur utilise la méthode du min-max, il le fait en prévoyant un stock de sécurité. En effet, puisque la demande d'un article n'est jamais constante, le fait d'avoir un délai de livraison qui, lui, est constant peut jouer de mauvais tours. Si on revient aux figures 5.1 et 5.2 (*p. 201 et 202*) on se rend compte que le point de commande est fixé en fonction du délai de livraison. Si, par contre, pour une raison quelconque, la demande durant le délai de livraison est le double de ce qu'elle est habituellement, l'entreprise risque fort de connaître une rupture de stock ou de devoir procéder à des commandes urgentes, ce qui peut entraîner la perte de un ou plusieurs clients. Ce modèle pourrait être utilisé dans le cas de produits qui ne représentent pas un facteur clé pour une entreprise et lorsqu'une certaine instabilité existe quant au délai de livraison des produits en question. Ce modèle est plus réaliste, surtout quand la demande pour un produit est difficilement prévisible.

Lorsque l'on examine la figure 5.4 dans l'exemple suivant, on comprend davantage ce phénomène. Ainsi, si la consommation est plus élevée que celle qui est illustrée, l'acheteur pourra puiser dans son stock de sécurité pour satisfaire son client. Il devra cependant penser à renouveler son stock de sécurité à court terme.

Exemple 5.2

Reprenons l'exemple 5.1 de la page 202, mais en y ajoutant un stock de sécurité de 50 protecteurs. On cherche à savoir où sont situés, graphiquement, les points de commande pour l'horizon de travail correspondant.

En ce qui a trait au premier intervalle, le point de commande (PC_1) sera le suivant :

PC_1 =   taux moyen de consommation durant le délai de livraison + stock de sécurité

=   (250 protecteurs $\times$ 2 semaines) + 50 protecteurs

=   550 protecteurs

Le point de commande (PC$_2$) sera :

$$PC_2 = \text{(50 protecteurs} \times \text{2 semaines)} + \text{50 protecteurs}$$
$$= \text{150 protecteurs}$$

Finalement, le point de commande (PC$_3$) sera :

$$PC_3 = \text{(100 protecteurs} \times \text{2 semaines)} + \text{50 protecteurs}$$
$$= \text{250 protecteurs}$$

Figure 5.4   Le modèle min-max avec un stock de sécurité

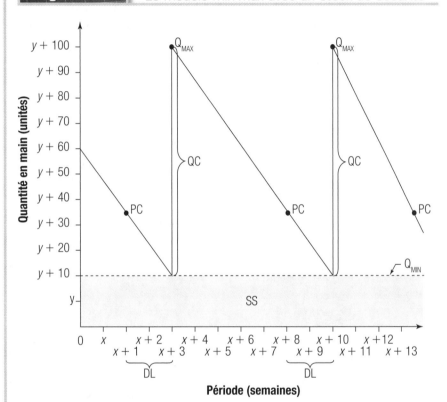

Où : Q$_{MIN}$ = quantité minimale

Q$_{MAX}$ = quantité maximale

DL = délai de livraison

PC = point de commande

QC = quantité de commande

SS = stock de sécurité

Note : On voit ici que la quantité minimale à conserver correspond au stock de sécurité.

La figure 5.5, à la page suivante, montre que les points de commande sont situés aux mêmes semaines qu'à la figure 5.3, à la page 203, si ce n'est qu'ils sont augmentés de 50 unités. Cette augmentation représente le stock de sécurité.

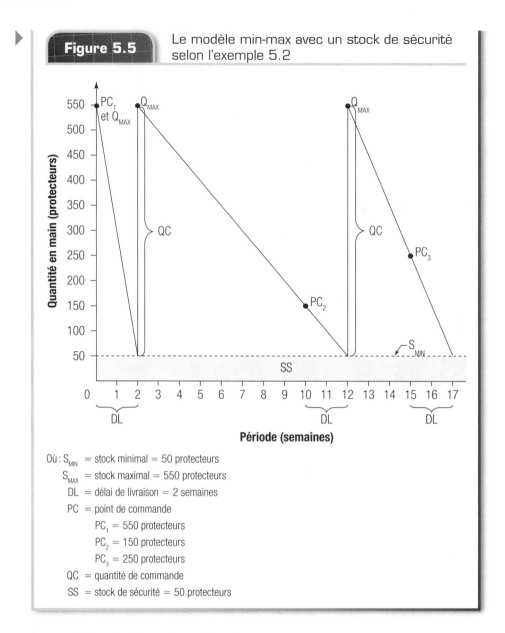

Figure 5.5 Le modèle min-max avec un stock de sécurité selon l'exemple 5.2

Où : S_{MIN} = stock minimal = 50 protecteurs

S_{MAX} = stock maximal = 550 protecteurs

DL = délai de livraison = 2 semaines

PC = point de commande

$\quad$ PC_1 = 550 protecteurs

$\quad$ PC_2 = 150 protecteurs

$\quad$ PC_3 = 250 protecteurs

QC = quantité de commande

SS = stock de sécurité = 50 protecteurs

La méthode des deux tiroirs

La **méthode des deux tiroirs** (*voir la figure 5.6*) est analogue à la méthode du min-max, mais son application est beaucoup plus artisanale. Elle consiste à stocker dans deux tiroirs (casiers, paniers ou étagères) qui n'ont habituellement pas le même format. Le tiroir 1 est plus grand et le tiroir 2, plus petit. Le tiroir 2 contient le nombre d'unités nécessaires pour répondre à la demande pendant le délai de livraison. Le tiroir 1 contient le nombre d'unités consommées avant d'atteindre le seuil de commande. La consommation de l'article commence par le tiroir 1. Quand il est vide, on ouvre le tiroir 2 et on s'empresse de faire une commande de quantité consommée avant le seuil de commande (QA) et de quantité consommée durant le délai de livraison (QD) pour rétablir le stock à son niveau précédent. Le point de commande est donc atteint lorsque le tiroir 1 est vide.

Figure 5.6 La méthode des deux tiroirs

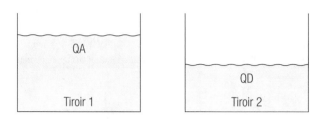

Où : QA = quantité consommée avant le seuil de commande
   QD = quantité consommée durant le délai de livraison

Note : Lorsque l'on commande pour le tiroir 1, on commande une quantité qui correspond à QA + QD. Ensuite, on remplit le tiroir 2 avec la quantité QD. Il reste alors QA dans le tiroir 1.

Depuis le début de cette section, nous parlons d'une quantité de commande pour atteindre un niveau maximal établi au préalable. Cette quantité peut être déterminée de façon à réduire les coûts rattachés à cet approvisionnement. On appelle celle-ci la « quantité économique de commande » (QEC), qui fera l'objet de la section 5.2.

5.1.2 Les modèles de la quantité de commande variable

Voici deux modèles de la quantité de commande variable, le modèle de la **revue périodique** et celui de la quantité de commande variable et de l'intervalle variable.

Le modèle de la revue périodique

Le modèle de la quantité de commande variable le plus connu est le modèle de la revue périodique. Il consiste à passer des commandes à intervalles réguliers. Bien que l'intervalle entre les commandes demeure fixe, la quantité commandée, elle, peut varier. L'intervalle choisi dépend de la consommation de l'article sur une période donnée : tous les jours, toutes les semaines, tous les mois, tous les trois mois, etc. La figure 5.7, à la page suivante, illustre le fonctionnement de ce modèle. L'acheteur s'assurera de bien connaître le délai de livraison. S'il suppose que le délai est de une semaine et que la consommation est de 10 unités par semaine, il est à même de connaître la quantité à commander. Pour ce faire, il doit connaître ses besoins pour l'intervalle fixé, le stock restant et celui qu'il désire avoir à la fin de l'intervalle. La figure 5.7 indique que la consommation pendant chaque intervalle fixe n'est pas uniforme, ce qui rend la quantité de commande inégale d'une fois à l'autre.

L'acheteur prévoira les besoins (la consommation) en fonction de l'intervalle fixé au préalable (*voir l'exemple 5.3, p. 208*). Étant donné que la consommation varie d'une fois à l'autre, il devra faire le calcul à chaque commande. Avec ce modèle, on devrait toujours conserver un stock de sécurité pour se protéger contre les variations fréquentes de la consommation (*voir la figure 5.7, p. 208*).

Ce genre de modèle est souvent utilisé pour des articles de peu de valeur ou encore dans le cas d'un procédé de production où l'on fait entrer une matière liquide comme du propane ou du polyuréthane dans un réservoir sans connaître le niveau du liquide avec précision. Ce modèle peut également être utile quand on passe une commande de plusieurs articles au même endroit. Il pourrait s'agir, par exemple, d'une quincaillerie, d'un pourvoyeur industriel ou d'une pharmacie.

Figure 5.7 Le modèle de la revue périodique (intervalle fixe, quantité de commande variable)

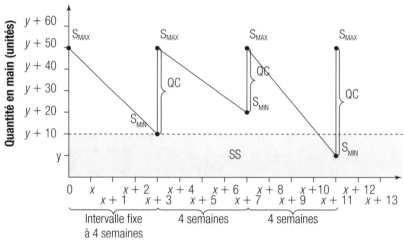

Où : S_{MIN} = stock minimal
S_{MAX} = stock maximal
QC = quantité de commande
SS = stock de sécurité

Note : On voit que l'intervalle entre chaque commande est fixe, que le taux de consommation à chaque intervalle est variable et que la quantité de commande varie également.

Exemple 5.3

Un acheteur dans le domaine de l'usinage commande toutes les 2 semaines des gants de sécurité en cuir de vache pour les manœuvres de la production (les semaines sont de 5 jours ouvrables). Aujourd'hui, il reste 2 douzaines de gants en stock. Les manœuvres en utilisent habituellement 1 douzaine par jour pendant la période intense de l'année qui dure 1 mois.

Le délai de livraison est de 2 jours. L'acheteur souhaite qu'il ne reste aucun gant en stock à la fin de l'intervalle entre ses commandes. Quelle devrait être la quantité de commande pour le prochain intervalle? La quantité de commande sera égale au stock que l'acheteur désire avoir à la fin de l'intervalle, auquel on ajoute la consommation pendant cette période moins le stock que l'acheteur possède lorsqu'il passe la commande.

$$0 \text{ douz.} + 10 \text{ douz.} - 2 \text{ douz.} = 8 \text{ douz.}$$

Donc, la quantité de commande pour cet intervalle est de 8 douzaines de gants. La consommation prévue est la même pour 1 mois. Cependant, dans ce genre de situation, l'acheteur devrait veiller à contrôler une variation possible de la consommation pendant cette période de 1 mois, et évidemment par la suite.

Le modèle de la quantité de commande variable et de l'intervalle variable

Il arrive fréquemment que les délais de livraison pour un produit donné ne soient pas toujours les mêmes, ce qui fait varier la quantité de commande au fil du temps. De même, la consommation de ce même produit est souvent variable, ce qui rend l'intervalle entre chaque commande également variable. L'acheteur sera régulièrement placé devant ce genre de situation.

Lorsque cette situation se présente, l'acheteur n'a d'autre choix que de surveiller le marché du produit en question. Par exemple, un acheteur dans le domaine des profilés de polyéthylène apprend d'un de ses fournisseurs qu'une hausse du prix du pétrole brut est attendue sous peu. Or, le polyéthylène est obtenu à partir du pétrole. Selon l'état actuel de ses stocks, l'acheteur devra probablement se procurer une grande quantité de particules de plastique servant à fabriquer les profilés de polyéthylène, par exemple l'équivalent d'une consommation de quelques mois (s'il a l'espace requis, bien entendu) pour éviter une hausse draconienne du prix des particules de plastique.

Dans le cas d'un produit qui subit une baisse de prix au fil des ans, par exemple, les micro-ordinateurs, un acheteur qui travaille chez le distributeur d'un tel produit veillera à en commander la quantité minimale, quitte à passer régulièrement des commandes chez ses fournisseurs. Ainsi, il évitera une certaine obsolescence du produit. Dans les deux cas, l'acheteur devrait utiliser un stock de sécurité pour pallier les variations imprévues et ainsi éviter les ruptures de stock qui peuvent être fatales pour une entreprise.

5.2 La quantité économique de commande

Au chapitre 4, nous avons vu les coûts liés à la gestion des stocks, soit le coût d'acquisition (Ca) de l'article, le coût de stockage (Cs), le coût de commande (Cc) ainsi que le coût de rupture (Cr). L'acheteur essaiera d'optimiser ces coûts afin de connaître la quantité économique (ou optimale) de commande (QEC).

5.2.1 Les hypothèses liées à la quantité économique de commande

Le modèle de la quantité économique de commande peut sembler très intéressant de prime abord. On doit cependant l'utiliser avec prudence. En effet, la QEC donne seulement un ordre de grandeur de la quantité à commander. Les conditions suivantes doivent être respectées :

- La demande est constante et connue d'avance.
- Le coût unitaire de l'article ne dépend pas de la quantité commandée (il n'y a aucun escompte).
- Toute la quantité commandée est livrée en une seule fois.
- Le délai de livraison est constant et connu.

- Le coût de la passation d'une commande ne dépend pas de la quantité commandée.
- Le coût de stockage unitaire est constant.
- Il n'existe pas de stock de sécurité.

Finalement, il faut considérer les augmentations suivantes avec le temps: les salaires des membres du service de l'approvisionnement, les frais rattachés au coût de passation d'une commande et le coût unitaire de chaque article. Par conséquent, tout bon acheteur devrait réévaluer le coût de stockage et le coût de commande et, par le fait même, la quantité économique de commande périodiquement, c'est-à-dire au moins une fois par année. Pour bien comprendre le concept de quantité économique de commande, qui est fondamental dans le domaine de la gestion des stocks, en voici un exemple.

Exemple 5.4

Un manufacturier produit des clapets de retenue, éléments abondamment employés dans les procédés industriels. Il utilise 50 000 tiges d'acier inoxydable par année dans la fabrication de ses clapets. Le coût pour passer une commande a été calculé avec des données très récentes. Selon l'évaluation du manufacturier, il est de 30 $. Le manufacturier a également pris la peine d'évaluer le coût de stockage, qui se chiffre à 20 % du coût unitaire de la tige annuellement. La tige vaut 20 $. L'acheteur de ce manufacturier se demande quelle quantité serait la plus rentable pour l'entreprise. Sans avoir de base en gestion des stocks, il procède par essais et erreurs. Il commence donc par des commandes de 100 unités. Il doit alors calculer le coût de stockage et le coût de commande.

On se rappelle que, mathématiquement, le coût de stockage est:

$$Cs = Cs_u \times \frac{S_{MAX} + S_{MIN}}{2}$$

où S_{MAX} = le stock maximal;

S_{MIN} = le stock minimal ou stock de sécurité;

Q = la quantité commandée.

$S_{MAX} = Q + S_{MIN}$

Comme on ne considèrera ici aucun stock de sécurité, S_{MIN} est égal à 0. De plus, puisque

S_{MAX} = Q, on peut dire que:

$$Cs = Cs_u \times \frac{Q}{2}^*$$

De plus, $Cs_u = Ca_u \times t$,

où Cs_u = le coût de stockage unitaire;

Ca_u = le coût d'acquisition unitaire;

t = le taux de stockage (en pourcentage).

* $\frac{Q}{2}$ donne le stock moyen durant une période. En effet, au début de la période de référence, l'entreprise devrait détenir la quantité achetée auprès d'un fournisseur. De plus, à la fin de la période de référence, le niveau des stocks devrait être égal à 0. À des fins d'évaluation du coût de stockage, il faut connaître le stock moyen que l'on obtient à l'aide de la formule $\frac{Q}{2}$.

Par conséquent, en appliquant les données mentionnées ci-dessus, on trouve :

$$Cs_u = 20\,\$/tige \times 20\,\%/année = 4\,\$/tige\text{-}année$$

Donc, $Cs = 4\,\$/tige\text{-}année \times \dfrac{100\ tiges}{2} = 200\,\$/année$

Si l'on fait le même exercice avec une quantité de commande de 300 unités, on obtient :

$$Cs = 4\,\$/tige\text{-}année \times \dfrac{300\ tiges}{2} = 600\,\$/année$$

Ici, il n'est pas nécessaire de recalculer le coût de stockage unitaire (Cs_u). En effet, le taux de stockage (t) et le coût d'acquisition unitaire sont les mêmes, peu importe la quantité commandée.

En faisant le calcul pour des quantités de commande de 500, 800, 1 000, 1 500, 3 000 et 5 000 unités, on trouvera les valeurs qui sont inscrites au tableau 5.1.

On refait le calcul, mais cette fois pour déterminer le coût de commande. On se rappelle que, mathématiquement, le coût de commande est :

$$Cc = Cc_u \times \dfrac{D}{Q},$$

où Cc_u = le coût pour passer une commande ;

D = la consommation souvent exprimée sur une base annuelle ;

Q = la quantité de commande.

En appliquant la quantité de commande de 100 unités, on trouve :

$$Cc = 30\,\$/commande \times \dfrac{50\,000\ tiges/année}{100\ tiges/commande} = 15\,000\,\$/année$$

Maintenant, si on refait le calcul avec une quantité de commande de 300 unités comme pour le coût de stockage, on aura :

$$Cc = 30\,\$/commande \times \dfrac{50\,000\ tiges/année}{300\ tiges/commande} = 5\,000\,\$/année$$

Comme dans le cas du coût de stockage, le tableau 5.1 présente le calcul du coût de commande pour les quantités de commande de 500, 800, 1 000, 1 500, 3 000 et 5 000 unités.

Tableau 5.1 Les coûts rattachés aux diverses quantités de commande

Quantité de commande	Coût de stockage (Cs) [$]	Coût de commande (Cc) [$]	Coût combiné (Cs + Cc) [$]
100	200	15 000	15 200
300	600	5 000	5 600
500	1 000	3 000	4 000
800	1 600	1 875	3 475
1 000	2 000	1 500	3 500
1 500	3 000	1 000	4 000
3 000	6 000	500	6 500
5 000	10 000	300	10 300

Bien sûr, le coût d'acquisition n'a pas été mentionné ici. La raison en est fort simple : le coût d'acquisition ne varie pas avec la quantité achetée, mais avec la consommation annuelle. Ainsi, le coût d'acquisition est identique pour toutes les quantités de commande calculées précédemment. Certains trouveront illogique le fait que le coût d'acquisition ne varie pas avec la quantité achetée. En réalité, plus on achète des lots importants, plus le coût d'acquisition devrait diminuer. C'est le principe des **remises quantitatives** ou des escomptes sur quantité que nous verrons plus loin. Pour ce modèle de base, comme nous l'avons mentionné précédemment, on doit poser l'hypothèse que le coût d'acquisition ne varie pas avec la quantité achetée. Pour ce qui est du coût de rupture, on n'en tiendra pas compte dans le modèle de base parce que, pour utiliser ce modèle, on doit tenir pour acquis qu'il n'y a aucune rupture de stock, étant donné que la demande est constante et connue d'avance.

À la lumière des résultats inscrits au tableau 5.1, à la page précédente, on pourrait affirmer que la quantité de commande qui serait la meilleure est de 800 unités. En effet, le coût combiné (Cs + Cc) le plus bas, soit 3 475 $, correspond à une quantité de commande de 800 unités. Mais est-ce vraiment la quantité qui réduit au minimum les coûts totaux ? Pour le savoir, on devrait présenter ces résultats sous forme de graphique. Ainsi, la figure 5.8 illustre les courbes du coût de stockage, du coût de commande et du coût combiné.

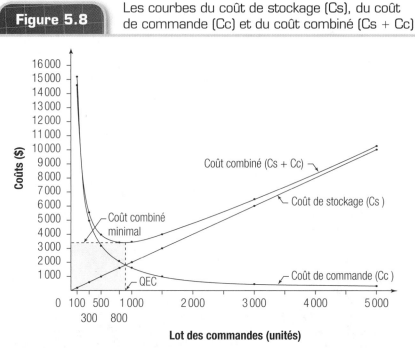

Figure 5.8 Les courbes du coût de stockage (Cs), du coût de commande (Cc) et du coût combiné (Cs + Cc)

Où QEC = quantité économique à commander

On peut voir que la quantité de commande de 800 unités ne représente pas le coût combiné le plus bas. Ce dernier correspond plutôt au point d'intersection de la courbe du coût de stockage et de la courbe du coût de commande. On est donc certain que la quantité économique de commande se situe entre 800 et 1 000 unités. Pour le savoir précisément, il faut procéder de façon algébrique. Si l'on sait que la quantité économique de commande correspond au point d'intersection de la courbe du coût de stockage et de la courbe du coût de commande, on peut chercher à déterminer cette quantité à l'aide d'une équation algébrique. Cela signifie que l'on doit isoler Q dans l'équation suivante :

$$\frac{Cc_u \times D}{Q} = Cs_u \times \frac{S_{MAX} + S_{MIN}}{2}$$

$$\frac{Cc_u \times D}{Q} = Cs_u \times \frac{S_{MAX} + 0}{2}$$

De plus, comme $S_{MAX} = Q$, alors :

$$\frac{Cc_u \times D}{Q} = Cs_u \times \frac{Q}{2}$$

Donc, $$Cc_u \times D = Cs_u \times \frac{Q^2}{2}$$

$$\frac{2(Cc_u \times D)}{Cs_u} = Q^2$$

$$\sqrt{\frac{2(Cc_u \times D)}{Cs_u}} = Q$$

Si l'on appliquait cet exemple à la formule trouvée précédemment, on pourrait déterminer la quantité économique de commande. En effet :

$$\sqrt{\frac{2(30\,\$ \times 50\,000)}{20\,\$ \times 20\,\%}} = 866,03 \text{ tiges}$$

Il va sans dire que l'on ne peut commander 0,03 tige à un manufacturier. Habituellement, lorsque le résultat de la quantité économique de commande comporte des décimales, on arrondit ce résultat. Ici, il faudrait donc passer une commande qui comprendrait une quantité optimale de 867 tiges.

On pourrait déterminer le coût combiné de cet exemple. On sait que l'on fait abstraction du coût d'acquisition et du coût de rupture pour les raisons déjà évoquées. Le coût combiné sera donc égal à la somme du coût de stockage et du coût de commande. On aura alors :

$$Cs + Cc = \left(Cs_u \times \frac{Q}{2}\right) + \left(Cc_u \times \frac{D}{Q}\right)$$

$$Cs + Cc = \left(4\,\$/\text{tige-année} \times \frac{867 \text{ tiges}}{2}\right) + \left(30\,\$ \times \frac{50\,000 \text{ tiges/année}}{867 \text{ tiges/commande}}\right)$$

$$Cs + Cc = 1\,734\,\$/\text{année} + 1\,730,10\,\$/\text{année}$$

$$Cs + Cc = 3\,464,10\,\$/\text{année}$$

On remarque donc que le coût combiné est encore plus bas que les coûts combinés présentés dans le tableau 5.1, à la page 211. Il faut ajouter que, habituellement, dans le cas de la quantité économique de commande, le coût de stockage est égal au coût de commande. Dans notre exemple, ce n'est pas tout à fait le cas en raison de l'arrondissement de 866,03 à 867 unités. (Lorsqu'il connaît ce petit truc, l'élève a l'occasion de revoir ses calculs.)

Voici un détail qui peut sembler anodin, mais qui est très important pour un acheteur. L'entreprise qui fournit les tiges peut obliger l'entreprise cliente à acheter par lots de 10, de 100 ou de 1 000 unités. Par exemple, si la contrainte d'achat oblige l'acheteur à acquérir des tiges par lots de 10 unités, celui-ci devra choisir entre une quantité de commande de 860 unités et une quantité de commande de 870 unités. Pour connaître la quantité la plus économique des deux, il devra calculer le coût combiné pour les deux quantités. Le même principe s'applique aux lots de 100 et de 1 000 unités.

Donc, le coût combiné pour une quantité commandée de 860 unités est de :

$$\left(4\$ \times \frac{860}{2}\right) + \left(30\$ \times \frac{50\,000}{860}\right) \quad = \quad 3\,464{,}186\ \$/\text{année ou } 3\,464{,}19\ \$/\text{année}$$

Quant au coût combiné pour une quantité de commande de 870 unités, il est de :

$$\left(4\$ \times \frac{870}{2}\right) + \left(30\$ \times \frac{50\,000}{870}\right) \quad = \quad 3\,464{,}138\ \$/\text{année ou } 3\,464{,}14\ \$/\text{année}$$

On voit que le fait de commander 860 ou 870 unités ne comporte pas une économie substantielle (0,05 $). La différence aurait probablement été plus marquée si les quantités comparées avaient été plus grandes. Ici, rationnellement parlant, l'acheteur optera pour la quantité de commande qui lui offre le coût combiné le plus économique, soit 870 unités.

Il est très important de considérer la même période (habituellement une année) pour tous les facteurs (Cc_u, Cs_u, D) relatifs à la QEC.

Maintenant, si on voulait connaître l'intervalle entre chaque commande afin de déterminer une politique en matière de commandes, il suffirait de diviser la QEC par la consommation annuelle (D). Dans notre exemple, l'intervalle entre chaque commande est le suivant :

$$\frac{\text{QEC}}{\text{D}} \quad = \quad \frac{867\ \text{tiges/commande}}{50\,000\ \text{tiges/année}} \quad = \quad 0{,}017\ \text{année/commande}$$

On pourrait convertir cette réponse en mois et même en jours pour donner une signification plus grande à l'intervalle. Le nombre 0,017 année correspond à 0,204 mois, nombre qui, à son tour, est égal à 4,08 jours ($\sim$4 jours) si on considère qu'il y a 20 jours ouvrables par mois. En résumé, l'acheteur devra passer une commande de 867 tiges en acier inoxydable tous les 4 jours ouvrables.

5.2.2 La quantité économique de commande avec une réception échelonnée, ou quantité économique de production

La **quantité économique de commande avec une réception échelonnée** signifie que la quantité commandée n'est pas reçue en une seule fois. Cependant, les autres hypothèses énoncées à la section 5.2.1 demeurent. Ce concept s'expliquera dans le contexte de la production (quantité économique de production ou QEP). On pourra quand même faire une analogie avec la QEC dans le cas d'une réception échelonnée. Ici, on considère une demande ou une consommation D ainsi qu'un taux de production P. Évidemment, la consommation ou la vente du produit sera toujours différente du taux de production. Dans le contexte de la distribution, on dira que la quantité achetée et reçue n'est pas égale à la quantité consommée. Si elles étaient égales, on obtiendrait la QEC de base. De plus, la consommation ou la vente du produit ne pourra jamais excéder le taux de production, sans quoi il y aura rupture de stock. Le coût combiné à considérer, dans le contexte de la production, sera :

[stock moyen × coût de stockage unitaire]
+ [nombre de mises en route × coût de la mise en route]

Dans le contexte de l'approvisionnement, le coût total sera plutôt celui-ci :

[stock moyen × coût de stockage unitaire]
+ [nombre de commandes × coût de passation d'une commande]

La démarche pour en arriver à l'équation de la quantité économique de commande se fera dans le contexte de la production. Il faut noter que, dans le contexte de l'approvisionnement, la logique est strictement la même.

La détermination du stock moyen

Par définition, le stock moyen est égal au stock maximal auquel on ajoute le stock minimal, le tout divisé par 2. Selon la figure 5.9, à la page suivante, au temps t, on a produit $P \times t$ et on a consommé ou vendu $D \times t$. Le stock maximal représente donc la différence entre la production effectuée et la consommation du produit au temps t. Mathématiquement, on obtient :

$$S_{MAX} = (P \times t) - (D \times t) = (P - D)t$$

Comme la quantité produite est égale à la production au temps t, c'est-à-dire que $Q = P \times t$, on peut isoler t. Donc, $t = \frac{Q}{P}$.

Finalement, par substitution, on peut affirmer ce qui suit :

$$S_{MAX} = (P - D)\left(\frac{Q}{P}\right)$$

Si l'on considère que $S_{MIN} = 0$ étant donné qu'il n'y a pas de stock de sécurité, le stock moyen défini comme étant $\frac{(S_{MAX} + S_{MIN})}{2}$ devient alors :

$$S_{MOYEN} = \frac{1}{2}Q\left(1 - \frac{D}{P}\right)$$

Le nombre de mises en route

Le nombre de mises en route correspond à la consommation sur une base annuelle divisée par la quantité produite (*voir l'exemple 5.5, p. 216*). Mathématiquement, le nombre de mises en route sera défini comme étant $\frac{D}{P}$.

Le coût combiné (Cs + Cc) devient donc :

$$Cs + Cc = \left[\frac{1}{2}Q\left(1 - \frac{D}{P}\right) \times Cs_u\right] + \left(Cc_u \times \frac{D}{Q}\right)$$

On sait que le coût combiné est réduit au minimum lorsque les deux termes de droite sont égaux :

$$\left[\frac{1}{2}Q\left(1 - \frac{D}{P}\right) \times Cs_u\right] = \left(Cc_u \times \frac{D}{Q}\right)$$

Finalement, en isolant Q dans l'équation, on trouve :

$$QEP = \sqrt{\frac{2(Cc_u \times D)}{Cs_u \times \left(1 - \frac{D}{P}\right)}}$$

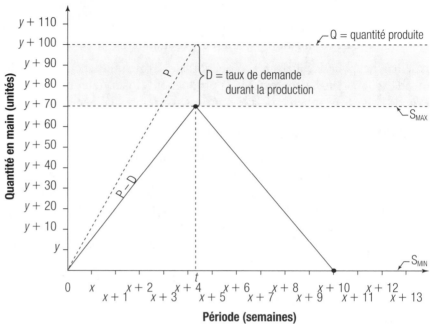

Figure 5.9 La détermination d'un stock moyen dans un contexte de production

$$S_{MAX} = Pt - Dt = (P - D)t$$

Puisque $Q = Pt$, alors $t = \dfrac{Q}{P}$

$$S_{MAX} = (P - D)\dfrac{Q}{P}$$

$$= Q\left(1 - \dfrac{D}{P}\right)$$

$$S_{MOYEN} = \dfrac{S_{Max} + S_{Min}}{2} = \dfrac{Q\left(1 - \dfrac{D}{P}\right) + 0}{2} = \dfrac{1}{2}\,Q\left(1 - \dfrac{D}{P}\right)$$

où P = taux de production ;

D = taux de la demande ;

P − D = taux de reconstitution du niveau de stock.

Exemple 5.5

Si l'on reprend l'exemple 5.4 de la page 210, on pose que l'entreprise fabrique elle-même la tige d'acier inoxydable. Son taux de production est de 400 tiges par jour (on considère qu'il y a 250 jours ouvrables par année). Dans ce cas-ci, la quantité économique de production sera :

$$QEP = \sqrt{\dfrac{2 \times 50\,000 \times 30\$}{4\$ \times \left(1 - \dfrac{50\,000}{100\,000}\right)}} = 1\,225 \text{ tiges}$$

Le coût combiné (Cs + Cc) deviendra alors :

$$Cs + Cc = 30\$ \times \dfrac{50\,000}{1\,225} + \dfrac{4\$ \times \left[1\,225\left(1 - \dfrac{50\,000}{100\,000}\right)\right]}{2}$$

$$\text{Cs} + \text{Cc} = 1\,225\,\$/\text{année} + 1\,225\,\$/\text{année}$$

$$\text{Cs} + \text{Cc} = 2\,450\,\$/\text{année}$$

On pourrait chercher à déterminer l'intervalle entre chaque production. Dans ce cas-ci, si on connaît la demande annuelle et la quantité économique de production, il suffit de diviser les deux termes : $\frac{D}{Q}$.

$$\frac{50\,000 \text{ tiges/année}}{1\,225 \text{ tiges}} \text{ par mise en route} = 40,8 \text{ mises en route par année ou } \sim 41.$$

Comme il y a 250 jours ouvrables par année, alors $\frac{250}{41} = 6,09$ jours ou ~ 6 jours.

Dans ce cas, la politique en matière de production pour cet article serait de commencer la production des 1 225 tiges d'acier inoxydable tous les 6 jours au coût de 2 450 $.

Du point de vue d'un distributeur, on pourrait affirmer que 50 000 tiges sont consommées par année et que le taux d'approvisionnement est de 400 tiges par jour. En faisant le calcul pour trouver la QEC avec une réception échelonnée, on arriverait au même résultat.

Le tableau 5.2 permet de comparer les résultats trouvés pour la QEC et la QEP, ou la QEC avec une réception échelonnée.

Tableau 5.2 La comparaison entre la QEC et la QEP

	QEC	QEP
Quantité économique	867	1 225
Stock moyen	433,5 $\sim$ 434	306,25 $\sim$ 307
Nombre de commandes	58	41
Cs ($)	1 734	1 225
Cc ($)	1 730	1 225
Cs + Cc ($)	3 464	2 450

L'acheteur constatera alors qu'il peut être avantageux d'utiliser le modèle de la quantité économique de commande avec une réception échelonnée. En effet, le coût combiné (Cs + Cc) est plus bas, car l'acheteur passe moins de commandes par année et le stock moyen en stock est moins élevé que s'il travaille avec la QEC de base.

Dans la perspective du travail selon la méthode juste-à-temps, il serait de mise d'opter pour le second modèle (QEP) afin de diminuer les stocks le plus possible. Pour les entreprises qui ont peu d'espace d'entreposage, ce modèle pourrait être bénéfique. Évidemment, si une entreprise veut utiliser ce modèle, elle doit connaître suffisamment son fournisseur pour arriver à une telle entente.

Ce modèle est souvent utilisé dans les entreprises qui manufacturent des produits de base comme l'acier, le verre ou le papier. Il est adopté, non pas pour les matières premières, mais pour les pièces de rechange. En effet, lorsque l'entreprise fait l'approximation de sa consommation annuelle (par exemple, des roulements à billes pour un convoyeur à rouleaux), elle peut s'entendre avec un fournisseur pour que ce dernier lui livre une partie de sa consommation annuelle tous les mois.

5.2.3 La quantité économique de commande avec un escompte

La plupart du temps, lorsque l'on achète un article en grande quantité, on obtient un escompte sur quantité parce que le manufacturier fournisseur peut bénéficier d'économies d'échelle. Cela revient à dire que le coût unitaire de l'article varie à la baisse lorsque l'on achète en plus grande quantité.

On aura alors une échelle de coûts unitaires en fonction de segments de quantité. Autrement dit, lorsque la quantité achetée est plus petite qu'une quantité Qa, on obtient un coût unitaire Ca ; lorsque la quantité achetée est comprise entre Qa et Qb, on obtient un coût Cb ; lorsque la quantité achetée est comprise entre Qb et Qc, on obtient un coût Cc ; et ainsi de suite. Nous verrons un peu plus loin un exemple qui facilitera la compréhension de ce concept.

Ici, il faut déterminer la quantité qui donnera le coût total le plus bas. En plus du coût de stockage (Cs) et du coût de commande total (Cc), le calcul du coût comprend le coût d'acquisition (Ca), car celui-ci varie avec la quantité achetée.

Voici une démarche qui aidera à trouver la quantité économique de commande avec un escompte :

1. Utiliser d'abord le coût le moins élevé de l'échelle de coûts unitaires.
2. Calculer ensuite la QEC relative à ce coût. Si la QEC trouvée entre dans l'échelle du coût utilisé, il est alors inutile d'aller plus loin, car il s'agit de la solution optimale.
3. Si ce n'est pas le cas, prendre le coût supérieur au coût précédent.
4. Calculer la QEC relative à ce nouveau coût. Si la QEC entre dans le segment de quantité de ce nouveau coût, calculer le coût total (Ca 1 Cs 1 Cc) pour cette quantité ainsi que pour les segments de quantités supérieures qui offrent des escomptes. La quantité optimale est celle qui correspond au plus petit coût combiné (*voir l'exemple 5.6*).

Exemple 5.6

Reprenons l'exemple des tiges en acier inoxydable. L'échelle d'escomptes suivante pourrait être considérée :

$$Q < 500 \quad = \quad 24\$$$
$$500 \leq Q < 1\,000 \quad = \quad 22\$$$
$$1\,000 \leq Q < 2\,000 \quad = \quad 20\$$$
$$Q \geq 2\,000 \quad = \quad 18\$$$

En suivant la démarche établie précédemment, il faut d'abord choisir le coût unitaire le plus bas, soit 18 $. Ensuite, il faut calculer la QEC relative à ce coût unitaire. Nous savons que la demande annuelle est de 50 000 tiges, que le coût de commande est de 30 $ et que le coût de stockage unitaire est de 18 $ × 20 %, c'est-à-dire 3,60 $.

$$QEC = \sqrt{\frac{2 \times 50\,000 \times 30}{3,60}} = 912,87 \sim 913 \text{ tiges}$$

Comme le coût unitaire de 18 \$ correspond à des commandes de 2 000 tiges et plus, cette solution est inadéquate. On considère alors le coût qui vient après 18 \$, soit 20 \$. En faisant le calcul de la QEC, on trouve :

$$QEC = \sqrt{\frac{2 \times 50\,000 \times 30}{4,00}} = 866,03 \sim 867 \text{ tiges}$$

Encore une fois, la quantité obtenue ne correspond pas au segment de quantité relatif au coût unitaire que l'on utilise. On recommence l'étape 4 avec le coût unitaire immédiatement supérieur à 20 \$, soit 22 \$. En appliquant la formule de la QEC, on trouve :

$$QEC = \sqrt{\frac{2 \times 50\,000 \times 30}{4,40}} = 825,72 \sim 826 \text{ tiges}$$

On voit que la QEC est parfaitement réalisable, c'est-à-dire que la réponse obtenue (826 tiges) est comprise dans le segment de quantité correspondant au coût unitaire de 22 \$, soit $500 < Q < 1\,000$. Dans ce cas, on détermine son coût total sur une base annuelle.

$$\text{Coût total} = Ca + Cs + Cc$$

$$\text{Coût total pour } 826 = (22\,\$ \times 50\,000) + \left[(22\,\$ \times 20\,\%) \times \frac{826}{2} \right]$$
$$+ \left(30\,\$ \times \frac{50\,000}{826} \right) = 1\,103\,633,18 \,\$/\text{année}$$

Selon l'étape 4, on doit calculer le coût total des quantités où un escompte est offert pour les segments de quantités supérieures. On calculera donc le coût total pour une quantité de 1 000 tiges et pour une quantité de 2 000 tiges. Pourquoi 1 000 plutôt que 1 500 ou 1 350 ? Tout simplement parce que la quantité de 1 000 correspond au début du segment ou de l'échelon supérieur des quantités. Alors, si on fait un calcul du coût total pour 1 500 tiges, cela donnera évidemment un coût total supérieur à celui que l'on obtient pour une quantité de 1 000 tiges, car ils ont tous deux le même coût unitaire. Le même raisonnement s'applique pour ce qui est de l'échelon de 2 000 unités et plus. Par conséquent, le coût total pour 1 000 unités sera le suivant :

$$\text{Coût total pour } 1\,000 = (20\,\$ \times 50\,000) + \left[(20\,\$ \times 20\,\%) \times \frac{1\,000}{2} \right]$$
$$+ \left(30\,\$ \times \frac{50\,000}{1\,000} \right) = 1\,103\,500 \,\$/\text{année}$$

Ensuite, le coût total pour 2 000 tiges sera celui-ci :

$$\text{Coût total pour } 2\,000 = (18\,\$ \times 50\,000) + \left[(18\,\$ \times 20\,\%) \times \frac{2\,000}{2} \right]$$
$$+ \left(30\,\$ \times \frac{50\,000}{2\,000} \right) = 904\,350 \,\$/\text{année}$$

Donc, on voit que la quantité économique de commande avec un escompte correspond à 2 000 tiges.

Il faut quand même se méfier lorsque l'on utilise ce type de modèle. En effet, la quantité économique de commande peut correspondre à beaucoup plus que la capacité de l'entrepôt pour un article donné. À ce moment-là, peu importe le résultat trouvé, on commandera toujours en fonction des contraintes physiques à respecter, en l'occurrence la taille de l'entrepôt. Il faut également vérifier auprès du service de la recherche et du développement si le produit que l'on désire acheter ne sera pas abandonné à court terme et remplacé par un autre. Une telle situation occasionnerait des coûts d'obsolescence risquant d'être importants.

5.3 La période économique

Nous avons vu à la section 5.2 que plusieurs hypothèses sous-tendent l'application de la quantité économique de commande (QEC), en particulier une demande relativement constante et connue d'avance. Or, en pratique, il arrive fréquemment que la demande varie d'une période à l'autre, ce qui rend l'utilisation de la QEC moins pertinente.

Heureusement, il existe un modèle appelé **période économique de commande**[2] qui nous permet de trouver une solution dans une situation de demande variable (*voir l'exemple 5.7*).

Il faut savoir que la période économique est un cas particulier de la QEC. Selon une QEC donnée, nous devrions avoir une période de temps identique entre chaque période de réapprovisionnement.

Le fonctionnement de la période économique se fait comme suit :
1. Déterminer la QEC.
2. Calculer l'espace de temps entre chacune des commandes.
3. Utiliser cet espace de temps pour calculer les quantités à commander.
4. Commander la quantité nécessaire pour satisfaire la demande durant l'espace de temps trouvé au point 2.

Mathématiquement, nous avons :

$$\text{Période économique} = \left(\frac{\text{QEC}}{D}\right), \text{ où D est la consommation annuelle.}$$

Bien sûr, dans le cas présent, la période économique est exprimée en années. Nous pourrions la reconvertir en mois, en semaines ou en jours, si on le désirait, selon la situation.

Exemple 5.7

La consommation de compas chez un libraire est la suivante au cours d'une année :

Mois	Consommation mensuelle
Janvier	98
Février	124
Mars	50
Avril	112

---

2. René A. GÉLINAS, *La gestion des ressources matérielles*, Montréal, Éditions Chenelière/McGraw-Hill, 1996, p. 244-248.

Mois	Consommation mensuelle
Mai	143
Juin	32
Juillet	19
Août	61
Septembre	137
Octobre	102
Novembre	89
Décembre	73

De plus, on vous informe que le coût pour payer une commande de compas est de 36 $. Enfin, le coût de stockage unitaire est de 2,50 $ par compas par année.

On doit premièrement déterminer la QEC :

$$QEC = \sqrt{\left(\frac{(2 \times Cc_u \times D)}{Cs_u}\right)}$$

$$QEC = \sqrt{\left(\frac{(2 \times 36 \times 1\,040)}{2,50}\right)}$$

$$QEC = 173 \text{ compas}$$

À partir de l'information précédente, on peut trouver la période économique.

$$\text{Période économique} = \left(\frac{QEC}{D}\right)$$

$$\text{Période économique} = \left(\frac{173 \text{ compas/commande}}{1\,040 \text{ compas/année}}\right) = 0,166 \text{ année/commande.}$$

En convertissant la période économique en mois, on a :

0,166 année/commande $\times$ 12 mois/année = 2 mois/commande

On obtient une commande tous les 2 mois.

Voici le tableau des commandes à faire sur une base annuelle :

Mois	Quantité
Janvier	222
Mars	162
Mai	175
Juillet	80
Septembre	239
Novembre	162

▶ Si l'on obtient une période économique qui ne donne pas exactement un nombre entier, par exemple 3,7 mois, on devrait calculer les coûts pertinents, soit les coûts de commande et de stockage pour un intervalle de 3 mois ainsi que pour un intervalle de 4 mois. On choisit ensuite l'intervalle qui donne l'ensemble des coûts le moins élevé.

Dans le cas d'une période économique de 3 mois, on aura, pour les mois de janvier, février et mars, un approvisionnement de 272 compas, un coût de commande de 36 $ et un coût de stockage de 36,25 $ pour 174 compas (février et mars) qui devront être gardés en stock pendant 1 mois $\left(\frac{2,50\,\$}{12}\right)$ et un coût de stockage de 10,42 $ pour 50 compas (mars) devant être conservés pendant 2 mois $\left(\left(\frac{2,50\,\$}{12}\right) \times 2\right)$.

Les mêmes calculs peuvent être faits pour les mois d'avril, mai et juin. Le coût de commande demeure toujours le même, soit 36 $. Ainsi, les coûts de stockage sont respectivement de 36,46 $ et de 6,67 $.

De même, pour les mois de juillet, août et septembre, on aura un coût de commande de 36 $ et des coûts de stockage de 41,25 $ et de 28,54 $.

Enfin, pour les mois d'octobre, novembre et décembre, le coût de commande sera de 36 $, et les coûts de stockage seront de 33,75 $ et de 15,21 $.

Cela signifie que le coût total lié à la période économique de 3 mois correspond à 352,55 $ (*voir le tableau 5.3*).

Maintenant, si l'on considère la période économique de 4 mois, la première période comprend les mois de janvier, février, mars et avril.

Le coût de commande est toujours de 36 $. Cependant, trois coûts de stockage différents doivent être considérés. Premièrement, les compas conservés pendant le premier mois (les compas en stock aux mois de février, mars et avril). Par la suite, on doit prendre en considération les compas conservés pendant les 2 premiers mois (les compas encore en stock aux mois de mars et avril). Finalement, on doit également calculer les compas conservés pendant les 3 mois (les compas encore en stock au mois d'avril). Dans le premier cas, le coût de stockage s'élève à 59,58 $. Dans le deuxième cas, le coût de stockage est de 33,75 $. Enfin, le dernier coût de stockage à considérer sera de 23,33 $.

En faisant les mêmes calculs pour les mois de mai, juin, juillet et août, on pourra trouver un coût de commande de 36 $ et des coûts de stockage respectifs de 23,33 $, de 16,67 $ et de 12,71 $.

Pour ce qui est des mois de septembre, octobre, novembre et décembre, le coût de commande sera de 36 $, et les coûts de stockage respectifs seront de 55,00 $, de 33,75 $ et de 15,21 $.

En additionnant tous les coûts pour la période économique de 4 mois, on obtient un montant de 381,33 $ (*voir le tableau 5.4*).

En conclusion, la période la plus économique, dans ce contexte, correspond à celle de 3 mois.

Tableau 5.3 — Un tableau récapitulatif pour une période économique de 3 mois

Période	Demande	Quantité	Cc ($)	Cs ($)
Janvier	98	272	36,00	36,25
Février	124	–	–	10,42
Mars	50	–	–	–
Avril	112	287	36,00	36,46
Mai	143	–	–	6,67
Juin	32	–	–	–
Juillet	19	217	36,00	41,25
Août	61	–	–	28,54
Septembre	137	–	–	–
Octobre	102	264	36,00	33,75
Novembre	89	–	–	15,21
Décembre	73	–	–	–

Coût total ($) : 352,55

Tableau 5.4 — Un tableau récapitulatif pour une période économique de 4 mois

Période	Demande	Quantité	Cc ($)	Cs ($)
Janvier	98	384	36,00	59,58
Février	124	–	–	33,75
Mars	50	–	–	23,33
Avril	112	–	–	–
Mai	143	255	36,00	23,33
Juin	32	–	–	16,67
Juillet	19	–	–	12,71
Août	61	–	–	–
Septembre	137	401	36,00	55,00
Octobre	102	–	–	33,75
Novembre	89	–	–	15,21
Décembre	73	–	–	–

Coût total ($) : 381,33

5.4 Les modèles de détermination des quantités de commande dans le cas d'une demande dépendante

Nous allons maintenant aborder le système de la planification des besoins de matières (PBM) ainsi qu'un autre modèle, celui de la planification des besoins de distribution (PBD).

5.4.1 La planification des besoins de matières

La planification des besoins de matières (PBM) est un système qui utilise la **structure du produit,** l'état des stocks relativement au produit ainsi que la demande de produits finis. Le but est de calculer ce qu'il faut commander, quand il faut le commander et quelle quantité il faut commander dans le cas des matières premières et des composantes. Pour ce qui est des produits en cours, on se posera les mêmes questions mais, dans le contexte de la production, soit ce qu'il faut produire, quand il faut produire et quelle quantité il faut produire.

Il est utile de mentionner que l'on se sert d'un système de commandes à flux poussé, ce qui signifie que tout est exécuté en fonction des matières premières. Celles-ci déterminent la quantité de stock qui sera fabriqué. Cela permet de produire pour stocker, situation appréciable dans les périodes intenses de production et de vente. Ce système peut cependant entraîner des amoncellements de stock entre chaque poste de travail. En effet, la quantité produite au poste de travail en amont n'est peut-être pas la quantité désirée à court terme au poste de travail en aval.

On doit également faire la distinction entre les sigles MRP I et MRP II (*manufacturing resources planning*). Le système de MRP I est le système de planification des besoins de matières qui a été décrit précédemment. Joseph Orlicky a élaboré ce système de première génération dans les années 1970 aux États-Unis. Quant au système de MRP II, il consiste en un système d'information manufacturier qui intègre les services du marketing, de la production, des approvisionnements et des finances. Il établit les besoins financiers à partir des besoins de matières, de ressources humaines et d'équipements dans ces quatre services. Il vérifie également les mesures de profits à l'aide de ratios financiers comme le rendement des investissements. Ce système de deuxième génération est apparu vers le milieu des années 1980. On pourrait également parler du système ERP (*enterprise resources planning*). Ce dernier correspond à un système d'information qui intègre toutes les fonctions d'une entreprise, de la réception des marchandises après achat jusqu'à la distribution du produit. Les systèmes ERP sont de plus en plus en vogue dans les entreprises qui désirent optimiser leurs flux de marchandises et d'information avec leurs clients et leurs fournisseurs.

Un système informatique qui a fait l'objet de recherche à la fin du dernier millénaire est le XRP[3]. Ce dernier modèle intégrait tous les services de toutes les

---

3. Yves LANGEVIN et Marc A. BEAUDOIN, « XPR : un ERP qui voit plus loin », *Logistics Magazine,* vol. 3, n° 6 (nov.-déc. 1999), p. 16-17.

entreprises à l'intérieur d'une même chaîne d'approvisionnement allant de l'amont à l'aval. La plupart des entreprises n'étant pas prêtes à ce genre de système d'information, le XRP en est encore à ses premiers balbutiements.

Les intrants du système de planification des besoins de matières

La structure du produit

La structure du produit est en quelque sorte la représentation sous forme d'arbre d'un produit (*voir la figure 5.10*). Le niveau 0, qui est le niveau le plus haut, correspond au produit fini ; le niveau 1, aux **assemblages** principaux ; le niveau 2, aux **sous-assemblages** ; le niveau 3, à la matière première. À la figure 5.10, les chiffres entre parenthèses correspondent à la quantité de produit nécessaire pour fabriquer le produit de niveau supérieur. Il faut cependant mentionner que le nombre de niveaux varie en fonction de la complexité du produit. Par exemple, la construction d'un autobus, selon un système de PBM, requiert beaucoup plus de niveaux que la fabrication d'un briquet à essence. À la rigueur, le nombre minimal de niveaux est de 2, soit le produit fini au niveau 0 et les matières premières, ou encore les composantes au niveau 1.

Figure 5.10   La structure du produit

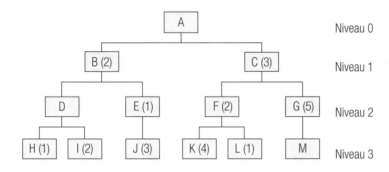

Cette représentation est beaucoup plus visuelle et pratique que ce que l'on appelle la « nomenclature du produit ». En effet, celle-ci n'est ni plus ni moins qu'une liste détaillée des sous-produits qui font partie intégrante du produit lui-même. Habituellement, la nomenclature du produit comprend la description de chaque sous-produit, la quantité nécessaire de chaque sous-produit entrant dans le produit fini et le niveau correspondant à chaque produit.

Le plan directeur de production

Le **plan directeur de production** est établi par des membres du service de la production qui forment souvent un comité avec des membres du service du marketing et du service de l'approvisionnement. Il faut comprendre que les prévisions des ventes sont capitales dans un système à flux poussé. En fonction des pronostics du service du marketing, des ventes et des prévisions calculées à l'aide de données historiques sur chaque produit (*voir, au chapitre 4, la section sur les prévisions*), on établira une planification agrégée de la production, soit un plan global de ce que l'on aura à produire durant le prochain semestre ou la prochaine année. Par la suite, on dressera un plan directeur de production qui, lui, s'échelonne habituellement sur une période de 6 à 12 semaines. Le tableau 5.5 illustre le déroulement d'un système de commandes à flux poussé. Le plan agrégé de production contient les quantités de production de chaque famille de produits qui sont accompagnées des ressources (humaines, financières et matérielles) nécessaires pour accomplir le travail sans dépasser la capacité de production. Pour sa part, le plan directeur de production représente les quantités de chaque produit fini.

Tableau 5.5 Le déroulement d'un système de commandes à flux poussé (basé sur des prévisions)

Opération	Horizon de planification
1. Prévisions des ventes	1 an
2. Planification agrégée (globale) de la production	6 mois à 1 an
3. Plan directeur de production	6 à 12 semaines
4. Plan des besoins de matières	6 à 12 semaines
5. Ordonnancement des commandes et de la production	1 jour à 2 semaines

Le plan directeur de production est fixé *a priori* pour 6 à 12 semaines. Toutefois, on se rend compte rapidement qu'il faut le modifier après 3 à 4 semaines à cause des changements dans la demande ou à cause des délais de livraison des composantes trop longs qui créent, après quelques semaines, une incertitude quant aux commandes à passer.

L'état des stocks

Le dernier intrant informe l'entreprise avec précision sur le délai de livraison (délai de production pour les articles fabriqués à l'intérieur de l'entreprise) de chaque sous-produit (assemblages, sous-assemblages, composantes, matières premières). Il renseigne également sur la quantité de stock que l'entreprise possède et sur le stock de sécurité désiré. Les contraintes inhérentes à la gestion des stocks y sont mentionnées, comme le fait de ne pouvoir commander que par lots de 500 unités ou encore de 1 000 unités. Si l'entreprise n'a besoin que de 400 unités, elle devra en conserver 600 en stock durant une certaine période. De même, pour les lots de 500 unités, si elle a besoin de 600 unités, elle devra garder 400 unités en stock. Cela entraîne donc des coûts de stockage.

Finalement, il peut y avoir un retour de marchandises au fournisseur à cause de bris ou de défectuosités avant l'horizon de planification du système de PBM sur une période de six à huit semaines. Bien entendu, le fournisseur retournera le matériel à l'entreprise à une date donnée. Lorsque l'entreprise mettra au point le système sur une période de six à huit semaines, elle devra inclure dans l'état des stocks le retour du matériel de la part du fournisseur. Ce phénomène s'appelle une « réception programmée », car on connaît la date de réception du matériel.

Les extrants du système de planification des besoins de matières

Après avoir établi les intrants du système de PBM et les avoir intégrés au système lui-même (le processus de transformation est souvent informatisé), on obtient les extrants du système de PBM. Les extrants sont les horaires de production et d'approvisionnement des différents sous-produits. Par exemple, on peut déterminer à partir de quelle semaine il faut fabriquer ou acheter tel ou tel sous-produit. Avec ce système, on peut également obtenir des rapports concernant la quantité fabriquée d'un sous-produit pendant une certaine période. Cette information deviendra pertinente lorsqu'il faudra prévoir les besoins pour une autre année.

Le calcul des besoins en composantes

Le système de PBM part toujours des besoins du plan directeur de production, c'est-à-dire des besoins en produits finis (*voir l'exemple 5.8, p. 229*). Ils permettent d'obtenir une procédure d'éclatement (*voir la figure 5.11, p. 228*). À partir des besoins bruts en produits finis et en tenant compte des quantités en stock et de la réception programmée, on obtient les besoins nets en produits finis. Puis, à partir des besoins nets en produits finis et de la nomenclature du produit, on trouvera les besoins bruts du premier assemblage. Par la suite, en fonction des quantités en stock et des réceptions programmées, on déterminera les besoins nets du premier assemblage. Ces besoins correspondront à la commande de fabrication interne ou à la commande d'achat pour cet assemblage.

Les lancements de commande (les besoins nets décalés à cause du délai de livraison ou encore le multiple qui représente le lot de commande le plus près possible des besoins nets) du premier assemblage correspondent aux besoins bruts du sous-assemblage, et ainsi de suite. Par exemple, si un assemblage X exige 3 pièces de A et 4 pièces de B comme sous-assemblage, et que l'assemblage X est requis 2 fois dans le produit fini, alors les besoins bruts en A et en B seront de :

$$A = 3 \times 2 = 6\,A$$
$$B = 4 \times 2 = 8\,B$$

De plus, on doit considérer les pièces déjà fabriquées ou en stock que l'on prendra soin de soustraire des besoins bruts déjà calculés. La formule pour trouver les besoins nets, et donc les quantités de commande, est la suivante :

Besoins bruts − réception programmée − stock en main = besoins nets

Il faut noter que le stock de sécurité ne sera utilisé qu'en cas de rupture de stock.

Figure 5.11 La procédure d'éclatement

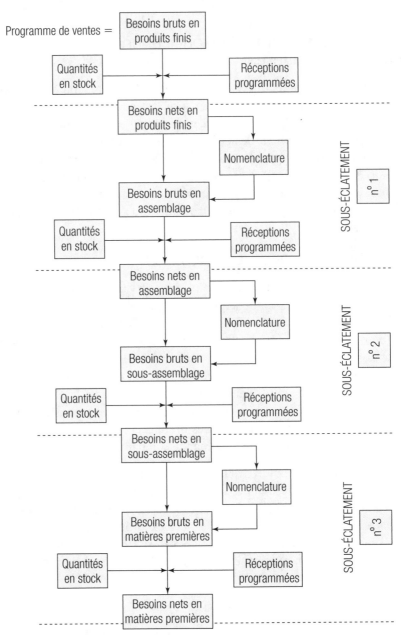

Source : D'après Olivier BRUEL, *Politique d'achat et gestion des approvisionnements,* Paris, Bordas, 1991, p. 185.

Exemple 5.8

Nous donnerons un exemple d'un système de PBM à l'aide de la structure d'un produit – un gâteau au chocolat (*voir la figure 5.12*), du plan directeur (*voir le tableau 5.6*) et de l'état des stocks (*voir le tableau 5.7, p. 230*). Il faut se rappeler qu'un plan directeur représente les besoins bruts du produit fini.

Figure 5.12   La structure d'un produit (un gâteau au chocolat)

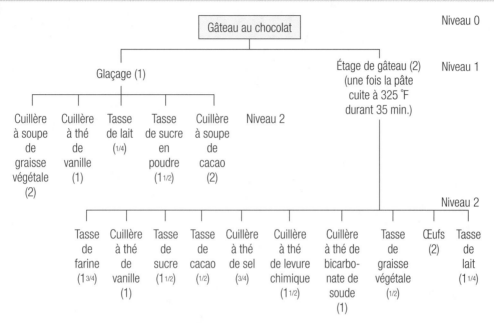

Les chiffres entre parenthèses dans la structure du produit, comme le 2 à côté d'« étage de gâteau », indiquent la quantité requise de chacun des éléments et ingrédients pour faire un gâteau au chocolat.

Tableau 5.6   Le plan directeur pour la production du gâteau au chocolat

Semaine	Quantité
1	100
2	200
3	150
4	200
5	300
6	400
7	100
8	200

Tableau 5.7 L'état des stocks

Produits et sous-produits	Stock en main (incluant le stock de sécurité)	Stock de sécurité	Réception programmée	Délai de livraison ou de fabrication (en semaines)	Grosseur des lots
Gâteau au chocolat	400	100	–	0	–
Glaçage	550	150	–	1	–
Étage de gâteau	700	200	150 à la semaine 2	1	300
Cuillère à soupe de graisse végétale	1 000	250	–	2	–
Cuillère à thé de vanille	800	300	–	1	–
Tasse de lait	2 000	1 000	1 500 à la semaine 3	3	–
Tasse de sucre en poudre	600	200	–	2	200
Cuillère à soupe de cacao	400	100	–	2	200
Tasse de farine	500	150	–	1	–
Tasse de sucre	650	250	300 à la semaine 5	3	–
Cuillère à thé de sel	700	200	–	1	–
Cuillère à thé de levure chimique	900	300	–	2	–
Œufs	1 200	200	–	3	400
Tasse de graisse végétale	400	150	–	2	–
Tasse de cacao	500	200	–	2	–
Cuillère à thé de bicarbonate de soude	600	150	–	2	–

La mécanique de la planification des besoins de matières est indiquée au tableau 5.6, à la page précédente. L'entreprise pourra donc trouver les besoins nets en produits finis, dans le présent contexte en gâteaux au chocolat, et en chaque sous-produit, afin de dresser un plan d'approvisionnement. Dans le cas du produit fini, les besoins bruts sont de 100 unités la première semaine. Aucune réception de stock n'est prévue, et l'entreprise a 300 unités en main[4]. Logiquement, les besoins nets sont nuls la première semaine et, au début de la deuxième semaine, il reste 200 unités. Ainsi, les besoins bruts pour la deuxième semaine sont de 200 unités. Comme il restait 200 unités au début de la deuxième semaine et qu'aucune réception n'est planifiée, les 200 unités en stock combleront les besoins bruts pour la deuxième semaine. Le stock en main sera donc nul au début de la troisième semaine. La troisième semaine, les besoins bruts sont de 150 unités, il n'y a plus de stock en main et le stock de sécurité doit servir strictement en cas de rupture. Sachant que le délai de fabrication (puisqu'il s'agit d'un produit fini) est de 0 semaine (évalué en jours), l'entreprise devrait donc passer une commande interne de fabrication de 150 unités à la semaine 3 pour les recevoir cette même semaine. La démarche est identique pour les semaines 4 à 8.

---

4. Le stock de sécurité est inclus dans le stock en main. C'est pour cette raison que dans l'état des stocks du tableau 5.7, on trouve 400 unités en main et 100 unités comme stock de sécurité. On utilisera ce dernier seulement pour éviter les ruptures de stock et on le renouvellera aussitôt.

Tableau 5.8 La détermination des besoins en gâteaux au chocolat et en leurs sous-produits

Gâteau au chocolat						Niveau 0		Délai : 0 semaine
Semaine	1	2	3	4	5	6	7	8
Besoins bruts	100	200	150	200	300	400	100	200
Réception programmée	0	0	0	0	0	0	0	0
Stock en main (début de période)	300	200	0	0	0	0	0	0
Stock de sécurité	100	100	100	100	100	100	100	100
Besoins nets	0	0	150	200	300	400	100	200
Réception de la commande	0	0	150	200	300	400	100	200
Passation de la commande	0	0	150	200	300	400	100	200

Glaçage (1 glaçage pour un gâteau au chocolat)						Niveau 1		Délai : 1 semaine
Semaine	1	2	3	4	5	6	7	8
Besoins bruts	0	0	150	200	300	400	100	200
Réception programmée	0	0	0	0	0	0	0	0
Stock en main (début de période)	400	400	400	250	50	0	0	0
Stock de sécurité	150	150	150	150	150	150	150	150
Besoins nets	0	0	0	0	250	400	100	200
Réception de la commande	0	0	0	0	250	400	100	200
Passation de la commande	0	0	0	250	400	100	200	–

Étage de gâteau (2 étages de gâteau pour un gâteau au chocolat)						Niveau 1		Délai : 1 semaine
Semaine	1	2	3	4	5	6	7	8
Besoins bruts	0	0	300	400	600	800	200	400
Réception programmée	0	150	0	0	0	0	0	0
Stock en main (début de période)	500	500	650	350	250	250	50	150
Stock de sécurité	200	200	200	200	200	200	200	200
Besoins nets	0	0	0	50	350	550	150	250
Réception de la commande	0	0	0	300	600	600	300	300
Passation de la commande	0	0	300	600	600	300	300	–

Tableau 5.8 La détermination des besoins en gâteaux au chocolat et en leurs sous-produits (*suite*)

Cuillère à soupe de graisse végétale (2 cuillères à soupe de graisse végétale dans un glaçage)						Niveau 2	Délai : 2 semaines	
Semaine	1	2	3	4	5	6	7	8
Besoins bruts	0	0	0	500	800	200	400	–
Réception programmée	0	0	0	0	0	0	0	0
Stock en main (début de période)	750	750	750	750	250	0	0	0
Stock de sécurité	250	250	250	250	250	250	250	250
Besoins nets	0	0	0	0	550	200	400	–
Réception de la commande	0	0	0	0	550	200	400	–
Passation de la commande	0	0	550	200	400	–	–	–

Cuillère à thé de vanille (1 cuillère à thé de vanille dans un glaçage et 1 cuillère à thé de vanille dans un étage de gâteau)						Niveau 2	Délai : 1 semaine	
Semaine	1	2	3	4	5	6	7	8
Besoins bruts	0	0	300	850	1 000	400	500	–
Réception programmée	0	0	0	0	0	0	0	0
Stock en main(début de période)	500	500	500	200	0	0	0	0
Stock de sécurité	300	300	300	300	300	300	300	300
Besoins nets	0	0	0	650	1 000	400	500	–
Réception de la commande	0	0	0	650	1 000	400	500	–
Passation de la commande	0	0	650	1 000	400	500	–	–

Tasse de lait (1/4 de tasse de lait dans un glaçage et 1 1/4 tasse de lait dans un étage de gâteau)						Niveau 2	Délai : 3 semaines	
Semaine	1	2	3	4	5	6	7	8
Besoins bruts	0	0	375	812,5	850,0	400,0	425,0	–
Réception programmée	0	0	1500	0,0	0,0	0,0	0,0	0
Stock en main (début de période)	1 000	1 000	1 000	2 125,0	1 312,5	462,5	62,5	0
Stock de sécurité	1 000	1 000	1 000	1 000,0	1 000,0	1 000,0	1 000,0	1 000
Besoins nets	0	0	0	0,0	0,0	0,0	362,5	–
Réception de la commande	0	0	0	0,0	0,0	0,0	362,5	–
Passation de la commande	0	0	0	362,5	–	–	–	–

Tableau 5.8 La détermination des besoins en gâteaux au chocolat et en leurs sous-produits (*suite*)

Tasse de sucre en poudre
(1 1/2 tasse de sucre en poudre dans un glaçage) — Niveau 2 — Délai : 2 semaines

Semaine	1	2	3	4	5	6	7	8
Besoins bruts	0	0	0	375	600	150	300	–
Réception programmée	0	0	0	0	0	0	0	0
Stock en main (début de période)	400	400	400	400	25	25	75	175
Stock de sécurité	200	200	200	200	200	200	200	200
Besoins nets	0	0	0	0	575	125	225	–
Réception de la commande	0	0	0	0	600	200	400	–
Passation de la commande	0	0	600	200	400	–	–	–

Cuillère à soupe de cacao
(2 cuillères à soupe de cacao dans un glaçage) — Niveau 2 — Délai : 2 semaines

Semaine	1	2	3	4	5	6	7	8
Besoins bruts	0	0	0	500	800	200	400	–
Réception programmée	0	0	0	0	0	0	0	0
Stock en main (début de période)	300	300	300	300	0	0	0	0
Stock de sécurité	100	100	100	100	100	100	100	100
Besoins nets	0	0	0	200	800	200	400	–
Réception de la commande	0	0	0	200	800	200	400	–
Passation de la commande	0	200	800	200	400	–	–	–

Tasse de farine
(1 3/4 tasse de farine dans un étage de gâteau) — Niveau 2 — Délai : 1 semaine

Semaine	1	2	3	4	5	6	7	8
Besoins bruts	0	0	525	1 050	1 050	525	525	–
Réception programmée	0	0	0	0	0	0	0	0
Stock en main (début de période)	350	350	350	0	0	0	0	0
Stock de sécurité	150	150	150	150	150	150	150	150
Besoins nets	0	0	175	1 050	1 050	525	525	–
Réception de la commande	0	0	175	1 050	1 050	525	525	–
Passation de la commande	0	175	1 050	1 050	525	525	–	–

Tableau 5.8 La détermination des besoins en gâteaux au chocolat et en leurs sous-produits (*suite*)

Tasse de sucre
(1 1/2 tasse de sucre dans un étage de gâteau) — Niveau 2 — Délai : 3 semaines

Semaine	1	2	3	4	5	6	7	8
Besoins bruts	0	0	450	900	900	450	450	–
Réception programmée	0	0	0	0	300	0	0	0
Stock en main (début de période)	400	400	400	−50	0	0	0	0
Stock de sécurité	250	250	250	200	250	250	250	250
Besoins nets	0	0	50	950	600	450	450	–
Réception de la commande	0	0	0	950	600	450	450	–
Passation de la commande	950	600	450	450	–	–	–	–

Tasse de cacao
(1/2 tasse de cacao dans un étage de gâteau) — Niveau 2 — Délai : 2 semaines

Semaine	1	2	3	4	5	6	7	8
Besoins bruts	0	0	150	300	300	150	150	–
Réception programmée	0	0	0	0	0	0	0	0
Stock en main (début de période)	300	300	300	150	0	0	0	0
Stock de sécurité	200	200	200	200	200	200	200	200
Besoins nets	0	0	0	150	300	150	150	–
Réception de la commande	0	0	0	150	300	150	150	–
Passation de la commande	0	150	300	150	150	–	–	–

Cuillère à thé de sel
(3/4 de cuillère à thé de sel dans un étage de gâteau) — Niveau 2 — Délai : 1 semaine

Semaine	1	2	3	4	5	6	7	8
Besoins bruts	0	0	225	450	450	225	225	–
Réception programmée	0	0	0	0	0	0	0	0
Stock en main (début de période)	500	500	500	275	0	0	0	0
Stock de sécurité	200	200	200	200	200	200	200	200
Besoins nets	0	0	0	175	450	225	225	–
Réception de la commande	0	0	0	175	450	225	225	–
Passation de la commande	0	0	175	450	225	225	–	–

Tableau 5.8 La détermination des besoins en gâteaux au chocolat et en leurs sous-produits (*suite*)

Cuillère à thé de levure chimique
(1 1/2 cuillère à thé de levure chimique dans un étage de gâteau) — Niveau 2 — Délai : 2 semaines

Semaine	1	2	3	4	5	6	7	8
Besoins bruts	0	0	450	900	900	450	450	–
Réception programmée	0	0	0	0	0	0	0	0
Stock en main (début de période)	600	600	600	150	0	0	0	0
Stock de sécurité	300	300	300	300	300	300	300	300
Besoins nets	0	0	0	750	900	450	450	–
Réception de la commande	0	0	0	750	900	450	450	–
Passation de la commande	0	750	900	450	450	–	–	–

Cuillère à thé de bicarbonate de soude
(1 cuillère à thé de bicarbonate de soude dans un étage de gâteau) — Niveau 2 — Délai : 2 semaines

Semaine	1	2	3	4	5	6	7	8
Besoins bruts	0	0	300	600	600	300	300	–
Réception programmée	0	0	0	0	0	0	0	0
Stock en main (début de période)	450	450	450	150	0	0	0	0
Stock de sécurité	150	150	150	150	150	150	150	150
Besoins nets	0	0	0	450	600	300	300	–
Réception de la commande	0	0	0	450	600	300	300	–
Passation de la commande	0	450	600	300	300	–	–	–

Tasse de graisse végétale
(1/2 tasse de graisse végétale dans un étage de gâteau) — Niveau 2 — Délai : 2 semaines

Semaine	1	2	3	4	5	6	7	8
Besoins bruts	0	0	150	300	300	150	150	–
Réception programmée	0	0	0	0	0	0	0	0
Stock en main (début de période)	250	250	250	100	0	0	0	0
Stock de sécurité	150	150	150	150	150	150	150	150
Besoins nets	0	0	0	200	300	150	150	–
Réception de la commande	0	0	0	200	300	150	150	–
Passation de la commande	0	200	300	150	150	–	–	–

Tableau 5.8 La détermination des besoins en gâteaux au chocolat et en leurs sous-produits (*suite*)

Œufs (2 œufs dans un étage de gâteau)						Niveau 2	Délai : 3 semaines	
Semaine	1	2	3	4	5	6	7	8
Besoins bruts	0	0	600	1 200	1 200	600	600	–
Réception programmée	0	0	0	0	0	0	0	0
Stock en main (début de période)	1 000	1 000	1 000	400	0	0	200	0
Stock de sécurité	200	200	200	200	200	200	200	200
Besoins nets	0	0	0	800	1 200	600	400	–
Réception de la commande	0	0	0	800	1 200	800	400	–
Passation de la commande	800	1 200	800	400	–	–	–	

Si l'on retourne à la figure 5.11, à la page 228, on comprend que la procédure d'éclatement fait en sorte que les besoins nets (on doit considérer la passation de commande au lieu des besoins nets à cause du délai de livraison qui décale nos besoins nets) du niveau 0 dans la structure du produit correspondent aux besoins bruts du niveau inférieur, soit le niveau 1. Dans notre exemple, comme l'entreprise a besoin de 1 glaçage pour faire 1 gâteau au chocolat, alors les besoins bruts en glaçage correspondent à 1 fois la passation de commande en gâteaux au chocolat. Par la suite, la procédure est la même que celle qui a été adoptée pour le produit fini (le gâteau au chocolat). Il y a cependant deux nuances à apporter. D'abord, le délai de livraison est de 1 semaine pour ce sous-produit[5]. Comme il reste seulement 50 glaçages en stock au début de la semaine 5 et que les besoins bruts sont alors de 300 glaçages, les besoins nets seront de 250 glaçages. Il faudra donc passer une commande de glaçage durant la semaine 4 pour s'assurer de recevoir le tout à la semaine 5, d'autant plus qu'aucune réception n'est prévue au calendrier.

L'autre nuance à apporter concerne les besoins nets à la semaine 8. Comme ceux-ci sont déterminés en fonction des besoins bruts de la semaine 9 parce que le délai de livraison est de 1 semaine, il est impossible de connaître ces besoins nets. Pour cette raison, il est d'usage, dans un système de PBM, de l'indiquer par un tiret. Il faut distinguer le tiret d'une valeur de 0 unité. Une valeur de 0 unité veut simplement dire que l'on connaît les besoins et qu'ils sont nuls, tandis qu'un tiret est inscrit lorsque l'on ne connaît pas les besoins et qu'il y a donc une situation d'incertitude.

Pour ce qui est de l'étage de gâteau, l'acheteur devrait suivre la même démarche que pour le glaçage. Il faut prendre en considération une réception programmée à la semaine 2 dans le cas de l'étage de gâteau. Pour s'assurer de ne pas l'omettre, l'acheteur devrait l'inscrire tout de suite dans le tableau correspondant à l'étage de gâteau. De plus, la grosseur de chaque lot doit être de 300 unités, ce qui aura pour effet d'influer sur les besoins nets et donc sur les commandes d'achat ou de fabrication (dans notre exemple, la fabrication). Effectivement, à la semaine 3, l'entreprise aurait pu commander 50 étages de gâteau mais, pour respecter la contrainte du fournisseur ou la contrainte de la production interne, elle doit passer une

---

5. Il faut noter qu'il y aura un délai de livraison dans le cas d'une composante achetée à l'extérieur de l'entreprise, mais un délai de fabrication dans le cas d'un produit en cours. Dans notre exemple, il s'agit d'un délai de fabrication. En effet, le glaçage est fait à la manufacture à l'aide des matières premières (*voir la figure 5.12, p. 229*).

commande par lots de 300 unités. Elle passera donc une commande de 300 unités à la semaine 3. Pour ce qui est des matières premières (bicarbonate de soude, graisse végétale, etc.), l'acheteur doit suivre le raisonnement précité.

Dans le cas du sous-produit appelé «tasse de sucre» (*voir le tableau 5.8*), étant donné le délai de livraison de 3 semaines, il y aurait rupture de stock (de 50 unités) à la semaine 3. Pour cette raison, l'acheteur puisera dans son stock de sécurité tout en ayant soin de le renouveler. En effet, la commande de la semaine 1 comprend 950 unités, soit 900 unités + 50 unités, ces dernières correspondant au renouvellement du stock de sécurité.

L'acheteur-planificateur doit également se préoccuper de la capacité de production de chaque poste de travail. Si les besoins nets en sous-produits dépassent la capacité permise, le plan de production sera irréalisable. Les membres du service de la production, en collaboration avec ceux du service de l'approvisionnement, devront dresser un autre plan directeur de production. Il va sans dire que les systèmes de PBM informatisés donnent cette information sur-le-champ quand on décide de transformer des intrants en extrants. Finalement, quand le système de PBM informatisé a fait le calcul pour chaque niveau de la structure du produit, l'acheteur est prêt à préparer les horaires de production et d'approvisionnement, et à procéder à l'ordonnancement. Ainsi, il peut faire en sorte que toutes les contraintes relatives à la production et aux approvisionnements soient respectées (l'ordre de priorité et la capacité de production).

Les cas particuliers concernant les besoins

Il peut arriver que les membres du service des ventes désirent obtenir un certain nombre d'unités additionnelles du produit ou du sous-produit dans le but d'offrir des échantillons à des clients potentiels ou tout simplement de faire mousser les ventes. Ces unités supplémentaires ne sont pas considérées *a priori* dans un système de PBM. L'acheteur qui agit comme planificateur doit cependant les ajouter aux besoins bruts calculés avec les données du service de la production.

Un autre aspect important dont il faut tenir compte est le pourcentage d'unités rejetées dans la fabrication d'un produit. Si l'entreprise possède des données précises sur ce pourcentage, l'acheteur peut les intégrer dans le calcul des besoins nets. Par exemple, pour fabriquer un sous-produit X, la machine utilisée engendre un taux de rejets de 8 % du total des unités qu'elle fabrique. L'acheteur devra donc calculer 108 % des besoins bruts trouvés avec le système de PBM *a priori* pour être certain de se conformer à la demande du niveau supérieur.

5.4.2 La planification des besoins de distribution

Il existe un modèle analogue à la planification des besoins de matières (PBM), mais qui concerne la distribution entre un centre de distribution majeur et un ensemble de centres de distribution régionaux autant pour un manufacturier que pour un distributeur. Il s'agit de la planification des besoins de distribution (PBD). Toutefois, on emploie couramment le sigle DRP (*distribution requirements planning*). Pour pouvoir utiliser ce modèle, il existe une condition *sine qua non* : les entrepôts ou centres de distribution régionaux et locaux doivent dépendre d'un entrepôt principal où les opérations sont centralisées.

Évidemment, ce n'est pas toujours le cas. Dans nombre de grandes entreprises, on assiste au phénomène inverse, c'est-à-dire que les entrepôts régionaux ont un pouvoir de décision plus important concernant la gestion de leurs stocks. Dans cette situation, tout est décentralisé, et les modèles de gestion des stocks à appliquer sont les mêmes que ceux que nous avons étudiés dans ce chapitre. En effet, la plupart du temps, on cherchera à connaître la quantité économique de commande à partir d'un point de commande.

La façon dont fonctionne un système de PBD est relativement simple. Selon l'importance du réseau de distribution, chaque entrepôt régional ou local prévoit sa demande (*voir l'exemple 5.9*). Par conséquent, l'entrepôt régional calcule ses besoins selon les quantités en stock et les délais de livraison. Par la suite, il avise l'entrepôt central de ses besoins futurs. L'entrepôt central prend connaissance des besoins de chaque entrepôt régional. Ce dernier fera la planification des besoins de distribution selon ses quantités en stock et ses délais de livraison. Comme les demandes provenant des entrepôts régionaux dépendent de l'entrepôt central, le raisonnement est le même que pour la PBM. Il est important de diviser l'horizon de planification en périodes. On fait en sorte qu'une commande arrive lorsque la quantité que l'entrepôt a en main est moins élevée que ce qui est établi dans la prévision des besoins. On passe alors des commandes en conséquence. La passation d'une commande d'un échelon devient les besoins du niveau immédiatement supérieur. Ainsi, la nouvelle quantité que l'entrepôt a en main sera égale à l'ancienne quantité qu'il avait en main à laquelle s'ajoute la réception prévue, qui est soustraite des besoins.

Exemple 5.9

Un entrepôt central et trois entrepôts régionaux ont les caractéristiques indiquées au tableau 5.9.

De plus, sur un horizon de 8 semaines, les besoins de l'entrepôt régional 1 sont de 100, 100, 100, 90, 100, 120, 80 et 80, ceux de l'entrepôt régional 2 sont de 130, 130, 130, 110, 130, 150, 150 et 120 et ceux de l'entrepôt régional 3 sont de 50, 60, 50, 30, 25, 40, 30 et 40.

En outre, l'entrepôt central peut vendre directement aux consommateurs. Ces ventes représentent environ 100 unités par semaine.

Les commandes se font par lots de 500 unités pour l'entrepôt régional 1, de 750 unités pour l'entrepôt régional 2, de 250 unités pour l'entrepôt régional 3 et de 1 150 unités pour l'entrepôt central.

Si l'on détermine *a priori* la passation des commandes de chaque entrepôt régional, on pourra par la suite trouver le plan directeur des commandes que l'entrepôt central devra respecter pour éviter que les entrepôts régionaux subissent une rupture de stock (*voir les tableaux 5.9 à 5.11*). On voit que le raisonnement est strictement le même que pour une PBM. Toutefois, dans le cas présent, le plan directeur des commandes est établi en fonction des besoins des entrepôts régionaux.

Les avantages que l'on peut tirer d'un système comme celui de la PBD sont nombreux. En effet, lorsque l'on applique ce système, on peut bénéficier d'économies d'échelle dans le transport. De plus, étant donné que le système est basé sur des prévisions, un stock de sécurité plus élevé doit être maintenu à l'entrepôt central sans pénaliser les entrepôts régionaux. Par contre, les inconvénients rattachés à ce système ressemblent passablement aux désavantages de la PBM, c'est-à-dire que les prévisions doivent être assez exactes pour que le système soit efficace. En outre, on tient pour acquis que les délais de livraison sont toujours les mêmes. Finalement, plus il y a d'entrepôts régionaux, plus il faudra effectuer une bonne coordination entre ceux-ci et l'entrepôt central.

Tableau 5.9 Les caractéristiques de l'entrepôt central et des entrepôts régionaux

Type d'entrepôt	Quantité en main	Délai de livraison	Quantité en commande
Entrepôt central	1 100	3 semaines	1 150
Entrepôt régional 1	200	2 semaines	500
Entrepôt régional 2	650	2 semaines	750
Entrepôt régional 3	150	2 semaines	250

Tableau 5.10 Le calcul des besoins en distribution des entrepôts régionaux

Entrepôt régional 1								
Semaine	1	2	3	4	5	6	7	8
Besoins bruts	100	100	100	90	100	120	80	80
Réception programmée	0	0	0	0	0	0	0	0
Stock en main (début de période)	200	100	0	400	310	210	90	10
Besoins nets	0	0	100	0	0	0	0	70
Réception de la commande	0	0	500	0	0	0	0	500
Passation de la commande	500	0	0	0	0	500	0	0

Entrepôt régional 2								
Semaine	1	2	3	4	5	6	7	8
Besoins bruts	130	130	130	110	130	150	150	120
Réception programmée	0	0	0	0	0	0	0	0
Stock en main (début de période)	650	520	390	260	150	20	620	470
Besoins nets	0	0	0	0	0	130	0	0
Réception de la commande	0	0	0	0	0	750	0	0
Passation de la commande	0	0	0	750	0	0	0	0

Tableau 5.10 Le calcul des besoins en distribution des entrepôts régionaux (*suite*)

Entrepôt régional 3								
Semaine	1	2	3	4	5	6	7	8
Besoins bruts	50	60	50	30	25	40	30	40
Réception programmée	0	0	0	0	0	0	0	0
Stock en main (début de période)	150	100	40	240	210	185	145	115
Besoins nets	0	0	10	0	0	0	0	0
Réception de la commande	0	0	250	0	0	0	0	0
Passation de la commande	250	0	0	0	0	0	0	0

Tableau 5.11 Le plan directeur des commandes

Entrepôt central								
Semaine	1	2	3	4	5	6	7	8
Besoins bruts	850	100	100	850	100	600	100	100
Réception programmée	0	0	0	0	0	0	0	0
Stock en main (début de période)	1 100	250	150	50	350	250	800	700
Besoins nets	0	0	0	800	0	350	0	0
Réception de la commande	0	0	0	1 150	0	1 150	0	0
Passation de la commande	1 150	0	1 150	0	0	0	0	0

Résumé

Dans ce chapitre, nous avons présenté différents modèles quantitatifs qui peuvent aider un acheteur à prendre des décisions éclairées. En premier lieu, nous avons traité des modèles que l'on peut utiliser lorsque la demande ou la consommation de la part du client est indépendante de la production du fournisseur. En répondant aux deux questions fondamentales de la gestion des stocks, « Quelle quantité faut-il commander ? » et « Quand faut-il la commander ? », l'acheteur pourra optimiser les quantités en stock pour chaque article. Le modèle le plus simple est celui où la quantité commandée et l'intervalle entre chaque commande sont fixes. Il existe également la méthode du min-max et le modèle du point de commande où la quantité de commande peut être fixe, mais où l'intervalle entre chaque commande est variable. De même, le modèle de la revue périodique consiste à passer une commande à un intervalle préétabli ; dans ce modèle, la quantité commandée peut varier. Finalement, on peut utiliser un modèle réunissant certaines variantes des différents modèles qui précèdent, où la quantité et l'intervalle sont variables.

Un autre modèle qui concerne la quantité de commande peut aider l'acheteur à optimiser ses coûts de stockage, soit la quantité économique de commande (QEC). Nous avons vu également certaines nuances apportées à la QEC (QEC avec une réception échelonnée ou QEP, QEC avec un escompte). Nous avons aussi étudié le modèle de la période économique.

Finalement, nous avons abordé les modèles de détermination des quantités à commander dans une perspective où la demande est dépendante d'un article à l'autre. Il existe

deux modèles importants dans ce cas : la planification des besoins de matières (PBM) et la planification des besoins de distribution (PBD). Afin d'appliquer correctement ces modèles, l'acheteur doit connaître la structure du produit ou la nomenclature du produit, l'état des stocks ainsi que les besoins des produits du niveau supérieur (produits finis).

Termes à retenir :

- État des stocks
- Méthode des deux tiroirs
- Min-max
- Min-max avec stock de sécurité
- Modèles de quantités à commander
- Plan directeur de production
- Planification des besoins de distribution
- Planification des besoins de matières
- Période économique
- Point de commande
- Revue périodique
- QEC
- QEC avec réception échelonnée
- QEP
- Remise quantitative
- Structure de produit

Questions

1. Un acheteur doit se poser deux questions fondamentales en matière de gestion des stocks. Quelles sont-elles ?

2. Qu'est-ce qu'un point de commande ?

3. Qu'est-ce qu'un stock de sécurité ?

4. Expliquez en vos propres mots la méthode des deux tiroirs.

5. Quel effet sur les coûts liés à l'approvisionnement (coût combiné) entraînera le calcul de la quantité économique de commande (QEC) ?

6. Quels sont les coûts pertinents dans le calcul de la QEC, parmi les quatre coûts décrits dans ce chapitre ?

7. Nommez deux hypothèses à respecter pour utiliser adéquatement la QEC.

8. Quelle hypothèse n'est plus valable dans le cas de l'utilisation de la QEC avec un escompte ?

9. Quels sont les intrants d'un système de planification des besoins de matières (PBM) ?

10. Qu'est-ce qu'un système de planification des besoins de distribution (PBD) ?

Exercices d'apprentissage

1. Reproduisez le graphique de l'évolution des stocks (*voir la figure 5.3, p. 203*) sur 15 semaines (il y a 5 jours ouvrables par semaine). Tenez compte des renseignements suivants et indiquez lisiblement le point de commande, la quantité maximale, la quantité minimale et le délai de livraison.

   Demande : 250 unités par semaine

   Délai de livraison : 2 semaines

   Quantité en main au début de l'horizon de planification (temps $t = 0$) : 500 unités

   Quantité à commander : 750 unités

   Stock de sécurité : 0 unité

2. Reproduisez le graphique de l'évolution des stocks (*voir la figure 5.5, p. 206*) sur 15 semaines (il y a 5 jours ouvrables par semaine). Tenez compte des renseignements suivants :

   Demande : 200 unités par semaine

   Délai de livraison : 3 semaines

   Quantité en main au début de l'horizon de planification : 750 unités

   Quantité à commander : 900 unités

   Stock de sécurité : 150 unités

3. Reproduisez le graphique de l'évolution des stocks sur 8 semaines (il y a 5 jours ouvrables par semaine). Tenez compte des renseignements suivants :

   Demande : 40 unités par jour

   Délai de livraison : 2 jours

   Quantité en main au début de l'horizon de planification : 160 unités

   Quantité à commander : 400 unités

   Stock de sécurité : 0 unité

4. Reproduisez le graphique de l'évolution des stocks sur 8 semaines (il y a 5 jours ouvrables par semaine). Tenez compte des renseignements suivants :

   Demande : 70 unités par jour

   Délai de livraison : 4 jours

   Quantité en main au début de l'horizon de planification : 420 unités

Quantité à commander : 560 unités

Stock de sécurité : 140 unités

5. Parmi les éléments suivants, lesquels entrent dans le calcul de la QEC ?

    a) le coût unitaire de l'article ;

    b) le salaire du réceptionnaire de la marchandise ;

    c) l'amortissement comptable du bâtiment ;

    d) la campagne de publicité effectuée pour un article donné ;

    e) les taxes scolaires ;

    f) le salaire du vice-président exploitation ;

    g) le coût rattaché à la perte d'une vente ;

    h) le formulaire de demande d'achat ;

    i) le coût des palettes lors de la réception du matériel ;

    j) le salaire de l'adjoint administratif du service des achats.

6. Quel type de modèle devrait utiliser une entreprise qui veut recevoir son stock de façon instantanée (la demande ne dépend pas de la production) ? Le modèle de gestion des stocks sera-t-il le même si elle veut recevoir son stock de façon graduelle ?

7. Dessinez la structure du produit dans le cas du produit A à partir des renseignements suivants : on a besoin de 2 articles B, de 4 articles C et de 1 article D pour fabriquer 1 produit A ; de plus, on a besoin de 2 articles D, de 3 articles E et de 4 articles F pour fabriquer 1 produit B.

8. Quels seront les besoins nets (la quantité de commande) en articles X si les besoins bruts sont de 200 unités ? La quantité en main est de 90 unités (y compris le stock de sécurité qui est de 30 unités), la réception programmée de l'article X est de 40 unités et le fournisseur habituel exige des commandes par lots de 80 unités.

9. Quelle serait votre réponse à la question précédente si le fournisseur n'imposait aucune contrainte ?

10. Dessinez la structure du produit X, sachant que l'on a besoin de 4 produits A, de 2 produits B et de 3 produits C pour fabriquer 1 produit X. De plus, pour fabriquer le produit A, on a recours à 3 produits B et à 2 produits C. Finalement, dans le produit C, on doit inclure 4 produits D et 1 produit E.

Exercices de compréhension

1. Une entreprise de mécanique industrielle utilise fréquemment des tiges à souder. Elle achète 3 450 paquets de tiges à souder par année. Le coût unitaire du paquet de 50 tiges est de 45 $. Le taux de stockage est évalué à 18 %, et le coût pour passer une commande est de 22,50 $.

    a) Quelle est la QEC ?

    b) Combien de commandes l'acheteur placera-t-il en une année ?

c) Quel sera l'intervalle en jours entre chaque commande si l'on considère que l'entreprise est en activité 250 jours par année?

2. L'entreprise Du Fond de la cour fait l'acquisition de 40 000 pièges à rats par année au prix de 3,50 $ chacun. Le coût de stockage annuel est évalué à 20 %, et le coût de commande est de 17,50 $.

a) Quelle est la QEC?

b) Quel est le coût de stockage associé à la QEC?

c) Quel est le coût de commande?

d) Quel est le coût combiné (Cs + Cc)?

e) Combien de commandes l'entreprise passera-t-elle dans l'année?

f) Quel sera l'intervalle entre chaque commande si le lot de commande utilisé est la QEC et s'il y a 250 jours ouvrables dans une année? Quel serait cet intervalle s'il y avait 365 jours ouvrables dans une année?

3. Une entreprise d'entretien ménager consomme 15 000 l de savon à plancher par année. Le fournisseur de savon offre l'échelle de prix suivante:

Quantité commandée (l)	Prix unitaire ($/l)
Q < 600	7,00
600 ≤ Q < 1 000	6,00
1 000 ≤ Q < 1 400	5,00
Q ≥ 1 400	4,00

Le coût de stockage est de 23 % du coût unitaire par année. Le coût de commande est de 25 $. Quelle quantité l'entreprise devrait-elle commander pour réduire le plus possible le coût total (Ca + Cs + Cc)? Quel sera l'intervalle entre chaque commande si les employés travaillent 250 jours par année?

4. Quelle serait la quantité de commande optimale dans l'exercice de compréhension n° 1 si on considère l'échelle de prix suivante?

Quantité commandée (paquets)	Coût unitaire ($/paquet)
Q < 100	50,00
100 ≤ Q < 200	47,50
200 ≤ Q < 300	45,00
Q ≥ 300	42,50

5. L'entreprise Chocolat de Pâques inc. fabrique des lapins en chocolat. La demande de lapins en chocolat est de 20 833 par mois. Chaque lapin en chocolat coûte 2,25 $. Le coût de commande dans l'entreprise (réglage des machines, etc.) est de 157 $, et la machine a une capacité de production de 5 lapins par minute. Chocolat de Pâques inc. fonctionne

250 jours par année, 10 heures par jour. On doit cependant considérer que le temps productif est de 90 % du temps total. Le taux d'entreposage journalier est estimé à 0,016 % du coût unitaire de l'article. Calculez la quantité économique de production. Déterminez également le nombre de mises en route par année et l'intervalle entre chaque mise en route.

6. Le taux de consommation d'un produit est de 12 000 unités par année. Le taux d'approvisionnement de ce produit est de 60 par jour. S'il y a 250 jours ouvrables par année, que le coût de commande est de 40 $ et que le coût de stockage unitaire est de 0,75 $ par produit par année, déterminez la quantité économique de commande.

7. L'entreprise Stimule-jouets inc. utilise 10 000 attaches spéciales par année. Chaque attache coûte 1 $. Le service du matériel a déterminé que le coût de commande est de 25 $. Le service de comptabilité estime que le taux annuel de stockage est de 12,5 %. En supposant que l'application du modèle de la quantité optimale de commande est valable (conforme aux hypothèses), déterminez le lot optimal de commande, le nombre de commandes, l'intervalle de temps entre les commandes ainsi que le coût total lié à la quantité optimale.

8. Quelle devrait être la période économique si on devait se fier aux quelques données qui suivent ?

Mois	Consommation mensuelle de crayons
Janvier	103
Février	88
Mars	117
Avril	159
Mai	133
Juin	91
Juillet	80
Août	207
Septembre	225
Octobre	146
Novembre	112
Décembre	101

9. En supposant maintenant que l'on reçoit les attaches de l'exercice n° 7 au taux de 400 par semaine et que 800 attaches sont consommées par mois, déterminez la nouvelle politique optimale de commande.

10. Le plan directeur de production (PDP) du produit fini A se présente comme suit :

Semaine	1	2	3	4	5	6	7	8
Quantité	5	25	20	25	20	25	20	25

La nomenclature du produit est la suivante :

Le produit fini A comprend 1 composant B et 2 composants C, qui comprennent respectivement 3 matières D (dans le cas de B) ainsi que 2 matières D et 3 matières E (dans le cas de C).

Les délais d'approvisionnement et de production sont les suivants :

Produit	A	B	C	D	E
Délai d'approvisionnement	1	1	2	2	3

Le stock en main et le stock de sécurité désiré sont les suivants :

Produit	A	B	C	D	E
Stock en main	10	15	80	110	160
Stock de sécurtié désiré	0	0	0	0	0

Finalement, les réceptions programmées doivent s'échelonner comme suit :

Produit	A	B	C	D	E
Quantité	0	50	0	400	300
Semaine	–	1	–	2	2

Déterminez le plan des besoins de matières (PBM) en tenant compte d'un horizon de planification de 8 semaines.

11. Les données qui suivent décrivent un système de planification des besoins de matières.

La structure du produit est la suivante :

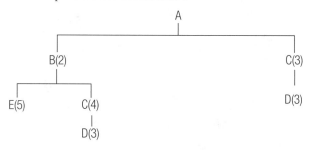

Le plan directeur de production pour le produit fini A est le suivant :

Semaine	1	2	3	4	5	6	7	8
Quantité	100	100	50	150	200	100	40	60

Les délais d'approvisionnement pour chaque produit sont les suivants :

Produit	A	B	C	D	E
Délai (semaines)	0	1	2	1	3

Pour ce qui est de l'état des stocks, les données sont les suivantes :

Produit	A	B	C	D	E
Quantité en stock au début	350	300	1 500	8 000	2 500
Stock de sécurité désiré	200	300	1 000	4 000	1 000
Réception programmée					
Quantité	–	–	200	6 650	–
Semaine	–	–	2	1	–
Lot de commande	–	–	1 100	6 650	2 000

Dressez le plan des besoins de matières pour chaque produit.

12. Le directeur de la production vient de vous transmettre les besoins (le plan directeur de production) en produits finis A pour les 8 prochaines semaines. Voici ce plan :

Semaine	1	2	3	4	5	6	7	8
Quantité	100	150	200	150	100	150	200	150

De plus, vous savez par expérience que le produit A est fabriqué selon la structure suivante :

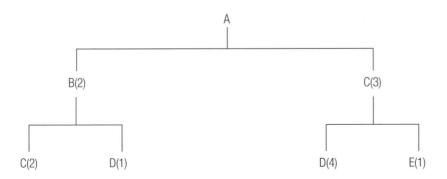

Finalement, l'état des stocks est le suivant :

Produit	A	B	C	D	E
Stock en main	400	350	700	1 000	2 000
Stock de sécurité	150	200	150	200	500
Réception programmée	0	0	200	12 000	0
Semaine	–	–	3	1	–
Délai de production ou d'approvisionnement	0	1	2	3	2
Lot minimal	0	0	200	500	0

À partir de ces renseignements, dressez les plans de production et d'approvisionnement selon le système de PBM pour les 5 produits (A, B, C, D et E).

13. Le directeur des ventes vous informe qu'il désire avoir 5 unités du produit A par semaine et que le taux de rejets du produit B est de 5 %. Quels seront vos nouveaux horaires de production et d'approvisionnement (passation des commandes) pour ces deux produits?

14. Établissez la planification des besoins de matières sur 8 semaines si on vous donne la structure de produit suivante:

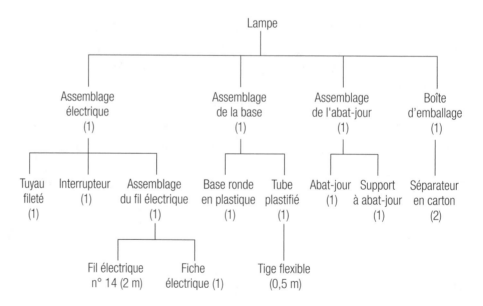

De plus, on vous donne le plan directeur de production (PDP) suivant:

Semaine	1	2	3	4	5	6	7	8
Lampe	25	30	20	40	15	35	20	15

ainsi que l'état des stocks qui suit:

	État des stocks					
Nom du produit	Stock en main incluant le SS	Stock de sécurité	Réceptions programmées	Délai de livraison (semaines)	Lot de commande	Niveau
Lampe	5	1	–	0	–	0
Assemblage électrique	24	2	–	1	–	1
Assemblage de la base	10	2	–	0	–	1
Assemblage de l'abat-jour	25	1	–	1	–	1
Boîte d'emballage	53	5	–	2	20	1
Tuyau fileté	36	6	10 à la sem. 2	1	8	2
Interrupteur	31	2	–	1	–	2
Assemblage du fil électrique	37	3	–	1	–	2
Fil électrique n° 14	110	10	–	2	50	3
Fiche électrique	16	5	7 à la sem. 3	1	10	3
Base ronde	19	3	–	1	7	2
Tube plastifié	17	2	–	1	8	2
Tige flexible	26	6	–	2	–	3
Abat-jour	32	1	–	1	–	2
Support à abat-jour	31	2	–	1	–	2
Séparateur en carton	56	8	35 à la sem. 1	1	12	2

15. Un important distributeur a installé son siège social à Montréal. Il possède trois entrepôts régionaux: à Chicoutimi, à Québec et à Rimouski. On connaît les besoins bruts pour un article donné à chaque entrepôt, et ce, pour les 8 prochaines semaines. À l'entrepôt de Chicoutimi, les besoins en unités sont les suivants: 80, 80, 80, 80, 40, 40, 40, 40. À l'entrepôt de Québec, les besoins sont les suivants: 200, 200, 200, 200, 300, 300, 300, 300. Enfin, l'entrepôt de Rimouski a des besoins plus restreints: 20, 30, 20, 30, 20, 30, 20, 30. En outre, les quantités en main sont respectivement de 200, 700 et 100 unités. Les délais d'approvisionnement sont de 2 semaines à Chicoutimi, de 1 semaine à Québec et de 2 semaines à Rimouski. Les quantités de commande, qui ont été évaluées à l'aide du modèle de la QEC, sont respectivement de 225, 550

et 120 unités. L'entrepôt central de Montréal ne fournit que ses entrepôts régionaux parce qu'il ne peut vendre directement aux consommateurs. Sa quantité en main est de 1 300 unités. De plus, l'entrepôt conserve un stock de sécurité de 200 unités pour faire face aux variations soudaines de la demande. Le délai d'approvisionnement de l'entrepôt central est de 3 semaines et, finalement, la quantité de commande est de 1 500 unités.

Déterminez, à l'aide de la planification des besoins de distribution (PBD), les commandes à effectuer ainsi que le stock en main pour chaque semaine dans le cas de chaque entrepôt régional et de l'entrepôt central.

16. En vous référant à l'exercice précédent, supposez que l'entrepôt de Rimouski ferme ses portes et que ses besoins sont répartis ainsi : un tiers à Chicoutimi et le reste à Québec. Les quantités en main et les délais d'approvisionnement demeurent identiques. Que deviendrait le système de distribution (utilisez encore une fois la PBD) en ce qui concerne les commandes et le stock en main ?

Cas

Vive les compromis !

Vous êtes technicien en administration fraîchement diplômé d'un cégep du Québec. Vous avez décroché un emploi comme acheteur dans une entreprise manufacturière de briquets à essence. Lors de votre entrée en fonction, vous constatez qu'il existe dans l'entreprise deux écoles de pensée diamétralement opposées en ce qui concerne la gestion des stocks. Le comptable, M. Picsou, est d'avis qu'il faudrait commander le strict minimum, quitte à passer des commandes plus souvent. Quant à la directrice de l'usine, Mme Brûlé, elle pense exactement le contraire. Selon elle, l'acheteur doit commander de grandes quantités dans le but d'éviter les ruptures de stock et de bénéficier d'escomptes sur quantité, ce qui a pour effet d'abaisser le coût unitaire du produit.

Question

M. Picsou et Mme Brûlé savent que vous êtes spécialisé dans ce domaine. Ils vous demandent donc votre opinion sur les quantités à commander dans le cas des matières premières et des composantes entrant dans la fabrication des briquets à essence, ainsi que des pièces servant à l'entretien de la machinerie. Que leur direz-vous ?

Annexe **5.1**

Les formules de tableur pouvant être utiles lors de la création d'une PBM ou d'une PBD

À l'aide d'un tableur (Excel), créez une base de données (appelée « feuille 1 ») avec tous les intrants du problème dans une feuille de calcul. Pour ce faire, double-cliquez sur l'onglet du bas. Nommez cette feuille « PBM – intrants ».

Sur la feuille 2, en vous référant aux données de la feuille 1, créez les tableaux relatifs à la PBM. Nommez cette feuille « PBM – tableaux ».

Besoins bruts

Vous référer aux données de la feuille 1.

Réceptions programmées

Vous référer également aux données de la feuille 1.

Stock en main

Pour la première semaine :

Stock en main inscrit sur la feuille 1 – Stock de sécurité inscrit sur la feuille 1

À partir de la deuxième semaine :

Stock en main de la semaine précédente 1 + Réceptions programmées de la semaine précédente 1 + Réceptions de commandes de la semaine précédente – Besoins bruts de la semaine précédente.

Stock de sécurité

Stock de sécurité inscrit sur la feuille 1, ou la formule suivante :

Si (stock en main de la semaine en cours < 0 ; stock de sécurité feuille 1 + stock en main de la semaine en cours ; stock de sécurité feuille 1)

Cela nous indique que, si le stock en main est négatif, on puise automatiquement dans le stock de sécurité.

Besoins nets

Si (besoins bruts de la semaine en cours – réceptions programmées de la semaine en cours – stock en main de la semaine en cours < 0 ; 0 ; besoins bruts de la semaine en cours – réceptions programmées de la semaine en cours – stock en main de la semaine en cours)

Réception de commandes

1. Dans le cas où il n'y a pas de lot de commande :

   Si (délai de livraison > numéro de la semaine – 1 ; 0 ; besoins nets de la semaine en cours)

2. Dans le cas où il faut tenir compte d'un lot de commande :

   Si (délai de livraison > numéro de la semaine – 1 ; 0 ; plafond (besoins nets de la semaine en cours ; lot de commande inscrit sur la feuille 1))

3. Formule qui s'adapte à toutes les situations :

   Si (délai de livraison > numéro de la semaine – 1 ; 0 ; plafond (besoins nets de la semaine en cours ; si (lot de commande inscrit sur la feuille 1 = 0 ; 1 ; lot de commande inscrit sur la feuille 1)))

Lancement de commandes

1. Dans le cas où il n'y a pas de lot de commande :

   Si (délai de livraison = 0 ; besoins nets de la semaine en cours ; si (délai de livraison = 1 ; besoins nets de la semaine suivante ; si (délai de livraison = 2 ; besoins nets 2 semaines plus loin ; si (délai de livraison = 3 ; besoins nets 3 semaines plus loin))))

2. Dans le cas où il y a un lot de commande :

   Plafond (si (délai de livraison = 0 ; besoins nets de la semaine en cours ; si (délai de livraison = 1 ; besoins nets de la semaine suivante ; si (délai de livraison = 2 ; besoins nets 2 semaines plus loin ; si (délai de livraison = 3 ; besoins nets 3 semaines plus loin)))) ; lot de commande inscrit sur la feuille 1)

3. Formule qui s'adapte à toutes les situations :

   Plafond (si (délai de livraison = 0 ; besoins nets de la semaine en cours ; si (délai de livraison = 1 ; besoins nets de la semaine suivante ; si (délai de livraison = 2 ; besoins nets 2 semaines plus loin ; si (délai de livraison = 3 ; besoins nets 3 semaines plus loin)))) ; si (lot de commande inscrit sur la feuille 1 = 0 ; 1 ; lot de commande inscrit sur la feuille 1)))

Note : Dans les formules, les délais de livraison, le stock de sécurité ainsi que le stock en main pour la première semaine devraient toujours être considérés avec l'adressage absolu.

Les fonctions liées à la gestion des stocks

Objectif général

Dresser un portrait des fonctions auxiliaires de la gestion des stocks.

Autres objectifs

- Connaître les rouages du service de réception et d'expédition du matériel d'une entreprise.
- Découvrir l'importance de la manutention des stocks.
- Nommer les catégories d'équipements de manutention.
- Se familiariser avec l'entreposage fixe et l'entreposage aléatoire.
- Connaître les principaux types de rayonnages que l'on peut trouver dans un entrepôt.
- Connaître diverses façons de codifier des articles dans une usine.
- Connaître les technologies d'identification des articles dans un entrepôt.
- Appliquer des méthodes d'évaluation des stocks.
- Savoir à quoi sert le dénombrement cyclique.
- Se familiariser avec les catégories d'emballages.
- Effectuer un contrôle de qualité par échantillonnage ainsi qu'au moyen de cartes de contrôle.

> *L'effort ne porte pleinement sa récompense que lorsque l'on a refusé d'abandonner.*
>
> – Napoleon Hill (1883-1970), auteur américain dont l'œuvre la plus célèbre est *Pensez et devenez riche.*

En entreprise

PREVOST.

Prévost est une entreprise considérée comme un chef de file nord-américain dans le domaine de la fabrication d'autocars. Fondée en 1924, elle est maintenant la propriété de l'entreprise Volvo Bus Corporation, une division de Volvo Group, le deuxième plus important groupe manufacturier d'autocars et d'autobus urbains au monde, un achat qui permet à cette entreprise de Sainte-Claire, au Québec, d'avoir les moyens de ses ambitions.

L'entreprise, forte de ses 1 337 employés, se spécialise dans la production d'autocars Grand-Tourisme, de carrosseries pour conversion en maisons motorisées haut de gamme, en plus de vendre des autocars d'occasion et de prendre en charge la vente de pièces et d'assurer le service après-vente.

La flotte active produite par Prévost compte maintenant plus de 10 000 véhicules, grâce, entre autres, à l'acquisition, en 1998, de la compagnie Nova Bus, qui a permis à l'entreprise de se tailler une place de choix au sein du marché du transport urbain, avec la production de l'avant-gardiste Nova LFS.

Cause directe de l'application méticuleuse de ses standards de qualité en matière d'innovation technologique et de satisfaction de sa clientèle, Prévost a obtenu la convoitée certification ISO 9001:2000, pour la qualité exceptionnelle de sa production et de son service après-vente. Elle détient également la certification ISO 14001, pour son respect de l'environnement dans ses procédés de fabrication.

La qualité et le souci de l'excellence sont donc au cœur de la philosophie entrepreneuriale de Prévost, et transparaissent tant dans la conception et la fabrication de ses produits que dans ses relations avec ses fournisseurs et ses clients.

Le service de l'approvisionnement

Introduction

La gestion des stocks requiert très souvent l'intervention d'un acheteur. Celui-ci détermine la quantité d'articles à commander et à quel moment. Cependant, commander du matériel fait également intervenir d'autres fonctions et individus qui ont aussi de l'importance pour l'entreprise. Après avoir commandé un produit, l'acheteur doit considérer la réception du matériel, sa manutention pour son envoi à l'entrepôt, son **entreposage,** éventuellement son **emballage** et son **expédition** et, finalement, la distribution (le transport) du matériel vers le client. Le but de ce chapitre est d'analyser chacune de ces fonctions, à l'exception de la distribution qui fera l'objet du chapitre 7.

6.1 La réception des stocks

La fonction **réception des stocks** est une fonction stratégique pour l'entreprise. Cette fonction servant de vérification, c'est souvent à ce moment que l'on peut éviter des problèmes dans la gestion de la chaîne d'approvisionnement. La personne responsable de la réception des stocks est le réceptionnaire. Celui-ci doit effectuer deux types de contrôle, soit un **contrôle quantitatif** et un **contrôle qualitatif.**

6.1.1 Le contrôle quantitatif

Le contrôle quantitatif se résume à dénombrer la quantité d'unités de l'article reçu. Il faut comprendre, ici, que si le matériel est sous forme de boîtes de 10 000 feuilles chacune, le réceptionnaire n'ira pas jusqu'à compter le nombre de feuilles par boîte. Selon la valeur de ces boîtes pour l'entreprise, le réceptionnaire comptera probablement le nombre de boîtes ou encore le nombre de rames de 500 feuilles par boîte. Pour ce qui est des produits lourds comme les feuilles d'acier dans l'industrie des portes d'acier, le réceptionnaire utilisera une balance électronique pour contrôler le poids de la quantité reçue. Bien entendu, si la quantité comptée équivaut à la quantité achetée, il n'y a aucun problème. Le matériel suit le parcours prévu, c'est-à-dire qu'il passe à l'étape de l'entreposage ou à l'étape de l'utilisation par le service qui en fait la demande.

Dans le cas contraire, le réceptionnaire note la différence sur le **bon de livraison.** Ainsi, l'acheteur est mis au courant et peut chercher d'où provient l'erreur et régler le problème. Comme le problème ne sera probablement pas résolu avant quelques jours, voire quelques semaines, le réceptionnaire inscrit ses initiales, la date de réception, le nombre de colis ainsi que tous les problèmes observés au moment de la réception. Un exemple de bon de livraison est présenté à la figure 6.1, à la page suivante.

6.1.2 Le contrôle qualitatif

Le réceptionnaire doit également faire un contrôle qualitatif, lequel se produit souvent au même endroit que le contrôle quantitatif. Le contrôle qualitatif vise à vérifier si les spécifications ou les devis fournis durant le processus d'approvisionnement sont respectés. Par exemple, dans le cas de l'acquisition de piles de six volts, le réceptionnaire vérifiera, à l'aide d'un testeur de piles, si les piles fonctionnent correctement. Par la suite, il pourra en vérifier le voltage à l'aide d'un voltmètre. Encore faut-il, cependant, que les appareils servant à faire les tests soient bien calibrés. Une notion très importante liée à la réception des stocks est l'**échantillonnage.** En effet, lorsque l'entreprise reçoit un lot de piles de six volts, elle ne teste pas toutes les piles à cause des contraintes liées au temps et à l'argent. Seulement quelques piles font partie de l'échantillon. Cette notion concernant le contrôle de la qualité est traitée beaucoup plus en profondeur à la fin du présent chapitre.

Certains principes fondamentaux qui ont trait à la réception du matériel doivent être respectés si l'on désire optimiser cette fonction. D'abord, il faut réduire le plus possible la circulation du matériel dans l'aire de réception pour éviter tout encombrement. Autrement dit, dès la réception du matériel, après les contrôles quantitatif et qualitatif, le matériel doit être rangé à l'endroit adéquat (dans l'entrepôt de matières premières, le magasin de pièces de rechange, l'entrepôt de produits finis ou directement sur la chaîne de production si la méthode du juste-à-temps est utilisée). Ensuite, étant donné que la réception et l'expédition du matériel sont souvent centralisées (au même endroit) dans les entreprises, l'acheteur, en collaboration avec le réceptionnaire, doit veiller à recevoir le matériel à des heures où la circulation dans le service est faible. Cette mesure favorise le bon déroulement des expéditions.

Figure 6.1 Un exemple de bon de livraison

MATÉRIAUX
BOMAT
GROS ET DÉTAIL

1212, CHEMIN INDUSTRIEL
ST-NICOLAS (QUÉBEC) G7A 1A6

- BON DE LIVRAISON -

TÉL.: (418) 831-4848
FAX: (418) 831-3849

NOTRE N° D'ENREGISTREMENT T.P.S.: R 103559670
NOTRE N° D'ENREGISTREMENT T.V.Q.: 1000975083 TV 0001

VENDU À

LIVRÉ À

N° COMMANDE DE CLIENT	N° BON DE LIVRAISON	DATE COMMANDE	N° CLIENT	DATE LIVRAISON	NO. PAQUETS	PAGE
LIVRAISON PAR						TERR. / REPR.

N° ARTICLE	DESCRIPTION	QUANTITÉ COMMANDÉE	QUANTITÉ LIVRÉE	UNITÉ	PRIX	MONTANT

PRÉPARÉ PAR	CHARGÉ PAR
LIVRÉ PAR	VÉRIFIÉ PAR

CONDITIONS: AUCUN ESCOMPTE· COMPTANT OU FACTURE. NET 30 JOURS SUR CRÉDIT ACCEPTÉ. DES FRAIS DE SERVICE DE 2% PAR MOIS (24% PAR ANNÉE) SERONT FACTURÉS SUR TOUT SOLDE NON ACQUITTÉ À 30 JOURS. LES CONDITIONS AU VERSO FONT PARTIE INTÉGRANTE DE CETTE FACTURE. J'EN AI PRIS CONNAISSANCE ET J'ACCEPTE LA MARCHANDISE À CES CONDITIONS.
ATTENTION: LE BOIS EST UN PRODUIT QUI PEUT FENDILLER, CROCHIR, ONDULER, RÉTRÉCIR, RENFLER, DÉCOLORER, ETC. IL N'Y A AUCUNE GARANTIE SUR LE BOIS

SIGNATURE DU CLIENT ______ VOIR VERSO

BUREAU

Source : Reproduit avec la permission de Matériaux Bomat.

Dans beaucoup d'entreprises, le service de l'approvisionnement prend une entente avec les fournisseurs de matières premières. Ainsi, le transporteur arrive très tôt le matin afin de ne pas occuper trop longtemps l'espace requis. Il faut comprendre qu'en général, les petites et moyennes entreprises (PME) possèdent peu de quais de chargement et de déchargement, ce qui peut restreindre les opérations de réception et d'expédition.

Le service de la réception et de l'expédition peut être dimensionné assez facilement selon le type de produit, certaines règles et un bon jugement. Cette question dépasse toutefois le cadre de cet ouvrage. Le lecteur intéressé pourra consulter des ouvrages sur la gestion de l'usine.

6.2 La manutention des stocks

Les gestionnaires négligent souvent la manutention des stocks, car cet aspect est difficile à comptabiliser. En effet, il est ardu de l'incorporer au prix de revient d'un produit. Pourtant, l'importance de la manutention doit être reconnue puisqu'elle fait partie de la gestion d'une usine. Même là où aucune opération n'est effectuée sur un produit et où il n'y a ni contrôle ni stockage, il y a manutention.

Il suffit d'imaginer une entreprise de fabrication de baignoires pour comprendre toute l'importance de la manutention. Après la réception des matières premières, en l'occurrence les feuilles d'acrylique, on les manutentionne jusqu'à l'entrepôt des matières premières. Quand elles deviennent nécessaires à la fabrication, on les transporte de l'entrepôt de matières premières vers le premier poste de travail en vue de les transformer. Il y a donc une manutention entre chaque poste de travail. Ainsi, on procède d'abord au thermoformage des feuilles : celles-ci sont moulées à l'aide de l'énergie thermique, c'est-à-dire qu'elles prennent la forme habituelle de la baignoire. Ensuite, on pose la fibre de verre dans le but de solidifier l'enceinte. On perce des trous afin d'y placer les robinets, etc. Lorsque l'on arrive au dernier poste de travail pour l'assemblage final, la baignoire est dirigée vers le poste d'emballage. Après l'emballage, la baignoire est transportée à l'entrepôt de produits finis. À la dernière étape, le produit fini est acheminé au **quai de chargement** pour l'expédier au client.

Tous ces mouvements n'ajoutent aucune valeur au produit, d'où la nécessité de réduire le plus possible ces opérations. Voici les principales règles de base à suivre dans la manutention des matériaux :

- On simplifie les opérations de manutention en les réduisant ou en les éliminant.
- On favorise les déplacements en ligne droite (certains se rappelleront la notion de géométrie selon laquelle le plus court chemin entre deux points est la ligne droite).
- On évite la circulation intense dans un endroit de l'entreprise afin d'éviter les accidents, qui sont des sources de frais additionnels pour l'entreprise.
- On utilise des systèmes de manutention qui rendent les équipements plus polyvalents, c'est-à-dire capables d'exécuter plusieurs tâches différentes (par exemple, un chariot plateforme peut servir à placer du matériel dans un entrepôt puis à le distribuer sur une chaîne de montage).
- On garde toujours à l'esprit le vieil adage anglo-saxon KISS (*Keep It Simple, Stupid*). En d'autres mots, il faut veiller à ne pas compliquer les choses quand elles sont simples au départ.

On ne peut parler de la manutention des stocks sans évoquer les moyens de soumettre les marchandises aux opérations de manutention. La plupart du temps, ces moyens concernent des équipements. Selon Tompkins et autres, il existe quatre catégories d'**équipements de manutention**[1] :

- les équipements de **conteneurisation** ;
- les équipements de transport du matériel ;

1. James A. TOMPKINS et autres, *Facilities Planning*, 2ᵉ éd., New York, John Wiley & Sons, 1996, p. 169.

- les équipements d'entreposage et de récupération ;
- les équipements d'identification automatique et de communication.

Parmi les équipements de conteneurisation, mentionnons les palettes de toutes dimensions, les socles et les boîtes de bois en tous genres. Pour ce qui est des palettes (*voir la figure 6.2*), les dimensions les plus courantes dans l'industrie sont de 40 po sur 48 po (100 cm sur 120 cm) et de 36 po sur 48 po (90 cm sur 120 cm). Le plancher des palettes, où l'on installe la marchandise, se trouve généralement à 6 po (15 cm) du sol.

Figure 6.2 Des exemples de palettes

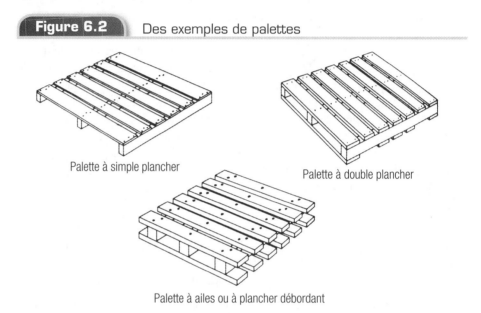

Palette à simple plancher

Palette à double plancher

Palette à ailes ou à plancher débordant

Source : Adapté de TOMPKINS et autres (1996, p. 166). Reproduit avec la permission de John Wiley & Sons, Inc. Tous droits réservés.

Pour ce qui est des équipements de transport du matériel, il en existe une multitude. Tous les types de convoyeurs en font partie de même que les vis sans fin, les transpalettes, les chariots élévateurs, les treuils et les grues. Les équipements d'entreposage et de récupération comprennent les casiers, ou compartiments (alvéoles), les **rayonnages,** les mezzanines et les carrousels.

Finalement, les équipements d'identification automatique et de communication comprennent les **codes à barres,** les lecteurs de codes à barres (crayons-lecteurs), les bandes magnétiques, les transmetteurs de données par fréquence radio (sorte de walkies-talkies qui sont en fait des ordinateurs miniatures) et les systèmes vocaux (intégrés aux caisses enregistreuses dans les supermarchés ou dans les grands entrepôts afin de rassembler le matériel à expédier aux différents clients).

Comme on le voit, il existe une gamme variée d'équipements de manutention, chacun ayant son utilité. Le choix d'un équipement dépend du type de produit de même que du budget alloué à la manutention.

6.3 L'entreposage

Une entreprise comporte plusieurs types d'entrepôts. Signalons d'abord les entrepôts de matières premières. Un entrepôt de matières premières peut être un bâtiment isolé de l'usine, surtout dans le cas de produits chimiques comme la peinture. Il peut aussi faire partie de l'usine de transformation, comme dans le cas de feuilles d'aluminium. Certains entrepôts de matières premières sont constitués de silos, par exemple dans l'industrie du verre où les matières premières sont sous forme de sable (la silice, le carbonate de soude, le feldspath et le sulfate). D'autres entrepôts de matières premières sont à température contrôlée (espace humidifié), notamment dans le cas de bois servant à la fabrication des cadres de porte.

Il existe également des entrepôts de produits en cours de fabrication. Quand on commence à fabriquer un produit qui peut être utilisé à plusieurs fins, c'est-à-dire pour plusieurs produits finis, la tendance est de fabriquer d'avance ce produit semi-fini, fréquemment appelé un « sous-assemblage ». Quand on manque d'espace près de la chaîne de montage, on est obligé d'entreposer ces produits ailleurs pour ne pas nuire au déroulement des activités de fabrication. Dans certaines usines qui fonctionnent selon un procédé de fabrication en continu, on ne peut se permettre de laisser un lot de machines arrêtées longtemps pour cause de bris. Afin d'éviter cette situation, ces usines possèdent un entrepôt (ou magasin) de pièces de rechange. C'est le cas des usines d'acier, d'aluminium, de verre ou de pâtes et papiers.

Finalement, il existe des entrepôts de produits finis (magasins ou *warehouses*). Ce type d'entrepôt se situe le plus souvent près du service de la réception et de l'expédition. Comme on le sait, les opérations de manutention doivent être réduites le plus possible parce qu'elles n'ajoutent pas de valeur au produit. Dans la suite de ce chapitre, lorsque nous parlerons d'entrepôts, nous ferons référence à ces divers types d'entrepôts. Certains concepts pourront cependant mieux s'appliquer à un type d'entrepôt qu'à un autre.

Quand on fait de l'entreposage, on doit considérer certains facteurs importants. On peut citer, par exemple, l'espace disponible, les équipements de manutention, la diversité des produits en place (dimensions, poids, nombre de familles de produits, etc.) ainsi que le nombre de déplacements du responsable de l'entrepôt par type d'article. Une entreprise qui possède un espace restreint pour l'entreposage ne peut penser occuper une surface plus grande si cela implique de paralyser les opérations quotidiennes de fabrication ou de distribution.

Il existe trois manières d'entreposer du matériel. On peut recourir à l'entreposage fixe, à l'entreposage aléatoire ou à une combinaison des deux.

6.3.1 L'entreposage fixe

Comme son nom l'indique, l'entreposage fixe consiste à entreposer un article à un endroit qui sera toujours le même, peu importe la fréquence de la demande pour cet article. L'avantage de cette méthode est que la personne affectée à l'entrepôt repère rapidement l'article demandé. De même, grâce à cette méthode, tous les articles d'une même catégorie sont placés au même endroit, ce qui rend l'organisation du dénombrement beaucoup plus facile. Les listes informatiques d'articles sont souvent imprimées selon la famille de produits ou encore selon la catégorie de produits. Par exemple, à l'aide d'un système informatique de gestion des stocks, on peut aisément imprimer la liste de tous les produits relatifs à la sécurité du travail ou celle de tous les produits ayant une vocation mécanique (comme les roulements en tous genres, les paliers, les engrenages ou les crémaillères). Comme ces articles se trouvent souvent au même endroit, le dénombrement physique en est facilité.

Cette méthode comporte toutefois des inconvénients. En effet, l'entreposage fixe exige beaucoup d'espace. Même si les casiers alvéolés, les casiers dynamiques ou les casiers de stockage ne sont pas tous remplis, la période de réapprovisionnement variant pour chaque article, on ne peut utiliser ces espaces vacants pour d'autres articles. Ainsi, l'entrepôt n'est utilisé qu'à environ 50 % de sa capacité.

6.3.2 L'entreposage aléatoire

L'entreposage aléatoire est une méthode qui consiste à attribuer à l'article qui arrive le premier espace disponible, c'est-à-dire le premier espace vide sur son passage. Avec cette méthode, l'entrepôt peut être utilisé jusqu'à 90 % de sa capacité, ce qui limite l'espace perdu. Cependant, pour adopter cette méthode, les entrées et les sorties du matériel doivent être suivies rigoureusement. Si l'on possède un système informatique de gestion des stocks, on doit inscrire toutes les données relatives à chaque mouvement des stocks, aussi minime soit-il, sans quoi le système ne reflétera plus la réalité.

Dans l'entrepôt, peu importe la méthode utilisée, on devrait privilégier les articles les plus populaires (la classe A de Pareto en ce qui a trait au mouvement des articles dans l'entrepôt). Cela signifie que l'on devrait entreposer le plus près possible de l'entrée de l'entrepôt les articles dont les entrées et les sorties sont fréquentes. Les articles qui engendrent peu de mouvements sur une période donnée devraient logiquement être placés au fond de l'entrepôt. Finalement, les articles ayant une fréquence d'entrées et de sorties moyenne devraient être placés entre les deux catégories précédentes. Ainsi, un magasinier ou un préposé à l'entrepôt gère trois petits entrepôts en un.

6.3.3 L'entreposage à la fois fixe et aléatoire

Devant les avantages que comportent l'entreposage fixe et l'entreposage aléatoire, plusieurs entreprises choisissent d'utiliser une combinaison des deux. En effet, certaines catégories d'articles peuvent se prêter davantage à l'entreposage aléatoire. C'est le cas, par exemple, des articles ayant sensiblement la même dimension et des fréquences d'entrées et de sorties similaires, telles les pièces de rechange utilisées dans l'entretien préventif d'une machine. Par contre, pour d'autres catégories d'articles, l'usage de l'entreposage fixe demeure la solution ; c'est le cas pour les motoréducteurs (moteurs ayant un système de réduction de la vitesse de rotation). Ces derniers peuvent être requis une fois tous les trois ans selon le type de maintenance effectuée sur la machinerie. De plus, les motoréducteurs sont assez lourds, de sorte qu'il serait illogique de recourir à un entreposage aléatoire. Pour ce qui est de l'entreposage de matières premières, on pourrait tirer les mêmes conclusions.

Bref, il n'existe pas une façon meilleure qu'une autre. L'acheteur doit utiliser celle qui optimisera les opérations de son entreprise. Lorsque l'on ne possède aucune donnée pertinente sur l'entreposage, on doit procéder par essais et erreurs.

6.4   La conception d'un entrepôt ou d'un magasin

Lors de l'élaboration concrète d'un entrepôt ou d'un magasin, on doit toujours envisager deux types de dimensionnement pour s'assurer d'obtenir une surface de plancher qui sera optimale, soit le dimensionnement statique et le dimensionnement dynamique.

6.4.1   Le dimensionnement statique

Le dimensionnement statique[2] fait référence à tous les éléments dont il faut tenir compte dans un entrepôt et qui ne requièrent aucun mouvement proprement dit. En d'autres mots, ce sont les éléments nécessaires qui occupent une certaine surface d'un entrepôt tout en étant fixes. Dans cette catégorie, on peut citer le rayonnage, les bureaux des employés à l'intérieur de l'entrepôt ainsi que les quais de chargement et de déchargement. Par exemple, il existe une multitude de rayonnages sur le marché. Il est important de sélectionner un type de rayonnage qui se prête bien aux opérations d'entreposage d'une entreprise donnée. De plus, il va de soi que l'endroit le plus approprié doit être étudié avec soin autant pour la localisation des rayonnages que pour celle des quais de chargement et de déchargement et des bureaux à l'intérieur de l'entrepôt. Une façon de déterminer un endroit approprié pour ces éléments fixes serait de considérer, entre autres, la manutention engendrée par ces emplacements. Les sections suivantes présentent plusieurs types de rayonnages, ainsi que des éléments pertinents au sujet du maintien de stock sur les rayonnages et des inventaires.

Les types de rayonnages

Les rayonnages les plus couramment utilisés dans les entrepôts sont décrits ci-dessous.

Le rayonnage classique

Comme son nom l'indique, le rayonnage classique n'a vraiment rien de particulier. Toutefois, sa conception permet une utilisation optimale de la hauteur dans un entrepôt. Le rayonnage classique peut être conçu pour des produits relativement légers, que l'on trouve surtout dans les bureaux, ou pour des produits un peu plus lourds ou nécessitant la **palettisation,** comme dans les entrepôts.

---

2. Michel ROUX, *Entrepôts et magasins,* 4ᵉ éd., Paris, Éditions d'Organisaton, 2008, p. 67. (Coll. « Eyrolles »)

Le rayonnage à double profondeur

Le rayonnage à double profondeur est en quelque sorte une extension du rayonnage classique. Il est pratique pour des articles à fort volume de vente. Toutefois, il peut nécessiter énormément de manutention et, donc, des pertes de temps (non-productivité). C'est le cas lorsqu'une entreprise utilise de façon rigoureuse la **méthode du premier entré, premier sorti** dans la gestion de ses stocks.

Le rayonnage à accumulation (*drive-in*)

Dans le rayonnage à accumulation, on peut loger un bon nombre de palettes du même produit. On l'utilise surtout pour les produits qui font l'objet de promotions à cause du nombre de mouvements d'entrées et de sorties de stock. S'il est utilisé convenablement, ce système peut sauver énormément d'espace dans un entrepôt.

Le rayonnage à gravité (*push-back*)

Le rayonnage à gravité est de plus en plus utilisé dans les grands centres de distribution. On peut y entreposer plusieurs palettes, ce qui permet d'augmenter la capacité d'entreposage d'un entrepôt. Les socles sont construits de telle sorte qu'aussitôt qu'une palette est retirée, la palette suivante prend sa place automatiquement, sans plus de manutention.

Le rayonnage bifrontal à gravité

Dans le rayonnage bifrontal à gravité, on peut placer encore plus de palettes que dans un rayonnage à gravité. Le principe est sensiblement le même, sauf qu'ici l'espace d'entreposage est approvisionné par l'arrière et on effectue les prélèvements à l'avant, ce qui favorise la méthode PEPS, ou FIFO (*voir p. 268*).

Le rayonnage à palettes (*pallet flow*)

Le rayonnage à palettes est très utile lorsque l'on a une grande quantité de palettes d'un même produit avec un fort roulement. La base de ce rayonnage est montée sur rails ou sur courroies mobiles, ce qui favorise le déplacement des palettes sans trop de friction. Par le fait même, le prélèvement de ces mêmes palettes est accéléré.

Le rayonnage en porte-à-faux (*cantilever*)

On utilise le rayonnage en porte-à-faux lorsque l'on doit emmagasiner des produits relativement longs et étroits, par exemple des tubes de métal, des tiges de fer plat ou des cornières, des courroies, etc. Ce rayonnage est conçu pour faciliter le prélèvement de ce type de produits.

Le rayonnage à approvisionnement continu (*carton flow*)

Le rayonnage à approvisionnement continu s'apparente à la fois au rayonnage à palettes et au rayonnage à gravité parce qu'il peut aussi être utilisé par gravité. Toutefois, on l'utilise pour le prélèvement fréquent de produits relativement petits de très faible volume. On associe souvent ce rayonnage au système de prélèvement numérique, appelé *pick-to-light*. Cette méthode est relativement simple : le prélèvement est effectué à l'aide de voyants lumineux qui guident le préposé vers le point de prélèvement tout en lui indiquant la quantité à prélever. Une fois cette tâche accomplie, le préposé appuie sur un bouton pour signaler la fin de l'opération et un autre voyant s'allume.

Le rayonnage mobile

Le rayonnage mobile prend moins de place dans un entrepôt. En effet, il peut être déplacé selon les besoins de l'entreprise et ne requiert pas d'allées pour le prélèvement des produits. Cependant, il est parfois dispendieux étant donné son usage plutôt restreint.

La mezzanine

La mezzanine est utilisée lorsque l'on manque d'espace sur un plancher dans une usine ou un entrepôt. Sa construction permet de profiter de la hauteur d'un entrepôt, car il s'agit d'un deuxième étage pour le rangement.

Le carrousel horizontal ou vertical

Le carrousel horizontal ou vertical est constitué d'un ensemble d'alvéoles. Celles-ci sont mues de façon circulaire ou elliptique, et ce, sur un plan horizontal ou vertical. C'est une bonne façon de conserver des articles près d'un poste de travail, tout en sauvant le plus d'espace possible.

La codification des articles

Après avoir étudié les méthodes d'entreposage et le type de rayonnage à privilégier, l'entreprise doit trouver une façon appropriée de reconnaître ses articles. Pour ce faire, la plupart des entreprises utilisent un système de codification. Autrement dit, chaque article de l'entrepôt a un code numérique ou alphanumérique permettant de l'identifier et de le localiser. Évidemment, le même code ne peut être utilisé pour deux articles différents, sinon c'est la confusion dans l'entrepôt. Le nombre de caractères utilisés par les codes des articles dépend du nombre d'articles en entrepôt et de la complexité des opérations. Par exemple, si un magasin compte 10 000 articles différents, le code devrait avoir au moins 5 caractères, par exemple 54321.

Cependant, il faut prévoir des expansions futures ou des modifications majeures dans le système de gestion des stocks. L'acheteur doit donc se laisser une marge de manœuvre d'environ deux caractères. De plus, si l'entreprise possède plusieurs ateliers importants, l'acheteur voudra peut-être codifier son stock en fonction de chaque atelier, d'où la possibilité d'insérer un caractère alphanumérique par atelier dans son code d'identification, par exemple A5432. Les codes alphanumériques peuvent également être utilisés par catégorie d'articles (famille de produits). Ainsi, le code des articles relatifs à la sécurité du travail pourrait commencer par A, le code des articles qui s'apparentent à l'électricité pourrait commencer par B, etc. Les possibilités sont extrêmement nombreuses quant à la façon de codifier les articles. La principale règle à suivre est d'utiliser un nombre de caractères adéquat et pertinent par rapport aux opérations. Un trop grand nombre de caractères peut entraîner des erreurs lors de la transcription du code et faire perdre du temps.

Les technologies d'identification des articles en entrepôt

Le code à barres

La plupart des entrepôts étant informatisés, une technologie de pointe peut être utilisée. Ainsi, la prise d'inventaire est plus facile et plus fiable. Ce système est le code à barres. Il comprend un code imprimé sur chaque article, avec des barres de largeurs différentes et espacées de façon variable, un lecteur optique, qui a souvent la forme d'un crayon ou d'un pistolet, ainsi qu'une imprimante de codes à barres.

Il existe plusieurs types de codes à barres. Mentionnons le système UPC (*universal product code*), qui est très utilisé dans les magasins à grande surface. Il s'agit d'un code à 12 caractères numériques (*voir la figure 6.3*) qui identifie le produit et le producteur. Les deux chiffres aux extrémités, soit 0 et 1, sont des caractères de contrôle. Le premier groupe de 5 chiffres représente le numéro du fabricant et le second groupe de 5 chiffres, celui du produit.

Figure 6.3   Un exemple de code à barres avec le système UPC

Il y a aussi le système Codabar, qui possède 16 caractères numériques et qui est employé surtout dans les hôpitaux. De même, on trouve le code 93, qui peut utiliser jusqu'à 175 caractères différents. Cette liste est cependant loin d'être exhaustive. Vous trouverez au tableau 6.1 une comparaison de différents types de codes à barres.

Tableau 6.1   Une comparaison de différents types de codes à barres

Type de code à barres	Année de développement	Type de caractères	Nombre de caractères	Application	Sécurité des données
UPC	1973	Numérique	10	Commerces de détail, fournitures d'automobile	Moyenne
39	1974	Alphanumérique	43/128		Excellente
2 of 5	1972	Numérique	10	Industrielle	Excellente
128	1981	Alphanumérique	103/128	Variée	Excellente
Codabar	1972	Numérique	16	Banques de sang, bibliothèques	Excellente
11	1977	Numérique	11	Télécommunications	Excellente
49	1987	Alphanumérique	128	Variée	–

Source: James A. TOMPKINS et autres (1996, p. 269); notre traduction. Reproduit avec la permission de John Wiley & Sons, Inc. Tous droits réservés.

La fréquence radio

Le système d'**identification par fréquence radio** permet d'améliorer la productivité des entrepôts manufacturiers ou de distribution au même titre que la technologie du code à barres. Ces techniques ne sont toutefois pas rivales, en ce sens que leurs applications d'identification ne sont pas tout à fait les mêmes. Avec le système de fréquence radio, nul besoin de voir ou de toucher le code pour l'identifier, ce qui peut être avantageux dans des parties de l'entrepôt plus difficiles d'accès (très encombrées, poussiéreuses, servant à la peinture, etc.).

L'identification par fréquence radio fonctionne à l'aide de puces électroniques. Il existe différentes sortes de puces pouvant convenir à de multiples utilisateurs. Par exemple, la puce dite « passive » est sans contredit la puce électronique la moins efficace. En effet, puisqu'elle n'agit qu'en mode lecture, elle se rapproche beaucoup du code à barres conventionnel. En outre, il existe environ cinq sortes de puces dites « actives ». Ces puces permettent d'enregistrer de l'information qui peut servir aux prochains acteurs de la chaîne d'approvisionnement. Par exemple, un manufacturier pourrait apprécier de préciser à un grossiste et aux détaillants le nombre de produits X encore disponibles dans le lot de production à une date donnée. De même, le grossiste peut y enregistrer de l'information servant à faciliter la tâche aux détaillants. Les puces électroniques actives se distinguent par la quantité d'information pouvant être transmise aux clients de la chaîne logistique. Évidemment, le prix des puces est fonction de leur capacité d'enregistrement.

La prise d'inventaire s'effectue très rapidement, les risques d'erreurs sont minimisés et la traçabilité des produits est accrue avec ce type de système. Par contre, étant donné que l'on est appelé à manipuler des produits de composition différente à l'intérieur d'un même entrepôt (métal, liquide, bois, etc.), il est possible que la fréquence radio utilisée pour identifier les produits ne réagisse pas. La personne affectée à cette opération doit alors programmer plusieurs types de fréquence sur son appareil. Cette technologie est un peu plus coûteuse que le code à barres.

Le système vocal

La technologie vocale est un système qui permet d'améliorer grandement la précision des inventaires, tant dans le cas d'un manufacturier que dans celui d'un distributeur. La personne affectée à cette opération doit cependant porter un ordinateur sensible à la voix ainsi qu'un casque d'écoute. Le système d'information central élabore des instructions sous forme de textes. Lorsque le préposé prélève ou place des produits sur des étagères, l'ordinateur central convertit ces textes en commandes vocales à l'aide d'un logiciel spécialisé. Le préposé n'a alors qu'à suivre les instructions données dans son casque d'écoute. Évidemment, l'ordinateur central est programmé en fonction de la disposition des produits. Ainsi, le préposé n'a pas à se déplacer inutilement d'un bout à l'autre de l'entrepôt.

Les systèmes d'inventaire

Avant de parler des systèmes d'inventaire proprement dits, nous établirons la différence entre le stock et l'inventaire. « Le stock désigne les marchandises qui sont gardées par l'entreprise, alors que l'inventaire concerne l'établissement d'une liste des marchandises qui sont détenues par une entreprise à une date donnée[3]. » Il existe deux systèmes comptables d'inventaire, soit le système d'inventaire périodique et le système d'inventaire permanent.

Le système d'inventaire périodique

Le système d'inventaire périodique est une façon de comptabiliser les stocks d'une entreprise de manière sporadique (toutes les semaines ou les deux semaines, tous les mois, les deux mois ou les trois mois). Selon cette méthode, lors des entrées et des sorties du matériel, on ne comptabilise pas les hausses et les baisses de stocks. On considère strictement les achats et les ventes effectués.

Afin de connaître avec précision la valeur de ses stocks, l'entreprise n'a d'autre choix que de procéder au dénombrement. Plus elle attend longtemps avant de dénombrer ses stocks, plus le risque d'erreur lors du réapprovisionnement des articles sera élevé, car les chiffres qu'elle possède ne seront plus vraiment fiables. Par exemple, supposons que l'inventaire du début de la période est évalué à 100 000 $ et qu'au cours du mois l'entreprise a acheté pour 300 000 $ de marchandises. Pour connaître le coût des marchandises effectivement vendues, l'entreprise doit faire un dénombrement au bout du mois. Si le dénombrement indique que l'entreprise a 200 000 $ de marchandises en stock, alors le coût des marchandises vendues sera de 200 000 $ pour cette période. Ce système n'est presque plus utilisé.

Le système d'inventaire permanent

Contrairement à ce qui se passe dans le système d'inventaire périodique, dans le système d'inventaire permanent on comptabilise les entrées et les sorties de stocks au fur et à mesure qu'elles se produisent. En d'autres termes, on indique tout de suite les hausses et les baisses de stocks dans les livres comptables, de sorte que l'inventaire est constamment à jour. Les entreprises utilisent de plus en plus ce système de comptabilisation des stocks, surtout depuis l'avènement de l'informatique dans la gestion des stocks. En outre, grâce à ce système, les stocks sont beaucoup plus faciles à gérer et les approvisionnements se font en temps opportun, ce qui cause moins de stress à l'acheteur.

Le dénombrement cyclique

L'inventaire doit être le plus précis possible. Ainsi, l'entreprise peut servir le client adéquatement et planifier correctement les approvisionnements (délai de réapprovisionnement et disponibilité du stock). Pour avoir des inventaires précis, l'entreprise doit pouvoir compter sur une personne compétente. Celle-ci vérifie la précision de l'inventaire et prend les mesures nécessaires pour corriger les écarts entre les registres et la réalité. Pour vérifier la précision de l'inventaire, on effectue un dénombrement physique périodique ou cyclique. Dans le jargon de la gestion des stocks, on parle de **dénombrement cyclique.** Le dénombrement cyclique consiste à compter fréquemment des échantillons d'articles, souvent par classe d'articles (*voir la classification ABC au chapitre 4*), à vérifier leur précision, à

---

3. Daniel MCMAHON et autres, *Comptabilité de base,* tome 2, Montréal, McGraw-Hill, 1995, p. 126.

déterminer la cause des erreurs, à éliminer la source des erreurs et à fournir des mesures quantitatives précises (par exemple, l'écart de telle classe d'articles doit demeurer inférieur à X %, ce pourcentage étant déterminé par la personne responsable). Ainsi, un haut niveau de précision de l'inventaire est maintenu, et les états financiers peuvent refléter la réalité en ce qui a trait aux stocks.

Les avantages du dénombrement cyclique sont nombreux. D'abord, la planification des besoins en approvisionnement est plus facile à faire. Ensuite, on évite de se retrouver avec un surstock. L'acheteur peut concentrer ses efforts sur les articles dont le dénombrement précis est problématique. Finalement, le dénombrement cyclique réduit la perte de temps que constitue le recomptage lors de l'inventaire de fin d'année.

Toutefois, le dénombrement cyclique comporte aussi des inconvénients. On peut citer, par exemple, le fait que la main-d'œuvre affectée à cette tâche n'est pas toujours formée adéquatement, ce qui peut provoquer des erreurs. En effet, les employés ne sont pas tous familiers avec les articles en stock. De plus, pour effectuer ce genre d'opération, l'entreprise doit souvent ralentir ses activités. Lorsque des écarts sont constatés entre la réalité et les registres, il peut être difficile d'en connaître les causes.

Le dénombrement cyclique devrait être effectué toutes les semaines ou tous les mois dans le cas des articles importants (classe A), chaque trimestre dans le cas des articles moyennement importants (classe B) et, finalement, tous les six mois ou une fois par année dans le cas des articles ayant un coût moindre (classe C). Le tableau 6.2 présente un exemple de fiche utilisée lors d'un dénombrement cyclique.

Tableau 6.2 Une fiche de dénombrement cyclique

Numéro de l'article	65434
Localisation	J-24-B
Quantité comptée	730
Unité de mesure	Chacun
Date et heure	15-07 12 h 25
Compté par	P. M.
Enregistrement à l'ordinateur	732
Coût unitaire ($)	50,00
Variation	+ 2
Variation ($)	100,00

L'évaluation des stocks

Comme on le sait, les stocks d'une entreprise sont inscrits dans deux états financiers, soit le bilan et l'état des résultats. On peut donc constater l'importance que la fonction « stock » peut avoir du point de vue pécuniaire pour une entreprise. Les comptables distinguent quatre méthodes qui permettent de mesurer la valeur des stocks dans une entreprise : la méthode du premier entré, premier sorti (PEPS ou FIFO) ; la **méthode du dernier entré, premier sorti** (DEPS ou LIFO) ; la **méthode du coût moyen** ; et la méthode du coût moyen pondéré, qui est une variante de la troisième méthode.

La méthode du premier entré, premier sorti

La méthode du premier entré, premier sorti consiste à considérer les articles les plus anciens comme ceux qui doivent sortir en premier lieu lorsqu'une demande est faite. En d'autres mots, avec cette méthode, les articles sur les tablettes doivent être rangés du moins récent, à l'avant, au plus récent, à l'arrière.

De cette façon, les articles restants à la fin d'une période comptable donnée seront les plus récents. Par conséquent, en période d'inflation (variation relative de l'indice des prix à la consommation à la hausse), le chiffre (stock de fin de période) qui sera utilisé dans le bilan se rapprochera beaucoup plus de la réalité. Cependant, le coût des marchandises vendues sera calculé à partir des articles plus anciens, ce qui faussera les résultats à la hausse. Par le fait même, le bénéfice net sera lui aussi inexact. L'exemple suivant propose un calcul du coût des marchandises vendues.

Exemple 6.1

Un distributeur dans le secteur agroalimentaire possède, au 1er septembre, 400 boîtes de soupe aux tomates à 0,75 $ chacune. Le 7 septembre, il achète 500 boîtes à 0,80 $ chacune. Le 12 septembre, il vend 600 boîtes à 1,15 $ chacune. Le 18 septembre, il achète 700 boîtes à 0,85 $ chacune. Finalement, le 24 septembre, il vend 300 boîtes à 1,20 $ chacune. Quelle est la valeur de son stock au 30 septembre et quel est le coût des marchandises vendues ?

Stock initial	1er septembre :	400 boîtes × 0,75 $/boîte	=	300 $
Achat	7 septembre :	500 boîtes × 0,80 $/boîte	=	400 $
Vente	12 septembre :	600 boîtes × 1,15 $/boîte	=	690 $
Achat	18 septembre :	700 boîtes × 0,85 $/boîte	=	595 $
Vente	24 septembre :	300 boîtes × 1,20 $/boîte	=	360 $

Comme nous l'avons dit précédemment, le calcul du coût des marchandises vendues (CMV) se fait toujours à partir des coûts les plus anciens. Dans ce cas-ci, le calcul du coût des marchandises vendues se fait comme suit.

On considère la vente du 12 septembre selon les coûts les moins récents :

(400 boîtes × 0,75 $/boîte) + (200 boîtes × 0,80 $/boîte)   =   460 $

On ne doit pas omettre la vente du 24 septembre :

300 boîtes × 0,80 $/boîte   =   240 $

Pour cette vente, on utilise le coût de 0,80 $ parce que les unités à 0,75 $ sont épuisées. Donc, le coût des marchandises vendues est de :

460 $ + 240 $ =   700 $

En ce qui a trait au stock final ou, si l'on veut, au stock de fin de période, il reste 700 boîtes de soupe en stock au 30 septembre, et ces boîtes correspondent à l'achat du 18 septembre. Le stock de fin de période est donc de :

$$700 \text{ boîtes} \times 0,85 \text{ \$/boîte} = 595 \text{ \$}$$

La méthode du dernier entré, premier sorti

Selon la méthode d'évaluation des stocks du dernier entré, premier sorti, les articles que l'entreprise a reçus récemment sortent de l'entrepôt les premiers. On peut voir que, pour des articles qui ont une fréquence d'entrées et de sorties peu élevée, cette méthode peut entraîner de la désuétude et de l'obsolescence, ce qui risque d'augmenter le coût de stockage. Contrairement à ce que l'on a observé avec la méthode du premier entré, premier sorti, cette méthode a pour effet de fausser le calcul du stock de fin de période, car il est effectué sur la base des coûts plus anciens (toujours en période d'inflation). Par contre, le calcul du coût des marchandises vendues se rapproche plus de la réalité puisqu'il est effectué au moyen des coûts assez récents. Si le coût des marchandises vendues n'est pas faussé, il en sera de même pour le bénéfice net.

Cependant, le fisc canadien interdit l'utilisation de cette méthode. Le bénéfice net étant moindre avec celle-ci, les entreprises qui l'utiliseraient paieraient moins d'impôts. Si l'on calcule le coût des marchandises vendues (CMV) avec les coûts les plus récents, le CMV est assez élevé. Puisque le CMV est soustrait du chiffre d'affaires, la marge bénéficiaire brute est moins élevée et, par conséquent, le bénéfice net est également moins élevé, toutes choses étant égales.

Avec cette méthode, on calcule le CMV et le stock de fin de période d'une entreprise de boîtes de soupe.

CMV : (500 boîtes × 0,80 \$/boîte) + (100 boîtes × 0,75 \$/boîte)
  + (300 boîtes × 0,85 \$/boîte) = 730 \$

Stock de fin de période : (400 boîtes × 0,85 \$/boîte)
  + (300 boîtes × 0,75 \$/boîte) = 565 \$

Si l'on compare les résultats des deux méthodes précédentes, on voit que le stock apparaissant au bilan et calculé avec la deuxième méthode est sous-évalué. De même, le coût des marchandises vendues calculé avec la première méthode est sous-évalué et, par conséquent, le bénéfice net est surévalué.

La méthode du coût moyen

La méthode du coût moyen vise à trouver un coût unitaire moyen. Ainsi, on détermine le stock de fin de période qui sera inscrit au bilan et le coût des marchandises vendues qui sera inscrit à l'état des résultats. Pour ce faire, on utilise la valeur du stock de début de période (stock initial), qui doit être une donnée connue, que l'on ajoute à la valeur des achats effectués dans la période. La valeur trouvée sera divisée par les achats en unités, car on ne se préoccupe pas de la situation du stock après chaque mouvement.

En faisant cette opération, on trouve le coût unitaire moyen.

Stock initial + achats : (400 boîtes × 0,75 $/boîte)
+ (500 boîtes × 0,80 $/boîte)
+ (700 boîtes × 0,85 $/boîte) = 1 295 $

Nombre d'articles achetés : 1 600 boîtes

Coût unitaire moyen : $\dfrac{1\,295\,\$}{1\,600 \text{ boîtes}}$ = 0,809 $/boîte ou ~ 0,81 $/boîte

À partir de là, on peut évaluer le stock de fin de période ainsi que le coût des marchandises vendues.

CMV : (600 boîtes + 300 boîtes) × 0,81 $/boîte = 729 $

Stock de fin de période : 700 boîtes × 0,81 $/boîte = 567 $

La méthode du coût moyen pondéré

La méthode du coût moyen pondéré ressemble étrangement à la méthode du coût moyen. Toutefois, au lieu de calculer un coût moyen global pour toute la période considérée, on calcule un coût moyen après chaque mouvement de stock. On doit donc pondérer le coût en fonction du nombre d'unités restantes et des différents coûts rattachés à ces unités. Voici de quelle façon on fait le calcul avec cette méthode.

Premièrement, il faut considérer le stock initial :

400 boîtes × 0,75 $/boîte = 300 $

Par la suite, on considère le premier achat :

500 boîtes × 0,80 $/boîte = 400 $

Le nouveau coût unitaire moyen est :

$$\dfrac{700\,\$}{900 \text{ boîtes}} = 0,777 \text{ $/boîte ou ~ 0,78 $/boîte}$$

Si l'on considère maintenant la première vente, on a :

600 boîtes × 0,78 $/boîte = 468 $

Il reste 300 boîtes. Le coût lié à ces boîtes est de :

700 $ − 468 $ = 232 $

Le coût unitaire moyen est de :

$$\dfrac{232\,\$}{300 \text{ boîtes}} = 0,77 \text{ $/boîte}$$

L'autre opération représente un achat de 700 boîtes à 0,85 $/boîte, soit un montant de 595 $.

Il y a donc en ce moment 1 000 boîtes de soupe dans le système. Le coût total lié à ces boîtes est de 232 $ + 595 $ = 827 $. Le coût unitaire moyen est donc le suivant :

$$\dfrac{827\,\$}{1\,000 \text{ boîtes}} = 0,827 \text{ $/boîte ou ~ 0,83 $/boîte}$$

La dernière opération, qui est une vente de 300 boîtes de soupe, fera diminuer le nombre d'unités à 700 dans le système. La vente des 300 boîtes se fait au dernier coût unitaire moyen, soit 0,83 $/boîte. On a donc 300 boîtes × 0,83 $/boîte = 249 $. Le coût total dans le système est maintenant de :

$$827\,\$ - 249\,\$ = 578\,\$$$

Le dernier coût unitaire moyen sera évalué comme suit :

$$\frac{578\,\$}{700\ \text{boîtes}} = 0,826\ \$/\text{boîte ou} \sim 0,83\ \$/\text{boîte}$$

En fait, aucune méthode n'est meilleure qu'une autre. Cependant, il est important que l'entreprise conserve, au fil des ans, la méthode choisie. Ainsi, elle conserve une base de comparaison.

Les indicateurs de performance de l'inventaire

Dans le domaine de l'entreposage – et plus précisément de l'inventaire –, il existe des mesures qui facilitent la tâche des gestionnaires des stocks. Les quelques mesures suivantes sont loin d'être exhaustives, mais ce sont des indicateurs très utiles.

Le taux de rotation des stocks

Ce taux représente le rapport du coût des ventes sur le coût moyen du stock en inventaire[4] (calculé habituellement à l'aide d'une des méthodes vues plus haut) pour une période donnée. On travaille souvent sur une base annuelle pour obtenir ce genre d'indicateur. Par exemple, si le coût annuel des ventes d'une entreprise est de 4 millions de dollars et que la valeur moyenne du stock en inventaire pour l'année est de 500 000 $, on aura un **taux de rotation des stocks** de 8. Cela signifie que le stock en inventaire sera remplacé huit fois durant l'année.

Les jours de provision

Le nombre de jours de provision représente le niveau du stock en inventaire exprimé en nombre de jours équivalents de provision. Supposons, par exemple, que la consommation annuelle prévue d'un produit est de 15 000 unités. On possède présentement 600 unités, et notre entrepôt est ouvert 250 jours par année. Pour trouver le nombre de jours de provision, on doit d'abord calculer notre consommation quotidienne. En divisant 15 000 unités par 250 jours ouvrables, on arrive à 60 unités par jour. Le nombre de jours de provision sera donc, pour l'article en question, de 600 unités divisées par 60 unités par jour, ce qui représente 10 jours de provision.

Le vieillissement (la désuétude)

Cet indicateur représente les stocks qui ne sont plus utilisables ou vendables. On l'exprime souvent en pourcentage du total du stock en inventaire (*voir le chapitre 4*). Par exemple, si l'on a l'équivalent de 20 000 $

---

4. L'inventaire est l'état détaillé où sont décrits les stocks d'une entreprise à une date donnée. Il est obtenu à la suite d'un dénombrement ou par la comptabilisation de tous les mouvements d'entrées et de sorties des stocks. En français, le mot « inventaire » ne peut désigner que le dénombrement (d'articles, de marchandises, etc.) et le document dont il est question.

en stock périmé sur un stock total de 800 000 $, on aura un taux de vieillissement de $\left(\frac{20\,000\,\$}{800\,000\,\$}\right) \times 100 = 2,5\,\%$.

6.4.2 Le dimensionnement dynamique

Comme son nom l'indique, le dimensionnement dynamique[5] fait référence à l'espace requis si l'on tient compte des flux de circulation de la matière à l'intérieur d'un bâtiment voué à la fabrication ou à la distribution de produits. Il existe plusieurs types de flux. On peut citer les flux qui entrent dans l'entrepôt et qui peuvent provenir d'un fournisseur externe ou encore d'une annexe de production juxtaposée à l'entrepôt. Il y a également les flux qui sortent de l'entrepôt et dont la logique est ici inversée par rapport aux flux entrants. On doit également considérer les flux internes à l'entrepôt. Il va sans dire qu'au moment d'étudier ces différents flux, on devra tenir compte des points névralgiques d'un entrepôt, c'est-à-dire des points où le trafic est plus intense. Dans le but de diminuer les accidents ou les bris, on doit s'assurer que l'accès y est plus grand qu'aux endroits moins achalandés. Une étude sérieuse des flux de circulation à l'intérieur d'un entrepôt, lors de la conception de celui-ci, permet de grandes économies en ce qui a trait à la manutention et à l'efficacité.

Pour conclure cette section, on peut dire qu'un bon système informatique de gestion d'entrepôt est le WMS (*warehouse management system*). Ce système aide l'entreprise à gérer ses stocks le plus précisément possible. De surcroît, il lui fait économiser de l'espace et de l'argent tout en lui évitant des erreurs de localisation. Quand on connaît avec précision les stocks en inventaire, il n'est pas absolument nécessaire de conserver un stock de sécurité. De plus, le personnel est formé pour travailler avec ce type de logiciel, qui est élaboré selon les besoins et processus de l'entreprise. Finalement, un tel logiciel peut très bien être lié par protocole informatique (EDI – échange de documents informatisés) aux systèmes d'information des clients et des fournisseurs de l'entreprise. Ainsi, la rapidité de traitement des commandes est fortement améliorée.

6.5 L'emballage

L'emballage est la façon de protéger les marchandises contre les dommages subis durant le transport, l'entreposage et la manutention. Très souvent, quand on parle d'emballage, un autre terme est utilisé : le « conditionnement ». En fait, le conditionnement comprend l'emballage, l'action de mettre la marchandise dans l'emballage ainsi que le calage. Le calage consiste à utiliser une ou des cales pour stabiliser et protéger un produit emballé.

Bien que l'emballage ne soit pas une des fonctions les plus importantes d'une entreprise, il s'agit d'une fonction stratégique qui peut donner une plus-value au produit. La vision classique consistait à investir peu dans l'emballage afin de ne pas augmenter substantiellement le coût de revient du produit. Cependant, un emballage adéquat peut devenir un facteur de succès pour l'entreprise et, par le fait même, faire augmenter significativement ses revenus. Par exemple, un contenant en carton de deux litres, dans le cas de certaines marques de jus de fruits, peut être considéré

---

5. Michel ROUX, *op.cit.*, p. 81.

comme un emballage très attrayant. Il s'agit alors pour le gestionnaire d'investir un montant qui pourra être récupéré à moyen terme, c'est-à-dire sur une période de un à trois ans. Il existe quelques catégories d'emballages, comme l'emballage lié à l'entreposage, l'emballage lié au transport et l'emballage lié à la vente. Il va sans dire qu'un emballage peut être utilisé pour deux ou trois catégories.

6.5.1 L'emballage lié à l'entreposage

L'emballage lié à l'entreposage sert à protéger le produit contre les intempéries telles qu'une variation de température ou encore les rayons ultraviolets du soleil. Les sangles en polyester s'assèchent et, de ce fait, perdent de leur efficacité lorsqu'elles sont exposées trop longtemps au soleil. Pour cette raison, on doit les accrocher à un mur à l'abri du soleil ou les ranger dans des boîtes en carton après utilisation. L'emballage lié à l'entreposage sert également à protéger le produit contre les dommages dus aux accrochages ou au manque d'attention. Ainsi, la fourche d'un chariot élévateur peut entrer en contact avec une boîte en carton renfermant des pièces en métal. Évidemment, la boîte en carton peut être recyclée. Toutefois, si les pièces en métal sont bien protégées, elles demeureront intactes. Finalement, lorsque l'on stocke des vêtements pour une assez longue période (de 6 à 12 mois), on insère souvent dans les boîtes en carton ou les sacs en plastique des boules de naphtaline (boules à mites). Ainsi, les vêtements sont protégés contre les insectes ou les petits rongeurs.

Les produits d'emballage et de conditionnement les plus utilisés sont la boîte de carton, la feuille de polystyrène, le morceau de styromousse, le rouleau de polyéthylène, le ruban adhésif de toutes les dimensions ($\frac{1}{4}$ à 2 po), la sangle en acier ou en polyéthylène, le baril de 45 gal (205 l) en acier ou en plastique, le papier recyclé et la planche de bois.

6.5.2 L'emballage lié au transport

L'emballage lié au transport permet de protéger un produit contre les chocs qui peuvent survenir pendant son transport. Cet emballage dépend du type de produit, du nombre de transbordements effectués ainsi que de la variation climatique entre le lieu d'origine et la destination, y compris les périodes d'arrêt et de stockage.

À cette étape, on pourrait chercher à connaître le poids d'une boîte de carton remplie d'un produit X et destinée essentiellement au transport routier. Une fois ce poids calculé, on pourrait, en connaissant les dimensions de la palette qui servira d'unité de chargement pour les boîtes de carton, trouver le poids de cette même palette. Enfin, on pourrait connaître le poids de la marchandise[6] chargée dans une semi-remorque qui se déplacerait d'un point A à un point B (*voir l'exemple 6.2*).

Exemple 6.2

On veut déterminer le poids d'une boîte de carton ayant les dimensions suivantes : 8 po sur 14 po sur 12 po de haut. La densité du produit à transporter est de 7 lb le pied cube. Le carton pèse 0,5 lb le pied carré.

---

6. Sophie CAYOUETTE, « Bloc 4 des Notes de cours », *Cours de gestion des stocks,* collège François-Xavier-Garneau, Québec, 2002.

▶ La première chose à connaître est le nombre de pieds cubes que contient la boîte de carton. On connaît les dimensions de la boîte (8 po × 14 po × 12 po), ce qui représente 1 344 po³. Pour convertir les pouces cubes en pieds cubes, on utilise le facteur 1 728.

Donc, $\frac{1\,344 \text{ po}^3}{1\,728 \text{ po}^3/1 \text{ pi}^3}$ = 0,78 pi³

Ce qui veut dire que le poids de la marchandise dans la boîte de carton (si elle est remplie à pleine capacité) sera de 7 lb/pi³ × 0,78 pi³ = 5,46 lb.

Il nous reste maintenant à trouver le poids de la boîte de carton. On sait que le carton pèse 0,5 lb le pied carré. Comme la boîte a des dimensions de 8 po × 14 po, si l'on considère les 6 faces de la boîte, on obtient 752 po². On sait que 1 pi² correspond à 144 po². En faisant une simple règle de 3, on trouve le poids de la boîte :

752 po² = X
144 po² = 0,5 lb
X correspond donc à 2,61 lb

Par conséquent, le poids de la boîte de carton et de la marchandise qu'elle contient est de 5,46 lb + 2,61 lb = 8,07 lb.

De plus, on sait que les palettes mesurent 40 po × 48 po. Le plancher de la palette se trouve à 6 po du sol, et on peut entreposer à une hauteur maximale de 4 pi. Quel sera le poids de la marchandise et des boîtes de carton sur la palette ?

Dans ce cas, la première chose à faire serait de dessiner un plan de la palette de 40 po × 48 po de façon à se servir le plus possible des 2 dimensions mentionnées ci-dessus. Il faut également tenir compte de la contrainte de la hauteur maximale de 4 pi. On sait déjà que l'on ne peut superposer plus de 3 boîtes de carton sur la palette, puisque chaque boîte a une hauteur de 12 po et que le plancher de la palette se trouve à 6 po du sol.

Le côté de la boîte qui mesure 8 po pourrait être placé du côté de la palette qui en fait 40 ; cette dimension serait alors utilisée à son plein potentiel avec 5 boîtes.

Le côté de la boîte qui mesure 14 po serait utilisé du côté de la palette qui en fait 48. On pourrait donc y mettre 3 boîtes pour un total de 42 po. En centrant les boîtes, on aurait donc 3 po d'espace libre à chaque extrémité des côtés de 48 po.

Si l'on fait le calcul, on obtient 5 × 3 = 15 boîtes, ce qui correspond aux dimensions de la palette. Sur le plan de la hauteur, on se retrouverait également avec 3 boîtes de haut, ce qui veut dire qu'au total, on entreposerait 45 boîtes sur chaque palette. (Ici, il va sans dire que, pour éviter les éboulements, la personne affectée à l'emballage devra nécessairement utiliser le nombre de sangles approprié).

Par conséquent, le poids de la marchandise (et des cartons) entreposés sur la palette sera de :

8,07 lb/boîte × 45 boîtes = 363,15 lb par palette

Finalement, quel sera le poids total de la marchandise à l'intérieur de la semi-remorque si l'on tient compte des données suivantes ? La semi-remorque mesure 53 pi de long sur 9 pi de large sur 8 pi de haut ; les palettes sont disposées côte à côte sans séparateur dans la semi-remorque ; on peut superposer 2 palettes ; et chaque palette de bois pèse 40 lb.

En utilisant la dimension de 40 po de la palette dans le sens de la longueur, on peut placer 15 palettes dans la semi-remorque et on obtient, par le fait même, 2 palettes de large. Compte tenu de la superposition des palettes, on se retrouve avec 60 palettes à l'intérieur de la semi-remorque. Le poids total sera donc de :

(60 palettes $\times$ 40 lb/palette) + (60 palettes $\times$ 363,15 lb/palette) = 24 189 lb

6.5.3 L'emballage lié à la vente

Habituellement, dans le cas de l'emballage lié à la vente, on fait appel à un comité présidé par le directeur du marketing ou de la publicité. On veut s'assurer que l'emballage est attrayant dans le but d'influencer le comportement d'achat des consommateurs. Comme ce type d'emballage risque d'être stocké et transporté, on veille à le rendre encore plus protecteur.

Durant la conception de l'emballage d'un produit, il convient de toujours penser à utiliser des matières recyclables. Par exemple, dans certains restaurants-minute, on préfère employer du carton mince plutôt que de la styromousse puisque cette dernière n'est pas recyclable. Comme on le sait, les matières recyclables permettent une réutilisation ; autrement, elles deviennent des déchets qui contribuent à remplir les sites d'enfouissement ou les incinérateurs.

Un autre facteur à considérer au cours de la conception d'un emballage consiste à savoir si l'on désire avoir un emballage qui sera utilisé de nouveau ou qui sera abandonné. L'emballage que l'on peut réutiliser entraîne un coût de revient moins élevé si l'on considère les unités vendues. Cependant, l'acheteur devra tenir compte de l'espace additionnel nécessaire au stockage de cet emballage de même qu'à son entretien, car il subira des avaries en plus de l'usure. L'avantage d'un emballage neuf sur un emballage qui a déjà servi est que la présentation du produit demeure très soignée, mais son prix d'achat s'avère plus élevé.

Bref, un emballage inadéquat peut entraîner des coûts exorbitants comme le règlement d'un litige avec un transporteur ou un client, ainsi que la perte d'un ou de plusieurs clients. L'exemple 6.3 propose le calcul du coût de l'emballage d'un produit.

Exemple 6.3

Nous allons essayer de déterminer le coût d'emballage de l'exemple 6.2 en tenant compte du coût du matériel et du coût de la main-d'œuvre liés à cette opération.

Les spécifications de l'emballage sont les suivantes :

- coût de la boîte de carton : 1,25 $;
- coût des étiquettes de la boîte de carton : 0,02 $ (2 par boîte) ;
- coût de la palette réutilisable : 24 $ (on estime la vie de la palette à 12 expéditions) ;
- coût de la pellicule plastique : 0,85 $ par palette ;

- temps requis pour la mise en boîte de carton : 3 minutes ;
- temps de montage de la boîte en carton : 1 minute ;
- temps requis pour la mise en palette : 45 secondes par boîte ;
- temps requis pour enrober la palette de pellicule plastique : 2,5 minutes ;
- coût de la main-d'œuvre : 0,35 $/minute.

On cherche le coût de l'emballage du produit sur la palette.

Les coûts du matériel sont les suivants :

	Coût unitaire	Quantité	Coût total
Boîte de carton	1,25 $	45	56,25 $
Palette	2,00 $	1	2,00 $
Pellicule plastique	0,85 $	1	0,85 $
Étiquette	0,02 $	90	1,80 $
Total			60,90 $

Les coûts de la main-d'œuvre sont les suivants :

	Temps (min)	Quantité	Temps total (min)	Coût/min	Coût total
Montage de la boîte de carton	1,00	45	45,00	0,35 $	15,75 $
Mise en boîte	3,00	45	135,00	0,35 $	47,25 $
Mise en palette	0,75	45	33,75	0,35 $	11,81 $
Enrobage plastique	2,50	1	2,50	0,35 $	0,88 $
Total					75,69 $

Le coût total de l'emballage du produit sur une palette est donc de :

$$60,90 \$ + 75,69 \$ = 136,59 \$$$

Si l'on connaît le prix du produit emballé, on peut savoir exactement quel pourcentage du coût total est consacré à l'emballage. Habituellement, un coût d'emballage ne doit pas dépasser 10 % du coût total d'un bien. Il est même souhaitable qu'il ne représente que 5 % du coût total afin d'obtenir plus rapidement un retour sur investissement.

6.6 L'expédition

Dans une entreprise, la fonction « expédition » est souvent jumelée avec la fonction « réception ». Le fait de traiter de l'expédition séparément vise simplement à mieux illustrer ses caractéristiques.

Le préposé à l'expédition, soit l'expéditionnaire, fait sensiblement le même travail que le réceptionnaire, mais en sens contraire. L'expéditionnaire vérifie les quantités expédiées pour savoir si elles correspondent au bordereau d'expédition et au bon de commande du client. Il y a quelques années, une vérification de la qualité du produit expédié était effectuée. Cependant, avec l'avènement du contrôle après chaque poste de travail, la vérification détaillée du produit fini devient inutile. Quand tout est comme il se doit, l'expéditionnaire ou son assistant manutentionne le contenu de la commande dans l'unité de transport qui est arrivée au quai de chargement.

Les principes de l'expédition sont à peu près les mêmes que ceux de la réception. En effet, il faut réduire l'espace requis pour l'expédition en utilisant des accessoires qui permettent de stocker en hauteur le matériel à expédier. De plus, on doit faire le bon choix de l'unité de manutention servant à l'expédition. Ainsi, on perd le moins de temps et d'espace possible et on évite les accidents susceptibles d'endommager les produits.

6.7 Le standard d'utilisation de l'espace[7]

Il peut être pertinent de s'attarder à l'utilisation de l'espace quand on traite des opérations d'entreposage en magasin. Bien que l'espace, notamment en Amérique du Nord, ne soit pas une rareté absolue, on doit lui prêter une attention assez particulière si l'on veut optimiser les opérations d'entreposage. On a souvent tendance à consacrer plus d'importance à la réduction de la main-d'œuvre, qui représente un coût variable pour une entreprise. En essayant d'optimiser autant l'espace que l'efficacité de la manutention, on peut arriver à des résultats impressionnants pour chaque catégorie de produits lors de la conception d'un entrepôt.

L'exemple qui suit illustre la façon de calculer une **norme d'utilisation d'espace** dans un entrepôt.

Exemple 6.4

Supposons que l'on dispose d'une surface totale d'entrepôt de 900 m². On considère que l'aire de circulation requise entre les rayons et dans les zones de conditionnement est de 300 m². De plus, on sait que la marchandise (du lave-vitre) est dans une boîte de carton dont les dimensions sont de 60 cm × 60 cm × 30 cm. On peut disposer la marchandise en 3 rangées superposées sur une palette de 1,2 m × 1,2 m et superposer 5 palettes. Chaque superposition de 5 palettes contient 60 boîtes. L'espace entre les superpositions de palettes est de 10 cm. On doit finalement tenir compte d'un facteur de sécurité selon lequel l'espace utilisable de l'entrepôt ne peut être totalement occupé à cause de la réception possible de commandes ou de palettes vides requérant de l'espace. On fixe ce facteur à 1,35, c'est-à-dire à 26 % de l'espace destiné aux boîtes de lave-vitre.

À la lumière de ces données, on constate qu'il y a 600 m² de surface utilisable, donc un pourcentage de 66,6 %. Si l'on calcule le rapport entre la surface totale et la surface utilisable, on trouve ce que l'on appelle un coefficient qui tient compte de l'espace inutilisable. Dans ce cas-ci, on trouve $\frac{100\,\%}{66,66\,\%} = 1,5$.

L'espace total pour la superposition des palettes correspond à 1,3 m × 1,3 m, soit 1,69 m². (En effet, comme on considère que les dimensions d'une palette sont de 1,2 m × 1,2 m et que chaque étage de palettes est séparé de 10 cm, on doit donc considérer une surface totale de 1,3 m × 1,3 m par étage de palettes).

---

7. Greed H. JENKINS, *Le Magasinage*, Paris, Entreprise moderne d'édition, 1972, p. 149-161.

▶ Finalement, en tenant compte du coefficient de l'espace inutilisable et du facteur de sécurité, on aura donc une surface totale de 1,69 m² × 1,5 × 1,35 = 3,42225 m².

La surface que l'on vient de trouver correspond à un total de 60 boîtes, soit 4 boîtes superposées en 3 rangées sur une palette, et de 5 palettes superposées. En effectuant une simple règle de 3, on peut trouver le standard d'utilisation d'espace pour une boîte. On trouve donc 0,057 m² ou 570 cm².

À une échelle de 500 boîtes, on peut dire que le standard d'utilisation d'espace est de 28,5 m².

L'exemple précédent portait sur un produit entrant dans une boîte disposée sur une palette. On aurait pu considérer ce genre de calcul pour des produits disposés sur un rayonnage quelconque. Le but de calculer un standard d'utilisation d'espace est d'établir un lien entre un nombre d'unités pouvant être stockées et une surface de plancher ou encore un volume d'entrepôt lorsque l'on travaille en tenant compte des trois dimensions de l'entrepôt.

6.8 Le contrôle de qualité

Après avoir fait un survol des quelques fonctions auxiliaires à la gestion des stocks, il nous semble opportun d'introduire des éléments importants liés au contrôle de qualité.

Entre 1920 et 1950, alors que le management scientifique était prépondérant, les entreprises ont commencé à considérer comme importante la vérification du produit. Un dénommé Walter A. Shewhart (dont nous parlerons un peu plus loin dans ce chapitre) a vraiment été le précurseur en matière de contrôle de qualité. À cette époque, on contrôlait le produit uniquement lorsqu'il était fini. Les produits impropres à la consommation étaient tout simplement mis de côté par le contrôleur de qualité, du moins ceux où l'on pouvait détecter une défectuosité. Par la suite, on a réalisé que le produit devait être vérifié qualitativement à la source.

Le contrôle de qualité est maintenant effectué de façon beaucoup plus systématique. Dans la mesure du possible, chaque employé prend un peu de temps pour vérifier le travail qu'il vient d'accomplir. Autrement dit, le mot d'ordre est de bien faire du premier coup, à tout coup. De cette manière, on s'assure de la qualité du produit et d'une perte minimale de temps.

Le contrôle de qualité est en quelque sorte une méthode permettant d'établir la conformité du produit en comparant les résultats obtenus avec un standard déterminé au préalable[8]. Si l'on constate un écart entre la réalité et le standard, cet écart sera corrigé par la suite.

Le contrôle de qualité ne touche que le produit ou le service comme tel. Dans le cas d'un service cependant, étant donné son intangibilité, il est plus difficile de bien contrôler sa qualité. Il faut alors cerner des critères que l'on pondérera

8. *APICS Dictionary*, 8ᵉ éd., Fall Church, Virginie, Apics Dictionary, 1995, p. 69.

selon leur importance. Ce travail de vérification pourrait être effectué par l'acheteur au cours de son travail quotidien. Il existe plusieurs façons de contrôler la qualité dans une entreprise, qu'il s'agisse d'une entreprise qui achète un produit ou encore d'un fabricant ou d'un détaillant qui vend son produit. Il faut voir également que le contrôle de qualité s'effectue habituellement à la réception des intrants, lors du processus de fabrication des produits, ainsi qu'à l'expédition des extrants.

6.8.1 Le contrôle de qualité à la réception

À l'arrivée des produits, on s'affairera à déceler les produits qui seront jugés non conformes en fonction de ses exigences et spécifications préétablies. Pour ce faire, on aura le choix entre :

1. vérifier tout le lot de produits qui arrive à la réception ;
2. vérifier une partie du lot de produits, ce que l'on appelle communément un échantillon ;
3. ne rien vérifier du tout.

Les solutions 1 et 3 peuvent être très onéreuses pour une entreprise. En effet, la solution 1 coûte cher en main-d'œuvre dans les cas où les lots sont relativement importants. Pour ce qui est de la solution 3, ses conséquences peuvent être désastreuses plus tard, lorsque les produits seront rendus à l'étape du processus de production ou encore lorsqu'ils seront expédiés chez un client. Des retours de marchandises seront probablement inévitables et il en résultera de l'insatisfaction de la part du consommateur, qui détectera sans doute ce que l'on aurait dû déceler au préalable. La solution 2, c'est-à-dire le fait de prendre un échantillon à la réception de chaque lot de pièces, est une méthode très utilisée dans les entreprises actuellement. Pour ce faire, on doit établir ce que l'on appelle un plan d'échantillonnage.

Il existe plusieurs types de plans d'échantillonnage. On peut tester un échantillon dans un lot reçu et décider d'accepter ou de refuser le lot reçu, ce qui constitue un plan d'échantillonnage simple. On pourrait également prendre deux échantillons dans un même lot, soit un plan d'échantillonnage double. Finalement, si l'on soutire plusieurs échantillons d'un même lot pour décider d'accepter ou de refuser ce lot, cela constituera un plan d'échantillonnage multiple. La pratique la plus courante est d'utiliser un plan d'échantillonnage simple.

Nous allons donc nous attarder davantage sur le plan d'échantillonnage simple. Dans le cas où les produits répondent ou non aux spécifications établies au préalable, on l'appellera plan d'échantillonnage par attribut. Dans le cas où une certaine marge de manœuvre est tolérée à propos d'une caractéristique quelconque d'un produit donné (par exemple, le poids d'une pièce), on l'appellera plan d'échantillonnage par variable. Ce dernier cas ne sera cependant pas traité en détail dans cet ouvrage.

L'utilisation de l'échantillonnage requiert certaines notions de statistique, comme l'échantillonnage aléatoire, c'est-à-dire la sélection au hasard parmi un certain nombre d'articles dans le but de vérifier la conformité du produit. De plus, certains paramètres statistiques comme la moyenne, l'écart type, le cœfficient de variation ou l'étendue sont également très utilisés aux fins du contrôle de qualité.

Afin de connaître exactement le nombre d'articles à vérifier (l'échantillon) de même que le nombre d'articles non conformes de cet échantillon au-delà duquel on refuse le lot, il existe différentes méthodes ou tables sur lesquelles la personne qui sera affectée au contrôle de qualité peut s'appuyer, que ce soit à la réception ou à l'expédition des marchandises. Parmi celles-ci, notons les tables MIL-STD 105D et MIL-STD 414 provenant de l'armée américaine, et les tables Dodge-Romig. De même, plusieurs organismes nationaux et internationaux de normalisation possèdent leur propre méthode d'échantillonnage, par exemple les tables ANSI (American National Standards Institute) ainsi que les tables ISO (International Standards Organization ou Organisation internationale de standardisation).

Nous allons nous attarder davantage sur les tables MIL-STD 105D (*voir l'exemple 6.5*). En effet, elles nous seront utiles pour établir un plan d'échantillonnage par attribut. L'alternative décisionnelle suivant le contrôle d'un échantillon sera la suivante : on accepte le lot si la qualité est satisfaisante en fonction des exigences établies *a priori* ; dans le cas contraire, on refuse le lot. Cependant, comme le lot n'est pas vérifié au complet, l'échantillonnage comporte un double risque qu'une mauvaise décision soit prise :

1. Le risque qu'un lot de qualité acceptable soit refusé ; on l'appelle le risque du fournisseur (il est souvent noté a).

2. Le risque qu'un lot de qualité non acceptable soit approuvé ; on l'appelle le risque de l'acheteur (il est souvent noté b).

Par conséquent, à partir d'un lot de produits qui arrive à la réception, de taille (N) et d'un pourcentage maximal de produit défectueux dans l'échantillon, que l'on appelle communément le niveau de qualité acceptable (NQA), on pourra déterminer, à l'aide de ces mêmes tables, la taille de l'échantillon de même que le niveau d'acceptation et de refus. Les tables nous permettent même de prévoir le risque de l'acheteur et celui du fournisseur.

Le fameux NQA devrait vraisemblablement faire l'objet de discussions entre le fournisseur et l'acheteur avant de l'introduire dans les politiques de l'acheteur car il peut avoir un impact majeur sur les coûts de production. Il représente rien de moins qu'une caractéristique générale de la qualité de la fabrication qui entraînera dans la majorité des cas l'acceptation du lot.

Exemple 6.5

Une exemple d'application des tables MIL-STD 105D dans le cas d'un échantillonnage simple et d'un contrôle normal

Note : Il existe trois types de contrôles dans ce genre de tables, soit un contrôle réduit, un contrôle normal et un contrôle serré.

On doit contrôler la qualité d'ampoules électriques (elles fonctionnent ou elles ne fonctionnent pas) qui arrivent par lots de 600 unités. Le niveau de qualité acceptable (NQA) est de 2,5 %. De même, le risque du fournisseur (a) est de 5 % et celui de l'acheteur (b) est de 10 %. Selon les tables MIL-STD 105D, quelle devrait être la taille de l'échantillon à prélever de même que le nombre limite d'ampoules électriques défectueuses que l'on peut tolérer dans l'échantillon ?

À l'aide du tableau 6.3, on peut associer la taille de l'échantillon (n) à la taille du lot (N) pour effectuer trois types de contrôle, soit réduit, normal et serré. Un contrôle est réduit lorsque l'entreprise acheteuse est, en quelque sorte, assurée d'une certaine qualité de la part de son fournisseur. D'autre part, on utilise le contrôle serré lorsque l'on détecte depuis quelques envois un taux de non-conformité anormal de la part d'un fournisseur. Dans les autres cas, on utilise habituellement un contrôle dit normal. Dans le cas présent, avec un lot de 600 ampoules et un contrôle normal, on trouve une taille d'échantillon de 80 ampoules.

Tableau 6.3   La détermination de la taille de l'échantillon

Taille des lots n (N)	Taille de l'échantillon (n) avec un contrôle réduit	Taille de l'échantillon (n) avec un contrôle normal	Taille de l'échantillon (n) avec un contrôle serré
2 à 8	2	2	3
9 à 15	2	3	5
16 à 25	3	5	8
26 à 50	5	8	13
51 à 90	5	13	20
91 à 150	8	20	32
151 à 280	13	32	50
281 à 500	20	50	80
501 à 1 200	32	80	125
1 201 à 3 200	50	125	200
3 201 à 10 000	80	200	315
10 001 à 35 000	125	315	500
35 001 à 150 000	200	500	800
150 001 à 500 000	315	800	1 250
500 001 et plus	500	1 250	2 000

Source : Pierre VANDEVILLE, *Gestion et contrôle de la qualité,* Paris, AFNOR Éditions, 1985, p. 208 (table NF X 06-022 (MIL STD 105D).

Maintenant, le tableau 6.4, à la page suivante, va nous permettre de déterminer le nombre limite de produits défectueux tolérables dans l'échantillon pour que l'on accepte le lot, ainsi que deux valeurs qui correspondent aux risques du fournisseur et de l'acheteur.

À gauche du tableau, on se réfère à la taille de l'échantillon. Chaque regroupement de données dans ce tableau contient trois chiffres. Celui du milieu représente le NQA, celui du haut, le pourcentage de produits défectueux correspondant au risque du fournisseur, et celui du bas, le pourcentage de produits défectueux correspondant au risque de l'acheteur. Finalement, dans le haut du tableau, on trouve deux valeurs : A pour acceptation du lot et R pour refus du lot.

Tableau 6.4   Le nombre limite de produits défectueux

Taille de l'échantillon	Niveau d'acceptation et de refus								
	A = 0 R = 1	A = 1 R = 4	A = 2 R = 3	A = 3 R = 4	A = 5 R = 6	A = 7 R = 8	A = 10 R = 11	A = 14 R = 15	A = 21 R = 22
2	2,53 6,5 68,4								
3	1,7 4,0 53,6								
5	1,02 2,5 36,9	7,63 10,0 58,4							
8	0,64 1,5 25,0	2,64 6,5 40,6	11,1 10,0 53,9						
13	0,394 1,0 16,1	2,81 4,0 26,8	6,63 6,5 36,0	11,3 10,0 44,4					
20	0,256 0,65 10,9	1,8 2,5 18,1	4,22 4,0 24,5	7,13 6,5 30,4	14,0 10,0 44,4				
32	0,161 0,4 6,94	1,13 1,5 11,6	2,59 2,5 15,8	4,39 4,0 19,7	8,5 6,5 27,1	13,1 10,0 34,1			
50	0,103 0,25 4,50	0,712 1,0 7,56	1,66 1,5 10,3	2,77 2,5 12,9	5,34 4,0 17,8	8,2 6,5 22,4	12,9 10,0 29,1		
80	0,064 0,15 2,84	0,444 0,65 4,78	1,03 1,0 6,52	1,73 1,5 8,16	3,32 2,5 11,3	5,06 4,0 14,2	7,91 6,5 18,6	11,9 10,0 24,2	
125	0,041 0,1 1,84	0,284 0,4 3,11	0,654 0,65 4,26	1,09 1,0 5,35	2,09 1,5 7,42	3,19 2,5 9,42	4,94 4,0 12,3	7,4 6,5 16,1	11,9 10,0 22,5

Source : *Ibid.*, p. 209-210.

Dans notre exemple, avec une taille d'échantillon de 80 ampoules électriques et un NQA de 2,5 %, on trouve les valeurs 3,32 et 11,3. Dans le haut du tableau, on trouve les valeurs correspondantes suivantes : A = 5 et R = 6. Cela signifie que si un nombre d'ampoules électriques défectueuses plus petit ou égal à 5 est trouvé dans l'échantillon de 80 ampoules, le lot sera accepté. Si 6 ampoules électriques défectueuses ou plus sont trouvées dans l'échantillon, le lot sera refusé. Pour ce qui est de la valeur de 3,32, elle signifie qu'en moyenne 5 % des lots contenant 3,32 % d'articles défectueux seraient refusés. En d'autres mots, 5 lots de 600 ampoules sur un total de 100 lots seraient refusés si le fournisseur livrait 20 ampoules défectueuses dans ses lots de 600 ampoules. Enfin, la valeur de 11,3 signifie que l'acheteur acceptera en moyenne une fois sur 10 un lot contenant 11,3 % d'ampoules défectueuses si le plan d'échantillonnage est appliqué rigoureusement.

Imaginons que l'on désire avoir un niveau de qualité acceptable (NQA) de 3 % au lieu de 2,5 %, comme c'est le cas dans notre exemple. Dans ce type de situation, étant donné qu'à la lecture du tableau 6.4, à la page précédente, on ne trouve pas de NQA de 3 %, on pourrait procéder par interpolation linéaire entre deux valeurs voisines du tableau, ce qui nous donnerait une bonne approximation de la valeur recherchée tant en ce qui a trait aux critères d'acceptation et de refus qu'aux pourcentages correspondant au risque de l'acheteur et à celui du fournisseur.

Dans notre exemple, on avait les trois valeurs suivantes : 3,32, 2,5 et 11,3. Si l'on regarde la colonne suivante, toujours à la même ligne du tableau 6.4, on trouve les valeurs suivantes : 5,06, 4,0 et 14,2. Par interpolation linéaire, on pourrait trouver les deux valeurs correspondant à un NQA de 3 %. En effet :

$$\frac{5,06 - 3,32}{5,06 - X} = \frac{4,0 - 2,5}{4,0 - 3,0}$$

En isolant X, on obtient X = 3,90 pour la première valeur. En ce qui concerne la dernière valeur à trouver, on procède de la même façon, c'est-à-dire par interpolation linéaire. Dans ce cas, on aura :

$$\frac{14,2 - 11,3}{14,2 - X} = \frac{4,0 - 2,5}{4,0 - 3,0}$$

On obtient alors X = 12,27.

Les trois valeurs sont donc 3,90, 3,0 et 12,27.

Par ailleurs, pour connaître notre critère d'acceptation et de refus, on pourrait procéder de la même manière. Dans ce cas-ci, les valeurs correspondantes sont de A = 5 et R = 6 dans le cas d'un NQA de 2,5 %, et de A = 7 et R = 8 dans le cas d'un NQA de 4,0 %. Par conséquent, pour un NQA de 3 %, on aura :

$$\frac{7 - 5}{7 - X} = \frac{4,0 - 2,5}{4,0 - 3,0}$$

X nous donne alors 5,67, que l'on arrondit à 6. Ce qui signifie que, pour un NQA de 3 %, on acceptera le lot d'ampoules si l'échantillon contient 6 ampoules électriques défectueuses ou moins. On pourrait faire sensiblement les mêmes calculs pour trouver notre critère de refus du lot. On obtiendrait alors une valeur de R = 7.

Il est à noter que le tableau 6.3, à la page 281, est élaboré en fonction d'un risque a (fournisseur) de 5 % et d'un risque b (acheteur) de 10 %. Ce sont les niveaux de risque avec lesquels on travaille couramment dans l'industrie. Dans le présent cours, nous nous limiterons donc à ces deux risques lorsque nous élaborerons des plans d'échantillonnage.

Si, pour une raison quelconque, ces risques ne convenaient pas, il est toujours possible de concevoir des courbes d'efficacité de la probabilité d'acceptation des lots en fonction du pourcentage d'items non conformes dans l'échantillon, et ce, pour différents critères d'acceptation des lots, à l'aide des tables de la distribution de Poisson, qui nous donnent une excellente approximation de la distribution binomiale. Cette dernière est très utile dans le cas d'un échantillonnage aléatoire sans remise, comme c'est le cas lors du contrôle de qualité à la réception d'une usine.

Pour ce qui est des plans d'échantillonnage par variable, dans le cas où l'on mesure une caractéristique comme la longueur d'un produit à la réception des pièces afin d'accepter ou de refuser un lot, il existe également des tables. Celles de l'armée américaine s'appellent les tables MIL-STD 414. La façon de procéder est sensiblement la même que pour les tables mentionnées plus haut, c'est-à-dire qu'à partir de la grosseur d'un lot et d'un NQA préétabli, on peut trouver un facteur « k », qui doit être situé à l'intérieur de bornes comprenant le calcul d'une moyenne additionnée de l'écart type des valeurs mesurées dans l'échantillon, tout cela dans le cas où l'on ne connaît pas la dispersion des données dans l'échantillon. Le lecteur désireux d'en savoir davantage sur cette technique pourra consulter des ouvrages spécialisés dans le domaine du contrôle statistique de la qualité.

6.8.2 Le contrôle de qualité durant le procédé de fabrication

Lorsque les produits sont arrivés à l'étape de la fabrication, il existe une méthode plus appropriée que les plans d'échantillonnage pour appliquer un contrôle de la qualité. En effet, il existe un instrument, conçu par Walter A. Shewhart dans les années 1930, que l'on appelle les cartes de contrôle. Les cartes de contrôle sont une forme de plan cartésien où l'on fait correspondre un point à chacune des valeurs calculées d'une caractéristique donnée d'un produit, et ce, sur tous les échantillons prélevés durant la fabrication. Elles permettent de jeter un regard sur la production en cours tout en s'assurant que les caractéristiques contrôlées restent conformes aux spécifications préétablies malgré une dispersion des données inévitable, aussi minime soit-elle.

Comme pour les plans d'échantillonnage décrits précédemment, il existe deux catégories de cartes de contrôle, soit par variable et par attribut. Les cartes de contrôle par variable les plus utilisées sont la carte de contrôle de la moyenne (X), la carte de contrôle de la médiane (M), la carte de contrôle de l'étendue (E) et, finalement, la carte de contrôle de l'écart type (S). Pour ce qui est des cartes de contrôle par attribut, les plus communes sont la carte de contrôle du nombre d'articles défectueux (C) et la carte de contrôle de la proportion d'articles défectueux (P). Lorsque l'on emploie une carte de contrôle pour mesurer une tendance centrale (moyenne ou médiane), il est sage d'utiliser simultanément une carte de contrôle qui mesure la dispersion des données dans l'échantillon (étendue ou écart type). En effet, pour une même moyenne concernant une caractéristique dans quelques échantillons, on pourrait avoir des dispersions de données très différentes pour ces mêmes échantillons.

Pour illustrer les cartes de contrôle X et E, imaginons un processus de contrôle de qualité dans une aciérie qui fabrique de l'acier roulé à chaud. Tous les jours du mois de juin, les contrôleurs de qualité prennent un échantillon de 8 feuilles d'acier roulé à chaud d'une production de feuilles devant avoir 1/8 po d'épaisseur et ils mesurent l'épaisseur de ces feuilles. Les résultats quant à la moyenne et à l'étendue de chacun des échantillons sont compilés dans le tableau 6.5 pour les 15 premiers jours du mois de juin.

Tableau 6.5	Les résultats quant à la moyenne et à l'étendue de chaque échantillon	
Jour du mois de juin	**Moyenne (X) (en dix millièmes de pouce)**	**Étendue (E) (en dix millièmes de pouce)**
1	0,1257	0,0034
2	0,1249	0,0048
3	0,1300	0,0097
4	0,1253	0,0023
5	0,1255	0,0052
6	0,1261	0,0017
7	0,1249	0,0036
8	0,1242	0,0088
9	0,1259	0,0021
10	0,1251	0,0008
11	0,1256	0,0041
12	0,1245	0,0012
13	0,1254	0,0024
14	0,1239	0,0076
15	0,1257	0,0033

En fonction des résultats mentionnés, on pourrait tracer les cartes de contrôle X et E (*voir les figures 6.4 et 6.5, p. 287*). Un dernier calcul doit être exécuté avant de déterminer les limites de contrôle pour les deux cartes. On doit déterminer la moyenne de toutes les moyennes des échantillons, que l'on notera $\overline{X}$, de même que la moyenne de toutes les étendues des échantillons, que l'on désignera comme étant $\overline{E}$. $\overline{X}$ est donc égal à 0,1255 et $\overline{E}$ est égal à 0,0041.

Il existe des formules afin de trouver les limites supérieure et inférieure pour les deux types de cartes de contrôle. Dans le cas de la carte X, ces formules sont :

$$\text{Limite supérieure} \quad = \quad \overline{X} + (A_2 \times \overline{E})$$
$$\text{Limite inférieure} \quad = \quad \overline{X} - (A_2 \times \overline{E})$$

Le facteur A_2 se trouve dans le tableau 6.6, à la page suivante.

Tableau 6.6	Les facteurs utiles pour la construction des cartes de contrôle					
Nombre d'observations dans l'échantillon	Facteur A_1	Facteur A_2	Facteur B_3	Facteur B_4	Facteur D_3	Facteur D_4
2	3,760	1,880	0	3,267	0	3,267
3	2,394	1,023	0	2,568	0	2,575
4	1,880	0,729	0	2,266	0	2,282
5	1,596	0,577	0	2,089	0	2,115
6	1,410	0,483	0,030	1,970	0	2,004
7	1,277	0,419	0,118	1,882	0,076	1,924
8	1,175	0,373	0,185	1,815	0,136	1,864
9	1,094	0,337	0,239	1,761	0,184	1,816
10	1,028	0,308	0,284	1,716	0,223	1,777
11	0,973	0,285	0,321	1,679	0,256	1,744
12	0,925	0,266	0,354	1,646	0,284	1,716
13	0,884	0,249	0,382	1,618	0,308	1,692
14	0,848	0,235	0,406	1,594	0,329	1,671
15	0,816	0,223	0,428	1,572	0,348	1,652
16	0,788	0,212	0,448	1,552	0,364	1,636
17	0,762	0,203	0,466	1,534	0,379	1,621
18	0,738	0,194	0,482	1,518	0,392	1,608
19	0,717	0,187	0,497	1,503	0,404	1,596
20	0,697	0,180	0,510	1,490	0,414	1,586
21	0,679	0,173	0,523	1,477	0,425	1,575
22	0,662	0,167	0,534	1,466	0,434	1,566
23	0,647	0,162	0,545	1,455	0,443	1,557
24	0,632	0,157	0,555	1,445	0,452	1,548
25	0,619	0,153	0,565	1,435	0,459	1,541

Source : J. Acheson DUNCAN, *Quality Control and Industrial Statistics*, 2ᵉ éd., Homerwood, Richard J. Irwin, 1959, p. 886.

Pour ce qui est de la carte de contrôle E, les formules relatives aux limites supérieure et inférieure sont les suivantes :

$$\text{Limite supérieure} \ = \ D_4 \times \overline{E}$$
$$\text{Limite inférieure} \ = \ D_3 \times \overline{E}$$

Figure 6.4 La carte de contrôle X de la moyenne des épaisseurs de feuilles d'acier roulé à chaud par échantillon de taille 8 en dix millièmes de pouce

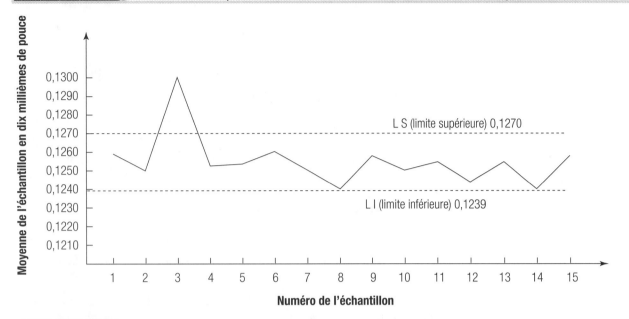

Figure 6.5 La carte de contrôle E de l'étendue des épaisseurs de feuilles d'acier roulé à chaud par échantillon de taille 8 en dix millièmes de pouce

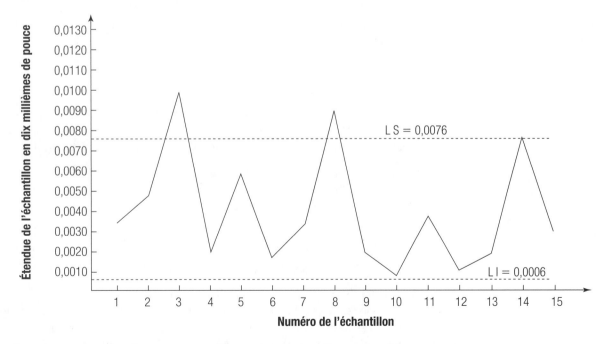

Il est à noter que les facteurs D_3 et D_4 se trouvent dans le même tableau que le facteur A_2. Donc, étant donné que n = 8, nous trouvons alors dans les tables que $A_2 = 0,373$ pour la carte de contrôle X et nous avons également $D_3 = 0,136$ et $D_4 = 1,864$. Par conséquent, les limites supérieure et inférieure pour la carte de contrôle X seront les suivantes :

$$\text{Limite supérieure : } 0,1255 + (0,373 \times 0,0041) \quad = \quad 0,1270$$

$$\text{Limite inférieure : } 0,1255 - (0,373 \times 0,0041) \quad = \quad 0,1239$$

Les limites supérieure et inférieure pour la carte de contrôle E seront les suivantes :

$$\text{Limite supérieure : } 1,864 \times 0,0041 \quad = \quad 0,0076$$

$$\text{Limite inférieure : } 0,136 \times 0,0041 \quad = \quad 0,0006$$

En établissant maintenant nos cartes de contrôle X et E, nous pouvons constater que les données de la troisième journée sortent des bornes que nous avons trouvées. À première vue, on devrait déclarer le lot non conforme. Cet écart est peut-être dû à une erreur humaine ou à un problème technique. Comme l'écart semble isolé, il est peu probable qu'il soit dû à un échantillon de taille trop petite. De même pour la huitième journée, on se trouve avec une valeur en dehors des bornes calculées pour ce qui est de la carte E. Il serait sage de continuer le processus encore jusqu'à la fin du mois de juin, et même de prendre l'habitude de le faire tous les jours de l'année avant de tirer des conclusions trop hâtives sur les échantillons.

Il est à noter que nous aurions très bien pu calculer nos limites supérieure et inférieure de la carte de contrôle X à l'aide de l'écart type moyen ($\overline{S}$) au lieu d'utiliser l'étendue moyenne, comme on l'a fait. Certains contrôleurs préfèrent utiliser l'écart type plutôt que l'étendue en tant que mesure de dispersion dans la construction de cartes de contrôle. Pour ce faire, nous aurions utilisé le facteur A_1 du tableau 6.6, à la page 286, au lieu du facteur A_2. Les équations auraient donc été les suivantes :

$$\text{Limite supérieure} \quad = \quad \overline{X} + (A_1 \times \overline{S})$$

$$\text{Limite inférieure} \quad = \quad \overline{X} - (A_1 \times \overline{S})$$

Rappelons que l'écart type se calcule ainsi : c'est la racine carrée de $\frac{(X_1 - X_m)^2}{(n-1)}$, où X_1 représente chaque valeur de l'échantillon, X_m représente la valeur moyenne de l'échantillon, et n représente le nombre d'observations dans l'échantillon.

Du même coup, si l'on désire fabriquer une carte de contrôle S basée sur l'écart type des échantillons prélevés, on devra utiliser les facteurs B_3 et B_4 du tableau 6.6. Les calculs des limites supérieure et inférieure de contrôle sont les suivants :

$$\text{Limite supérieure} \quad = \quad B_4 \times \overline{S}$$

$$\text{Limite inférieure} \quad = \quad B_3 \times \overline{S}$$

Finalement, les cartes de contrôle relatives à la qualité des phénomènes étudiés sont de bons outils de contrôle dans la mesure où ces mêmes phénomènes ne changent pas trop au fil du temps et lorsque la prise de données est faite avec circonspection. On doit également se rappeler que les échantillons prélevés dans le cas de cartes de contrôle par variable dépassent rarement la taille de 25.

En ce qui concerne les cartes de contrôle par attribut, nous allons examiner la carte de contrôle P, qui représente la proportion de produits défectueux dans un échantillon. Imaginons un échantillon aléatoire de 100 jouets électroniques prélevé chaque jour durant les 20 premiers jours du mois de juillet dans une usine de fabrication de jouets. On a trouvé dans les échantillons un certain nombre de jouets défectueux, tel que présenté dans le tableau 6.7.

| Tableau 6.7 | La quantité de jouets défectueux dans des échantillons aléatoires |

Jour du mois de juillet	Quantité de jouets défectueux
1	4
2	8
3	10
4	6
5	9
6	3
7	12
8	17
9	5
10	13
11	18
12	7
13	11
14	9
15	19
16	4
17	3
18	15
19	5
20	11

La première chose à faire est de déterminer le nombre moyen de produits défectueux pendant les 20 jours d'observation. Pour ce faire, on additionne tous les produits défectueux que l'on divise par le produit de la taille de l'échantillon journalier avec le nombre de jours considérés. On trouve donc $\frac{189}{2\,000} = 0,0945$ que l'on appellera $\overline{P}$. À partir de là, on peut trouver les limites inférieure et supérieure de la carte de contrôle P. Elles sont établies en fonction du nombre moyen de produits défectueux trouvés dans le tableau 6.7.

$$\text{Limite supérieure} \quad = \quad \overline{P} + 2\sqrt{\frac{\overline{P} \times (1 - \overline{P})}{n}}$$

$$\text{Limite inférieure} \quad = \quad \overline{P} - 2 \sqrt{\frac{\overline{P} \times (1 - \overline{P})}{n}}$$

Calculons le deuxième terme de l'équation (l'écart type) avant de trouver nos limites supérieure et inférieure. Alors :

$$\sqrt{\frac{0,0945\,(1 - 0,0945)}{100}} \quad = \quad \sqrt{\frac{0,0945 \times 0,9055}{100}}$$

$$= \quad 0,0293$$

Les limites supérieure et inférieure seront donc :

Limite supérieure : $0,0945 + 2(0,0293) = 0,1531$

Limite inférieure : $0,0945 - 2(0,0293) = 0,0359$

Cela veut donc dire que les échantillons devraient tous comprendre entre 3,59 % et 15,31 % de jouets défectueux pour être dans les limites calculées. En faisant la carte de contrôle P (*voir la figure 6.6*), on se rend compte que les journées 8, 11 et 15 sont au-dessus des normes que l'on s'est données ; on devra donc porter une attention particulière à la production de ces 3 journées. Ici, nous avons travaillé avec deux écarts types (le facteur 2 dans l'équation des limites supérieure et inférieure). Nous aurions pu décider de travailler avec trois écarts types afin d'obtenir une étendue plus grande des données entre nos deux bornes. La décision d'utiliser l'une ou l'autre méthode de calcul relève souvent d'un choix d'entreprise, mais on trouve fréquemment le calcul avec deux écarts types.

Figure 6.6   La carte de contrôle P illustrant la proportion de jouets défectueux dans 20 échantillons de taille 100

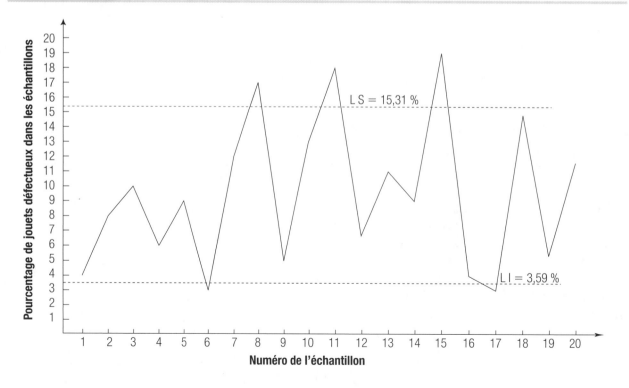

Résumé

Outre le fait que l'acheteur s'occupe de la quantité de matières à commander et du moment propice pour passer une commande d'achat, il doit s'initier à des fonctions liées à la gestion des stocks. Parmi ces fonctions, on peut citer la réception du matériel commandé, qui requiert un certain contrôle quantitatif et qualitatif de la part de la personne affectée à la réception. La deuxième fonction est la manutention du matériel. Il peut s'agir de matières premières destinées à la fabrication, de produits en cours, de produits d'entretien ou de produits finis. Cette fonction occupe une place importante dans une manufacture. Toutefois, elle est souvent négligée parce qu'il est difficile de lui attribuer un coût de revient par rapport au produit. La troisième fonction, liée à la gestion des stocks, concerne l'entreposage proprement dit. On distingue trois types d'entreposage : l'entreposage fixe, l'entreposage aléatoire et une combinaison des deux. Dans les entrepôts, on utilise divers types de rayonnages et des technologies d'identification pour les articles, notamment le code à barres, la fréquence radio et le système vocal. En outre, les dimensionnements statique et dynamique ainsi que l'indice d'utilisation de l'espace sont des éléments à considérer dans la conception d'un entrepôt.

La méthode du dénombrement cyclique permet de s'assurer de la justesse du niveau du stock en inventaire. Cette méthode consiste à sélectionner un certain nombre d'articles et de les compter. La sélection peut se faire de façon aléatoire. En général, on considère l'importance pécuniaire des articles. Ainsi, plus un article est important, plus il sera dénombré souvent.

L'emballage est une fonction cruciale pour une entreprise. Cette fonction a longtemps été négligée parce que l'on ne réalisait pas qu'elle pouvait apporter une plus-value au produit. Il existe une multitude de façons d'emballer des produits. Il faut considérer le type de produit pour déterminer un emballage adéquat.

La dernière fonction rattachée à la gestion des stocks est l'expédition des marchandises. Cette fonction suit sensiblement les mêmes principes que la réception des marchandises. Dans beaucoup d'entreprises, ces deux fonctions font partie d'un même service parce que les opérations sont souvent similaires, mais exécutées en sens contraire.

De plus, pour faire un lien avec les fonctions « réception » et « expédition » de marchandise, nous avons abordé dans ce chapitre le contrôle de qualité par échantillonnage ainsi que le contrôle de qualité à l'aide de cartes de contrôle.

Termes à retenir :

- Carte de contrôle
- Contrôle de qualité
- Dénombrement cyclique
- Dimensionnement dynamique
- Dimensionnement statique
- Échantillonnage
- Emballage
- Évaluation des stocks
- Expédition de marchandise
- Indicateurs de performance
- Manutention de stock
- Réception de marchandise
- Risque de l'acheteur
- Risque du fournisseur
- Standard d'utilisation de l'espace
- Système d'inventaire
- Technologies d'identification
- Types d'entreposage
- Types de rayonnages

Questions

1. Quelles sont les principales fonctions rattachées à la gestion des stocks qu'un acheteur est susceptible d'effectuer dans l'entreprise ?

2. En quoi consiste la réception des stocks ?

3. Pourquoi la manutention des stocks est-elle souvent négligée dans l'entreprise en tant que facteur de coûts ?

4. Nommez quatre événements qui nécessitent la manutention de matières dans l'entreprise.

5. Nommez les quatre grandes catégories d'équipements de manutention.

6. Trouvez cinq équipements divers de manutention utilisés dans l'entreprise.

7. Quels sont les trois types d'entreposage du matériel ?

8. Nommez deux avantages de l'entreposage fixe.

9. Nommez deux inconvénients de l'entreposage aléatoire.

10. Quelles sont les quatre principales méthodes d'évaluation des stocks ?

11. Quelle serait la taille de l'échantillon à prélever dans le cas d'une réception de lots de 15 000 unités avec un plan d'échantillonnage simple et un contrôle normal ?

12. Quelle serait la taille de l'échantillon à prélever dans le cas d'une réception de lots de 8 000 unités dans les mêmes conditions que celles de l'exercice précédent ?

13. Un acheteur s'affaire à préparer un plan d'échantillonnage. Son fournisseur l'assure que, lors de ses prochaines livraisons, il y aura un maximum de 2 unités défectueuses sur 100 et qu'il devra accepter ces lots dans une proportion de 96 %. L'acheteur, pour se protéger, refusera 92 fois sur 100 les lots présentant plus de 6 % de produits non conformes. Déterminez la valeur du niveau de qualité acceptable, le risque du fournisseur et le risque de l'acheteur.

Exercices d'apprentissage

1. De quelle façon doit-on codifier des articles dans un contexte où l'entreprise démarre ses activités si l'on sait que l'entreprise doit gérer 1 750 articles différents et que le procédé de production comprend 10 ateliers différents ?

2. Quels sont les avantages du code à barres dans la codification des articles d'un entrepôt ?

3. Quel est le type de code à barres utilisé par le supermarché de votre quartier ou de votre localité ?

4. Quelles différences y a-t-il entre un inventaire périodique et un inventaire permanent ?

5. « Le dénombrement cyclique est utilisé seulement lorsque l'on n'a aucun contrôle des stocks. » Commentez cette affirmation.

6. Nommez deux avantages et deux inconvénients rattachés au dénombrement cyclique.

7. Quelles sont les principales méthodes utilisées pour évaluer les stocks de fin de période ?

8. Qu'est-ce qui pourrait inciter une entreprise à utiliser davantage la méthode du premier entré, premier sorti au détriment de la méthode du dernier entré, premier sorti ?

9. Commentez l'affirmation suivante : « Il est inutile d'investir dans l'emballage d'un produit fini, car il n'ajoute absolument rien au produit. »

10. Quelles sont les similitudes entre la fonction « expédition » et la fonction « réception » du matériel dans une entreprise ?

Exercices de compréhension

1. Qu'est-ce qu'un réceptionnaire devrait vérifier lorsqu'il reçoit cinq lots de feuilles d'acier ?

2. Avec quels équipements de manutention devrait fonctionner une usine de concassage du minerai ?

3. Dans une usine où le matériel stocké est similaire d'un produit à l'autre quant à la nature du produit, à ses dimensions et à sa fréquence d'entrées et de sorties, quelle façon d'entreposer le matériel devrait être favorisée ?

4. Dans le cas où il n'existe à peu près aucun contrôle dans l'entrepôt en ce qui a trait aux ressources humaines et matérielles, quel type de système d'inventaire devrait-on privilégier ? Expliquez votre réponse.

5. Si l'entreprise possède 1200 articles différents, mais que seulement 195 sont importants (classes A et B), quel sera le nombre d'articles à dénombrer si elle désire effectuer un dénombrement tous les mois ? (Tenez pour acquis que les articles de classe C sont dénombrés une fois par année, soit lors du dénombrement physique.)

6. Une entreprise possède 500 articles différents, mais seulement 20 articles sont classés A et 40 articles sont classés B. Des dénombrements cycliques sur certains articles classés A sont effectués tous les 2 jours. Par ailleurs, des dénombrements sur certains articles classés B sont effectués toutes les semaines. On veut que chaque article classé A soit dénombré au moins une fois tous les 10 jours. On veut aussi que chaque article classé B soit dénombré au moins une fois toutes les 5 semaines. Vous devez considérer qu'il y a 250 jours ouvrables répartis sur 50 semaines et que les articles de classe C sont dénombrés une seule fois lors du dénombrement physique.

Combien d'articles A seront dénombrés tous les 2 jours et combien de fois dans l'année chaque article A sera-t-il dénombré ?

Combien d'articles B seront dénombrés toutes les semaines et combien de fois dans l'année chaque article B sera-t-il dénombré ?

7. Dans la situation décrite ci-après, déterminez le stock de fin de période ainsi que le coût des marchandises vendues avec la méthode du premier entré, premier sorti, la méthode du dernier entré, premier sorti et la méthode du coût moyen pondéré. Une entreprise possède, au début de la période comptable, le 1er juillet, un stock de 120 000 $ constitué de 80 000 porte-clés d'une valeur de 1,50 $ chacun. Elle fait l'acquisition de 55 000 porte-clés au montant de 1,75 $ chacun le 4 juillet. Elle vend 30 000 porte-clés à 3,50 $ le 10 juillet. Par la suite, elle fait l'acquisition de 25 000 porte-clés au coût de 1,95 $ chacun le 14 juillet. Le 21 juillet, un spécialiste des marchés aux puces achète 20 000 porte-clés au montant de 3 $ chacun. Finalement, l'entreprise fait l'acquisition de 40 000 porte-clés au coût de 2 $ chacun le 24 juillet.

8. Quel type d'emballage (conditionnement) utiliseriez-vous pour transporter des feuilles de verre plat de la région de Québec à la Belgique ?

9. **a)** Vous disposez d'une palette de 40 po × 48 po. Trouvez la méthode qui convient pour placer des boîtes de 20 po × 24 po, de 10 po × 12 po, de 12 po × 12 po, de 8 po × 14 po et de 20 po × 20 po. Dans chaque cas, décrivez la méthode utilisée. Indiquez le nombre total de boîtes contenues sur une palette, sachant qu'il y a toujours 4 rangées et que les boîtes ne peuvent être placées sur le côté.

   b) Supposez que la marchandise contenue dans les boîtes pèse 10 lb/pi^3. Quel sera le poids de la palette, sachant que la boîte pèse 0,5 lb le pied carré ? Toutes les boîtes mesurent 12 po de haut.

10. Lorsqu'il y a une grosse commande, on livre le produit décrit dans l'exercice précédent par pleines remorques de 52 pi de long, 100 po de large et 108 po de haut. On peut empiler les palettes par 2. Combien de palettes contiendra la remorque et quel en sera le poids total si chaque palette vide pèse 30 lb ?

11. Les dimensions d'un produit vendu 1,50 $ l'unité sont les suivantes : 5 po de long, 10 po de large et 1 po de haut. Les spécifications d'emballage sont les suivantes :

    - 6 produits entrent dans une boîte intermédiaire dont les dimensions sont les suivantes : 5 po de long, 20 po de large et 3 po de haut ;
    - 6 boîtes intermédiaires entrent dans une boîte de carton (devinez les dimensions afin d'optimiser le nombre de boîtes de carton sur la palette !) ;
    - la palette ne peut avoir une hauteur supérieure à 48 po. Une palette mesure 40 po × 48 po × 6 po ;
    - coût de la boîte intermédiaire : 0,15 $;
    - coût de la boîte de carton : 1 $;
    - coût des étiquettes de la boîte intermédiaire : 0,01 $/unité (2 par boîte) ;
    - coût des étiquettes de la boîte de carton : 0,03 $/unité (2 par boîte) ;
    - coût de la palette réutilisable : 25 $ (on estime la vie de la palette à 10 expéditions) ;

- coût de la pellicule plastique : 0,85 $ par palette ;

- temps requis pour la mise en boîte intermédiaire : 0,5 min ;

- temps requis pour la mise en boîte de carton : 3 min ;

- temps de montage des boîtes : 30 s pour la boîte intermédiaire
  et 1,2 min pour la boîte de carton ;

- temps requis pour la mise en palette : 30 s par boîte ;

- temps requis pour enrober la palette de pellicule plastique : 3 min ;

- coût de la main-d'œuvre : 0,40 $/min.

  On cherche le coût d'emballage du produit sur la palette.

12. Déterminez le standard d'utilisation de l'espace (en mètres carrés) pour 100 caisses d'un produit quelconque. Chaque caisse a les dimensions suivantes : 25 cm × 25 cm × 50 cm. On peut superposer 5 palettes sans devoir utiliser de rayonnage. La surface totale par pile de palettes est de 125 cm × 125 cm. Le pourcentage utilisable de la surface totale de l'entrepôt est de 70 %. En outre, on considère qu'environ 20 % de l'espace de l'entrepôt destiné à l'entreposage des caisses du produit ne peut être utilisé en même temps afin de recevoir les commandes et de remiser les palettes vides (facteur de sécurité).

13. Établissez un plan d'échantillonnage adéquat selon les données de la question n° 11 dans le cas où l'on désire un niveau de qualité acceptable de 2,5 %. Que peut-on conclure quant aux risques du fournisseur et de l'acheteur si l'on se réfère au tableau 6.4, page 282 ?

14. Établissez un plan d'échantillonnage adéquat selon les données de la question n° 12 dans le cas où l'on désire un niveau de qualité acceptable de 1,5 %. Que peut-on conclure quant aux risques du fournisseur et de l'acheteur si l'on se réfère au tableau 6.4 ?

15. Imaginons une réception de lots de 1 250 unités. Établissez un plan d'échantillonnage simple à contrôle réduit si le niveau de qualité acceptable est de 5 %. Quelle conclusion devrait-on tirer en ce qui a trait aux risques de l'acheteur et du fournisseur si l'on se réfère au tableau 6.4 ?

16. Une compagnie de fabrication de pistolets à eau reçoit des lots de 650 barillets en plastique. Elle vous demande d'établir un plan d'échantillonnage simple à contrôle serré en mentionnant qu'elle désire avoir un niveau de qualité acceptable de 3,5 %. Référez-vous au tableau 6.4 pour votre réponse.

17. Les données suivantes représentent des moyennes (X) et des étendues (E) de 10 échantillons de balles de carabine de taille 7, en centimètres. Sur la base de ces données, établissez les cartes de contrôle X et E et confirmez si le procédé est sous contrôle.

N° de l'échantillon	Moyenne	Étendue
1	19,4375	0,012
4	19,4401	0,008
3	19,4389	0,009
4	19,4423	0,011
5	19,4325	0,024
6	19,4411	0,021
7	19,4405	0,018
8	19,4399	0,020
9	19,4415	0,007
10	19,4392	0,019

18. Les données qui suivent représentent la vie moyenne et l'étendue en heures de lampes pour 25 échantillons de 9 lampes chacun. Dressez les cartes de contrôle X et E afin de vous aider à déterminer si le procédé est vraiment sous contrôle.

N° de l'échantillon	Vie Moyenne	Étendue
1	1 100	430
4	1 380	650
3	1 475	195
4	1 370	300
5	1 080	90
6	1 250	700
7	1 380	920
8	1 330	400
9	1 650	980
10	2 200	380
11	1 240	610
12	1 620	660
13	2 300	450
14	2 120	300
15	1 530	650
16	1 500	200
17	1 300	440

▶

N° de l'échantillon	Vie Moyenne	Étendue
18	1 610	460
19	1 540	680
20	820	530
21	1 150	575
22	1 130	380
23	1 750	225
24	1 320	350
25	1 250	730

19. Un contrôleur de qualité s'affaire à mesurer le diamètre intérieur d'une pièce de précision dans le domaine de l'aéronautique. Il cherche à savoir si le procédé de contrôle de cette pièce est adéquat. Il décide donc de prendre 15 échantillons de taille 6 et note l'écart entre la valeur réelle du diamètre intérieur et la valeur mesurée en dix millièmes de pouce. Voici donc ses résultats :

N° de l'échantillon	X1	X2	X3	X4	X5	X6
1	10	8	6	11	7	12
2	9	13	10	12	8	6
3	14	11	8	13	11	8
4	5	10	7	9	9	10
5	13	6	12	8	7	9
6	9	14	13	10	8	5
7	11	7	8	12	17	13
8	8	9	11	5	10	11
9	12	15	8	13	11	16
10	4	13	6	6	12	7
11	7	9	11	10	8	12
12	9	12	5	8	8	11
13	16	11	13	6	11	7
14	8	10	12	10	9	11
15	7	11	9	8	12	6

a) Établissez les cartes de contrôle X et E pour mettre en place un contrôle adéquat du procédé.

b) Établissez la carte S (écart type). Quelles différences y a-t-il avec la carte E ?

20. Vous travaillez dans un mégacentre d'assemblage et on vous demande de contrôler la qualité d'un boulon utilisé dans le processus. Chaque jour, vous prélevez un échantillon de 1 600 boulons. Voici le pourcentage du nombre de boulons non conformes pour les 20 premiers jours de contrôle :

Jour	Pourcentage de boulons non conformes
1	10
2	7
3	9
4	12
5	13
6	12
7	13
8	4
9	1
10	4
11	2
12	8
13	3
14	7
15	5
16	3
17	2
18	5
19	4
20	3

Établissez la carte de contrôle P dans le but de contrôler le procédé à l'avenir. Que peut-on conclure ?

21. Établissez la carte de contrôle P dans le cas d'une usine de fabrication de portes d'acier qui désire gérer ses éléments non conformes (mauvaise qualité de l'acier, longueur inadéquate, etc.). Vous prenez des échantillons de 250 portes par jour durant 12 jours et vous obtenez les résultats suivants :

Jour	Pourcentage de portes non conformes
1	7
2	5
3	6
4	4
5	8
6	13
7	4
8	5
9	1
10	4
11	7
12	9

D'après vous, le procédé est-il sous contrôle ?

Cas

Un entrepôt de néons

Josée Tanguay est la nouvelle acheteuse de l'entreprise Les Luminaires soleil ardent. Son mandat consiste à déterminer la façon optimale d'entreposer des ampoules et des néons que l'entreprise stocke pour répondre aux besoins de ses clients. Elle doit cependant tenir compte du fait que l'espace disponible est très réduit et que les néons sont des produits relativement fragiles. De plus, pour ce qui est du stockage, les types de produits sont variables quant à leurs dimensions et à leur stabilité.

Question

Si vous étiez à la place de Josée Tanguay, quel type d'emballage, quel type de rayonnage et quelle forme de stockage (fixe ou aléatoire) utiliseriez-vous, sachant que la majorité des fournisseurs sont à proximité et qu'il est assez facile de donner suite aux demandes des clients ?

La distribution

Objectif général

Reconnaître l'importance de la distribution
dans une entreprise.

Autres objectifs

- Nommer les principales chaînes de distribution.
- Se familiariser avec les principaux modes de transport.
- Connaître les avantages et les inconvénients rattachés à
  chaque mode de transport.
- Décrire les facteurs de décision quant au mode de transport
  à privilégier dans une situation donnée.
- Définir les principales conditions de transport.
- Connaître les rudiments des achats internationaux.

*Le caractère ne peut se
former dans la facilité
et la quiétude. Seules
l'épreuve et la souffrance
peuvent fortifier l'âme,
éclaircir la vision,
stimuler les ambitions
et mener au succès.*

– Helen Keller
(1880-1968), écrivaine,
activiste et conférencière
américaine, sourde, muette et
aveugle, dont la détermination
a suscité l'admiration,
principalement aux États-Unis.

C'est dans les années 1940 que Lionel Girardin, garagiste et concessionnaire automobile, fonde les Entreprises Girardin et, en 1958, l'entreprise se lance dans le commerce d'autobus scolaires. En 1968, elle commence à transformer des minibus et à faire office de distributeur exclusif pour les carrosseries Bluebird.

Devenue le Groupe Girardin, l'organisation est aujourd'hui le distributeur officiel des autobus BlueBird en Ontario, au Québec ainsi qu'à Terre-Neuve, à l'Île-du-Prince-Edward, au Nouveau-Brunswick et en Nouvelle-Écosse.

Le Groupe Girardin est également producteur des Minibus MBII et G5 pour le transport scolaire, commercial et adapté. Girardin Minibus dessert le marché américain par l'entremise de distributeurs et d'une équipe de vente et de service après-vente. Le siège social de l'entreprise est installé à Drummondville, en bordure de l'autoroute Transcanadienne.

La gestion par objectifs demeure une des priorités autant du service de l'approvisionnement que de tous les autres services. Cette approche permet à tous les employés de contribuer à l'essor de l'entreprise.

La qualité du produit et du service offerts reste au cœur des préoccupations du Groupe Girardin.

Normand Pâquet, a.p.a.
Vice-président ventes et marketing

Introduction

La distribution est l'ensemble des activités qui consistent à faire passer un produit de l'entrepôt d'une entreprise manufacturière ou d'un centre de distribution à un grossiste, à un détaillant, à un centre de distribution secondaire ou encore directement au client.

7.1 Les chaînes de distribution

Comme on le constate dans la définition précédente, plusieurs destinataires peuvent faire partie de la distribution. Le circuit de distribution le plus simple est la chaîne de distribution directe. Celle-ci consiste à livrer le produit de l'entrepôt du fournisseur au client. Cette façon de faire est de plus en plus en vogue. Lorsque la méthode de gestion du juste-à-temps est privilégiée, les fournisseurs n'ont d'autre choix que de livrer directement aux clients afin de respecter les ententes établies au préalable.

Un autre type de chaîne de distribution consiste à livrer les produits prêts à la consommation chez un grossiste. Ce dernier les fait parvenir à des détaillants qui, eux, les vendent aux consommateurs. Un manufacturier choisit souvent ce moyen dans le but d'élargir son marché, c'est-à-dire d'obtenir une visibilité plus grande. Par exemple, un manufacturier de patins à roues alignées de l'ouest de Montréal peut avoir un grossiste dans l'est de la ville et un autre à Québec, outre le fait de compter des détaillants dans les différentes régions du Québec. L'avantage principal de ce type de chaîne de distribution porte sur le service après-vente. Dans ce cas, les pièces de rechange peuvent se retrouver chez les détaillants locaux. En ce qui a trait aux réparations diverses, le même principe s'applique. Par contre, l'inconvénient majeur de ce type de chaîne de distribution se trouve dans le prix que doit payer le consommateur.

Plus la chaîne de distribution comporte d'intermédiaires, plus le consommateur doit payer un montant important au bout de la chaîne, car chaque intervenant prend sa marge de profit.

Il existe aussi des chaînes de distribution qui font intervenir le manufacturier, un grossiste et le consommateur tout de suite après, ou encore le manufacturier, des détaillants et le consommateur. Ces chaînes ressemblent à la chaîne de distribution précédente, sauf qu'il y a moins d'intervenants dans le système. La figure 7.1 présente plusieurs chaînes de distribution.

Figure 7.1 Les différentes chaînes de distribution

Manufacturier	Manufacturier	Manufacturier	Manufacturier	Manufacturier	Manufacturier
↓	↓	↓	↓	↓	↓
Consommateurs	Grossiste	Détaillants	Grossiste	Courtier	Courtier
	↓	↓	↓	↓	↓
	Consommateurs	Consommateurs	Détaillants	Consommateurs	Détaillants
			↓		↓
			Consommateurs		Consommateurs

De même, on rencontre souvent des courtiers en distribution qui agissent comme des intermédiaires entre le manufacturier et les détaillants ou les consommateurs. La plupart du temps, ces courtiers ont une grande expérience du marché et disposent d'un bon réseau de relations qui facilitent les transactions. Leur entrepôt se trouve fréquemment dans une partie de leur résidence.

Une fois que l'on connaît les différents intervenants de la chaîne de distribution, on doit déterminer les moyens qui permettront de mener à bien la distribution. En fait, tous les moyens de **transport** peuvent assurer la distribution, que ce soit la marche à pied, la bicyclette, le pousse-pousse, l'avion, le train, le chameau, le cheval, la voiture ou le camion!

7.2 Le transport

Le transport consiste à se déplacer d'un point X à un point Y. Pour les besoins du présent ouvrage, nous nous attarderons sur les cinq principaux modes de transport: le **transport routier**, le **transport ferroviaire**, le **transport maritime**, le **transport aérien** et le **transport par pipeline**.

Avant d'aborder les modes de transport proprement dits, rappelons que l'industrie du transport a connu de grandes modifications depuis 1987, année de la déréglementation de tous les modes de transport. Depuis 1988, les transporteurs ont moins de contraintes. Par exemple, dans le transport routier, un individu apte à conduire un tracteur avec semi-remorque peut se voir octroyer un permis de conduire de classe 1, ce qui est de nature à l'inciter à investir dans l'achat d'un camion et, par le fait même, à fonder sa propre entreprise. Ce contexte n'est pas hypothétique ; au contraire, il s'est souvent matérialisé dans l'industrie, ce qui a entraîné une baisse des coûts relativement importante et donc une marge de profit plutôt maigre. Plusieurs gros transporteurs routiers dont le pourcentage de coûts fixes est important par rapport à leurs coûts totaux n'apprécient guère cette situation. De plus, étant donné que le permis de classe 1 permettant de conduire ce type de véhicule est assez facile à obtenir, plusieurs transporteurs autonomes qui n'avaient pratiquement aucune connaissance en gestion ont fait faillite.

7.2.1 Le transport routier

Le transport routier est sans l'ombre d'un doute le mode de transport le plus flexible. Effectivement, un expéditeur qui veut faire parvenir un produit à un destinataire peut le faire parvenir directement chez ce dernier s'il utilise le transport routier, contrairement aux autres modes de transport qui sont limités par leurs infrastructures. Le transport routier est également, parmi les cinq modes de transport, le plus populaire. Ainsi, on assiste à un développement important des infrastructures routières depuis les années 1960. Le transport routier est également rapide si on le compare au transport ferroviaire ; c'est d'ailleurs ce qui a nui à ce dernier mode de transport à la fin du XX siècle. De plus, avec l'apparition du juste-à-temps, les gestionnaires sont souvent pressés par le temps. Ils ne désirent pas nécessairement recevoir un convoi de matières premières ou de composants qui surchargerait leur lieu d'entreposage. Selon une règle empirique dans l'industrie du transport routier, ce dernier est rentable sur une distance inférieure à 1600 km (l'équivalent de la distance entre Québec et Thunder Bay). Au-delà de ce seuil, le transport ferroviaire devrait être envisagé.

Il existe une multitude de règlements concernant le transport routier. On peut citer par exemple les normes de masses et de dimensions, les heures de conduite et de repos, la vérification mécanique des véhicules, les droits d'immatriculation, les taxes sur le carburant, le **connaissement**, la sécurité routière et les permis pour pouvoir circuler. De plus en plus, les gouvernements de toute les provinces canadiennes, ainsi que le gouvernement américain, parlent d'harmoniser la plupart de ces règlements, ce qui permettrait un allègement du point de vue administratif.

Le transport routier englobe plusieurs usages. Ainsi, on peut transporter du carburant (dans une citerne), des matières lourdes (dans un fardier), des matières dangereuses, des déchets dangereux, des explosifs, du verre, du gravier, du bois, etc. On peut également faire des déménagements.

Il est utile de connaître le langage utilisé dans le domaine du transport routier. Ainsi, quand un camion est rempli, on dit qu'il forme une charge entière, que l'on appelle *truck load* (TL) dans l'industrie. Toutefois, il arrive fréquemment qu'un expéditeur ne remplisse pas toute une semi-remorque lors d'un envoi. Le transporteur accepte alors une charge partielle ou un lot brisé (*less than truck load* ou LTL). Au Québec, la gestion LTL est très fréquente. La gestion de ces deux types de chargement est très différente, car elle n'implique pas le même nombre d'intermédiaires. Ainsi, il est beaucoup plus simple pour un transporteur routier de gérer des charges entières que des lots brisés.

Quand un expéditeur, que ce soit un manufacturier ou un distributeur, demande les services d'un transporteur pour une expédition quelconque, ce dernier fait signer un contrat, ou connaissement (*bill of lading*), qui lie l'expéditeur, le destinataire et le transporteur. Un connaissement comprend habituellement le nom et l'adresse de l'expéditeur, le nom et l'adresse du consignataire, la description de la marchandise, la quantité transportée, le poids, le volume, les conditions de transport, la valeur déclarée (dans le cas de produits de grande valeur si on désire être assuré en conséquence) et les instructions spéciales à respecter (dans le cas de matières fragiles ou dangereuses). Un exemple de connaissement est présenté à la figure 7.2.

Figure 7.2 Un exemple de connaissement

CONNAISSEMENT NON NÉGOCIABLE
BILL OF LADING NOT NEGOTIABLE

N° RÉFÉRENCE DU CLIENT	DATE	N° DE REMORQUES	AUTO-COLLANT

SHIPPER / EXPÉDITEUR

Nom/Name
Adresse/Address
Ville/City — Code postal / Postal code

Nom du transporteur / Name of carrier

- TRANSPORT GUILBAULT ☐
- TRANSPORT GUILBAULT CANADA ☐
- TRANSPORT VICTOR ☐
- TRANSPORT THÉBERGE ☐
- TRANSPORT LARIVEX USA ☐
- THÉBERGE EXPRESS INC ☐

CONSIGNEE / DESTINATAIRE

Nom/Name
Adresse/Address
Ville/City — Code postal / Postal code

Reçu au point d'origine, à la date et de l'expéditeur mentionné aux présentes les marchandises ci-après décrites en bon état apparent (le contenu des colis et sa condition étant inconnus) marqués, contresignées et destinées tel que ci-après mentionné, que le transporteur consent à transporter et à délivrer à leur consignataire au point de destination si ce point se trouve sur la route qu'il est autorisé à desservir sinon à faire transporter et délivrer par un autre transporteur autorisé à ce faire et ce, aux taux et à la classification en vigueur à la date de l'expédition.
Il est mutuellement convenu que chaque transporteur transportant les dites marchandises en tout ou en partie sur le parcours entier ou une portion quelconque de celui-ci jusqu'à destination et que tout intéressé à la dite expédition pour tout service à effectuer en vertu des présentes est sujet à toutes les conditions imprimées ou écrites non prohibées par la loi, incluant les conditions contenues au verso des présentes qui sont acceptées par l'expéditeur pour lui-même et ses ayants-droit.

Received at the point of origin on the date specified, from the consignor mentioned herein, the property herein described, in apparent good order, except as noted (contents and conditions of contents of package unknow) marked, consigned and destined as indicated below, which the carrier agrees to carry and to deliver to the consignee at the said destination, if on its own authorized route or otherwise to cause to be carried by another carrier on the route to said destination, subject to the rates and classification in effect on the date of shipment.
It is mutually agreed, as to each carrier of all or any goods over all or any portion of the route to destination, and as to each party of any time interested in all or any of the goods, that every service to be performed hereunder shall be subject to all the conditions not prohibited by law, wether printed or written, including conditions on back hereof, which are hereby agreed by the consignor and accepted for himself and his assigns.

OU FACTURÉ À / OR INVOICED TO

Nom/Name
Adresse/Address
Ville/City — Code postal / Postal code

VALEUR DECLAREE/DECLARED VALUATION: $

BIENS DE GRANDE VALEUR: À DÉFAUT D'AUTRE MONTANT, 4,41$ PAR KILOGRAMME REPRÉSENTE LA VALEUR DÉCLARÉE PAR L'EXPÉDITEUR POUR LES MARCHANDISES DÉCRITES AU PRÉSENT CONNAISSEMENT. L'EXPÉDITEUR RECONNAÎT QU'EN CAS DE PERTE, LA RESPONSABILITÉ DU TRANSPORTEUR NE POURRA EXCÉDER CETTE VALEUR DÉCLARÉE, CALCULÉE UNIQUEMENT SUR LA PARTIE PERDUE OU ENDOMMAGÉE DE L'EXPÉDITION.

PROPERTY OF GREAT VALUE: IF NO OTHER AMOUNT IS DECLARED, 4,41$ PER KILO REPRESENTS THE VALUATION DECLARED BY THE SHIPPER FOR THE GOODS DESCRIBED IN THE PRESENT BILL OF LADING AND THE SHIPPER ACKNOWLEDGES THAT IN CASE OF LOSS, THE LIABILITY OF THE CARRIER WILL NOT EXCEED SUCH DECLARED VALUATION, CALCULATED SOLELY ON THE LOST OR DAMAGED PORTION OF THE SHIPMENT.

L'EXPEDITEUR SERA RESPONSABLE DES INFRACTIONS ET DES AMENDES DECOULANT DES SURCHARGES TOTALES ET/OU AXIALES
SHIPPER WILL BE LIABLE FOR OFFENCES AND FINES RESULTING OVERLOADING ON TOTAL WEIGHT AS WELL AS PER AXLE WEIGHT

Nombre et type de paquets / Number and type of packages	Description des marchandises, marques et particularités / Particulars of goods, marks and exceptions	Poids / Weight – Livres	Poids / Weight – Kilos	Taux / rate	Montant / Amount
	PALETTES / PALLETS				
	BOÎTES / BOXES				

FRAIS DE TRANSPORT / FREIGHT CHARGES
À percevoir / Collect ☐
Payés d'avance / Prepaid ☐
Les frais seront à la charge de l'expéditeur à moins d'avis contraire.
Freight charges will be undertaken by shipper unless marked otherwise.

ENVOI CONTRE REMBOURSEMENT / C.O.D. SHIPMENT
Frais de recouvrement / Collection charges
À percevoir / Collect ☐
Payés d'avance / Prepaid ☐

SELON L'ÉTAT DE LA MARCHANDISE L'ENVOI EST AUX RISQUES DE L'EXPÉDITEUR OUI ☐ NON ☐

ESPACE REQUIS PAR L'EXPEDITEUR / SPACE REQUIRED BY SHIPPER
☐ 1/4 ☐ 1/2 ☐ 3/4 PLEINE REMORQUE / TOTAL TRAILER: ☐ 45' ☐ 48' ☐ 53'

C.O.D. / C.R.
Montant / Amount
Droits / Fees
Somme / Total
De / From
À / To

DÉCLARATION DE TRANSPORT DE MATIÈRES DANGEREUSES / DANGEROUS GOODS - DESCRIPTION
Numéro de la classe / Class number: — Plaques requises / Placards required:
Identif. des marchandises / Goods identification:
Téléphone urgence / Emergency telephone

TEMPS REQUIS POUR LA MANUTENTION / TIME REQUIRED FOR HANDLING: — **N° VÉHICULE / UNIT NO.:**

Entente spéciale entre l'expéditeur et le transporteur, y faire référence
Special agreement between consignor & carrier, advise here

TEMPS DE CUEILLETTE ET LIVRAISON / PICK UP AND DELIVERY TIME
Cueillette / P/U: — Début / Start:
Arrivée / Arrival: — Fin / End:
État apparent des marchandises / Visible freight's condition: Bon / Good ☐ Mauvais / Bad ☐
Livraison / Delivery: — Début / Start:
Arrivée / Arrival: — Fin / End:

AVIS DE RÉCLAMATION
a) Le transporteur n'est pas responsable de pertes, de dommages ou de retards aux marchandises transportées qui sont décrites au connaissement, qu'à la condition qu'un avis écrit précisant l'origine des marchandises, leur destination, leur date d'expédition et le montant approximatif réclamé en réparation de la perte, des dommages ou du retard ne soit signifié au transporteur initial ou au transporteur de destination dans les soixante (60) jours suivant la date de la livraison des marchandises ou dans les cas de non-livraison, dans un délai de neuf (9) mois suivant la date de l'expédition.
b) La présentation de la réclamation finale accompagnée d'une preuve du paiement des frais de transport doit être soumise au transporteur dans un délai de neuf (9) mois suivant la date de l'expédition.

NOTICE OF CLAIM
a) No carrier is liable for loss, damage or delay to any goods carried under the Bill of lading unless notice thereof setting out particulars of the origin, destination and date of shipment of the goods and the estimated amount claimed in respect of such loss, damage or delay is given in writing to the originating carrier or the delivering carrier within sixty (60) days after the delivery of the goods or, in the case of failure to make delivery, within nine (9) months from the date of shipment.
b) The final statement of the claim must be filed within nine (9) months from the date of shipment together with a copy of the paid freight bill.

Expéditeur / Consignor Date: Par / Per:	Transporteur / Carrier: Date: Par / Per:	NBRE(S) CAISSE(S) REÇUE(S)	Consignataire / Consignee Date: Par / Per:	N.B. VOIR LES CONDITIONS AU VERSO N.B. NOTE CAREFULLY CONDITIONS ON BACK HEREOF

INDIQUEZ PAR UN "X" SI LA QUANTITÉ REÇUE NE PEUT ÊTRE VÉRIFIÉE ☐

Beauceville (418) 774-9837
Saguenay - Lac St-Jean (418) 543-9488
Montréal Adm.: (514) 527-4571 Cueil.: (514) 521-1131
Québec Adm.: (418) 681-0575 Cueil.: (418) 681-4111
Sherbrooke (819) 563-2341
Trois-Rivières (819) 375-7373
Baie-Comeau / **Sept-Îles** (418) 589-2731 1-800-463-2655
Montmagny (418) 248-1442
Rimouski (418) 724-4050
Gatineau (819) 663-7718
Ottawa (Ont.) (819) 777-9665
Toronto (T.L.) (416) 251-2233
Larivex, Mtl (514) 523-0056
Matane (418) 562-1512
New Richmond (418) 392-4510
Moncton (506) 859-6120

Source : Reproduit avec la permission de l'entreprise Groupe Guilbault.

Le connaissement est préparé en trois copies : une copie pour l'expéditeur, une deuxième pour le transporteur et une troisième pour le destinataire. C'est une forme de contrat qui introduit une tierce partie, en l'occurrence le transporteur. Ce dernier envoie ensuite une facture au destinataire où à l'expéditeur selon l'entente conclue en ce qui a trait au paiement des frais de transport. La facture confirme les conditions du connaissement et comprend le tarif à acquitter. Un exemple de **facture de transport** est présenté à la figure 7.3.

Figure 7.3 Un exemple de facture de transport

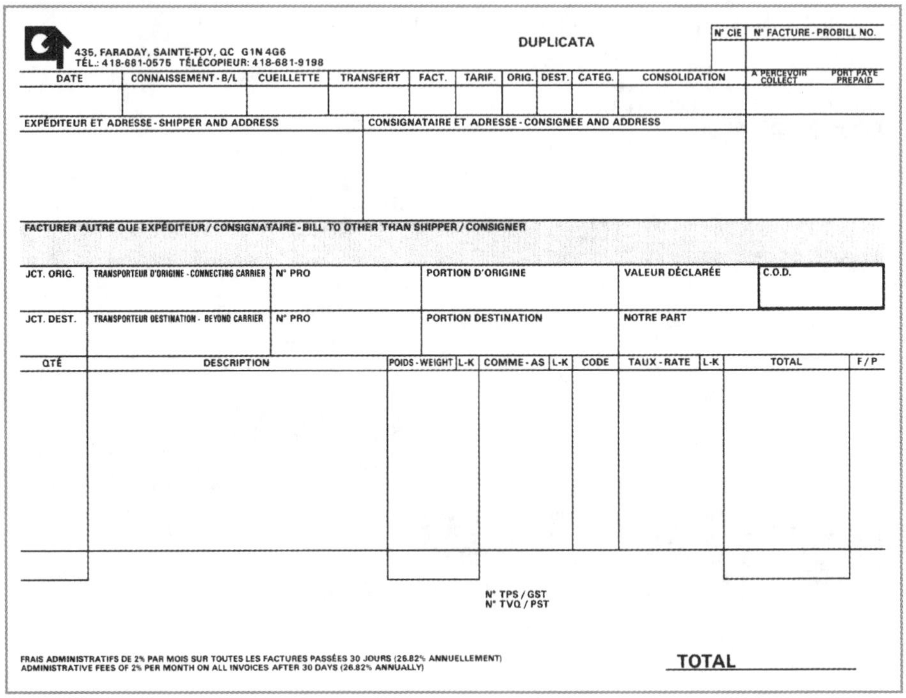

435, FARADAY, SAINTE-FOY, QC G1N 4G6
TÉL.: 418-681-0575 TÉLÉCOPIEUR: 418-681-9198

DUPLICATA

N° CIE | N° FACTURE - PROBILL NO.

DATE | CONNAISSEMENT - B/L | CUEILLETTE | TRANSFERT | FACT. | TARIF. | ORIG. | DEST. | CATEG. | CONSOLIDATION | À PERCEVOIR COLLECT | PORT PAYÉ PREPAID

EXPÉDITEUR ET ADRESSE - SHIPPER AND ADDRESS | CONSIGNATAIRE ET ADRESSE - CONSIGNEE AND ADDRESS

FACTURER AUTRE QUE EXPÉDITEUR / CONSIGNATAIRE - BILL TO OTHER THAN SHIPPER / CONSIGNER

JCT. ORIG. | TRANSPORTEUR D'ORIGINE - CONNECTING CARRIER | N° PRO | PORTION D'ORIGINE | VALEUR DÉCLARÉE | C.O.D.

JCT. DEST. | TRANSPORTEUR DESTINATION - BEYOND CARRIER | N° PRO | PORTION DESTINATION | NOTRE PART

QTÉ | DESCRIPTION | POIDS - WEIGHT | L-K | COMME - AS | L-K | CODE | TAUX - RATE | L-K | TOTAL | F/P

N° TPS / GST
N° TVQ / PST

FRAIS ADMINISTRATIFS DE 2% PAR MOIS SUR TOUTES LES FACTURES PASSÉES 30 JOURS (26.82% ANNUELLEMENT)
ADMINISTRATIVE FEES OF 2% PER MONTH ON ALL INVOICES AFTER 30 DAYS (26.82% ANNUALLY)

TOTAL

Source : Reproduit avec la permission de l'entreprise Groupe Guilbault.

Dans le domaine du transport routier en particulier, il arrive fréquemment qu'une entreprise de transport reçoive une quantité phénoménale de livraisons par semi-remorque, surtout dans les grandes villes. Ces mêmes entreprises possèdent ce que l'on appelle des « centres de répartition » (*hub* ou *cross-deck*) qui ont pour but de répartir l'ensemble de ces réceptions par région et ultimement par ville et village. Ces réceptions sont constituées de charges entières ou encore de lots brisés.

Le phénomène inverse se produit également dans l'industrie. Cela signifie qu'un entrepôt possédant plusieurs quais de chargement et de déchargement peut servir à grouper un ensemble de petites expéditions qui proviennent de régions plus isolées. Ainsi, on optimise des livraisons avec des semi-remorques mieux remplies en réunissant plusieurs lots brisés qui sont dirigés à peu près au même endroit. On appelle ce type d'entrepôt un « centre de groupage ».

7.2.2 Le transport ferroviaire

Le transport ferroviaire est le mode de transport qui a fait du Canada ce qu'il est aujourd'hui quant à son peuplement. Il a permis d'unifier toutes les provinces depuis sa mise en œuvre au XIXe siècle. Avant les années 1950, le transport ferroviaire était le mode de transport le plus utilisé au Canada (les clients étaient attirés par l'ampleur du réseau ferroviaire). Cependant, dans les années 1950, une importante grève a forcé la mise en place d'autres moyens de transport, en particulier le transport routier.

Grâce au transport ferroviaire, on peut transporter, par voie terrestre, de grandes quantités de marchandises sur de longues distances. Il suffit de penser au blé des Prairies ou encore au charbon. Il existe différents types de wagons pouvant convenir à tous les expéditeurs, que ce soit les expéditeurs de minerai, de blé, d'automobiles, de pétrole ou de toute autre matière transportable.

Le transport ferroviaire est cependant limité aux réseaux de voies ferrées, ce qui le rend beaucoup moins flexible que le transport routier. Cependant, de plus en plus d'entreprises possèdent un embranchement privé, c'est-à-dire un tronçon de voie ferrée relié au quai de déchargement.

Si l'on dresse un portrait de l'industrie ferroviaire canadienne, on s'aperçoit que la concurrence est établie surtout entre deux géants, le Canadien National (CN) et le Canadien Pacifique (CP). Ces entreprises essaient de s'acheter mutuellement des tronçons ou encore de vendre des tronçons jugés non rentables aux entreprises privées afin de diminuer la dette accumulée au fil des ans. Ces tronçons vendus deviennent des chemins de fer à intérêt local (CFIL). Certaines municipalités achètent ce genre de tronçons, puis elles élaborent des projets d'urbanisme, comme la piste cyclable Cabano-Edmundston ou celle reliant Saint-Romuald à Lauzon sur la rive sud du fleuve Saint-Laurent. Malgré les acquisitions relativement récentes du Canadien National, par exemple celle du réseau Illinois Central (IC) aux États-Unis, et la rationalisation de ses effectifs (licenciement d'environ 11 000 employés) à la fin du siècle dernier, l'industrie du transport ferroviaire éprouve toujours un peu de difficulté à concurrencer celle du transport routier.

7.2.3 Le transport maritime

Le transport maritime est le mode de transport le plus ancien. Les premiers colons sont arrivés en Amérique par la mer. Ils transportaient leur nourriture ainsi que de la marchandise pouvant assurer leur survie. Il existe deux catégories de transport maritime, soit le transport fluvial et côtier et le transport maritime international. Le premier représente les mouvements maritimes à l'intérieur d'un pays (le cabotage) alors que le second, comme son nom l'indique, représente les mouvements internationaux.

Le Canada possède une voie maritime stratégique pour le commerce international : la voie maritime du Saint-Laurent. Tout navire provenant d'Europe, d'Afrique, d'Asie ou d'Océanie dont la destination est le Canada passe nécessairement par la voie maritime du Saint-Laurent. Celle-ci est composée de 17 écluses, de Québec à Sault-Sainte-Marie, et elle s'avance jusqu'au cœur du continent, soit à Thunder Bay. Son étendue lui confère une grande importance.

Le principal avantage du transport maritime est qu'il permet de transporter énormément de marchandises. En effet, certains navires peuvent contenir jusqu'à 250 000 tonnes de matières (environ 227 millions de kilogrammes).

Le coût unitaire de ce transport est relativement bas. Cependant, un expéditeur qui utilise ce mode de transport doit tenir pour acquis que sa marchandise ne pourra être livrée le lendemain. Une expédition maritime en provenance d'Europe peut prendre de deux semaines à plusieurs mois pour arriver à bon port. De ce fait, l'acheteur doit planifier convenablement son stock afin de ne pas connaître de rupture de stock.

On aura tendance à privilégier ce mode de transport dans les cas où il y a beaucoup de matières à transporter et lorsque cette marchandise a un coût unitaire relativement bas, comme la soie de Chine ou le lin d'Asie.

7.2.4 Le transport aérien

Le transport aérien est le mode de transport le plus rapide. On peut facilement envisager de recevoir une enveloppe contenant des documents confidentiels le lendemain de son envoi, même si cette enveloppe provient de Sydney en Australie. Il faut cependant considérer que le prix d'une expédition aérienne est beaucoup plus élevé que celui de toute autre forme d'expédition. Encore ici, « le temps, c'est de l'argent ». L'acheteur doit se rappeler cet adage lorsqu'il fait ses transactions. Certains types de matières transportées par air ont un coût unitaire assez élevé (produit à haute valeur ajoutée), comme les lingots d'or ou les animaux de reproduction. Il se peut également qu'un produit de consommation courante fasse l'objet d'une expédition aérienne, par exemple dans le cas d'une urgence.

Le transport aérien est moins flexible que le transport routier, en ce sens qu'une fois arrivée à l'aéroport, la marchandise doit emprunter un autre mode de transport pour se rendre à destination. De même, elle doit souvent être dédouanée si elle provient d'un autre pays.

7.2.5 Le transport par pipeline

Le transport par pipeline est utilisé surtout pour les matières liquides comme le pétrole brut, le gaz naturel et l'essence[1]. Il peut également être employé pour certains solides granulaires comme le minerai concassé, à la condition que ces solides soient propulsés à l'aide d'une pompe. À la rigueur, on pourrait considérer le transport de l'électricité comme faisant partie du mode de transport par pipeline. En effet, les câbles électriques, qui transportent des électrons, s'apparentent aux tuyaux qui transportent un liquide. Ce mode de transport est de plus en plus utilisé au Québec. Depuis quelques années, on effectue l'excavation de lignes de plusieurs kilomètres de long dans le but de rendre le gaz naturel accessible aux entreprises, qui sont de plus en plus conscientes des problèmes environnementaux. Le gaz naturel étant moins nocif pour l'environnement que l'essence, les entreprises peuvent l'utiliser comme combustible pour chauffer leurs entrepôts ou encore comme source d'énergie dans un procédé de production.

---

1. Le pipeline qui transporte du gaz naturel ou de l'essence est un « gazoduc ». Celui qui transporte du pétrole s'appelle un « oléoduc ».

Le transport par pipeline est le mode de transport qui offre le coût unitaire le plus bas parmi les cinq modes de transport que nous avons décrits. Il est cependant limité à certains types de produits, sans compter que toutes les municipalités ne sont pas équipées des installations de canalisation nécessaires. De plus, les coûts d'entretien liés à ce mode de transport ne sont pas négligeables. Il faut faire une vérification continuelle de la pression exercée dans le circuit. Celle-ci doit être assez constante pour éviter les blocages intérieurs ou l'accumulation de débris sur les parois des conduits.

Les perspectives d'avenir quant aux cinq modes de transport sont variables. En effet, depuis quelques années, les gouvernements fédéral et provinciaux effectuent une rationalisation (lire « des compressions ») plutôt draconienne, qui touche toute l'industrie du transport. Le transport routier demeure toutefois un secteur de pointe où les indicateurs économiques ne vont pas en diminuant (*voir la figure 7.4*).

Figure 7.4 Le commerce de biens entre le Québec et les États-Unis selon le mode de transport (1989-1996)

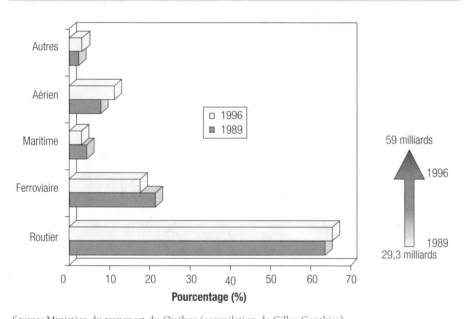

Source : Ministère du transport du Québec (compilation de Gilles Gonthier).

7.2.6 Le recours à plusieurs modes de transport ou l'intermodalité

La plupart des entreprises qui veulent diminuer leurs dépenses rattachées au transport utilisent plusieurs modes de transport (ou intermodalité) pour acheminer leurs produits ou les recevoir. La façon la plus connue est sans doute le ferroutage (*piggyback*), qui consiste à prendre la semi-remorque attachée à un tracteur routier et à la placer sur un wagon plat de train pour le reste du trajet. Une fois la semi-remorque rendue à destination, l'opération inverse est effectuée. Cette façon de faire est très utilisée lorsqu'une entreprise québécoise envoie un camion complet dans l'ouest du Canada. Il y a aussi le transport routier (*fishyback*), qui ressemble au ferroutage, si ce n'est que les modes de transport utilisés sont le transport routier et le transport maritime. De même, le transport aérien peut être combiné avec le transport routier (*air truck*).

Il arrive fréquemment qu'une expédition utilise plus de deux modes de transport. Par exemple, si une entreprise de fabrication d'automobiles d'Oshawa veut expédier ses produits finis en Israël, il est probable que le transport routier sera utilisé jusqu'à la première voie ferrée accessible. Par la suite, le train circulera jusqu'au port de Halifax. Finalement, le transport maritime reliera les deux continents. Une fois atteint le port le plus près de la destination, on effectuera les opérations inverses, c'est-à-dire qu'à partir du port on utilisera la voie ferrée, s'il y a lieu, puis le transport par camion.

7.3 Le choix d'un ou de plusieurs modes de transport

Le choix d'un mode de transport qui optimisera les coûts est une décision sur laquelle un acheteur doit se pencher fréquemment. Cette décision n'est pas toujours facile à prendre. En effet, une multitude de facteurs doivent être considérés avant de prendre ce genre de décision, dont les principaux sont présentés dans l'encadré ci-dessous.

Les facteurs de décision quant au choix d'un mode de transport

- Nature du produit à transporter
- Poids du produit
- Coût du produit
- Délai de livraison
- Présence de matières dangereuses
- Réfrigération
- Valeur unitaire du produit
- Pratique du juste-à-temps par le client

- Dimensions du produit
- Densité du produit
- Destination
- Conditions de transport
- Chauffage
- Modalités de paiement
- Type de service désiré

Il est facile d'imaginer que le transport de pur-sang devant participer à une compétition différera du transport d'un lot de tuiles de toiture provenant d'Espagne vers une destination quelconque. De même, l'expédition de revues européennes au Canada n'empruntera pas le même mode de transport que des conteneurs de boîtes de conserve.

7.4 Le coût de distribution

Un produit acheté au point d'origine à un prix de 100$ n'a plus la même valeur à destination, car le coût du transport s'ajoute à ce prix. La valeur commerciale du transport varie entre deux extrêmes : la valeur minimale et la valeur maximale. La valeur minimale représente le coût engendré par l'activité elle-même. Quant à la valeur maximale, elle repose sur la nature du produit à transporter, la difficulté d'atteindre certains lieux ou la demande plus forte de livraison dans certaines régions. En effet, dans le domaine du transport, il y a des corridors forts (à fort débit) et des corridors faibles (à faible débit). Le transport d'une même quantité de marchandises ayant le même poids n'a pas le même coût dans le corridor Montréal-Toronto que dans le corridor Montréal-Rimouski. Pourtant, ces deux corridors ont à peu près la même longueur. L'exemple suivant décrit une proposition pour le coût d'un transport routier.

Exemple 7.1

Récemment, un acheteur a reçu la proposition suivante pour le coût d'un transport routier :

- Transport d'une charge complète de camions de Chicago à Montréal : 1 100 $
- Transport d'une charge complète de camions de Montréal à Chicago : 1 450 $

À l'appui de sa proposition, le fournisseur indique que la fréquentation du corridor Montréal-Chicago est tellement importante qu'il est considéré comme un corridor à fort débit. À ce titre, la relation entre l'offre et la demande nécessite un prix pour l'aller de 1 450 $. Par contre, comme il y a moins de mouvements de Chicago à Montréal, le transporteur dispose d'une plus grande capacité. Les lois du marché de la concurrence fixent alors le prix du transport dans le corridor Chicago-Montréal à 1 100 $.

7.5 Les conditions du transport routier et les modalités de paiement en Amérique du Nord

Sur un bon de commande ou un bordereau de livraison, on voit fréquemment les inscriptions suivantes : « FAB destination » et « FAB origine ». Cela ne signifie pas que le fournisseur ou le client paie le transport entre l'origine et la destination. Le sigle FAB, qui signifie « franco à bord » (un vieux terme français) a été employé en premier lieu dans le transport maritime pour désigner la responsabilité du transporteur. En anglais, on utilise le sigle FOB, qui veut dire *free on board*. Dans le cas où un contrat commercial indique « FAB destination », cela signifie que la marchandise est sous la responsabilité de l'expéditeur jusqu'au quai de déchargement du client. Dans le cas contraire, c'est-à-dire lorsqu'un contrat stipule « FAB origine », la responsabilité du matériel revient au client à partir du quai de chargement du fournisseur. Logiquement, le transport « FAB destination » devrait être plus coûteux pour un client parce que ce dernier n'endosse pas la responsabilité de la marchandise durant le transport. Dans bien des cas, la différence entre les deux formules est minime, surtout pour des livraisons qui requièrent des mouvements très courts comme d'Anjou à Pointe-Claire, de Québec à Lévis ou de Paris à Neuilly.

Cependant, il faut noter qu'au Québec, contrairement aux provinces de l'Ouest et aux États-Unis, la tendance dans le domaine du transport routier est à l'utilisation des incoterms (*voir le tableau 7.2, p. 314*). L'incoterm FOB étant beaucoup plus utilisé dans le domaine du transport maritime, on voit de plus en plus souvent les incoterms CPT (*carriage paid to*: port payé jusqu'à) ou CIP (*carriage and insurance paid to*: port payé assurance comprise jusqu'à).

Pour ce qui est du paiement du transport, on trouve cinq sortes de paiement pour les contrats commerciaux. D'abord, le port payé (*prepaid*) signifie que le transport est payé d'avance par le fournisseur. On rencontre aussi très souvent le port à percevoir (*collect*), où le client doit assumer les frais de transport. De même, le port payé et débité (*prepaid and charge*) signifie que le fournisseur paie au préalable les frais de transport et les débite au client sur la facture de la marchandise. On voit ce type de paiement dans les cas où un fournisseur important possède un contrat alléchant avec une entreprise de transport. Cette situation occasionne des coûts de transport moins élevés que si le client payait son propre transporteur pour un service donné.

Avec l'arrivée massive des courtiers en transport, on voit de plus en plus la modalité de paiement « facturer à » (*bill to*). Un courtier en transport agit comme intermédiaire entre le fournisseur et le client. Dans ce cas, au lieu de facturer l'un des deux, le transporteur envoie la note au courtier avec la mention « facturer à » ; le courtier prend alors une marge de profit avant de payer le transporteur. Finalement, sur certains bordereaux de livraison, on trouve l'inscription « COD » (*cash on delivery*), ou « contre remboursement », qui veut dire « paiement à la livraison ». Cette situation se produit quand le client fait affaire avec le fournisseur pour la première fois, et que ce dernier n'a pas eu le temps de vérifier la cote de crédit du client. Il demande alors le paiement à la livraison de la marchandise. Le fournisseur utilise également ce type de paiement pour s'assurer d'être payé s'il sait que le client a des difficultés financières ou encore si la réputation de crédit du client est médiocre. Le tableau 7.1 reprend les différents termes que nous venons d'expliquer.

Tableau 7.1 Les termes français et anglais utilisés pour le paiement du transport

Français	Anglais
Port payé	*Prepaid*
Port à percevoir	*Collect*
Port payé et débité	*Prepaid and charge*
Facturer à	*Bill to*
Paiement à la livraison ou contre remboursement	*Cash on delivery (COD)*

7.6 Les achats internationaux

Compte tenu du phénomène croissant de la mondialisation des marchés, un acheteur doit découvrir des sources provenant des quatre coins de la planète, que ce soit pour ses matières premières ou pour ses composantes. Étant donné que l'anglais est la langue universelle des affaires, l'acheteur doit le maîtriser. Il a aussi avantage à posséder certaines connaissances de base pour réaliser de bonnes performances sur les marchés extérieurs. Ces connaissances portent sur les us et coutumes du pays exportateur, les moyens et les infrastructures de transport du pays exportateur, les **conditions internationales de vente**, les paiements internationaux, les **douanes** et les différents blocs économiques, en particulier l'**ALENA** (l'Accord de libre-échange nord-américain).

7.6.1 Les us et coutumes du pays exportateur

Les valeurs, les principes, les religions, les façons de voir les choses et donc de régler des problèmes peuvent être diamétralement opposés dans deux pays qui font des affaires ensemble ou qui désirent conclure des ententes afin de faire des affaires à moyen ou à long terme. C'est pourquoi un acheteur n'adoptera pas la même attitude durant la négociation d'un contrat avec les différents pays exportateurs. Par exemple, certaines entreprises québécoises et canadiennes ont compris assez rapidement que les pratiques commerciales au Mexique étaient très différentes de celles que l'on trouve aux États-Unis. Dans un processus d'acquisition entre le Canada et les États-Unis, dès que le fournisseur comprend qu'il peut réaliser un certain profit, il se dépêche de conclure la transaction commerciale. Inversement, un fournisseur mexicain veut d'abord établir une relation de confiance. Un rendez-vous, par exemple, un souper d'affaires pour connaître la philosophie de l'entreprise acheteuse, précède souvent les pourparlers menant à la conclusion de la transaction.

7.6.2 Les moyens et les infrastructures de transport du pays exportateur

L'acheteur qui évolue dans le domaine international doit se procurer l'information relative aux installations et à la manière dont les déplacements de marchandises sont effectués dans le pays avec lequel il désire effectuer une transaction commerciale. L'absence d'infrastructures routières ou portuaires a un effet majeur sur le délai de livraison et la qualité globale de la transaction.

Si une entreprise désire importer un lot de caisses de kiwis en provenance d'une région aborigène des îles Fidji, en Océanie, elle se préoccupera probablement beaucoup plus du délai de livraison que si elle fait affaire avec une entreprise bien implantée en Nouvelle-Zélande. En effet, les infrastructures de manutention et de transport peuvent être archaïques, voire inexistantes dans le premier cas. Une fois informé de ces particularités, l'acheteur oriente sa décision non seulement en fonction du coût de la transaction, mais aussi en fonction de certains aspects susceptibles de compliquer la transaction.

7.6.3 Les conditions internationales de vente

Un des outils les plus appréciés par les acheteurs évoluant dans le domaine international est la nomenclature liée au transport international. Cette nomenclature permet de clarifier une transaction. En effet, les **conditions internationales de vente** (*International Commercial Terms* ou Incoterms) servent à déterminer les engagements mutuels entre l'acheteur (le client) et le vendeur (le fournisseur) dans une perspective d'achat ou de vente internationale. Il existe 13 conditions internationales de vente ou incoterms (*voir le tableau 7.2*).

Tableau 7.2   Les conditions internationales de vente (incoterms)

Incoterm	Condition de vente	Signification
EXW	*EX Works*	À l'usine (nom de la ville)
FCA	*Free CArrier*	Franco transporteur (nom de la ville)
FAS	*Free Alongside Ship*	Franco le long du navire (port d'embarquement convenu)
FOB	*Free On Board*	Franco à bord (port d'embarquement convenu)
CFR	*Cost and FReight*	Coût et fret (port de destination convenu)
CIF	*Cost, Insurance and Freight*	Coût, assurance et fret (port de destination convenu)
CPT	*Carriage Paid To*	Port payé jusqu'à (lieu de destination convenu)
CIP	*Carriage and Insurance Paid To*	Port payé, assurance comprise, jusqu'à (point de destination convenu)
DAF	*Delivered At Frontier*	Rendu frontière (lieu convenu)
DES	*Delivered Ex Ship*	Rendu au débarquement (port de destination convenu)
DEQ	*Delivered Ex Quay*	Rendu à quai droits acquittés (port de destination)
DDU	*Delivered Duty Unpaid*	Rendu droits non acquittés (lieu de destination convenu)
DDP	*Delivered Duty Paid*	Rendu droits acquittés (lieu de destination convenu)

Les conditions internationales de vente sont utilisées dans les transactions internationales pour éviter d'éventuels malentendus entre les parties. Cependant, elles ne peuvent faire l'objet de poursuites. Habituellement, les contrats internationaux sont accompagnés de notes explicatives détaillées, précisant par exemple la partie qui a la responsabilité de l'emballage, du lieu de livraison ou du lieu de transfert entre les deux pays.

Étant donné la panoplie de produits achetés ou vendus, leur poids, leur densité, les conditions atmosphériques et les modes de transport, il faut s'assurer, lors de la rédaction d'un contrat international, que toutes les conditions liées au contrat sont explicitées. Ainsi, on indique à qui revient la charge de l'entreposage de la marchandise au port X ou celle de la manutention du produit.

7.6.4 Les paiements internationaux

L'acheteur doit à l'occasion assurer l'approvisionnement en produits ou services provenant d'un pays autre que le sien. Lors du paiement de la facture du fournisseur, ce dernier devrait utiliser une lettre de crédit documentaire. Celle-ci constitue :

> […] un engagement écrit d'une banque (banque émettrice) remis au vendeur ou fournisseur (bénéficiaire) à la demande de l'acheteur (donneur d'ordres) et, conformément à ses instructions, de régler – soit en effectuant un paiement, ou en acceptant ou en négociant des lettres de change (traites) – jusqu'à concurrence d'une somme précise, contre remise des documents stipulés et dans le délai prescrit[2].

La lettre de crédit documentaire est donc un formulaire qui garantit que le paiement se fera en bonne et due forme.

Il existe plusieurs types de lettres de crédit documentaire. Nous mentionnerons les principaux types étant donné la portée considérable que peut avoir cette notion quant aux achats internationaux. Ainsi, on trouve :

1. la lettre de crédit à vue qui permet au bénéficiaire d'être payé immédiatement ;
2. la lettre de crédit à terme qui permet au bénéficiaire d'être payé à une date ultérieure précisée sur le contrat ;
3. la lettre de crédit révocable qui permet à la banque émettrice d'annuler ou de modifier la lettre à n'importe quel moment, et ce, sans aviser le bénéficiaire ;
4. la lettre de crédit irrévocable qui ne peut être annulée sans l'accord du bénéficiaire ;
5. la lettre de crédit confirmée (ou non confirmée) qui engage (ou non) une autre banque se trouvant habituellement dans le pays du bénéficiaire.

7.6.5 Les douanes

Les douanes sont un système protectionniste entre différents pays qui transigent ensemble. Elles sont chargées de contrôler le passage des biens et des capitaux à travers les frontières. Ainsi, les entrées et les sorties de marchandises sont vérifiées afin qu'aucun produit illégal n'entre au pays ou n'en sorte. Le système de douanes est relativement complexe en ce sens qu'il comporte beaucoup de formulaires à remplir autant du côté de l'importateur

---

2. BANQUE SCOTIA, *Guide pratique sur la lettre de crédit documentaire*, 16 p.

et de l'exportateur que du côté du transporteur. Qui dit formulaires, dit procédures et suite d'événements prolongeant le processus d'entrée et de sortie des marchandises.

L'approche de gestion du juste-à-temps s'applique plus difficilement dans le cas d'achats internationaux étant donné le ralentissement du processus d'acquisition à la sortie du pays avec lequel l'entreprise transige. Dans certains cas d'urgence, le préposé aux douanes peut effectuer un dédouanement rapide pour favoriser une transaction à la suite d'une demande spéciale de la part d'un courtier en douanes. Avec l'avènement des blocs économiques continentaux comme l'Accord de libre-échange nord-américain (ALENA) et l'Union européenne (UE), le nombre de barrières tarifaires (taux de douanes) entre les pays membres de chacun de ces blocs a diminué et, dans certains cas, de façon draconienne. Ces blocs favorisent les échanges commerciaux à l'échelle continentale.

Le tableau 7.3 qui suit peut nous aider à comprendre davantage les bienfaits des blocs économiques. En effet les ventes de produits québécois à l'étranger (principalement aux États-Unis, dû à l'ALÉNA) ont augmenté de 153 % entre 1988 et 2007, ce qui correspond à 7 fois plus que l'augmentation des ventes de produits québécois au Canada.

Tableau 7.3	Les ventes de produits québécois au Canada et à l'étranger en 1988 et en 2007*	
	Ventes au Canada	**Ventes à l'étranger**
1988	142	37
2007	172	93
Variation (%)	+ 21 %	+ 153 %

* En milliards de dollars constants de 2002

Source : Pierre FORTIN, « Agrandissons la patinoire économique », *L'actualité,* 15 avril 2009, p. 32.

7.6.6 Les différents blocs économiques

L'ALENA est un accord intervenu entre le Canada, les États-Unis et le Mexique. Il a été créé pour éliminer à plus ou moins long terme les barrières tarifaires entre les pays membres et toutes les entraves au commerce international entre ces pays. Évidemment, le Mexique n'ayant pas le même niveau de vie ni les mêmes infrastructures économiques que le Canada et les États-Unis, les relations économiques avec ce pays sont plus ardues. Par exemple, dans le domaine du transport routier, l'ALENA prévoyait que le Mexique ouvrirait son marché à partir du 18 décembre 1995. Or, actuellement, plus de la moitié des routes mexicaines ne sont pas carrossables, ce qui complique le transport de marchandises en provenance des États-Unis et du Canada. Il est facile de comprendre pourquoi les Mexicains adoptent une attitude protectionniste devant leurs homologues canadiens et américains. On ne doit cependant pas voir cet accord d'un point de vue strictement politique et financier, mais également d'un point de vue social et culturel. Le Mexique est reconnu mondialement dans l'industrie du textile. Le Canada et les États-Unis pourront l'aider, en vertu de cet accord, à mettre en place des assises économiques solides.

Il existe d'autres blocs économiques du même type que l'ALENA dans le monde. On peut citer, par exemple, l'Union européenne. Celle-ci regroupe actuellement 27 pays qui ont, à quelques exceptions près, la même monnaie (l'euro). On pourrait également signaler une tendance vers cette forme de structure économique dans les pays de l'Asie du Sud-Est (Cambodge, Vietnam, Laos, Thaïlande, Malaisie, Indonésie, etc.). Un des objectifs de la constitution de ces blocs économiques est de diminuer le nombre de barrières tarifaires et non tarifaires entre les pays membres. À ce titre, le consommateur en sort gagnant. Reste à savoir, cependant, si ces blocs n'exerceront pas une forme de pouvoir qui pourrait nuire aux besoins des pays relativement moins bien nantis qui en sont exclus. L'avenir nous le dira sans doute.

Résumé

La distribution est un élément stratégique pour la réussite d'une entreprise. Dans ce chapitre, nous avons abordé les chaînes de distribution, qui vont du manufacturier aux consommateurs. La notion de courtier en distribution a également a été présentée.

Il a aussi été question du transport, sachant que celui-ci est essentiel à la réussite de la distribution. Il existe cinq modes de transport : le transport routier, le transport ferroviaire, le transport maritime, le transport aérien et le transport par pipeline. On peut aussi utiliser plusieurs de ces modes de transport (intermodalité) pour acheminer des marchandises vers une destination donnée. L'acheteur doit considérer une foule de facteurs lorsqu'il choisit un ou plusieurs modes de transport pour une expédition, notamment la nature du produit, ses dimensions, son poids, son coût et la destination.

Finalement, les achats internationaux sont de plus en plus importants depuis l'ouverture des marchés à l'échelle mondiale. Nous avons examiné différents aspects des achats internationaux, par exemple les us et coutumes des pays fournisseurs, les moyens et les infrastructures de transport des pays exportateurs, les conditions internationales de vente (incoterms), les paiements internationaux, les douanes ainsi que les différents blocs économiques. Pour un acheteur, tous ces aspects font partie intégrante d'une décision d'achat au niveau international.

Termes à retenir :

- ALENA
- Chaîne de distribution
- Douanes
- Incoterms
- Intermodalité
- Paiements internationaux
- Transport aérien
- Transport ferroviaire
- Transport maritime
- Transport par pipeline
- Transport routier
- UE

Questions

1. Définissez en vos propres mots la distribution.

2. Expliquez le fonctionnement de deux chaînes de distribution dans lesquelles un acheteur sera appelé à jouer un rôle.

3. Que s'est-il passé à la fin des années 1980 en matière de transport au Québec et au Canada? Expliquer votre réponse.

4. Quels sont les cinq modes de transport utilisés pour l'expédition de marchandises?

5. Donnez deux avantages et deux inconvénients de chacun des modes de transport étudiés dans ce chapitre.

6. Pourquoi le recours à plusieurs modes de transport pour une expédition est-il souvent nécessaire?

7. Sur quoi un acheteur se basera-t-il pour privilégier un mode de transport plutôt qu'un autre?

8. Que signifie l'expression « FAB destination » (transport routier en Amérique), que l'on trouve sur un contrat d'achat (un bon de commande)?

9. En quoi les habitudes de vie d'un pays peuvent-elles influencer une négociation importante en vue de la signature d'un contrat d'achat?

10. Que sont les conditions internationales de vente? Donnez-en deux exemples.

Exercices d'apprentissage

1. Quel est le rôle d'un courtier en distribution?

2. Quels sont les principaux types de lettres de crédit?

3. Comment s'appelle le formulaire que l'on utilise pour garantir un paiement international?

4. Pourquoi tous les pays ont-ils recours à un système de douanes pour les entrées et les sorties de marchandises?

5. Qu'est-ce que l'ALENA? En quoi est-il bénéfique pour chacun de ses membres?

6. Nommez deux autres blocs économiques (réunion ou accord de plusieurs pays) qui sont semblables à l'ALENA.

Exercices de compréhension

1. Quel phénomène économique important s'est produit peu après la déréglementation du transport en 1988 au Québec et au Canada ?

2. Pour quelle raison les gouvernements québécois et canadien ont-ils favorisé cette déréglementation ?

3. Quels aspects une entreprise doit-elle maîtriser si elle désire faire des achats au niveau international ?

4. Indiquez quel mode de transport devrait être choisi dans les situations suivantes :

   a) le transport de 10 000 lb (4 534 kg) de boulonnerie de Kitchener (Ontario) à Sainte-Foy (Québec) ;

   b) le transport de 120 000 t (tonnes métriques) de pétrole brut d'Helsinki (Finlande) à Québec ;

   c) le transport de 15 000 m³ de gaz naturel de Calgary (Alberta) à Brandon (Manitoba) ;

   d) le transport de 120 000 lb (55 000 kg) de papier journal de Montréal à Charlotte (Caroline du Nord) ;

   e) le transport de 300 lingots d'or de Johannesburg (Afrique du Sud) à Berne (Suisse).

5. Quelle catégorie de conditions internationales de vente est la plus avantageuse (quant au risque) pour une entreprise qui achète à l'étranger ? Expliquez votre réponse.

Cas

Un conteneur de blé

Ghislain Lamoureux est un jeune acheteur qui travaille à la Meunerie Dumoulin inc. à Saint-Narcisse-de-Beauce. Récemment, l'entreprise a vu son exploitation prendre de l'ampleur. À cause de cette montée fulgurante, Ghislain doit faire l'acquisition d'une quantité de blé correspondant à un conteneur entier. Ce blé est acheté directement à Regina, en Saskatchewan. L'acheteur peut tolérer un délai de livraison de sept jours ouvrables. Il se demande quels modes de transport il devrait privilégier pour optimiser son achat.

Question

Quelles sont toutes les façons possibles de faire passer le conteneur de Regina à Saint-Narcisse-de-Beauce ?

Les approches de gestion qui influencent les stratégies de l'approvisionnement

Objectif général

Familiariser l'élève avec les approches qui permettent à certaines entreprises de se démarquer grâce à leur gestion de l'approvisionnement.

Autres objectifs

- Connaître le fondement de certaines approches de gestion.
- Connaître la contribution de l'approvisionnement lorsque l'entreprise préconise une approche de gestion.
- Connaître les grandes tendances de l'approvisionnement telles que les éléments de base des outils technologiques disponibles en approvisionnement (commerce électronique, Internet, autoroute de l'information, etc.).
- Se familiariser avec la notion de développement durable.

Les hommes de génie sont des météores destinés à brûler pour éclairer leur siècle.

– Napoléon Bonaparte Ier (1769-1821), empereur des Français, conquérant de l'Europe continentale.

réinventons / notre métier

Le Groupe AXA, dont le siège social est à Paris, est l'une des plus grandes entreprises de protection financière au monde avec des revenus de plus de 100 milliards de dollars et 170 000 collaborateurs et distributeurs. Au Canada, AXA offre une gamme étendue d'assurances de dommages (aux particuliers et aux entreprises) et d'assurances de personnes (vie et épargne). Elle se classe parmi les leaders au Canada avec des ventes totalisant près de 2 milliards de dollars et 2 200 employés.

Le futur pour les professionnels en approvisionnement stratégique dans le secteur des services financiers est porteur de défis.

D'une part, en ce qui a trait aux achats indirects (frais généraux et technologiques), plusieurs institutions financières ont déjà centralisé leurs équipes et processus d'approvisionnement. Mais chez AXA, la gestion de l'approvisionnement va bien au-delà des appels d'offres, de la négociation, des contrats et des activités de commandes, de traitement des factures et des paiements. Ainsi, la gestion globale (voire mondiale) des catégories, la gestion des relations avec les clients internes et les fournisseurs, l'innovation, la gestion du risque, la veille stratégique, les exercices d'analyse comparative, ou *benchmarking,* et la gestion de la demande sont au cœur des activités des experts en approvisionnement.

D'autre part, AXA met sur pied des stratégies d'approvisionnement afin de mieux gérer les dépenses liées aux activités d'assurance, communément appelées approvisionnement assurantiel (*Insurance Procurement*) ou approvisionnement en indemnisation (*Claims Procurement*). En d'autres termes, ces coûts sont les dépenses directes d'une compagnie d'assurance. Elle obtient des réductions de coûts de sinistres en négociant de meilleurs escomptes de volume avec les fournisseurs qui exécutent les prestations de services à ses assurés et en simplifiant les processus internes d'approvisionnement. De plus, la gestion de la performance des partenaires d'affaires est sans aucun doute un facteur clé de succès. Les dépenses en achats assurantiels sont entre 5 et 10 fois plus élevées que les dépenses indirectes. Les assureurs qui maîtriseront le mieux leur chaîne d'approvisionnement assurantiel auront un avantage compétitif pour ce qui est des coûts et de la qualité des services offerts aux assurés.

Le Groupe AXA investit dans la formation de ses employés et innove dans ses processus et ses outils en approvisionnement. Plusieurs firmes spécialisées la classent parmi les leaders mondiaux dans le secteur des services financiers.

En conclusion, les équipes d'approvisionnement qui auront le plus de succès dans le secteur des services financiers sont celles qui comprendront le mieux les coûts, qui démontreront leur leadership au sein des équipes multifonctionnelles, qui aborderont leurs clients internes avec une approche de partenariat, qui seront créatives dans leurs stratégies, qui seront capables d'influencer leur direction et qui maîtriseront les caractéristiques de leur marché.

Car ce qui compte avant tout, c'est l'expertise et l'engagement des individus, ainsi que l'efficacité des processus.

Denis Bernier
Directeur principal
– Approvisionnement stratégique
et gestion des fournisseurs

En entreprise

1746521764572
5764576457348
7561084756817
6510645812746
5214765304752
4126214917849
4312654984892
1264981978541
8254246349455
4545214725315

Introduction

Hélène Giroux, de la revue *Gestion*, a écrit : « Pourquoi suivons-nous les modes de gestion[1] ? » Dans son article, Mme Giroux ajoute que pour pouvoir parler d'un mode de gestion ou encore d'une approche de gestion, il faut :

- qu'il y ait une certaine forme de « mode », car une approche est un moyen rationnel d'obtenir des améliorations sur l'efficacité et l'efficience des entreprises ;

- que l'approche fasse rapidement partie de l'environnement des gestionnaires au moyen d'ouvrages sur le sujet, de conférences, d'articles de revues, de consultants qui en font la promotion et de l'enseignement dans le milieu collégial ou universitaire ;

- que plusieurs entreprises indiquent qu'elles l'utilisent avec succès et que les dirigeants communiquent les résultats tangibles obtenus avec l'implantation de l'approche ;

- que le cycle de vie soit court, généralement de moins de 10 ans, et que le fondement du mode de gestion permette l'émergence d'une autre approche plus innovatrice.

Une des façons d'évaluer la popularité d'une approche de gestion est de regarder le nombre d'articles écrits sur le sujet. En se basant sur les résultats d'une analyse bibliométrique concernant le nombre de publications par 100 000 articles, effectuée en février 2007, Hélène Giroux affirme ce qui suit :

- L'approche par objectifs, adoptée par la direction, a eu son heure de gloire dans les années 1970. De nos jours, presque plus rien ne s'écrit sur le sujet.

- Dans les années 1980, c'était au tour des cercles de qualité d'être populaires pour ensuite décliner.

- L'approche du **juste-à-temps** était à son apogée dans les années 1990.

- La gestion intégrale de la qualité (*Total Quality Management,* TQM) a été très populaire dans les années 1995 avant de connaître un déclin rapide.

- La gestion des relations avec la clientèle a attiré les dirigeants et les auteurs au début de la décennie, mais sa popularité a ensuite diminué.

Les différentes approches de gestion visent à contribuer à l'atteinte des bénéfices. Derrière un terme « rassembleur » (par exemple, juste-à-temps ou *kaizen*), visant une certaine cohésion dans l'entreprise, se cachent des méthodologies, des techniques, des processus et des recettes qui ont été appliqués dans différentes entreprises d'ici et d'ailleurs avec succès. Pour connaître un certain succès, il faut que l'approche choisie par les dirigeants adhère à la culture de l'entreprise. L'entreprise Toyota a souvent été citée en exemple pour ce qui est du développement des approches de gestion. Malgré tout, chaque approche mise de l'avant n'a pas changé la culture de l'entreprise.

---

1. Hélène GIROUX, *Gestion,* vol. 32, n° 4 (2008), p. 10-19.

La culture de Toyota

Didier Leroy, président de Toyota Motor Manufacturing France, décrit la culture de Toyota, qui a fait de cette entreprise le premier producteur mondial de véhicules automobiles, comme suit:

> Qu'il s'agisse de la Toyota Way – la culture d'entreprise Toyota – ou du Toyota Production System – la méthode de fabrication Toyota –, n'importe qui peut en comprendre les tenants et aboutissants. Néanmoins, les écueils dans sa mise en application sont multiples. Nombreux sont également ceux qui ont fait l'erreur de vouloir fragmenter l'application des outils ou de croire à un changement de culture soudain après un test réussi sur de petits chantiers pilotes! Il est clair que certains outils permettent de progresser au quotidien. Mais les outils ne permettront jamais à aucune entreprise de modifier sa culture en profondeur. Pour Toyota, tout problème décelé doit trouver une solution, et ce processus est le résultat d'une grande rigueur pour s'assurer que l'on ne passe pas à côté des vraies priorités. Ainsi le mode de relations dans l'ensemble de la société s'en trouve naturellement fortement impacté: c'est dans le comportement de chacun que les choses se font, et notre souci fondamental est de mettre en lumière les vraies raisons de non-performance. Les outils, de ce fait, nous permettent alors d'aller plus loin, plus vite, dans la résolution de nos difficultés. À mes yeux, ce sont avant tout le mode de management et la dimension comportementale qui font la culture d'entreprise et qui la nourrissent[2].

L'importation de certaines approches de gestion demande que l'on importe tout son contenu et sa mise en place, et non seulement une partie. Lorsqu'une entreprise n'adopte qu'une partie d'un concept, elle risque fortement de subir un échec, d'être déçue des résultats ou encore de désorienter ses employés dans leurs efforts. Au cours des dernières décennies, les approches japonaises ont retenu l'attention des gestionnaires. Le Japon, qui était négligé il y a 25 ans, envahit nos marchés avec des produits répondant mieux aux attentes des consommateurs. Ceux-ci estiment qu'ils obtiennent un rendement maximal pour le prix qu'ils paient. Les Japonais ont fondé leur approche de gestion sur l'équation suivante: prix de vente − profit = coût de production et de recherche et développement. Le consommateur pense que le prix de vente des produits fabriqués sur le sol nord-américain est sujet à amélioration. En effet, la culture nord-américaine s'appuie sur l'équation suivante: prix de vente = recherche et développement + coût + profit. Arithmétiquement, le résultat est le même mais, psychologiquement, dans la tête des consommateurs, l'image diffère. C'est un peu le but que vise l'approche de gestion, où le résultat mathématique est le même, mais où la manière de l'atteindre est propre à l'entreprise.

Toute approche qui se confond avec la culture est valable si elle respecte la mission de l'entreprise quant à sa vision, à ses buts et à ses objectifs. Par contre, rien n'empêche l'entreprise de s'intéresser à une approche et de l'adapter à son

---

2. Jeffrey LIKER, *Le Modèle Toyota – 14 principes qui feront la réussite de votre entreprise*, Whitby (Ontario), McGraw-Hill, 2006, p. XII–XIII.

contexte propre. Les modifications apportées seront bénéfiques parce qu'elles lieront l'approche à l'entreprise et non l'inverse.

Dans ce chapitre, nous avons voulu faire le tour de plusieurs approches de gestion. Puisqu'il est impossible de toutes les décrire, notre choix s'est effectué en fonction de deux critères :

- la popularité de l'approche dans les entreprises québécoises ;
- la contribution qu'apporte la gestion de l'approvisionnement à ces approches de gestion.

Afin que l'étudiant puisse distinguer l'apport de la gestion de l'approvisionnement, nous définirons chaque terme et donnerons la méthodologie permettant d'arriver au résultat. Ainsi, il sera possible de distinguer la place de l'approvisionnement dans l'approche choisie.

8.1 Le *kaizen*

Le mot *kaizen* résulte de la fusion de deux mots japonais, *kai* et *zen* qui signifient respectivement « changement » et « amélioration ». Cette approche a vu le jour au début des années 1950 chez Toyota, au Japon, sous le nom de système de production Toyota (SPT). Au Québec, les premiers essais de cette approche ont été effectués au début des années 1980. L'approche *kaizen,* aussi appelée « amélioration continue », est enseignée au Québec depuis une quinzaine d'années sous l'appellation de « production à valeur ajoutée ». À l'occasion d'une conférence, Marc Chartrand, président de MCC[3], affirmait que les entreprises qui ont transformé leur système de production selon les pratiques du SPT ont vu leur productivité s'accroître de 20 % à 100 % avec des bénéfices nets en grande progression.

Les objectifs de cette approche japonaise sont :

- la simplification des flux ;
- l'amélioration de la qualité ;
- l'amélioration des délais ;
- l'amélioration de la productivité ;
- l'amélioration des conditions de travail.

Pour atteindre ce but, il existe trois moyens, qui sont l'élimination du gaspillage, l'amélioration continue de la qualité et la mobilisation des ressources humaines. Les gestionnaires et les employés d'une entreprise se doivent d'être prêts à amorcer le changement. Selon la World Assembly Plant Survey, citée par Marc Chartrand[4], on compte 0,4 amélioration implantée par année par employé en Amérique du Nord, par rapport à 61,6 au Japon. « Il faut savoir que, dans un département d'usinage de 20 personnes, il s'implante 8 améliorations par jour

---

3. Marc CHARTRAND, « Le *kaizen* tel que vécu au Japon en l'an 2000 », conférence prononcée au profit de la Corporation des approvisionneurs du Québec, le 26 septembre 2003.

4. Rafik IKRAM, « Le *kaizen* favorise la participation du personnel », *Les Affaires,* 3 août 2002, [En ligne], http://www.mcconseil.qc.ca/articles/le%20Kaizen%20favorise%20la%20participation%20du%20personnel.pdf (Page consultée le 27 mars 2009)

depuis plus de 50 ans», affirme M. Chartrand, alors qu'au Québec, la plupart des entreprises ne savent pas gérer leur système de suggestions. Pratt & Whitney Canada, un important fabricant de moteurs d'avions, utilise la méthode *kaizen* dans sa gestion de l'amélioration continue de ses procédés. En comptant sur plus de 3 000 participants et plus de 300 processus liés au *kaizen*, cette entreprise a pu observer les résultats suivants: une réduction d'environ 10 % de sa surface, une réduction d'environ 5 % des stocks et une réduction d'environ 75 % des délais en tous genres. Cette approche a permis à Pratt & Whitney Canada d'améliorer sa position concurrentielle sur le marché de la fabrication de moteurs d'avions dans l'industrie aéronautique.

8.1.1 La pression sur le temps

L'implantation de la méthode *kaizen* se fait en quelques jours[5]. Le tableau 8.1 présente la comparaison entre une méthode traditionnelle et la méthode *kaizen*.

Tableau 8.1 La comparaison entre une méthode traditionnelle et la méthode *kaizen*

Méthode traditionnelle	Méthode *kaizen*
■ Un comité examine la situation et fait des recommandations à la haute direction.	■ Une équipe multidisciplinaire comprenant des personnes qui subiront le changement analyse la situation.
■ La haute direction reçoit les recommandations et prend une décision.	■ L'équipe prend la décision.
■ Un comité réalise le changement décidé.	■ L'équipe implante la décision prise.
■ Le personnel s'adapte au changement apporté.	■ Le personnel est plongé dans un nouvel environnement après quelques jours seulement.

Dès que la haute direction adopte le *kaizen*, elle amorce une série de changements qui ne se terminera jamais. Chaque cellule (composée d'intrants, d'une opération et d'un extrant) est scrutée à la loupe. Pour la première cellule, l'équipe chargée d'appliquer le *kaizen* examine les intrants d'une opération et détermine l'extrant idéal. Elle recommande et implante des modifications afin d'améliorer la productivité de l'opération. Cette amélioration est calculée par le ratio de la somme des extrants divisé par la somme des intrants. Dès que les changements sont effectués, l'équipe passe à une deuxième cellule et procède de la même manière. Ainsi, toutes les cellules de l'entreprise subissent des changements dont l'ensemble rend l'entreprise plus concurrentielle (*voir la figure 8.1*).

8.1.2 Les participants

La méthode *kaizen* est beaucoup plus qu'un ensemble d'activités visant la réduction du gaspillage et l'amélioration continue. Elle consiste, pour le personnel

---

5. Le site FORAC propose deux méthodologies, une de deux jours et une autre de cinq jours. *Site Forac,* [En ligne], www.forac.ulaval.ca (Page consultée le 16 mars 2009)

de l'entreprise et les fournisseurs, en un engagement et en une acceptation des changements.

Figure 8.1 Les changements effectués selon la méthode *kaizen*

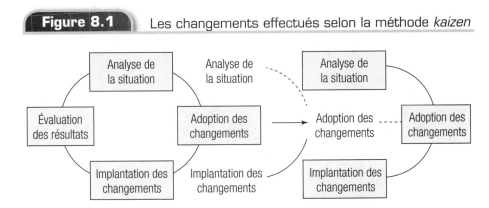

Le *kaizen* est fondé sur l'engagement de la haute direction dans une vision des résultats, la délégation au personnel du pouvoir d'effectuer les changements, l'accessibilité des ressources destinées à la mise en œuvre des changements et la reconnaissance du succès. Par la suite, le personnel sera le moteur des changements autant dans l'entreprise qu'à l'extérieur de cette dernière et il aura, de surcroît, la responsabilité de maintenir le rythme adopté.

Quant au service de l'approvisionnement, sa participation touche les quatre aspects suivants :

- la collaboration avec des équipes multidisciplinaires ;
- l'acceptation des changements proposés dans les méthodes de travail ;
- la facilitation du changement chez les fournisseurs ;
- l'évaluation du rendement du système d'approvisionnement.

8.2 L'analyse de la valeur

La Ville de Montreuil a émis un communiqué[6] indiquant que l'intérêt de l'**analyse de la valeur** consiste à abaisser le coût total d'acquisition sans baisser les qualités et les performances d'un produit ou d'un service, à permettre de traquer les coûts superflus liés à chacune des fonctions d'un produit ou d'un service et à simplifier les procédures internes de gestion des marchés et des fournisseurs.

La Société canadienne d'analyse de la valeur définit le mot « valeur » comme suit :

> La valeur est un facteur personnel qui représente la volonté du client de payer pour les fonctions offertes par un bien ou un service. La valeur est dite positive lorsque les prestations recherchées peuvent être définies et remplies de manière précise, et ce, à un coût global minimal. Il s'agit donc non pas d'un chiffre absolu

---

6. *Site Achat public.info,* [En ligne], www.achatpublic.info (Page consultée le 16 mars 2009)

mais plutôt d'une relation entre la contribution d'un objet à la satisfaction du client, d'une part, et les ressources voulues, d'autre part[7].

La méthode de l'analyse de la valeur a été mise au point par Lawrence D. Miles, ingénieur à la société General Electric, au moment où s'est produite une pénurie de matériaux stratégiques pendant la Seconde Guerre mondiale. Il affirme que, dans un produit, ce qui compte c'est la fonction que celui-ci exerce, quelle que soit la solution utilisée pour remplir cette fonction. À partir de ce constat, cette méthode vise à mettre en place des solutions innovatrices permettant de réaliser des économies. Pour ce faire, on cherche des solutions qui répondent uniquement au besoin pour lequel le produit existe.

Selon Francine Constantineau, présidente et fondatrice de la firme-conseil Valorex, l'analyse de la valeur comporte les avantages suivants :

- *C'est une approche systématique et rigoureuse.*
- Elle permet de préciser les besoins et les contraintes de l'entreprise et de la clientèle.
- Elle permet de découvrir les coûts inutiles.
- Elle aide à promouvoir le changement progressif.
- Elle amène l'engagement de l'équipe.
- Elle stimule la capacité d'innovation.
- Elle contribue à l'amélioration de la compétitivité.
- Elle entraîne des économies, car elle est axée sur la recherche de la satisfaction des besoins.

Francine Constantineau indique que, selon la rigueur de la démarche, il est possible d'obtenir des économies substantielles de l'ordre de 25 % sur les services, de 10 % à 30 % sur les produits et de 20 % à 30 % sur les travaux de maintenance. De plus, l'analyse de la valeur permet d'obtenir des bénéfices intangibles tels qu'une plus grande synergie (de nombreuses expertises, le choc des idées, l'apparition de plusieurs points de vue), l'amélioration de la communication, l'engagement des équipes, un processus d'appropriation des modes de fonctionnement et l'élimination de certaines cloisons.

On calcule la valeur en divisant la satisfaction du besoin par le coût. Toujours selon Francine Constantineau, la notion de satisfaction du besoin est définie par des critères de qualité comme la fonction, les caractéristiques, la disponibilité, la fiabilité, la durabilité, le confort et l'agrément. Quant au coût, il comprend le coût d'acquisition, le coût d'utilisation, le coût de maintenance, le coût de désaffectation et le coût social. La combinaison de tous ces coûts remet en perspective le résultat du coût total ou global, que nous avons abordé dans un précédent chapitre. Un processus rigoureux d'analyse de la valeur se conclura par l'adoption d'une ligne directrice sur la qualité requise lors de l'acquisition d'un objet.

---

7. SOCIÉTÉ CANADIENNE DE L'ANALYSE DE LA VALEUR. *Site de la Société canadienne de l'analyse de la valeur,* [En ligne], www.scav-csva.org (Page consultée le 16 mars 2009)

L'analyse de la valeur apporte un équilibre entre les compromis qu'il faut faire au sujet des critères essentiels en matière d'approvisionnement et le coût global, sachant que la valeur est égale à la satisfaction du client divisée par le coût global (*voir la figure 8.2*). En somme, il n'existe que deux façons d'augmenter la valeur : accroître la satisfaction du client ou diminuer le coût total, d'où la contribution de l'approvisionnement dans cette approche.

Figure 8.2 — L'équilibre entre les compromis sur les critères et le coût global

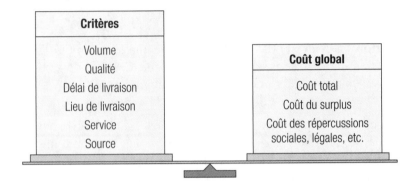

De nos jours, certaines entreprises travaillent en collaboration avec leurs fournisseurs afin d'unir leurs efforts pour répondre aux attentes d'un client. Selon Gerry Berryman, vice-président gestion du matériel et coût des produits à la société Harley-Davidson : « Dans beaucoup d'entreprises, la gestion des approvisionnements est une portion de l'équation d'affaire qui est sous-utilisée car l'emphase est mise sur la dimension transactionnelle au lieu de la dimension stratégique[8] ». Gerry Berryman adopte donc une nouvelle philosophie de gestion avec des fournisseurs qui permet à ces derniers de contribuer à améliorer le produit, à réduire les coûts et à permettre à l'entreprise de survivre aux périodes de turbulence. Martin Beaulieu, auteur d'un cas sur Harley-Davidson, parle de cette collaboration intéressante :

> Pour matérialiser ce rapprochement avec ses fournisseurs clés, Harley-Davidson met sur pied le « Product Development Center » afin de maintenir les relations étroites entre les fournisseurs et le service des approvisionnements dès l'amorce du processus de développement des produits. Parallèlement, Harley-Davidson démarre des programmes structurés d'amélioration continue chez ses fournisseurs. Des ingénieurs de Harley-Davidson présents dans chacune de ses usines se consacrent à l'amélioration des processus des fournisseurs. Ces exercices sont menés par le « Continuous Improvement Team » (CIT) qui relève du département de gestion du matériel. Le CIT mène des rencontres de formation tous les trois mois avec les fournisseurs afin de leur faire part de la stratégie d'approvisionnement de Harley-Davidson[9].

8. HARLEY-DAVIDSON MOTOR COMPANY. *Site Purchasing.com*, [En ligne], www.purchasing.com (Page consultée le 16 mars 2009)

9. *Harley-Davidson Motor Company : l'art de se lier à ses fournisseurs*, cas produit par Martin Beaulieu pour HEC Montréal.

Jeff Bleustein, président-directeur général de l'entreprise, affirme : « Nous avons mis beaucoup de temps à mettre ensemble nos processus, nos valeurs, nos enjeux, notre mission. Bref, tout ce en quoi nous croyions. Nous voulions que tous aillent dans la même direction[10]. »

Dans tous les cas décrits à l'intérieur de la section 8.2, on remarque que la contribution des fournisseurs et l'amélioration des relations d'affaires apportent une valeur ajoutée. Celle-ci permet d'accroître la satisfaction des clients et de réduire les coûts totaux.

8.3　L'impartition

L'**impartition** (*outsourcing*) désigne le transfert d'une fonction ou d'une partie d'une fonction d'une entreprise vers un fournisseur. Cet outil de gestion stratégique consiste à restructurer une entreprise au sein de sa sphère d'activité, c'est-à-dire au niveau de ses compétences de base et de sa raison d'être.

L'approche de l'impartition a son origine dans la décision de fabriquer ou d'acheter le produit (*voir le chapitre 3*). Malgré le fait que cette approche de gestion s'apparente à la négociation d'un contrat avec un sous-traitant, les propriétés de l'impartition vont au-delà d'une telle entente.

- L'impartition représente un choix stratégique de l'entreprise.
- Elle requiert une relation d'affaires à long terme avec les risques liés aux relations à long terme.
- Elle exige une volonté de transférer la responsabilité de certaines activités et, dans certains cas, des ressources humaines ou matérielles de l'entreprise à un fournisseur.
- Elle laisse la possibilité à l'entreprise de se concentrer davantage sur ses compétences particulières.
- Elle permet à l'entreprise de maintenir sa position concurrentielle sur le marché.

DMR, un fleuron de l'industrie canadienne du service-conseil en informatique, a vu le jour en 1973. Cette entreprise est devenue un modèle quant à la stratégie de l'impartition. Serge Meilleur, dont le nom correspond au « M » de DMR, s'explique :

> Notre plan consistait à mettre en commun des équipements très coûteux et à regrouper les expertises techniques requises pour ce genre d'opération. DMR, dans ce contexte, ne serait ni propriétaire ni exploitant du centre : elle fournirait cependant tous les services techniques nécessaires à son fonctionnement. Ce concept nous permettait de prendre des risques calculés. Nous ne désirions pas investir dans le domaine déjà très encombré des centres de traitement ; nous étions toutefois convaincus que le concept de l'impartition gagnerait en popularité dans les années à venir. En matière de traitement informatique, répartir les coûts,

---

10. B. MILLIGAN, « Harley-Davidson Wins by Getting Suppliers on Board », *Purchasing Magazine Online*, 21 septembre 2000, [En ligne], http://www.purchasing.com/article/CA139508.html (Page consultée le 27 mars 2009)

diminuer les risques et partager les bénéfices, voilà ce que nous recherchions pour nos clients[11].

L'impartition d'activités doit s'effectuer dans des contextes favorables tels que ceux-ci :

1. Lorsque la direction d'une entreprise désire gérer un fournisseur plutôt que posséder un actif.

2. Lorsque l'entreprise maîtrise très bien ses structures de coûts. L'impartition permet à l'organisation de transformer certains frais fixes en frais variables, sans prendre en charge le temps improductif.

3. Lorsqu'une analyse sérieuse permet de conclure que l'impartition représente le meilleur choix. Une évaluation poussée mettra en relief les risques liés à l'impartition comme la perte de contrôle dans l'évolution de l'activité transférée, la réduction de l'expertise sur l'activité, des économies prévues qui ne se réalisent pas, une mauvaise source et une résistance aux ressources transférées. Il faut considérer qu'une fois la décision prise, celle-ci sera probablement irréversible.

4. Lorsque le marché permet une telle transition.

Ce sont précisément ces avantages que la société Vidéotron cherchait lorsqu'elle a décidé d'impartir ses services d'installation technique à l'entreprise Avantron, une filiale de la société Entourage. L'impartition représentait aussi une économie annuelle estimée à 15 millions de dollars parce que le travail serait effectué par Avantron plutôt que par Vidéotron. Après que la direction de Vidéotron a pris cette décision, le service de l'approvisionnement a joué un rôle important dans le transfert des activités. Les grandes étapes du travail à accomplir par le service de l'approvisionnement ont été les suivantes :

- Rencontrer tous les fournisseurs afin de procéder à la cession volontaire des ententes et d'assurer à Avantron que les fournisseurs offriraient les produits à un prix ne pouvant être plus élevé que celui préalablement consenti à Vidéotron sans utiliser un jeu de pouvoir auprès des fournisseurs. Il fallait aussi discuter du transfert des commandes ouvertes et en cours.

- Déterminer la valeur du stock qui se trouvait tant dans les entrepôts de Vidéotron que dans les camions d'installation. Culturellement, Vidéotron avait deux types de valorisation de son stock : du stock neuf à pleine valeur et du stock usagé ou réparé à valeur 0 $. La valeur 0 $ du stock venait du fait que le coût d'une pièce neuve commençait à être amorti dès que Vidéotron l'installait dans son réseau. Lorsque la pièce devenait défectueuse, Vidéotron la retirait de son réseau, la faisait réparer et la retournait dans le réseau. Sa politique encourageait les magasiniers à utiliser le matériel réparé et usagé avant de sortir du stock neuf. Au moment de la transition, il fallait donc établir la valeur du stock réparé et usagé. Par ailleurs, il y avait du stock partiellement consommé tels les rouleaux de câble. Il fallait donc trouver un accord entre les parties au sujet de la valeur de transfert de l'ensemble du stock.

---

11. Serge MEILLEUR, *DMR, la fin d'un rêve*, Montréal, Éditions Transcontinental, 1997, p. 95.

- Déterminer la valeur des équipements tels que les instruments de mesure, les équipements requis pour effectuer une installation (échelles, cônes de signalisation, éperons pour monter dans les poteaux, etc.), et les produits de santé et de sécurité (lunettes, casques, gants, ceintures, etc.).

- Préparer les camions d'installation technique en tenant compte de la valeur résiduelle de chaque camion, outre le fait de valider les données relatives à leur entretien et aux inspections.

- Déterminer, immédiatement après l'entente sur la valeur, la manière dont le transfert du stock s'effectuerait.

8.3.1 Les responsabilités de chaque partie

À partir de l'exemple de Vidéotron, le tableau 8.2 indique les responsabilités que doivent prendre respectivement le service de l'approvisionnement et le responsable de l'impartition lors de l'implantation de l'impartition.

Tableau 8.2   Les responsabilités des deux parties quant à l'impartition

Service de l'approvisionnement	Responsable de l'impartition
- Définir l'objectif d'une telle approche. - Recueillir l'information entourant la décision à prendre. - Préparer et effectuer une analyse de la rentabilité selon une méthode homogène. - Préparer et négocier les conditions de l'entente. - Gérer la relation avec le fournisseur. - Gérer la période d'implantation. - Procéder à l'évaluation du fournisseur et résoudre les problèmes relevés.	- S'assurer de bien écouter le client et de lui offrir la bonne solution. - Faire preuve d'innovation pour répondre adéquatement aux besoins du client. - Gérer le transfert des ressources (équipements, stocks, bâtisses, personnel, etc.). - Communiquer régulièrement avec l'entreprise. - Envisager les risques qu'implique une entente à long terme. - Écouter les revendications du client et apporter les corrections nécessaires.

Il est à noter que le meilleur choix ne veut pas dire le coût le plus bas. Comme une analyse de l'impartition prend généralement de 3 à 18 mois, il est important de franchir adéquatement les différentes étapes de l'analyse de problèmes. La décision d'impartir certaines activités comporte des risques pour l'entreprise. Le tableau 8.3 énumère certaines conséquences négatives qui doivent être prises en compte dans le choix du fournisseur.

Vidéotron n'a pas réalisé sa transition car, au moment où elle a entrepris ses activités de transfert vers Avantron, ses employés étaient en grève. Lors du règlement de la grève, il a été entendu entre les parties que Vidéotron reprenait elle-même les activités d'installation technique. Ainsi, toutes les activités mentionnées ci-dessus ont été revues afin que Vidéotron redevienne le propriétaire des ententes avec les fournisseurs, du stock et des immobilisations. Il s'agit dans ce cas d'une situation exceptionnelle, mais qui est incluse dans les risques énumérés au tableau 8.3.

Tableau 8.3	Les éventuelles conséquences négatives d'une décision d'impartition[12]

	Conséquences possibles
Coûts	▪ Coûts de transition et de gestion imprévus ▪ Problème de «hold-up» (au moment du renouvellement de l'entente, les prix montent substantiellement)
Services	▪ Diminution de la qualité des services offerts ▪ Augmentation des coûts de prestation des services
Sources	▪ Mauvais choix de l'impartiteur ▪ Perturbations dans les ressources humaines chez le fournisseur
Contrats	▪ Modifications coûteuses aux contrats ▪ Litiges ▪ Difficultés de renégociation de l'entente ▪ Perte de légitimité ▪ Aucune entente concernant le transfert des activités vers l'impartiteur
Compétences du fournisseur	▪ Perte des compétences liées à l'activité ▪ Perte de la capacité d'innovation ▪ Perte de la capacité de coordination ▪ Perte de contrôle du résultat et de la performance de l'activité ▪ Mauvaise évaluation des conséquences internes

8.4 Le partenariat et les alliances stratégiques

Le **partenariat** est une association formée de différents acteurs qui, sans pour autant délaisser leur indépendance, mettent en commun leurs forces dans le but d'atteindre un objectif partagé. Celui-ci peut être issu d'un problème ou d'un besoin déterminé par les acteurs. Il les rejoint dans leurs intérêts, leurs responsabilités, leurs motivations ou leurs obligations.

Pour être réellement efficace, la coopération entre les acteurs du partenariat doit reposer sur une certaine intégration et une confiance mutuelle. Cette attitude facilite les partages de ressources qui composent une entente de partenariat. Il peut s'agir d'échange d'information, d'investissements communs à l'interne ou à l'externe, ou d'une orientation stratégique commune.

Un partenariat bien réalisé devrait donc favoriser chaque acteur. Selon une étude de Service Canada, « les partenariats sont une relation de compromis et ils

---

12. D'après Michel POITEVIN, *Impartition : fondements et analyses,* Québec, Les Presses de l'Université Laval, 1999, p. 86, ainsi que deux ajouts des auteurs.

sont fondés sur des responsabilités identifiables, des droits communs et des obligations, et souvent sur la légalité, la régie partagée et la réglementation[13] ».

On parle d'« entreprise en réseau » lorsqu'une entreprise fonctionne exclusivement grâce aux partenariats.

Le partenariat apporte aussi ses sources de conflits. Il peut s'agir de conflits de valeurs ou d'intérêts, d'impression que l'autre jouit d'un avantage injuste, de la crainte du changement ou d'un questionnement relatif à un jeu de pouvoir ou d'influence.

Westburne Québec, une division de Rexel, et Abitibi-Consolidated inc., de la région de Trois-Rivières, ont décidé de s'unir dans une entente de partenariat. Westburne Québec, un important distributeur dans le domaine électrique, à l'époque de la signature du partenariat, avait 490 succursales en Amérique du Nord (dont 396 au Canada) et comptait plus de 5 000 employés. D'un autre côté, Abitibi-Consolidated inc., un important fabricant de papier, possédait 18 usines d'une capacité totale de 4,4 millions de tonnes par année. Ces deux entreprises ont conclu une entente de partenariat pour la gestion des produits nécessaires à la maintenance des équipements. Pour Abitibi-Consolidated inc., les objectifs poursuivis dans ce projet étaient l'amélioration de la qualité des stocks, l'amélioration du rendement de l'approvisionnement, l'utilisation judicieuse des fonds de l'entreprise, l'ouverture de la communication et la transparence, la responsabilité des divers intervenants et, enfin, la satisfaction des attentes des utilisateurs.

Après avoir défini les objectifs à atteindre, Abitibi-Consolidated a entrepris un processus de sélection et de qualification des sources d'approvisionnement. Son choix s'est arrêté sur Westburne Québec. Lorsque les aspects de l'intégration ont été établis, les deux partenaires ont évalué les effets de cette entente sur les entreprises, qu'ils ont définis en cinq points, à savoir[14] :

1. Les effets sur le gestionnaire et sur ses pratiques. Ces effets comprennent une décentralisation des pouvoirs, des modes de réapprovisionnement par regroupement, une standardisation des produits, une augmentation des articles sur demande, une diminution des situations d'urgence et une meilleure coordination des activités du service de l'approvisionnement.

2. Les effets sur l'utilisateur. Cela inclut la planification des besoins en produits de maintenance, les habitudes de travail d'Abitibi-Consolidated, la formation, l'information, la responsabilisation des utilisateurs, leur motivation, une meilleure qualité des produits en stock et une sensibilisation aux coûts et aux pratiques de gestion.

3. Les effets sur Westburne Québec, le fournisseur. Ces effets consistent dans l'amélioration du traitement des commandes, l'augmentation du roulement des stocks, un pouvoir de négociation avec les fabricants au nom de son

13. SERVICE CANADA. *Le site Service Canada*, publié par le ministère des Travaux publics et Services gouvernementaux Canada, 2000, [En ligne], http://www1.servicecanada.gc.ca/fra/dgpe/dis/cia/partenariats/partnerhb_f.pdf (Page consultée le 16 mars 2009)

14. Cette synthèse provient du séminaire intitulé « Améliorez votre performance aux approvisionnements », Montréal, Institut international de recherche, les 20 et 21 avril 1998.

client, une diminution des coûts de transport, une diminution des coûts d'approvisionnement et l'établissement des critères de rendement.

4. **Les effets sur l'entreprise.** Le partenariat est un choix stratégique qui correspond à une philosophie de gestion; les intervenants acceptent la responsabilité des résultats obtenus. L'entreprise maintient la confiance établie dans la relation.

5. **Les effets sur les actionnaires.** Au cours de la première année, on a observé une réduction de 33 % des stocks, une diminution de 70 % du nombre de commandes, une diminution de 20 % du matériel désuet, une augmentation de la rotation des stocks, une diminution du nombre de fournisseurs, l'introduction de 5 % de nouveaux produits, la standardisation des produits ainsi que des conseils techniques au sujet de l'aménagement des futurs locaux d'Abitibi-Consolidated.

En somme, cette entente de partenariat n'a fait que des gagnants, car tous en ont retiré un bénéfice quelconque. Où se situe le partenariat dans les différents types d'entente? La figure 8.3 montre les différents niveaux d'entente avec une source d'approvisionnement selon le degré d'intégration et les ressources investies dans la relation.

Figure 8.3 Les différents niveaux d'entente avec une source d'approvisionnement

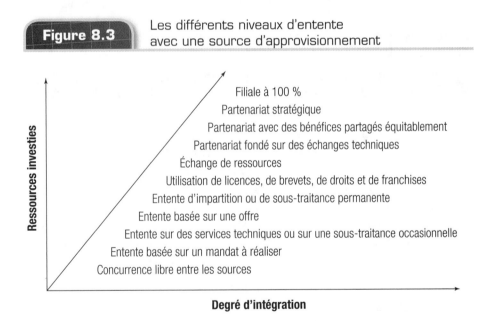

Une entente qui aura des répercussions sur la survie de l'entreprise doit être examinée sous tous ses angles. Pour ne pas se tromper dans ce choix stratégique, l'entreprise doit investir des ressources importantes (temps, argent, expertise) pour la sélection et la qualification de la source. D'un autre côté, l'entente exigera une certaine confiance mutuelle de même qu'un échange d'information sur l'entreprise, voire d'information confidentielle. Chaque partie se trouve à révéler ses valeurs, son mode de fonctionnement, ses forces, ses faiblesses et son positionnement concurrentiel. Une entente importante signifie que la destinée des deux entreprises s'unit en vue de réaliser un objectif commun. La diagonale de la figure 8.3, à la page précédente, indique le type d'entente espéré en fonction du degré d'intégration et des ressources investies.

Chaque entente de partenariat, comme celle qui vient d'être décrite, exige des parties en cause qu'elles réunissent les conditions suivantes :

1. **La résolution conjointe des problèmes.** Au lieu de chercher qui, de l'une ou l'autre partie, est responsable lorsque survient un problème, il faut se concentrer sur l'amélioration du produit, du service, du procédé ou du processus.

2. **L'échange de l'information.** Les partenaires doivent faire preuve d'ouverture en échangeant l'information qu'ils détiennent de manière à obtenir un meilleur rendement sur le marché.

3. **Les bénéfices pour les partenaires.** Ceux-ci doivent partager de façon équitable les bénéfices que la relation permettra de réaliser.

Au cours d'un séminaire portant sur le partenariat et les **alliances stratégiques,** Pierre Beaulé, directeur des approvisionnements à l'Université du Québec à Montréal, a soulevé quelques différences entre l'approche traditionnelle et le partenariat (*voir le tableau 8.4*).

Tableau 8.4 Les différences entre l'approche traditionnelle et le partenariat

Approche traditionnelle	Partenariat
Qualité	
Réduction des retours de marchandises	Amélioration de la qualité à la source
Peu de défauts	Aucun défaut admissible
Contrôle de la qualité	Assurance quant à la qualité
Conformité aux spécifications	Satisfaction du désir du client
Satisfaction du client	Satisfaction allant au-delà des espérances du client
Niveau de qualité acceptable	Amélioration continue grâce au processus utilisé et au choix des sources
Sources	
Multiples sources d'approvisionnement	Sources d'approvisionnement restreintes
Priorité accordée au prix	Critères multiples incluant les valeurs et le mode de fonctionnement de la haute direction de la source
Importance du prix d'achat	Primauté du coût total
Sélection des fournisseurs	Surveillance et évaluation des sources
Évaluation à partir de soumissions	Évaluation intensive et extensive des sources

Tableau 8.4	Les différences entre l'approche traditionnelle et le partenariat (*suite*)

Approche traditionnelle	Partenariat
Relation au cours de l'entente	
Amélioration de la relation de façon sporadique	Recherche de l'amélioration continue
Partage des bénéfices en fonction du pouvoir relatif des parties	Partage des bénéfices de façon équitable
Sources maintenues à distance	Sources à portée de la main
Correction des problèmes revenant aux sources	Correction conjointe des problèmes
Information appartenant à la partie qui la génère (peu d'échanges)	Information commune et vitale
Aucune motivation à investir à long terme	Investissement possible de chaque partie
Délimitation claire des responsabilités	Intégration
Pouvoir procuré par le savoir	Pouvoir procuré par l'interaction
Faible engagement	Engagement mutuel fondé sur la confiance
Maintien du contrôle du prix d'achat	Maintien et réduction du coût total
Ensemble des commandes souhaité par le fournisseur	Participation aux résultats et part du volume que désire le fournisseur
Délai de récupération sur le nombre d'unités vendues	Délai de récupération sur le temps
Conception des produits et des services	
Conception par le client et fabrication par le fournisseur	Conception du produit par les partenaires
Dessin complet	Dessin superficiel
Méthodes de production et d'approvisionnement liées aux demandes du client	Réduction des entraves à la flexibilité
Design selon le désir du client et adaptation de la production en conséquence	Design et processus de production considérés comme la clé des économies de coûts et de l'accroissement de la qualité
Gestion de l'approvisionnement	
Approvisionnement considéré comme tactique	Approvisionnement considéré comme stratégique
Approvisionnement considéré comme un centre de coûts	Approvisionnement considéré comme un centre de profits
Gestion faite par un gestionnaire	Leadership assuré par un comité d'approvisionnement
Achat individuel	Achat effectué par une équipe multidisciplinaire
Approvisionnement selon la qualité voulue, la quantité requise, le délai acceptable et le juste prix	Amélioration continue des sept critères de l'approvisionnement

| Tableau 8.4 | Les différences entre l'approche traditionnelle et le partenariat (*suite*) |

Approche traditionnelle	Partenariat
Gestion de l'approvisionnement (*suite*)	
Communication au moyen du papier et du télécopieur	Communication électronique pour accélérer les interactions
Contrôle du cycle de vie des produits et des services	Innovation et créativité dans l'amélioration des produits et des services
Entente à court terme	Entente à long terme
Achat à la pièce	Entente pour la durée du projet
Gestion des stocks	Réduction du volume global des stocks
Livraison au bon moment	Livraison au moment de l'utilisation

Les parties désireront créer une relation approfondie afin d'obtenir les bénéfices que leur engagement apportera. Parmi les bénéfices, citons les suivants :

- l'amélioration du coût total ;
- la garantie et la fiabilité de l'approvisionnement ;
- la réduction du risque provoqué par l'approche traditionnelle ;
- la participation à un but commun, soit l'amélioration des sept critères de l'approvisionnement ;
- l'accès à une technologie et à un produit breveté ;
- la réduction de la paperasse échangée ;
- la réduction du nombre de sources ;
- la facilitation de la résolution de problèmes ;
- la possibilité d'investissements et du partage des risques conjoints ;
- l'amélioration de la communication ;
- l'amélioration de la position concurrentielle de chaque partie.

L'expérience de partenariat de Bombardier et de Mitsubishi a permis à chaque partie d'en retirer beaucoup de bénéfices. En effet, Bombardier a partagé les frais de lancement du biréacteur d'affaires Global Express avec l'entreprise japonaise Mitsubishi, fournisseur des ailes de l'aéronef, montrant par là qu'il était possible de trouver d'autres sources de financement que le contribuable canadien pour la recherche-développement[15]. Bombardier a utilisé la stratégie du partenariat avec Mitsubishi, un trust japonais spécialisé dans le transport, pour lui confier le design des ailes, une des composantes cruciales d'un avion, comme le traduit la phrase suivante que l'on entend dans l'industrie : « Un avion, c'est au départ une aile ; le reste ne vient que la supporter. » Au début du projet, il était convenu entre les parties qu'aucun bénéfice ne serait réalisé avant trois ans, cette période

---

15. Peter HADEKEL, *Bombardier, la vérité sur le financement d'un empire*, Montréal, Éditions de l'Homme, 389 p.

n'incluant pas le temps nécessaire à la réalisation du design des ailes. Mitsubishi s'est engagée malgré tout. On connaît le succès que remporte l'avion Global Express.

Étant donné que la relation s'établit sur une plus longue période, il faut que chaque partie s'évalue suivant le processus de qualification d'un fournisseur (*voir le chapitre 3*). Les ententes de partenariat ont une durée moyenne de quatre à six années, selon plusieurs études entreprises sur le sujet. Par contre, leur durée varie beaucoup selon la culture des pays en cause, l'ampleur du défi et le type d'industrie. L'acheteur doit être à l'affût de nouvelles sources potentielles. La pire erreur que l'on peut faire dans le contexte d'une entente de partenariat est de tenir les autres parties pour acquises.

8.5 Le juste-à-temps

Le « juste-à-temps » (*just-in-time* – JIT) est une stratégie industrielle de gestion de la production. Il consiste à réduire à leur minimum à la fois les stocks et les « en-cours de fabrication ».

Cette stratégie, aussi appelée « flux tendu » ou « zéro-délai », résulte de l'idéologie de production de l'entreprise japonaise Toyota. Celle-ci, après la Seconde Guerre mondiale, a voulu rattraper le rythme de production américain. Taiichi Ohno a élaboré ce concept vers 1937, alors qu'il était à l'emploi de Toyota Textile. Par la suite, Kiichiro Toyota, président de Toyota Motor Company, lui a donné toute son ampleur : « Il est vital à mes yeux de rattraper les Américains en trois ans, sans quoi c'en serait fait de l'industrie automobile japonaise[16] ». Taiichi Ohno, revenant d'un voyage à l'étranger, fit un rapport dans lequel il indiquait qu'un Allemand produisait trois fois plus qu'un Japonais, et qu'un Américain produisait trois fois plus qu'un Allemand. Cette comparaison constituait une leçon importante, mais la deuxième conclusion était tout aussi importante, à savoir que l'Américain gaspillait une grande partie de son travail dans un processus de non-productivité. Il n'en fallait pas plus pour que Kiichiro Toyota mette en place une approche de gestion basée sur la production juste-à-temps et sur l'autoactivation de la production. Ainsi, le fait d'assembler une automobile selon le juste-à-temps consiste à faire en sorte que chaque composant parvienne à la ligne d'assemblage au moment voulu, et seulement dans les quantités voulues.

De manière plus générale, cette stratégie vise donc à rentabiliser au maximum l'utilisation de composants sur une ligne de montage. On s'assure que chaque composant nécessaire à la production est à sa place, en quantité exacte, au moment même où il doit être utilisé. Quant à l'autoactivation ou à l'automatisation, c'est la propriété d'une machine équipée d'un dispositif d'arrêt automatique en cas d'anomalie.

---

16. Kiichiro TOYOTA, *Toyota Production System : Beyond Large-Scale Production,* Taiichi Ohno, Productivity Press, 1988.

Les sociétés occidentales n'ont pas cru au bien-fondé de cette approche avant les années 1970. La raison en était fort simple : les consommateurs étiquetaient un produit fabriqué au Japon comme un produit de piètre qualité, fragile et sans valeur. Lorsque le Japon a été reconnu comme une puissance mondiale, grâce entre autres à la qualité de ses produits, les gestionnaires ont tenté d'imiter son approche de gestion. L'acheteur est grandement mis à contribution dans le succès d'une telle approche. Le plus grand risque pour l'entreprise qui voudrait implanter le juste-à-temps est la garantie et la confiance des sources d'approvisionnement. L'acheteur doit rechercher les sources qui s'adapteront à cette approche tout en étant performantes quant aux autres critères de l'approvisionnement.

Le juste-à-temps consiste en une succession d'objectifs visant l'obtention des sept « zéros » suivants :

- Le zéro panne : l'équipement de transformation ne doit pas avoir de ratés.

- Le zéro attente : un des volets prioritaires est de déterminer les fournisseurs qui respecteront les dates de livraison afin que l'entreprise ne subisse pas d'attente en ce qui concerne le stock à recevoir.

- Le zéro délai : à l'intérieur de l'entreprise, il ne doit pas y avoir de délai entre les étapes de la transformation. Ainsi, la gestion de l'aménagement doit s'assurer que la circulation des produits n'est pas arrêtée par des obstacles.

- Le zéro défaut : les rejets d'un intrant ou d'un extrant sont inexistants, ce qui met l'accent sur le critère de la qualité.

- Le zéro stock : le stock contrôlé par l'entreprise est à son minimum, ce qui met l'accent sur le critère de la quantité.

- Le zéro papier : cet objectif entraîne la réduction du papier, des normes, des règles, des termes et des conditions à suivre, ce qui laisse une plus grande place à la confiance.

- Le zéro frustration : chaque personne travaillant dans l'entreprise doit être d'accord avec cette approche de gestion, y participer et être responsable de ses propres décisions.

Avant l'implantation d'une telle approche de gestion, l'entreprise doit revoir ses valeurs et son mode de fonctionnement.

> Une entreprise qui n'a pas débuté sa démarche vers le juste-à-temps s'expose à de sérieux problèmes pour sa survie. Il est à noter que le juste-à-temps est un guide et non une fin en soi, car plusieurs autres approches de gestion peuvent s'y substituer et être aussi efficaces. Mais il y a une base importante à comprendre et qui devrait être suivie par toutes les approches : le contexte économique ne laisse plus de place pour quelque forme de gaspillage de ressources, pour une main-d'œuvre qui travaille à l'encontre de la haute direction, pour des relations d'achats déficientes. Une fois que le système de gestion est à son niveau optimal, l'introduction d'une philosophie est une étape de plus à l'amélioration de la productivité du système[17].

---

17. Jean-Pierre MÉNARD, « Le juste-à-temps, plus qu'une philosophie », *Le Journal industriel de Québec*, vol. 12, n° 2 (juin 1996), p. 9.

Ainsi, l'entreprise doit envisager un programme pour l'élimination du gaspillage causé par l'attente d'un produit ou d'un service, le transport, la manutention, les rejets, la surproduction, le long délai de mise en route ou la détention de stocks inefficaces ou inadéquats. Elle doit également préparer sa main-d'œuvre.

L'évolution du juste-à-temps a permis d'intégrer d'autres approches. Nous allons décrire sommairement quatre d'entre elles : le système SMED, le système *kanban,* l'aménagement de l'espace et les cercles de qualité.

8.5.1 Le système SMED

Le système SMED (*single minute exchange of dies*) permet à l'entreprise de rechercher la réduction du coût de mise en route dans la production de petits lots. Ainsi, si les temps de changement d'un lot de fabrication à l'autre deviennent nuls, il est possible d'envisager une fabrication à l'unité sans augmenter les coûts et sans devoir assumer le coût fixe dudit changement. Cette approche a été conçue par Shigeo Shingo, alors au service de Mazda, vers 1950. Toyota a utilisé cette approche pour réduire son temps de mise en route et de réglage d'une presse de mille tonnes de quatre heures à trois minutes.

8.5.2 Le système *kanban*

Le système *kanban* (qui signifie « carte » en japonais) consiste en une carte glissée dans une pochette de vinyle apposée sur le produit. Le *kanban* est aussi appelé « fiche de flux » ou « bon de transfert ». Il indique l'information qui facilitera le renouvellement du stock une fois la consommation du produit en cours, à savoir les spécifications du produit, la quantité requise ainsi que le nom du producteur en amont. La circulation s'effectue de l'extrant à l'intrant. Les règles de fonctionnement sont simples[18] :

- Si le contenant en aval est vide, il faut amorcer le processus d'achat pour se réapprovisionner en stock.
- Chaque composante du système doit être décrite avec précision et comporte un numéro afin d'éviter toute confusion.
- Il faut que le système soit opérationnel et facile d'utilisation.
- La quantité requise est indiquée sur la carte.
- Les produits défectueux ne doivent pas se rendre à la prochaine étape dans le système à flux tiré.
- Chaque personne concernée est responsable du succès et de l'exécution du système.

En ce qui concerne le système à flux tiré, on se fie uniquement aux besoins du poste de travail en aval et on produit seulement selon ces besoins. Ainsi, les lots de produits vont directement de chacun des postes en amont à chacun des

---

18. Allocution de Martin Montanti, les 30 et 31 mai 2002, à la 77ᵉ Conférence de l'Association canadienne de gestion des achats.

postes en aval sans être gardés en stock. L'essentiel de la production juste-à-temps chez Toyota est effectué en *kanban*, un système étonnamment simple de planification et de contrôle de la production qui a un effet majeur sur la gestion des stocks (surtout les stocks de produits en cours).

Les objectifs du *kanban*

- La décentralisation de la prise de décision : les responsables d'atelier ont un rôle de gestionnaires de production et de stock.
- La minimisation des fluctuations du stock de fabrication afin d'améliorer la gestion et de tendre vers le stock zéro.
- La régulation des fluctuations de la demande ou du volume de production d'un poste de travail en amont afin d'éviter la transmission et l'amplification de ces fluctuations.
- La réduction des délais administratifs.

Il existe deux types de cartes *kanban* : une carte de transit (T-*kanban*) et une carte de production (P-*kanban*). Des exemples de ces cartes sont présentés dans les tableaux 8.5 et 8.6. Fondamentalement, ces cartes remplacent plusieurs formulaires de contrôle de production qui sont présents sur un plancher d'usine. Il est important de noter qu'avec un calendrier de production stable, les décisions prioritaires (sélectionner les commandes à effectuer chaque jour, déterminer à quel moment et selon quelle séquence les commandes seront envoyées, etc.) deviennent un jeu d'enfant. La planification et le contrôle du programme de production portent sur le mouvement des commandes entre les postes de travail. Dans ces situations, les signaux visuels et les cartes *kanban* sont les seuls mécanismes dont on a besoin.

Tableau 8.5　La carte de transit (T-*kanban*)

Carte de transit (T-*kanban*)	
Numéro de pièce à produire : P321-89	Description de la pièce : Boîtier de valve
Grosseur de lot exigé : 40	Type de conteneur : Caisse rouge
Numéro de la carte : 2 de 5	Endroit de récupération : NW53D
Du poste de travail : 25	Au poste de travail : 28

Tableau 8.6　La carte de production (P-*kanban*)

Carte de production (P-*kanban*)	
Numéro de pièce à produire : P321-89	Description de la pièce : Boîtier de valve
Grosseur de lot à produire : 40	Type de conteneur : Caisse rouge
Numéro de la carte : 4 de 5	Localisation du produit complété : NW53D
Du poste de travail : 25	Au poste de travail : 28
Matériel requis : Matière n° 744b　Pièce n° B238-5	Localisation en magasin : NW48C　Localisation en magasin : NW47B

Comment utilise-t-on un *kanban*? Quand le travailleur affecté au poste de travail en aval a besoin d'un conteneur de pièces pour ses opérations, il suit la procédure que voici :

1. Il prend la carte de transit (T-*kanban*) placée dans un compartiment sur le côté du conteneur qu'il vient de vider ; cette carte constitue son autorisation pour remplacer le conteneur vide par un conteneur plein provenant du magasin.

2. Au moyen de cette carte, il récupère dans le magasin un conteneur plein des pièces dont il a besoin.

3. Il place alors la T-*kanban* à l'endroit approprié du conteneur plein.

4. Ensuite, il enlève la carte de production (P-*kanban*) du conteneur plein et la place dans un endroit visible pour le travailleur du poste de travail en amont. Cette P-*kanban* autorise le poste de travail en amont à produire un autre conteneur de pièces.

5. Finalement, il emporte le conteneur plein de pièces et sa T-*kanban* à son poste de travail (celui en aval).

Aucune pièce ne peut être produite ou déplacée sans une **carte *kanban*.** Le *kanban* est basé sur le simple fait de remplacer les conteneurs de pièces un à la fois. Un conteneur est déplacé au poste de travail en aval uniquement lorsqu'il y a un besoin, et un conteneur de pièces est produit uniquement lorsqu'il y a un besoin. Ces conteneurs sont réservés à des pièces précises ; ils sont habituellement assez petits et contiennent toujours le même nombre de chaque numéro de pièce.

Chez Toyota, les conteneurs ne peuvent conserver plus de 10 % des besoins de la journée. Il y aura toujours un minimum de deux conteneurs pour chaque numéro de pièce, un au poste de travail qui produit, et un au poste de travail qui utilise la pièce. Le nombre de conteneurs à conserver pour chaque numéro de pièce se calcule ainsi (*voir l'exemple 8.1, page suivante*) :

$$N = \frac{U\,T\,(1 + P)}{C}$$

où N = nombre total de conteneurs dont on a besoin entre les deux postes de travail ;

U = taux d'utilisation du poste de travail en aval, exprimé habituellement en nombre de pièces à l'heure ;

T = temps moyen requis pour effectuer le cycle complet d'un conteneur, du moment où il quitte le poste de travail en amont, où il est retourné et rempli encore une fois après une production et où il quitte une deuxième fois le poste en amont. T est mesuré en heures ;

P = variable qui indique l'efficience du système. P varie de 0 à 1 : 0 signifie une efficience parfaite et 1, une inefficience complète ;

C = capacité en nombre de pièces d'un conteneur standard.

Exemple 8.1

Prenons deux postes de travail adjacents, un en aval utilisant les pièces et l'autre en amont produisant ces mêmes pièces. Le taux de production du poste de travail en aval est de 175 pièces à l'heure. Chaque conteneur *kanban* contient 100 pièces. Il faut en moyenne 1 h 10 pour qu'un conteneur parcoure un cycle complet. Trouvez le nombre de conteneurs requis si le système *kanban* est coté à 0,25.

En utilisant l'équation précédente, on obtient 2,55 conteneurs. On arrondit à 3 conteneurs, et le surplus peut servir de stock de sécurité.

On peut utiliser plus que le nombre minimal de conteneurs entre deux postes de travail parce qu'il peut arriver que le poste de travail qui produit les pièces soit incapable de les fabriquer sur-le-champ. En effet, d'autres productions P-*kanban* peuvent avoir été acheminées au poste en amont, et il peut être plus urgent de les fabriquer en premier.

On doit produire exactement ce qui est requis sur une carte *kanban*, ni plus ni moins. Le fait de produire une pièce de plus que ce qui est demandé constitue du gaspillage. En effet, la main-d'œuvre, le matériel et le temps de machine auront été affectés à la fabrication d'une pièce excédentaire qui n'est pas requise maintenant et qui pourrait n'être utilisée que beaucoup plus tard.

Les applications du système *kanban*

On peut trouver le système *kanban* dans les industries qui fabriquent de façon continue (séries longues ou moyennes) des produits standards (type grand public) de faible complexité, ayant une structure figée en composantes, comportant peu d'options ou de variantes, et pour lesquels la demande est relativement stable. On utilise aussi ce système dans le cas des produits pour lesquels le coût de réapprovisionnement en articles est relativement faible (on travaille alors avec de petits lots). Les avantages et les inconvénients liés au *kanban* sont énumérés dans le tableau 8.7.

Tableau 8.7 Les avantages et les inconvénients du *kanban*

Avantages	Inconvénients
• Décentralisation de la gestion de la production. • Maîtrise des produits en cours. • Gestion de l'approvisionnement et lancement de la production sans intervention administrative. Les temps des cycles sont alors faibles, l'information est immédiatement disponible sans qu'il soit nécessaire de planifier à nouveau la production.	• Délai d'approvisionnement trop grand qui exclut le choix de la méthode *kanban*. • Aucune anticipation en cas de fluctuation possible de la demande. La décentralisation conduit à une perte d'information ; il importe par conséquent de repenser le système de suivi de la production. • Difficulté à imposer cette méthode aux fournisseurs. • Applications limitées (productions continues ou répétitives).

Pour réussir un *kanban,* les employés des postes de travail doivent apprendre à coopérer. Il est également essentiel de prévoir des programmes pour atteindre l'excellence dans la maintenance préventive, la qualité des produits et le partenariat avec les fournisseurs.

Le *kanban* et la PBM peuvent-ils coexister?

Oui, le *kanban* et la planification des besoins de matières (PBM) peuvent coexister, à tout le moins à un degré mitigé. La PBM peut être utilisée dans un contexte de production en juste-à-temps pour connaître les besoins de chaque sous-produit et pour commander les matières premières et les pièces auprès des fournisseurs. Toutefois, la PBM exerce peu d'influence à l'intérieur du processus de fabrication. Les fournisseurs utilisent les calendriers PBM aux fins de planification globale de la production et pour déterminer la séquence des commandes de pièces, mais la production réelle est subordonnée au système *kanban* du client. D'ailleurs, le contrôle de la production à l'intérieur de l'usine du client est aussi effectué avec le *kanban*. L'excès de stock de produits en cours qui peut résulter d'une approche à flux poussé est alors évité, tant du côté du client que de celui du fournisseur.

On peut constater que les systèmes à flux tiré réduisent considérablement les stocks de produits en cours de fabrication entre deux postes de travail sur un plancher d'usine, mais le juste-à-temps (JAT) vise aussi à réduire le stock de matières premières. Essayons d'imaginer que le fournisseur pratique également le *kanban*. Il produit alors de petits lots qui peuvent être livrés régulièrement au client quand celui-ci en a besoin (carte P-*kanban* interusines). Cela a donc pour effet de réduire le stock de matières premières. Bien entendu, pour fonctionner de cette façon, les deux acteurs (fournisseur et client) doivent être à proximité l'un de l'autre.

8.5.3 L'aménagement de l'espace

En ce qui concerne l'aménagement de l'espace, la circulation logique des produits dans un lieu repose sur une division et une spécialisation du travail. C'est pourquoi des groupes de spécialistes visent l'amélioration permanente de la configuration de l'espace et des équipements en vue d'atteindre deux objectifs: permettre une aisance maximale entre les équipements pour absorber le flux du système de transformation et réduire les mouvements inutiles grâce à l'étude et à la normalisation des mouvements et des gestes.

8.5.4 Les cercles de qualité

Les cercles de qualité ont vu le jour en 1962, grâce à l'initiative de Kaoru Ishikawa, président du jury du prix Deming, attribué en l'honneur du spécialiste des techniques du contrôle de la qualité.

Constituer un cercle de qualité est un processus mis en place dans un contexte de gestion de la qualité. De façon plus concrète, il s'agit d'un groupe formé d'une dizaine de personnes occupant des positions différentes dans l'entreprise. Ces personnes se rencontrent périodiquement afin de définir, d'analyser, de choisir, de proposer et de résoudre les problèmes concernant la qualité du travail. Ce groupe est chapeauté par un responsable principal (ou animateur) mandaté par l'entreprise, qui fixe les objectifs à atteindre en fonction d'une problématique donnée. Le groupe se focalise sur le problème le plus important et apporte ses conclusions après de mûres réflexions.

En général, le cercle de qualité adopte la philosophie et la politique sur la qualité que la direction de l'entreprise a déterminées. Voici un exemple : au service de l'approvisionnement, depuis quelque temps, on se rend compte que les matières premières n'arrivent pas à la date convenue dans le contrat d'achat. S'ensuit un retard dans le calendrier de production et, par le fait même, un retard des commandes pour les clients. Le vice-président aux approvisionnements peut alors décider de former un comité regroupant le directeur du service de l'approvisionnement, un commis aux achats, l'adjoint administratif du service de l'approvisionnement et lui-même. Le groupe cherche alors des solutions aux problèmes liés aux approvisionnements qui se présentent à court et à long terme. Le comité peut se réunir une fois par semaine jusqu'à la résolution définitive du problème. Ce comité peut être qualifié de « cercle de qualité ».

8.6 La gestion de la qualité totale

La **gestion de la qualité totale** (*total quality management* – TQM) est une stratégie de gestion de la qualité qui vise à mobiliser une grande partie de l'entreprise afin d'atteindre une qualité parfaite. Cette stratégie consiste à réduire le plus possible les gaspillages et à améliorer de façon permanente les « éléments de sortie » (*outputs*).

Le début des années 1980 est marqué par l'entrée dans l'ère de la mondialisation des marchés et par l'immense succès que connaît la philosophie de gestion japonaise propagée par deux gourous américains, Deming et Juran, et qui concerne la qualité totale. Ce ne sont plus seulement les services de l'approvisionnement et de la production qui pratiquent la gestion de la qualité totale, mais bien tous les services de l'entreprise. On n'en fait plus mystère : chaque employé doit partager cette manière de penser, du préposé à l'entretien ménager au président-directeur général. Le mot d'ordre est « Mieux vaut prévenir que guérir », car les coûts associés à la guérison sont souvent très lourds à assumer. Encore faut-il que le président-directeur général croie à ce concept.

Dans un processus d'instauration ou d'amélioration d'un programme de qualité, le plus difficile est sans aucun doute de changer la mentalité existante, surtout lorsqu'elle est très négative. Certains diront que le processus mis en place pour améliorer la qualité d'un produit coûte trop cher pour que cela en vaille la peine. Il s'agit d'une vision à court terme. Le coût pour corriger une bévue, que l'on appelle « coût de non-qualité », est souvent beaucoup plus élevé que le coût pour prévenir cette même bévue, que l'on appelle « coût de qualité ».

La non-qualité ne se reconnaît pas seulement aux erreurs faites par les employés. L'insouciance professionnelle engendre aussi la non-qualité. Par exemple, un employé de bureau payé à temps plein qui arrive au travail vers 10 heures le matin, qui repart vers 11 heures pour le lunch et qui revient vers 16 heures après sa partie de golf témoigne d'une non-qualité. Un conseiller financier auprès des particuliers dans une banque qui n'esquisse aucun sourire pendant l'entrevue avec son client témoigne également d'une non-qualité. Finalement, un soudeur affecté à la fabrication de classeurs qui n'enlève pas les éclats de métal après son travail de soudure dans les coins des classeurs manifeste aussi une non-qualité.

Après la Seconde Guerre mondiale, les industries japonaises ont pris conscience qu'elles pourraient relever leur économie si elles trouvaient des moyens d'améliorer la productivité et la qualité de leurs produits. C'est pourquoi le Japon a envoyé des équipes de gestionnaires dans le monde entier pour rechercher la formule qui métamorphoserait ses industries et effacerait sa réputation de fabricant de copies de mauvaise qualité. Les Japonais ont compris que les fabricants qui produiraient des biens et des services de haute qualité de façon continue pourraient retirer un triple profit, à savoir une baisse des coûts de fabrication, une augmentation des marges de profits et une augmentation des parts de marché.

Cette prise de conscience des Japonais a débouché sur une menace pour les entreprises américaines, soit la concurrence internationale en provenance d'Asie. Dès lors, John A. Young, président de Hewlett Packard et responsable d'un groupe d'étude destiné à trouver les façons d'améliorer la compétitivité des entreprises américaines sur le marché mondial, a écrit ce qui suit dans un rapport au début des années 1980.

Cette approche de gestion est basée sur les 10 règles d'or suivantes :

1. Le client, tant à l'intérieur qu'à l'extérieur de l'entreprise, est roi.
2. Le personnel doit vouloir appliquer la qualité totale dans ses méthodes de travail quotidiennes.
3. Il doit croire que l'amélioration a toujours sa place.
4. Il doit croire aux maximes suivantes : « Mieux vaut prévenir que guérir » et « Bien faire du premier coup ».
5. Il faut travailler en équipe pour mettre en place une synergie autour de l'amélioration de la qualité.
6. Il faut avoir pour objectif l'élimination des défauts.
7. Chaque personne doit participer au processus de qualité totale.
8. Il faut contrôler le processus et non les êtres humains.
9. Il faut faire participer les fournisseurs à la réalisation des objectifs.
10. Il faut établir un système de reconnaissance du mérite.

Une équipe de travail multidisciplinaire formée et engagée dans l'amélioration de la qualité connaîtra à coup sûr du succès. L'équipe doit rassurer le personnel et valoriser la réussite plutôt que de trouver des coupables. Par la suite, l'équipe donne une définition du mot « qualité », démystifie l'expression « recherche de l'excellence », fixe des objectifs, établit un fonctionnement permettant d'atteindre et de dépasser ces objectifs, indique les ressources disponibles, nomme un responsable et précise les mesures de contrôle.

Sur le plan budgétaire, il faut considérer cinq types de coûts, soit ceux liés à la prévention, à l'évaluation, aux défaillances internes, aux défaillances externes et aux équipements achetés. Les coûts associés à la prévention sont les coûts servant à prévenir les erreurs, tels ceux liés à la formation et aux visites chez les fournisseurs. Les coûts liés à l'évaluation consistent dans les coûts qui permettent de vérifier que le bien ou le service offert ne comporte aucun défaut. Quant aux coûts concernant les défaillances internes, ce sont les coûts rattachés au rejet d'un extrant, y compris les rebuts, à l'exécution en double d'une opération, au retard dans l'exécution d'une opération (comme le paiement de factures ou l'envoi de lettres aux clients), aux erreurs de conception, à la perte de stocks, à la correction d'une situation, etc. Les coûts liés aux défaillances externes comprennent les coûts rattachés à la non-satisfaction des clients comme les coûts de remplacement de certains biens ou services, les coûts de rappel, les coûts de traitement des réclamations ou les coûts de formation du service après-vente. Enfin, les coûts associés aux équipements achetés sont les coûts de contrôle qui visent à prévenir la distribution d'un produit défectueux dont la correction coûterait plus cher que si l'on procédait à l'étape du contrôle.

L'équipe multidisciplinaire prêtera une attention particulière aux coûts prévisibles et ne s'attardera pas aux coûts inévitables. Une entreprise fabriquant de la vaisselle peut tenter d'éliminer ses propres pertes, mais elle ne peut rien contre une mauvaise utilisation de la vaisselle par le consommateur. Il en est de même pour l'industrie automobile, qui voudra réduire le nombre de rappels des véhicules pour la correction de problèmes de carrosserie. Toutefois, elle ne visera pas l'élimination des pièces de carrosserie nécessaires pour remplacer les pièces abîmées dans des accidents causés par les conducteurs.

L'acheteur doit contribuer sans relâche à la satisfaction des actionnaires, des clients de l'entreprise et de ses collègues de travail. C'est la base même de la triade de la qualité (*voir la figure 8.4*).

Figure 8.4   La triade de la qualité

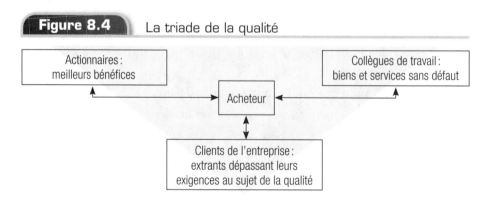

8.6.1   Le système de reconnaissance du mérite

L'entreprise doit mettre en place un système de reconnaissance du mérite du personnel en matière de qualité. Selon H. James Harrington, ce système poursuit les six objectifs suivants :

1. Souligner la valeur des employés dont la contribution a été exceptionnelle de façon à les inciter à faire toujours mieux.

2. Exprimer à ces employés à quel point l'entreprise leur est redevable.

3. Établir un mode de communication efficace qui assure la visibilité des personnes reconnues.

4. Fournir toutes sortes de moyens de montrer de la reconnaissance et encourager les cadres à faire preuve d'imagination en leur faisant comprendre que plus les marques de gratitude seront variées, plus elles auront du poids.

5. Améliorer l'ambiance de travail grâce à des récompenses appropriées. Ces récompenses peuvent prendre la forme d'une augmentation de salaire, d'une remise en argent, d'une reconnaissance publique individuelle, d'une reconnaissance publique en groupe, d'une reconnaissance personnelle, etc.

6. Renforcer les modèles de comportement que les cadres jugent rentables. L'acheteur mettra à contribution ses fournisseurs dans ce système de reconnaissance du mérite, qui visera également à conférer du prestige aux sources d'approvisionnement de l'entreprise.

L'évolution du concept de qualité nous donne à penser que les croyances de jadis devraient avoir complètement disparu en ce début de millénaire. Le tableau 8.8 montre l'évolution du concept de qualité dans les entreprises.

Tableau 8.8   L'évolution du concept de qualité

Croyances des années passées	Croyances des années à venir
■ Il faut réduire le nombre de produits retournés.	■ Il faut assurer le niveau de qualité dès le début de la fabrication du produit.
■ Il faut accepter les produits défectueux.	■ Il faut offrir un produit ou un service sans défaut.
■ Il est important de contrôler la qualité.	■ Il est nécessaire d'implanter un programme d'assurance qualité.
■ La qualité d'un produit découle des spécifications de celui-ci.	■ La qualité est fonction de ce que désire le client.
■ La qualité ne vise qu'à satisfaire le client.	■ Il faut être proactif et dépasser les attentes du client.
■ Il faut rechercher un niveau de qualité acceptable.	■ Il importe d'améliorer continuellement les équipements de transformation et les intrants.

8.6.2 L'assurance qualité

Nous ne pourrions terminer cette section sans parler de l'origine de la qualité totale, l'**assurance qualité.** Sa définition est extraite de la norme ISO 8402. L'assurance qualité peut se définir comme la somme des activités préétablies et systématiques qui participent de manière efficace au système qualité, et qui sont dignes d'une confiance correspondant aux exigences de qualité.

Entre les années 1950 et 1970, les entreprises se sont trouvées dans l'obligation de contrôler non seulement le produit fini, mais aussi le procédé de fabrication, c'est-à-dire les machines et les outils utilisés. On a dû aussi former le personnel afin qu'il soit au courant du niveau de qualité à maintenir. Le but ultime de l'assurance qualité était de susciter une confiance sans borne envers le produit à la fois chez les clients et chez les employés de l'entreprise. Ces derniers éprouvaient alors un sentiment de fierté au regard de l'image projetée par l'entreprise.

8.6.3 Les normes ISO

L'acronyme ISO signifie « International Standards Organization » (Organisation internationale de standardisation). L'ISO est en quelque sorte une fédération mondiale d'organismes nationaux de normalisation. À l'intérieur de l'ISO, il existe plusieurs comités techniques et sous-groupes de travail dont le but est justement d'élaborer des normes internationales. La figure 8.5 présente quelques acteurs qui prennent part à la préparation de normes. L'organisme canadien chapeautant ces normes est le Conseil canadien des normes (CCN). Le CCN mandate des organismes comme le Bureau des normes du Québec (BNQ), le Quality Management Institute (QMI), le Groupe québécois de certification de la qualité (GQCQ), l'Association québécoise de la qualité (AQQ) et quelques autres pour agir à titre de registraires ou d'auditeurs externes au cours du processus de certification ISO dans les entreprises.

Figure 8.5 Les divers organismes qui préparent des normes

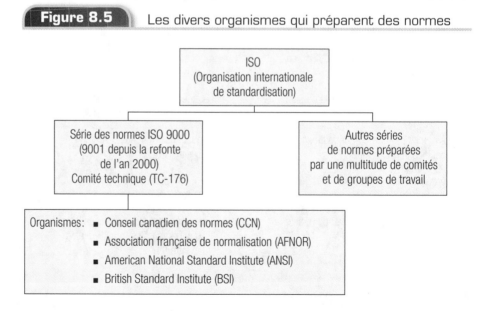

Les normes ISO 9000

Les normes internationales les plus connues sont sans l'ombre d'un doute les normes de la série ISO 9000. Ces mêmes normes sont apparues pour la première fois en 1987 à la suite d'un effort concerté des responsables de plusieurs pays qui désiraient une certaine uniformité dans la mise en place des exigences relatives au domaine de la gestion de la qualité. Une première refonte des normes de la série ISO 9000 a eu lieu en 1994. La série ISO 9000 comprenait à l'époque les normes ISO 9001, ISO 9002 et ISO 9003. En novembre de l'an 2000, le comité technique (TC-176) responsable des normes de la série ISO 9000 a entrepris, et ce, à l'intention de toutes les entreprises dans le monde, une refonte des normes de la série ISO 9000 visant à n'avoir qu'une seule norme, appelée « norme ISO 9001 version 2000 », qui se veut beaucoup plus axée sur le client que ne l'étaient les normes de la série ISO 9000 en 1994. Dans ces dernières, on s'était concentré sur la formalisation de procédures rendant l'entreprise plus productive et plus sensible à ses propres déficiences en ce qui concerne le contrôle de qualité, faisant ainsi de cette entreprise un acteur plus efficient aux yeux des agents économiques externes. De plus, les normes de la version 1994 visaient davantage le monde industriel que celui des services. Cependant, un élément primordial de la chaîne n'était pas considéré comme tel : le client, celui-là même qui décide en fonction de ses attentes, qui paie selon les caractéristiques qu'il désire.

La norme ISO 9001 version 2000 est donc beaucoup plus axée sur l'étude complète du client, depuis la détermination du type de clients désirés jusqu'à leur satisfaction la plus complète, en passant par leur profil, leurs attentes et leurs désirs. Les entreprises qui désirent obtenir l'accréditation ISO 9001 version 2000 doivent demeurer à l'écoute du client du début à la fin du processus commercial en instaurant des procédés qui permettront de mesurer la satisfaction du client – et, du même coup, l'efficacité de l'entreprise – sous la forme d'indicateurs de performance. Il va sans dire que ces indicateurs aideront à déterminer les mesures correctives à prendre pour remédier aux anomalies détectées, le cas échéant.

Les normes ISO 14000

Dans la même optique, l'Organisation internationale de standardisation a mis au point la série ISO 14000, un ensemble de normes permettant aux entreprises de mieux gérer leurs activités environnementales. Ces normes définissent ce qu'est un bon système de gestion environnementale (SGE) pour une entreprise. Elles indiquent des lignes directrices et instituent des principes fondamentaux à respecter en ce qui concerne une gestion axée sur la protection de l'environnement. Une entreprise peut obtenir la certification ISO 14001 après avoir été passée au peigne fin par un registraire (auditeur externe), comme c'est le cas pour la série de normes ISO 9000.

8.7 L'étalonnage

L'étalonnage[19] (souvent appelé *benchmarking* ou balisage) est une analyse comparative effectuée dans un contexte d'amélioration continue. Une telle analyse permet de standardiser le niveau de qualité de l'entreprise par rapport à celui qui

---

19. René A. GÉLINAS, *Rapport du séminaire sur les indicateurs de performance applicables au secteur de la logistique*, Montréal, Institut de formation en gestion du transport et de la logistique, 2000, 44 p.

existe sur le marché. C'est un processus long et rigoureux d'analyse du mode de fonctionnement de l'entreprise, de recherche des anomalies à corriger et de sélection des sources. Ce type d'analyse permet de mettre en valeur des modèles d'inspiration pour les changements à entreprendre à l'intérieur de l'entreprise.

La démarche d'étalonnage comprend les six étapes suivantes :

1. Déterminer l'objet d'étude : le processus administratif, le processus opérationnel, l'expertise, la machine, l'équipement.
2. Évaluer la situation actuelle.
3. Établir le point de comparaison.
4. Recueillir les données.
5. Analyser les données.
6. Déterminer les objectifs à atteindre et analyser les écarts.

L'objectif de cette démarche est de comparer l'entreprise aux entreprises les plus performantes de son secteur d'activité – dans la mesure du possible, ou encore aux entreprises d'autres secteurs d'activité ayant des pratiques de gestion similaires – et de s'inspirer des meilleurs modes de fonctionnement internationaux pour s'améliorer constamment. Il s'agit donc de repérer les entreprises ou les organisations qui sont les meilleures dans un certain secteur ou pour une certaine tâche et de comprendre comment elles y arrivent. À chacune des étapes de la démarche, on devrait donc se poser les questions suivantes :

- Quel est le processus déficient ?
- Comment s'y prend-on à l'heure actuelle ?
- Que doit-on faire pour améliorer notre performance ?
- Qui s'y prend le mieux sur le marché ?
- Comment s'y prennent-ils ?

Xerox : un exemple d'étalonnage

En 1976, la société Xerox occupait de façon presque monopolistique le marché des photocopieurs depuis près de 20 ans. Les Japonais ont fait leur entrée sur le marché cette année-là, alors que Xerox n'avait jamais connu de concurrence. Cinq années plus tard, les profits de Xerox avaient fondu de 50 %. C'est à ce moment-là que les gestionnaires de Xerox ont réagi. Ils ont tenté de comprendre comment leurs compétiteurs géraient leurs coûts de production, quelles technologies ils utilisaient, et comment ils développaient leurs produits, les distribuaient et les expédiaient.

À la suite de cette étude comparative, les gens de Xerox ont appris beaucoup de choses : le coût de production de Xerox était le même que le prix de vente des Japonais ; Xerox visait une augmentation de la productivité de 8 % (en comparaison d'une moyenne de 3 % pour le secteur) alors que, pour concurrencer les Japonais, il aurait fallu atteindre 18 % ; Xerox prenait deux fois plus de temps que ses concurrents à mettre en marché un nouveau produit ; Xerox avait besoin de cinq fois plus d'ingénieurs que ses meilleurs compétiteurs ; le taux de non-conformité était de 30 000 PPM pour Xerox et de 1 000 PPM pour ses meilleurs compétiteurs.

L'équipe de Xerox a dû se retrousser les manches et travailler fort pour que l'entreprise redevienne concurrentielle. En ce qui concerne le choix des partenaires, il n'est pas nécessaire qu'il s'agisse de compétiteurs directs. Dans le cas de Xerox, l'entreprise avait choisi Florida Power and Light et Toyota pour la gestion de la qualité, et Cummins Engine pour la planification de la production.

Différentes sources d'information sont utiles pour effectuer une démarche d'étalonnage : des magazines et des revues spécialisées, des publications d'associations, des congrès et des conférences, des études de marché, des statistiques gouvernementales, des sondages ainsi que les organismes suivants :

- American Society for Quality Control (ASQC) (http://www.asqc.org);
- Industrie et commerce Québec (http://www.mdeie.gouv.qc.ca/index.php?id=2259);
- Benchmarking Partners (http://www.benchmarking.com);
- American Productivity and Quality Center (http://www.apqc.org/portal/apqc/site).

Il existe quatre types d'étalonnage : l'étalonnage interne, l'étalonnage concurrentiel, l'étalonnage non concurrentiel et l'étalonnage optimal.

- L'étalonnage interne est effectué à l'intérieur de l'entreprise.
- L'étalonnage concurrentiel est fait à partir d'une comparaison avec un concurrent. Ce genre d'étalonnage est sans doute le plus difficile à réaliser parce que l'on doit se comparer avec les entreprises du même secteur industriel. L'avantage que l'on pourrait retirer de l'étalonnage concurrentiel consiste dans le fait que les bases de comparaison sont significatives. Par contre, l'inconvénient majeur repose sur des considérations légales et éthiques (espionnage industriel). En outre, les partenaires envisagés ne sont pas nécessairement coopératifs et peuvent même faire de la désinformation. Enfin, le temps de réalisation est assez long.
- L'étalonnage non concurrentiel est fait à partir d'une comparaison avec une entreprise qui évolue dans un autre secteur d'activité.
- L'étalonnage optimal (*benchmarking leader*) est effectué par l'entreprise qui agit comme leader dans le même secteur d'activité ou encore dans un autre secteur d'activité.

8.8 La logistique intégrée

Pour comprendre le principe de la **logistique intégrée,** nous devons examiner trois aspects, à savoir la logistique, l'intégration et le soutien.

8.8.1 La logistique

Le *Dictionnaire de la gestion de la production et des stocks* définit la logistique comme étant «la gestion systématique du processus d'acheminement de production, de distribution des matières et produits nécessaires à l'exploitation d'une entreprise ». Plusieurs entreprises reconnaissaient à la logistique la responsabilité des flux et des mouvements des matières, alors que d'autres s'entendent aujourd'hui pour dire qu'il s'agit d'un concept d'optimisation de la coordination entre l'amont et l'aval de l'entreprise, dans un contexte concurrentiel intégrant les flux des matières et de l'information. Cette démarche s'inscrit dans la volonté des entreprises de réduire le coût du mouvement des produits. Comme l'indique James L. Heskett, professeur émérite à la Harvard University Graduate School of Business Administration, la logistique intégrée s'appuie sur trois dimensions, à savoir les opérations de planification, les opérations administratives et les opérations physiques (*voir la figure 8.6*).

Alors que les relations d'affaires se maintiennent grâce à un sentiment de confiance, les entreprises définissent des voies différentes pour les marchandises et les documents.

Figure 8.6 Le processus de logistique

Flux de l'information	Opérations de planification	Opérations administratives	Opérations physiques	Flux des matières
	■ Prévision de la demande d'extrants	■ Traitement administratif des commandes des clients	■ Préparation des commandes des clients	
	■ Correction par le suivi des commandes ou relance	■ Contrôle du calendrier de livraison	■ Réalisation de la livraison des commandes	
	■ Ordonnancement du transport	■ Gestion des stocks d'extrants	■ Livraison aux magasins	
	■ Gestion des flux d'extrants	■ Contrôle des commandes des magasins	■ Transfert et manutention du stock entre la fabrication et les entrepôts	
	■ Planification de la production	■ Commandes au service de la production	■ Emballage et conditionnement des produits	
	■ Ordonnancement des moyens de production	■ Contrôle des stocks des produits en cours	■ Transfert entre les unités de production	
	■ Gestion des flux de produits en cours	■ Contrôle des stocks des intrants	■ Transport des biens à partir des fournisseurs	
	■ Programmation de l'approvisionnement	■ Traitement administratif des commandes des fournisseurs	■ Préparation des commandes par les fournisseurs	
		■ Suivi du service rendu		

Source : Hervé MATHE et Daniel TIXIER, *La logistique,* Paris, Presses universitaires de France, 1997, p. 17.

8.8.2 L'intégration

Selon le dictionnaire *Le Petit Robert,* l'intégration est l'« action d'adjoindre à l'activité propre d'une entreprise les activités qui s'y rattachent dans le cycle de fabrication des produits ». Lorsque l'on ajoute le mot « logistique » à cette définition, on peut définir l'intégration, dans un contexte de logistique intégrée, ainsi : l'action d'adjoindre à l'activité propre d'une entreprise les activités logistiques qui s'y rattachent dans le cycle de la fabrication des produits. Quelles sont les activités logistiques d'une entreprise? La figure 8.7 indique les activités logistiques requises pour soutenir les opérations de l'entreprise. L'ensemble des éléments a déjà été vu à l'intérieur de cet ouvrage.

Figure 8.7 Les activités logistiques requises

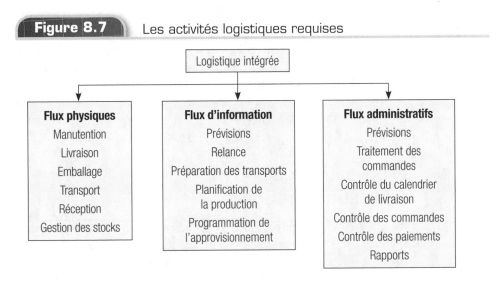

La figure 8.8 illustre l'approche nouvelle de la logistique intégrée par rapport à la circulation des produits. Elle montre que des économies sont réalisées avec l'approche de la logistique intégrée. En effet, à deux étapes dans la chaîne, on n'a plus besoin de recevoir les marchandises et de refaire de nouveaux emballages ou conditionnements. Il y a donc réduction des coûts de réception et de manutention. Le fabricant est ainsi en mesure d'offrir une marge plus petite à ses grossistes et à ses distributeurs, qui seront favorables à ce principe puisqu'ils n'auront pas à assumer certaines dépenses.

Figure 8.8 L'approche nouvelle de la logistique intégrée

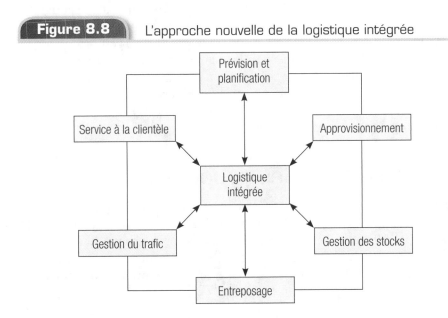

8.8.3 Le soutien

Le soutien logistique intégré – SLI (*integrated logistic support*) regroupe plusieurs méthodes ayant pour objectif la définition du système de soutien, lequel est lié au système principal. Le SLI a également pour but d'influer sur la façon dont le système principal est défini. Ainsi, ce dernier est plus disponible pour des opérations à venir, ce qui permet de minimiser les dépenses liées à la possession. Le système de soutien, quant à lui, doit veiller à ce que le système principal demeure disponible pour les opérations présentes. Le soutien logistique, finalement, veille à la manière dont le système principal se construit (organisation, planification et priorisation des tâches) afin de tenir compte des obligations qui concernent la maintenance, la fiabilité, le coût total de possession et les activités de soutien.

8.8.4 L'application de la logistique intégrée

La logistique intégrée vise à harmoniser toutes les activités qui contribuent à une gestion efficace des mouvements de produits du point d'origine jusqu'au client. Ce concept inclut l'ensemble des fonctions de l'entreprise telles que les ventes, le transport, le marketing, la gestion de l'information, le traitement des données, l'opération d'achat et le service à la clientèle. Chacune de ces fonctions peut être divisée de nouveau, par exemple le transport peut être international, national, régional et local, ou encore routier, ferroviaire, maritime, aérien, par conteneur ou combinant plusieurs modes de transport. L'interaction de ces fonctions est cruciale pour le succès de la logistique intégrée. L'approvisionnement établit les balises de la logistique en mettant en place les relations, les ententes avec les fournisseurs et en définissant l'opération d'achat (*voir le chapitre 2*).

C'est pourquoi, de nos jours, la fonction « gestion du trafic » dans l'entreprise est placée de plus en plus souvent sous la responsabilité du service de l'approvisionnement. Malgré sa complexité, cette fonction reste de la gestion de contrats que le service de l'approvisionnement est habilité à assurer. Par contre, étant donné que la gestion du trafic est une fonction stratégique dans l'entreprise, elle doit être gérée au même titre qu'une entente de service, d'impartition ou de partenariat. Il est souhaitable qu'un gestionnaire soit chargé de cette fonction et que celui-ci puisse compter sur des fournisseurs fiables.

8.9 La refonte des processus

La **refonte des processus** consiste à redéfinir l'ensemble des processus d'une entreprise, à les réagencer afin d'optimiser l'efficacité de l'organisation et de minimiser les dépenses. Cette redéfinition totale accompagne presque toute tentative d'informatisation. Elle consiste à réfléchir au sujet d'une fonction de l'entreprise, à bien définir tous ses aspects et à la repenser dans un cadre automatisé ; pour une commande de marchandise, par exemple, il faut prévoir tout problème éventuel et fournir une solution claire et automatisée.

Au début des années 1990, les entreprises utilisaient beaucoup les notions de « réingénierie » des processus, de réinvention ou encore de reconception. Au cours des années 2000, le vocabulaire a évolué, et plusieurs entreprises utilisent l'expression « refonte des processus ». Toutes ces expressions sont similaires et visent à revoir les modes de fonctionnement des entreprises afin qu'elles deviennent plus compétitives. Selon James Grimsley, directeur de CSC Index, de Houston (Texas), et Keith Stephens, directeur de la « réingénierie » de la chaîne d'approvisionnement de Petro-Canada, à Calgary, la « réingénierie » vise à améliorer radicalement les coûts, la qualité, le service et le cycle de mise en route (*voir le tableau 8.9, page suivante*). Si l'on compare l'approche de la refonte des processus à l'approche traditionnelle, on obtient le schéma présenté à la figure 8.9.

Figure 8.9 La comparaison entre l'approche traditionnelle et la refonte des processus

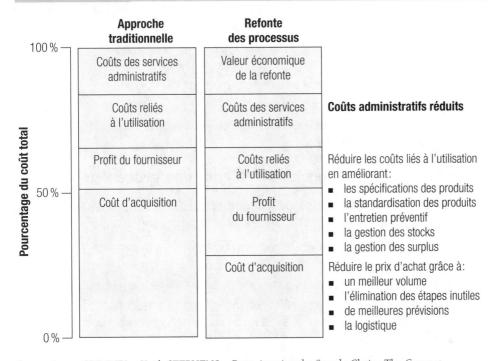

Source : James GRIMLEY et Keith STEPHENS, « Reenginerring the Supply Chain : The Concept… the Reality in Petro-Canada », communication présentée au congrès annuel de l'Association canadienne de gestion des achats à Vancouver en juin 1997 ; notre traduction.

L'acheteur doit constamment examiner ses activités quotidiennes afin d'établir lui-même sa refonte. À une petite ou à une grande échelle, cette manière de penser fait appel à l'une des compétences requises pour l'exercice de cette profession, à savoir l'innovation.

Tableau 8.9 Les termes clés de la définition de la refonte

Analyse fondamentale	Analyse complète	Modes de fonctionnement	Radicalement
Se poser les questions de base sur la manière de faire : ■ Que faut-il faire ? ■ Pourquoi faut-il le faire ? ■ Pourrait-on faire mieux ?	Approfondir l'examen des activités et déterminer les changements majeurs qu'il faut entreprendre malgré la résistance aux changements.	Faire un relevé des activités exercées par chaque personne dans l'entreprise et voir si elles correspondent à la volonté de la clientèle.	Aligner d'un seul coup les activités sur le résultat souhaité plutôt que de tenter de progresser par étapes jusqu'à la réalisation de l'objectif.

La méthodologie de refonte des processus

Mohcine Benmezouara, consultant spécialisé en la matière, a élaboré une méthodologie pour faire cette refonte[20].

La démarche

■ Détermination et description des processus existants à optimiser.

■ Analyse des processus : recherche des dysfonctionnements et de solutions d'optimisation.

■ Conception, formalisation et validation des processus cibles.

■ Mise en place des nouveaux processus.

■ La refonte des processus nécessite l'implication des équipes responsables et des acteurs du processus.

Les étapes d'un projet de refonte des processus sont :

1. **La détermination des processus et de leurs liens. Les processus sont listés et catégorisés en quatre catégories, à savoir :**

■ Les processus opérationnels : ils contribuent directement à la réalisation du bien ou du service.

■ Les processus de support : ils contribuent au fonctionnement des autres processus.

■ Les processus de management : ils guident l'entreprise vers les objectifs assignés et contrôlent la cohérence des décisions prises par rapport à ces objectifs.

■ Les processus de mesure : ils permettent de mesurer les résultats obtenus pour mener, si besoin est, des actions correctives.

En fonction de la typologie des processus et de l'organisation de l'entreprise, la cartographie des processus est ensuite réalisée. La cartographie des processus présente une vue générale et synthétique du fonctionnement de l'entreprise par ses processus et leurs interrelations sous forme d'un schéma.

---

20. Mohcine BENMEZOUARA. *Site de Mohcine Benmezouara*, [En ligne], http://olt-maroc-consulting.hautetfort.com (Page consultée le 16 mars 2009)

2. La détermination des processus clés et la hiérarchisation en fonction des objectifs poursuivis

La détermination des processus clés vise à déceler quels sont les processus qui contribuent le plus aux objectifs stratégiques de l'entreprise. C'est la direction de l'entreprise qui est responsable de la détermination de ces processus clés. Par la suite, c'est à cette étape qu'il s'agit de prioriser le traitement des processus en fonction des gains potentiels par rapport aux objectifs et de la facilité à mettre en œuvre ces changements.

3. La description détaillée des processus à analyser. Elle comprend :

- La collecte d'information qui s'effectue par la lecture de la documentation existante, des entretiens individuels et collectifs.

- La formalisation du processus existant qui se traduit par des ateliers de groupe et la réalisation de supports de description :
  - Fiche de présentation du processus
  - Logigramme
  - Schémas des flux physiques et d'information
  - Indicateurs de performance

- La validation de la description du processus qui est faite lors d'une réunion de restitution auprès des contributeurs des ateliers.

4. La détermination des dysfonctionnements et la recherche de solutions

Les dysfonctionnements sont déterminés en comparant la performance actuelle du processus et de ses activités avec celle qui est attendue lors d'ateliers de travail. Ces dysfonctionnements sont analysés pour déterminer leurs origines (internes ou externes), analyser leurs causes et rechercher des solutions ciblées. Ils sont hiérarchisés de façon à traiter en priorité ceux qui ont un impact fort sur la performance du processus. La recherche de solutions est réalisée lors de séances de remue-méninges (ou *brainstorming*). Le choix de la solution à adopter est issu de la comparaison des solutions selon des critères tels que la performance du processus, les objectifs stratégiques, la complexité de la solution et les coûts et risques de mise en œuvre de la solution envisagée.

5. La description des processus cibles. Elle comprend :

- L'intégration des améliorations aux processus existants par la livraison de documents :
  - Fiche de présentation cible
  - Logigramme cible
  - Schémas des flux d'information cible
  - Schémas des flux physiques cibles
  - Fiches des indicateurs de performance cible

> - La mise en cohérence des processus du système cible :
>   - Construction de la cartographie des processus cibles
>   - Synthèse des impacts sur l'organisation
>   - Évaluation des coûts de mise en œuvre
>   - Évaluation des améliorations attendues
> - La validation du système cible et la définition du plan de déploiement

En suivant cette méthodologie, l'entreprise approfondit son examen et détermine les changements majeurs qu'elle doit entreprendre malgré la résistance aux changements.

8.10 Le commerce électronique

Le **commerce électronique** (*e-commerce*) est l'ensemble des transactions qui comportent l'achat ou la vente de biens et services d'une entité à une autre et qui sont effectuées sur un réseau informatique, lequel est le plus souvent Internet.

- Internet change les fondements de la pratique en gestion de l'approvisionnement.
- Le commerce électronique ignore les distances et les frontières nationales.
- Le commerce électronique ne requiert aucune présence physique ou presque.
- Les transactions virtuelles ont lieu 24 heures sur 24.
- Le commerce électronique facilite les échanges à distance.
- Le commerce électronique exige moins d'intermédiaires.

Pour le moment, le commerce électronique est sujet à moins de contrôle, de réglementation, que ce soit pour l'identification des parties, le contenu ou l'emplacement. Le commerce électronique coexiste avec les échanges commerciaux traditionnels.

L'utilisation des outils électroniques est en croissance dans les relations entre les entreprises. Selon Statistiques Canada[21], les transactions interentreprises (en anglais, le terme utilisé est *business to business,* B2B) se sont élevées à 24,45 milliards de dollars canadiens en 2005.

Avec le temps, le commerce électronique a permis d'obtenir des bénéfices en ce qui concerne la réduction des coûts liés à l'opération d'achat (émission d'une commande, suivi, relance, réception et paiement), la vitesse pour obtenir une information (c'est le cas lorsque l'approvisionneur fait des appels d'offres électroniques), l'accessibilité à un nombre croissant de sources d'approvisionnement, l'accès à une meilleure information et l'amélioration de la productivité de chaque partie (comme c'est le cas lorsque l'approvisionneur a accès à l'inventaire

---

21. Comparativement à 19,55 milliards de dollars en 2004. Cette information était la plus récente au moment de la parution de cet ouvrage.

des fournisseurs). Avec le temps, les entreprises ont reconnu qu'il y a un accroissement de la productivité du point de vue de ses ressources.

Le *Code civil du Québec* de 1994 précisait que l'utilisation de l'électronique dans l'établissement d'une relation avec un fournisseur ne représentait qu'une forme de commerce parmi tant d'autres pour transiger. Avec l'usage de plus en plus important des outils électroniques, le législateur québécois a été conscient que ces outils n'étaient pas uniquement un moyen, mais qu'ils remettaient en question certaines façons de faire des affaires. En 2001, le législateur québécois a promulgué la *Loi concernant le cadre juridique des technologies de l'information*. L'application graduelle nous aura permis de mieux maîtriser le contenu de cette loi.

Sur le plan juridique, la Loi énonce les principes suivants :

- Un contrat est considéré comme valable si l'une des parties est capable de prouver la notion de consentement.
- Les documents technologiques peuvent servir aux mêmes fins et avoir la même valeur juridique que les documents sur support papier. Le législateur québécois considère que c'est un équivalent fonctionnel. À titre d'exemple, si une personne accède à un site Web, lit les termes et conditions et les accepte en cliquant avec sa souris, le contrat est considéré comme valable selon les considérations commerciales de la Loi.
- La Loi préconise l'établissement de règles relatives au transfert de l'information, ainsi qu'à la conservation, à la consultation et à la transmission d'un document sous forme électronique, de manière à ce que son intégrité soit maintenue au cours de tout son cycle de vie.
- La responsabilité incombe aux intermédiaires qui agissent pour transmettre les documents au moyen des réseaux de communication.
- La notion de l'authentification de l'identité de la personne qui transige ; à titre d'exemple, lorsqu'un contrat sur support papier établit les conditions commerciales entre une entreprise et un fournisseur, il est fortement recommandé que chacune des parties signe l'entente afin de valider la notion de consentement et d'accord. Or, l'acceptation de termes et de conditions au moyen d'un « clic » de souris rend impersonnelles les parties en présence tout en ne permettant pas de valider la capacité de transiger de la personne. Le législateur québécois indique que c'est la responsabilité de chacune des parties de démontrer sa capacité de transiger.
- La Loi préconise la mise en place d'un comité multidisciplinaire d'experts qui permettra de valider, tant sur le plan national que sur le plan international, les normes et les standards techniques.

Avec la croissance des outils électroniques, les risques liés aux fraudes et au vol d'information se multiplient. L'entreprise doit être prudente car, selon la Loi, elle a la liberté de choix en ce qui concerne les moyens de faire des transactions. Il faut donc se montrer prudent sur les modes d'identification des parties en présence et la certification au point de vue du processus défini. L'approvisionneur professionnel est sensibilisé à la vigilance dont il doit faire preuve dans les relations avec ses fournisseurs afin d'obtenir les bénéfices des outils électroniques sans subir de dommages par suite de fraudes et de malversations. En somme, avant d'acheter des pièces d'entretien par Internet, le personnel dudit service devrait demander à son acheteur si la transaction qu'il veut faire en ligne respecte toutes les règles de prudence liées à une relation commerciale avec un fournisseur.

La figure 8.10 donne une idée de la philosophie du commerce électronique. Les communications peuvent se faire sous plusieurs angles, dont les plus populaires sont les suivantes :

- le commerce électronique d'une entreprise à une autre ou *business to business* (B2B) ;
- l'échange électronique des entreprises aux consommateurs ou *business to consumer* (B2C) ; on parle ici de sites Web d'entreprises où les consommateurs font leurs achats ;
- l'échange électronique entre consommateurs ou *consumer to consumer* (C2C) ; on parle ici de sites Web où les consommateurs vendent des biens personnels ou en achètent ;
- le commerce électronique d'une entreprise et de ses employés ou *business to employees* (B2E) ;
- l'échange électronique entre des organisations du secteur privé et des organisations gouvernementales ou *business to government* (B2G).

Figure 8.10 Le commerce électronique

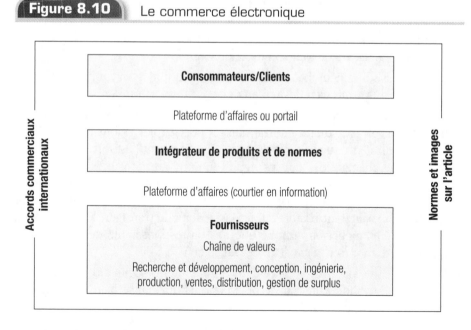

Les consommateurs ou les clients de l'entreprise accèdent à la plateforme d'affaires ou au portail de l'entreprise. Cette plateforme respecte plusieurs critères de gestion de l'entreprise afin d'administrer le profil du client ou du consommateur. Ces critères concernent autant la manière de livrer le produit ou le service au client que la façon de le produire, autant les particularités requises par le client que la marge bénéficiaire attendue de chaque transaction, ou encore les règles politiques ou les normes à respecter en fonction du lieu de livraison du produit ou du service, ou l'emballage requis. Dès que la demande du consommateur ou du client est acceptée, le système envoie des ordres de fabrication du produit ou d'achat du service requis.

Dell inc.

Fournisseur de matériel informatique pour les consommateurs et les entreprises, Dell inc. est l'une des premières entreprises de cette importance à s'être lancée dans le commerce en ligne. Avec un chiffre d'affaires supérieur à 55,9 milliards de dollars en 2006, Dell a commencé à proposer ses produits sur son site Web au milieu de 1996. Très vite, son chiffre d'affaires est passé de 1,1 million de dollars par semaine à 1,1 million de dollars par jour. Cette entreprise a poursuivi son ascension jusqu'à 50 millions de dollars par jour en 2000.

En 1999, le site de Dell recensait plus de 1,5 million de visiteurs par semaine et traitait 11 % de ses transactions en ligne. Dell applique les principes du commerce électronique à la perfection car, derrière sa plateforme, elle a tissé une toile d'araignée incroyable liant les fournisseurs, les transporteurs et les normes à respecter dans un vaste programme d'intégration de tous les intervenants. Ainsi, lorsqu'un client commande un ordinateur, le système informatique de Dell génère une série de commandes aux fournisseurs de pièces entrant dans la fabrication de l'ordinateur, une liste des adresses où un transporteur devra aller chercher les pièces, un ordre de fabrication ou d'assemblage des pièces, les documents de livraison de l'ordinateur au client, en plus du profil de celui-ci. Chaque intervenant exécute la commande pour la partie de l'ordinateur dont il est responsable. Le système informatique de Dell enregistre le début et la fin de chaque étape sur la même plateforme pour les suivis et les contrôles. Lorsque l'ordinateur est livré au client, généralement quelques jours plus tard, toute l'information en lien avec l'ordinateur est inscrite au dossier du client pour référence future.

L'implantation de la gestion des fournisseurs au moyen du commerce électronique demande de revoir les quatre processus majeurs décrits ci-après.

1. L'information sur les fournisseurs. Cette information porte sur le rôle et les responsabilités accordés par l'acheteur au fournisseur, les contrôles touchant la gestion de la performance attendue des objets que le fournisseur livrera, le profil du fournisseur, les modalités et les conditions commerciales qui régissent la relation d'affaires, y compris les termes et les méthodes de paiement, les règles d'expédition, la gestion des suivis et les procédures de retour.

2. L'information requise sur les produits et les prix. Pour les produits, on peut citer le numéro du catalogue, les unités de mesure, la description de l'article, le numéro du manufacturier, le nom du manufacturier, sa représentation (logo, photo, etc.). En ce qui concerne les prix, cette information comporte le prix à payer pour l'article, la date d'entrée en vigueur des prix, les rabais selon les volumes, les marges des distributeurs et le type de devise.

3. **La connectivité.** Il est important de définir la façon dont la communication électronique se fera avec les fournisseurs, y compris le coût de chaque transaction, la facilité de transaction, la formation, l'infrastructure requise et la sécurité.

4. **L'entretien et le soutien.** L'acheteur évalue l'effort que l'entreprise doit faire pour maintenir ses données à jour, outre le fait de déterminer s'il doit y avoir une révision des tâches des personnes travaillant dans le service de l'approvisionnement.

Mais l'utilisation d'Internet comporte des risques, dont les plus courants sont décrits ci-après.

- **La fraude.** Frank W. Abagnale, une autorité dans le domaine de la prévention des fraudes, affirme qu'Internet est le lieu de prédilection du criminel :

  > Quarante millions de personnes utilisent Internet chaque jour. Pour un voleur, cela signifie qu'il peut arnaquer un très grand nombre de personnes en même temps. On estime que plus de cinq pour cent des transactions faites dans Internet sont frauduleuses, par rapport à un demi de un pour cent dans les magasins de détail. Les voleurs s'assoient tous les jours devant leurs ordinateurs et essayent d'entrer dans le système de quelqu'un, tentant par tous les moyens de déjouer les dispositifs de sécurité[22].

Il ajoute un peu plus loin qu'un accès au réseau informatique équivaut à un cheval de Troie virtuel.

- **La qualité de l'information.** Rien ne prouve l'origine de l'information présente dans Internet. Il n'y a pas de règles établies, pas de normes connues, pas d'organisme responsable de la validation de l'information. L'acheteur doit être prudent et vérifier l'information qu'il recueille.

- **Le respect des lois.** Le commerce s'effectue maintenant à l'échelle internationale. L'acheteur vit sur un territoire où une importante législation régit les activités économiques. Il faut s'assurer que les produits achetés respectent les différentes lois du pays ou les principes de bonne gestion généralement reconnus.

Par contre, avec de tels outils, l'acheteur aguerri peut obtenir le meilleur prix pour son entreprise. En effet, il peut comparer différents sites pour s'assurer que le prix offert par le fournisseur est compétitif. Il peut aussi suivre l'évolution des prix de l'industrie où se situent ses fournisseurs et utiliser les outils électroniques pour organiser des enchères électroniques ou y participer afin de réduire les coûts transactionnels. S'il est prudent et prévoit les incertitudes du marché, l'acheteur peut facilement réaliser des bénéfices intéressants pour son entreprise.

8.11 Le développement durable

C'est le *rapport Brundtland*[23], en 1987, qui a jeté les bases du concept de **développement durable** (DD). Ce concept vise à protéger les écosystèmes et leur

---

22. Frank W. ABAGNALE, *L'art de la fraude,* Montréal, Éditions Stanké, 2003, p. 222.

23. Rapport de la Commission mondiale sur l'environnement et le développement de l'Organisation des Nations Unies (ONU), présidé par Madame Gro Harlem Brundtland – d'après la version française originale (avril 1987).

diversité avec des mesures précises de protection de l'environnement. La nécessité de laisser un environnement restauré et viable aux générations futures est une notion fondatrice du concept de développement durable car, comme le disait si bien Antoine de Saint-Exupéry : « Nous n'héritons pas de la Terre de nos ancêtres, nous l'empruntons à nos enfants. »

Des entreprises passent à l'action pour prendre le virage vert. Des chroniqueurs et des chercheurs avancent que chaque citoyen et chaque entreprise, dans leurs gestes quotidiens, doivent penser à l'impact sur l'environnement. Que peuvent faire les acheteurs pour contribuer à cette orientation ? La figure 8.11[24] établit les trois pôles à considérer en ce qui concerne la mise en place d'une politique de développement durable dans une entreprise.

Figure 8.11 La mise en place d'une politique de développement durable

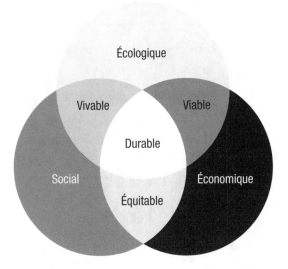

Le développement durable pour une entreprise doit être considéré dans le contexte d'une chaîne d'approvisionnement. La figure 8.12, à la page suivante, décrit une chaîne d'approvisionnement et précise quatre endroits où l'approvisionnement peut contribuer au développement durable. À des fins de compréhension, une chaîne d'approvisionnement simple est décrite. La chaîne d'approvisionnement présente sur le marché est plutôt complexe, car elle est le fruit d'une combinaison de multiples chaînes d'approvisionnement simples. À titre d'exemple, une épicerie se situe au niveau de la distribution. Dans cette épicerie, une multitude de chaînes d'approvisionnement sont à l'origine des produits qui seront vendus. Chaque chaîne requise pour les produits d'épicerie comporte ses propres enjeux, difficultés et risques. À titre d'exemple, les achats de produits de

---

24. Figure préparée par Nicolas Vigneron, détenteur d'une licence pro Énergies renouvelables et économies d'énergie, et étudiant en deuxième année d'ingénierie à l'École des métiers de l'environnement de Rennes.

Figure 8.12 Une chaîne d'approvisionnement simple

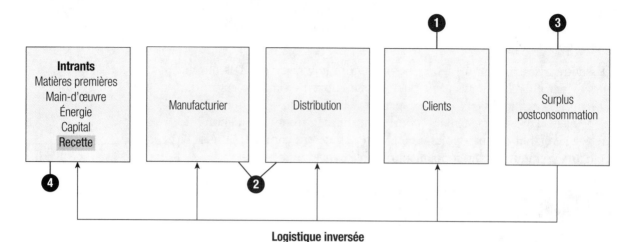

Logistique inversée

boucherie et de pharmacie sont requis pour une épicerie, mais les manufacturiers diffèrent et doivent considérer leur propre réalité.

Le développement durable concerne :

- la politique de retour de la chaîne d'approvisionnement pour diverses raisons ;
- les rejets provenant de la fabrication d'un produit ou de la distribution ;
- l'utilisation potentielle des surplus postconsommation, par exemple, les cartouches des imprimantes laser ;
- l'étape de la conception d'un produit.

8.11.1 La politique de retour

La figure 8.13 montre une situation dans laquelle un consommateur a acheté un produit qu'il a payé 260 $. Il vérifie le matériel et constate que celui-ci est défectueux. Il retourne donc le produit au distributeur et demande un remboursement complet, soit 260 $. Le distributeur reprend la marchandise et rembourse le consommateur. L'objet défectueux est maintenant entre les mains du distributeur.

Le distributeur communique avec le manufacturier et lui demande de reprendre l'objet défectueux contre la valeur complète de son achat, qui est de 195 $. Le manufacturier reprend la marchandise et émet une note de crédit de 195 $ au distributeur.

À la fin de cette étape, le manufacturier a en sa possession l'objet défectueux. Il l'examine et constate que la pièce défectueuse provient du fournisseur 4. Il demande donc au fournisseur 4 de lui émettre une note de crédit pour la pièce défectueuse, dans ce cas-ci d'une valeur de 20 $, en échange de la pièce défectueuse.

Figure 8.13 L'achat d'un produit

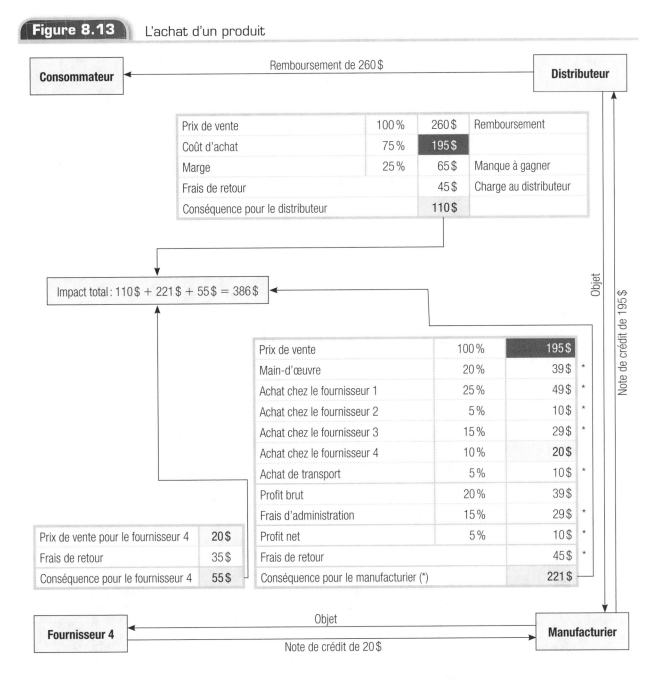

Dans les trois cas, il y a des frais de retour. Le distributeur débourse des frais pour recevoir le consommateur, émettre le crédit au consommateur, entreposer le produit défectueux, communiquer avec le manufacturier et préparer la marchandise pour le retour vers le manufacturier. Le manufacturier débourse des frais pour le transport du distributeur vers son quai de réception, l'émission de la note de crédit, la réception du produit défectueux, la vérification de la marchandise, la communication avec le fournisseur 4 et la préparation de la pièce défectueuse pour le fournisseur 4. Le fournisseur 4, quant à lui, débourse des frais pour le transport du manufacturier vers son quai de réception, l'émission de la note de crédit, la réception et la disposition de l'objet défectueux.

Si l'on évalue l'effet monétaire sur la chaîne d'approvisionnement, dans cet exemple, il s'élèvera à 386 $. En effet, le distributeur a perdu sa marge et a ajouté des dépenses à son état des résultats, déterminé à 45 $, pour un total de 110 $. Le manufacturier a absorbé dans ses dépenses plusieurs montants identifiés par le signe « * » dans la dernière colonne de la section « manufacturier », outre le fait d'ajouter les frais de retour de 45 $, pour un total de 221 $. Dans le cas du fournisseur 4, sa perte s'établira par la pièce non vendue et des frais de retour de 35 $, soit un total de 55 $. En somme, pour la chaîne, l'effet total s'élèvera à 386 $, alors que la vente d'un objet à l'état neuf est de 260 $.

Les intervenants de la chaîne peuvent agir en amont ou en aval de leur entreprise. Il est possible d'augmenter les exigences pour freiner le retour contre crédit, par exemple, en établissant une période maximale de retour ou en effectuant la réparation au lieu du remboursement. Ces décisions peuvent cependant avoir pour effet d'irriter le consommateur. On peut aussi intervenir en augmentant les montants réclamés des fournisseurs. Par contre, en ce qui concerne la chaîne d'approvisionnement, l'effet financier sera le même.

En ce qui concerne le développement durable, il est important de renforcer la notion de détection et de prévention quant au contrôle de la qualité de ce qui est acheté ou transformé, et ce, à la base de la chaîne d'approvisionnement. Ainsi, il sera possible de réduire le nombre d'objets défectueux qui se rendront jusqu'au consommateur ou qui seront jetés au rebut.

8.11.2 Les déchets

Il convient également de porter attention aux rejets occasionnés par le flux continu de la chaîne d'approvisionnement. Ces rejets sont de deux ordres :

- Les rejets normaux sont les rejets nécessaires pour obtenir le produit fini. À titre d'exemple, pour extraire de l'or d'une mine, il faut le dégager du minerai dans lequel il se trouve. Que fait-on avec ce minerai ? Il est considéré comme un rejet. Voici un autre exemple lié au secteur manufacturier : pour obtenir du papier d'une coupe uniforme, la production prépare un rouleau de papier plus large que la grandeur requise par le client. Ensuite, l'entreprise procède à une coupe, laissant une retaille de papier. Cette retaille est considérée comme un rejet normal.

- Les rejets anormaux sont ceux qui ne devraient pas se produire dans le flux normal des activités. Par exemple, à la fin de la période de Pâques, un distributeur a des unités invendues de lapins en chocolat. Il devra les liquider en proposant un prix réduit. Avoir des unités invendues à la fin du cycle n'était sûrement pas une action volontaire de la part de ce distributeur.

Dans les deux cas, l'approvisionneur peut améliorer les stratégies de l'entreprise en travaillant avec ses fournisseurs afin de minimiser les effets négatifs. Par contre, il ne peut agir seul, de sa propre initiative, car les prévisions et les procédés appartiennent à l'entreprise et non pas à un seul service.

8.11.3 La gestion des surplus

La gestion des surplus fait aussi partie de la chaîne d'approvisionnement. Ces surplus peuvent être constitués par suite de la consommation normale ou de la durée de vie normale d'un produit. À titre d'exemple, vous utilisez votre automobile pour vous déplacer. Les pneus de votre véhicule vont s'user en fonction d'une utilisation normale. Un jour, les pneus devront être remplacés, principalement pour des raisons de sécurité. La chaîne devra trouver des solutions pour disposer de ces surplus.

La société va porter un regard critique sur ces surplus. Certains voudront appliquer la règle du « pollueur payeur ». Ainsi, puisque ces surplus augmentent le volume des sites d'enfouissement et qu'il est nécessaire de freiner cette accumulation, la société devrait imposer des taxes pour dissuader la production de ces déchets et réduire leur augmentation.

D'autres considéreront les surplus comme une opportunité. S'il faut envoyer un produit dans les sites d'enfouissement, c'est que la chaîne ou une autre instance n'a pas trouvé la façon de recourir à l'une des quatre options suivantes : revente, réutilisation, recyclage ou réusinage. Si l'on ajoute l'expression « rebuts » à cette liste, on obtient les cinq « R » liés à la gestion des surplus de la chaîne d'approvisionnement. Ces personnes croient que nous devrions investir dans la recherche et le développement de solutions pour utiliser ces surplus. Citons quelques exemples d'initiatives rentables :

- Dow Chemical a mis en place un projet très rentable pour récupérer les rejets de ses usines chimiques afin de les convertir en énergie pour ces mêmes usines.
- Hydro-Québec encourage des entreprises à investir dans des équipements moins énergivores.
- La Société de transport de Montréal utilise un nouveau mélange de carburant pour ses autobus.
- Ciment Lafarge brûle des pneus usés afin de produire de l'énergie.

Ces initiatives d'entreprises changent notre façon d'acheter et de sélectionner des fournisseurs. Les acheteurs demeurent donc à l'affût de ce que les fournisseurs peuvent apporter comme contribution au développement durable. Ces projets importants sont des activités d'entreprise.

8.11.4 La conception même du produit

En janvier 2005, le Centre des dirigeants et des acheteurs de France (CDAF) a fait paraître un livre sur le sujet. Ses auteurs écrivent : « Autour de l'éco-économie, apparaissent des méthodes destinées à économiser des ressources. De l'éco-conception à l'éco-efficience est née l'écologie industrielle et l'éco-responsabilité[25]. »

25. Michel JORAS et Jean LEPAGE, *La Responsabilité sociétale des acheteurs*, Paris, Éditions d'Organisation, p. 22.

Ils définissent l'éco-conception comme « la prise en compte de la protection de l'environnement dans la conception des biens et des services. Elle permet de mettre sur le marché des produits plus respectueux de l'environnement tout au long de leur cycle de vie, c'est-à-dire depuis l'extraction des matières premières jusqu'aux déchets issus de leur fabrication, de leur utilisation et de leur abandon[26] ».

Selon l'organisme World Business Council for Substainable Development (www.wbcsd.org), l'application de l'éco-économie et de l'éco-responsabilité découle d'une philosophie de gestion. Celle-ci consiste à créer le plus de valeur avec le moins d'impacts. Elle permet de produire des biens et des services qui satisfont les besoins humains et améliorent la qualité de vie, à un coût compétitif, tout en réduisant, à toutes les étapes du cycle de vie des biens et des services, les impacts écologiques et l'intensité de consommation des ressources, et ce, dans le respect de la capacité de soutien à la planète[27].

Concrètement, le service de conception des produits et des services ainsi que le service de l'approvisionnement, qui apporte la contribution des fournisseurs, définissent ce qu'ils produisent en visant notamment les objectifs suivants :

- réduire la quantité de matière requise (dématérialisation) ;
- minimiser la quantité d'énergie, autant à la fabrication qu'à l'utilisation par le consommateur ;
- permettre l'augmentation de la quantité de matière recyclable après l'utilisation ;
- augmenter la durée de vie du produit ;
- encourager la réparation plutôt que le remplacement avec de la matière neuve ;
- diminuer les espaces occupés par le produit ;
- accroître la durée de vie du produit ;
- rendre les produits plus ergonomiques ;
- soutenir l'intégration d'initiatives permettant d'améliorer les retombées écologiques ;
- diminuer les coûts de prévention, de détection et de correction liés à un produit.

Ces initiatives, basées sur le développement durable, doivent se faire dans un contexte de compréhension des risques que courent l'entreprise et la chaîne d'approvisionnement. C'est ainsi qu'un acheteur doit tenir compte des différentes formes de sécurité telles que la sécurité des personnes et des travailleurs, la sécurité de l'environnement, la sécurité financière, la sécurité de l'information, la sécurité de confiance envers la relation d'affaires avec ses fournisseurs et l'éthique applicable à ladite relation.

En ce qui concerne le principe de développement durable décrit précédemment, tous doivent porter un regard sur la consommation et l'utilisation de l'ensemble des ressources de la planète. Dans un premier temps, nous pouvons

---

26. *Ibid.,* p. 22.
27. *Ibid.,* p. 22.

freiner la quantité de produits retournés par le consommateur, réduire les rejets anormaux et prendre le virage du développement durable au moment même de la conception d'un produit. Dès que les entreprises faisant partie de la chaîne d'approvisionnement exercent un contrôle sur ces éléments, il suffit d'équilibrer l'offre et la demande des produits et des services d'une chaîne d'approvisionnement. Le défi à relever au point de vue du développement durable est d'appliquer la pensée d'Antoine Laurent de Lavoisier, considéré comme le père de la chimie moderne (1743-1794), qui a affirmé que : « Rien ne se perd, rien ne se crée, tout se transforme. »

Résumé

Les approches de gestion connaissent de la popularité en fonction de leur pouvoir d'attraction, de leur capacité à persuader les entreprises et de leur démonstration en ce qui concerne l'amélioration de l'efficacité et de l'efficience des entreprises. Nous avons remarqué que les différentes approches ont un cycle de vie assez court, mais qu'elles permettent à d'autres idées innovatrices de prendre la relève. Toutes ces approches visent à accroître le bénéfice des entreprises tout en s'adaptant à la culture et aux ressources humaines de l'entreprise.

Nous avons considéré les approches les plus populaires, que ce soit le *kaizen,* l'analyse de la valeur, l'impartition, le partenariat et les alliances stratégiques, le juste-à-temps, la qualité totale, l'étalonnage, la logistique intégrée, la refonte des processus, le commerce électronique et le développement durable. Laissons à Hélène Giroux le mot de la fin. Elle compare ces approches à de la musique populaire qui est quelquefois qualifiée de frivole et peu digne d'intérêt, dont la durée de vie est très courte, alors que la musique classique est considérée comme indémodable, comme ce sera le cas pour certaines de ces approches qui résisteront au temps.

Termes à retenir :

- Alliance stratégique
- Aménagement de l'espace
- Analyse de la valeur
- Approche de gestion
- Assurance qualité
- B2B, B2C, B2E, B2G, C2C
- Cercle de qualité
- Commerce électronique
- Développement durable
- Étalonnage
- Impartition
- ISO
- Juste-à-temps
- *Kaizen*
- *Kanban*
- Mode de gestion
- Partenariat
- Qualité totale
- Refonte des processus
- Sept « zéros »
- SMED
- Système de production Toyota (SPT)

Questions

1. Quels sont les éléments clés de la culture Toyota?

2. Qu'est-ce que l'approche de gestion que l'on appelle *kaizen*?

3. Comment pourriez-vous définir l'analyse de la valeur?

4. Comment est-il possible d'évaluer la façon d'augmenter la valeur d'un produit?

5. Qu'est-ce que l'impartition? Existe-t-il un parallèle entre l'impartition et la sous-traitance?

6. Définissez l'entente de partenariat dans vos propres mots.

7. Quelle différence y a-t-il entre le partenariat et l'alliance stratégique?

8. Que recouvre la philosophie du juste-à-temps?

9. Quelles sont les 10 règles d'or de la qualité totale?

10. Définissez le cercle de qualité en utilisant vos propres mots. Dans quelles situations est-il utile à l'entreprise?

11. Que signifie l'acronyme ISO?

12. Définissez le terme « étalonnage ».

13. Quelles activités font partie de la logistique intégrée?

14. Qu'est-ce que la refonte des processus?

15. Comment une entreprise doit-elle utiliser les outils électroniques à sa disposition?

16. Que signifie l'acronyme B2B?

17. Qu'est-ce que le développement durable?

18. Que signifie l'expression « gestion des surplus postconsommation »?

Exercices d'apprentissage

1. De quels facteurs faut-il se préoccuper pour s'assurer qu'une nouvelle approche de gestion importée aura du succès dans l'entreprise?

2. Comment la haute direction d'une entreprise contribue-t-elle favorablement à une approche de gestion?

3. Quelles différences y a-t-il, en ce qui a trait à la résolution d'un problème de gestion, entre l'approche *kaizen* et l'approche adoptée habituellement en Amérique du Nord?

4. Sur quels points majeurs un acheteur doit-il s'attarder avant d'implanter l'impartition?

5. Nommez quelques bénéfices qu'une entreprise peut retirer si elle utilise l'approche de l'impartition.

6. Quels sont les fondements de base d'une alliance stratégique ou d'une entente de partenariat?

7. On dit souvent que la philosophie de gestion du juste-à-temps vise sept «zéros». Quels sont-ils et que signifient-ils?

8. Quelles approches découlent du juste-à-temps? Expliquez-les.

9. La qualité totale s'applique-t-elle de la même façon dans une entreprise du secteur privé et dans une entreprise du secteur public? Expliquez votre réponse.

10. Dans quel but principal une entreprise chercherait-elle à obtenir la certification ISO 9001?

11. Quelle est la dernière tendance en matière de logistique intégrée?

12. En quoi l'utilisation des outils électroniques change-t-elle la manière de faire des transactions avec des fournisseurs?

13. Pourquoi, sur le plan légal, faut-il définir des règles particulières à l'utilisation des outils électroniques?

14. L'application du principe de développement durable est-elle valable pour toutes les entreprises? Expliquez votre réponse.

15. Déterminez les contributions possibles que la gestion de l'approvisionnement peut apporter à chacune des approches de gestion.

16. Décrivez le champ de responsabilité de la gestion de l'approvisionnement dans le cas de l'une des approches de gestion présentées dans ce chapitre.

Exercices de compréhension

1. Expliquez la signification de la balance illustrée à la figure 8.2, à la page 329.

2. Expliquez l'affirmation suivante : «La refonte des processus peut être bénéfique pour un service de l'approvisionnement.»

3. Comment vous y prendriez-vous pour implanter une philosophie de gestion axée sur le juste-à-temps?

4. Que faut-il conseiller aux entreprises qui veulent faire partie d'un programme de développement durable?

5. Qu'est-ce qui est fondamental dans l'élaboration d'une nouvelle approche comme une démarche qualité dans le cas des ressources humaines d'une entreprise?

6. Comment feriez-vous l'implantation de la norme ISO 9001 chez un manufacturier de pelles à neige en plastique?

7. Quel est le principal champ d'action des normes ISO 14000 ? L'implantation de ces normes dans l'entreprise exige-t-elle une mobilisation aussi grande de la part des ressources humaines que dans le cas de l'implantation des normes ISO 9000 ?

Cas

1. Une qualité douteuse

Lise Robichaud est une jeune femme dynamique qui travaille depuis peu au service de l'approvisionnement d'une entreprise de fabrication de réfrigérateurs. Elle demeure très perplexe quant à la qualité de l'acier reçu, destiné à la fabrication de ces appareils. En effet, les livraisons qui ont été effectuées ces derniers temps ont fait l'objet de plaintes de la part de clients. Les plaintes portaient surtout sur des problèmes de rouille et de planéité du métal. On sait que le service de la réception-expédition n'est pas très bien rodé. De plus, le système d'information du fabricant est désuet et ne convient plus à ses besoins en raison de la soudaine croissance de l'entreprise. Il faut ajouter que les relations d'affaires entre le manufacturier et ses fournisseurs n'ont jamais été des plus cordiales. Lise Robichaud ignore ce qu'elle doit faire devant une telle situation.

Question

Que suggéreriez-vous à Lise Robichaud pour régler, ou à tout le moins améliorer, cette situation fâcheuse ?

2. Une mauvaise gestion de la qualité

La société Les Bois noirs est spécialisée dans la confection de meubles en tous genres. André Laprise, propriétaire de l'usine, doit résoudre un problème en matière de qualité de ses produits. Un client, M. Latendresse, l'a appelé dernièrement pour lui faire part de sa déception par suite du non-respect des spécifications, notamment des dimensions, des meubles qu'il avait commandés. Pourtant, André Laprise est convaincu que la commande de M. Latendresse ne comportait que des produits standards fabriqués en très grande quantité par Les Bois noirs. Ce genre de situation ne pose habituellement aucun problème. Après vérification auprès du contremaître de son usine, il constate que plusieurs commandes comportent de légers défauts, sans que l'on apporte les correctifs nécessaires, aussi minimes soient-ils. L'entreprise n'est pas très sensibilisée au phénomène grandissant de la gestion de la qualité.

Question

Vous venez d'assister à un séminaire sur les bienfaits de la qualité en entreprise. Quelles recommandations feriez-vous à André Laprise ?

Bibliographie

ABAGNALE, Frank W. *L'art de la fraude,* Montréal, Éditions Stanké, 2003, 336 p.

ALJIAN, George W. *Purchasing Handbook,* National Association of Purchasing Management, 4ᵉ éd., New York, McGraw-Hill, 1982, 987 p.

ANTHONY, Sterling. *How Packaging Can Improve Manufacturing Operations,* New York, AMA Membership Publications Division, 1983, 50 p.

APICS Dictionary, 8ᵉ éd., Fall Church, Virginie, APICS Dictionary, 1995, 104 p.

ARIBA. *Site d'Ariba,* [En ligne], http://www.ariba.com (Page consultée le 16 mars 2009)

ASSOCIATION CANADIENNE DE GESTION DES ACHATS. Allocution de Martin Montani à la 77ᵉ conférence de l'Association, les 30 et 31 mai 2002.

ASSOCIATION CANADIENNE DE GESTION DES ACHATS. «Reenginerring the Supply Chain : The Concept… the Reality in Petro-Canada», communication présentée par James Grimley et Keith Stephens au congrès annuel de l'Association canadienne de gestion des achats à Vancouver en juin 1997.

ASSOCIATION CANADIENNE DE NORMALISATION (ACNOR). *Site de l'Association canadienne de normalisation,* [En ligne], www.shopcsa.ca (Page consultée le 16 mars 2009)

AXA CANADA. *Site d'AXA,* [En ligne], http://www.axa.ca/fr (Page consultée le 16 mars 2009)

BANQUE SCOTIA. *Guide pratique sur la lettre de crédit documentaire,* 16 p.

BEAULIEU, Martin et Alain HALLEY. «Doral International : les enjeux de l'impartition dans la fabrication des bateaux de plaisance», *Revue internationale de gestion,* vol. 3 nᵒ 3 (octobre 2005), [En ligne], http://zonecours.hec.ca/documents/H2009-1-1750269.A2008-Seance04-CasDoral.doc (Page consultée le 27 mars 2009)

BEAUMIER, Jocelyne. *La gestion de la qualité, un projet d'entreprise,* 2ᵉ éd., Longueuil, Cognitrix, 1994, 238 p.

BEAUNOYER, Jean. *Dans les coulisses du Cirque du Soleil,* Montréal, Québec Amérique, 2004, 221 p.

BENMEZOUARA, Mohcine. *Site de Mohcine Benmezouara,* [En ligne], http://olt-maroc-consulting.hautetfort.com (Page consultée le 16 mars 2009)

BÉRARD, Michel. C, Paul DELL'ANIELLO et Danielle DESBIENS, *La méthode des cas : Guide d'analyse, d'enseignement et de rédaction,* Boucherville, Gaëtan Morin Éditeur, 1991, 98 p.

BERNILLON, Alain et Olivier CERUTTI. *Implanter et gérer la qualité totale,* Paris, Éditions d'Organisation, 1988, 213 p.

BOMBARDIER. *Site de Bombardier,* [En ligne], http://www.bombardier.com/fr/aeronautique/fournisseurs (Page consultée le 16 mars 2009)

BOUCHARD, Jacques. *Les 36 cordes sensibles des Québécois,* Montréal, Héritage, 1978, 308 p.

BOUCHARD, Jean. «Le défi que s'est donné mon fils», *7 Jours,* 28 février 1994, p. 14.

BOURGUIGNON, Annick. *Le modèle japonais de gestion,* Paris, Éditions La Découverte, 1993, 125 p.

BOURRELLY, Richard. *Méthodes et astuces pour mieux négocier,* Paris, Éditions d'Organisation, 2007, 250 p. (Coll. «Eyrolles»)

BRUEL, Olivier. *Politique d'achat et gestion des approvisionnements,* Paris, Bordas, 1991, 299 p.

CAVE, René. *Le contrôle statistique des fabrications,* 3ᵉ éd., Paris, Édition Eyrolles, 1966, 528 p.

CAYOUETTE, Sophie. *Bloc 4 des Notes de cours,* Cours de gestion des stocks, collège François-Xavier-Garneau, Québec, 2002, 21 p.

CAVINATO, Joseph et Ralph KAUFFMAN. *The Purchasing Handbook,* 6ᵉ éd., New York, McGraw-Hill, 2000, 1082 p.

CHAMPEYROL, François. *Les Achats,* Paris, Presses universitaires de France, 1990, 128 p. (Coll. «Que sais-je?», nᵒ 2492)

CHARTRAND, Marc. «Le *kaizen* tel que vécu au Japon en l'an 2000», conférence prononcée au profit de la Corporation des approvisionneurs du Québec, le 26 septembre 2003.

CHETOCHINE, Georges. *Quelle distribution pour 2020? Les nouveaux enjeux du commerce,* Paris, Éditions Liaisons, 1998, 191 p.

CHEZ CORA. *Site Chez Cora,* [En ligne], www.chezcora.com (Page consultée le 16 mars 2009)

COHEN, Élie. *Dictionnaire de gestion,* Paris, Éditions La Découverte, 1994, 432 p.

CIRQUE DU SOLEIL. *Site du Cirque du Soleil,* [En ligne], www.cirquedusoleil.com (Page consultée le 16 mars 2009)

DILWORTH, James B. *Production and Operations Management, Manufacturing and Non-Manufacturing,* 4ᵉ éd., New York, Random House, 1989, 770 p.

DOBLER, Donald, David N. BURT et Lamar LEE. *Purchasing and Materials Management,* 5ᵉ éd., New York, McGraw-Hill, 1990, 843 p.

DUNCAN, Acheson J. *Quality Control and Industrial Statistics,* 2ᵉ éd., Homewood, Richard J. Irwin, 1959, 946 p.

DURAND, Jean-Paul. *Le Langage des achats,* Poitiers, Éditions Méthodes et Stratégies, 1995, 109 p. (Coll. « Connaître et Parler »)

FOGARTY, Donald W., John H. BLACKSTONE et Thomas R. HOFFMANN. *Production and Inventory Management,* 2ᵉ éd., Cincinnati, South-Western, 1991, 870 p.

FORAC. *Site de Forac,* [En ligne], www.forac.ulaval.ca (Page consultée le 16 mars 2009)

FORTIN, Pierre. « Agrandissons la patinoire économique », *L'actualité,* 15 avril 2009, p. 32.

GATES, Bill. *Le travail à la vitesse de la pensée,* Paris, Éditions Robert Laffont, 1999, 410 p.

GAUTIER, Bénédicte et Jean-Louis MULLER. *La Qualité totale,* Paris, Entreprise moderne d'édition, 1988, 110 p.

GÉLINAS, René A. *La Gestion des ressources matérielles,* Montréal, Éditions Chenelière/McGraw-Hill, 1996, 364 p.

GÉLINAS, René. A. « Rapport du séminaire sur les indicateurs de performance applicables au secteur de la logistique », Montréal, Institut en gestion du transport et de la logistique, 2000, 44 p.

GIROUX, Hélène. « Pourquoi suivons-nous les modes de gestion ? », *Gestion,* vol. 32, nº 4 (2008) p. 10-19.

GOUVERNEMENT DU CANADA. *Site de Travaux publics et Services gouvernementaux Canada,* [En ligne], http://www.tpsgc-pwgsc.gc.ca/app-acq/sat-ths/fournisseurs-suppliers/enregistrement-register-fra.html (Page consultée le 16 mars 2009)

GOUVERNEMENT DU CANADA. *Site du Ministère des Travaux publics et Services gouvernementaux,* 2000, [En ligne], http://www1.servicecanada.gc.ca/fra/dgpe/dis/cia/partenariats/partnerhb_f.pdf (Page consultée le 16 mars 2009)

GOUVERNEMENT DU CANADA. *Site du Service électronique d'appels d'offres,* [En ligne], http://www.contractscanada.gc.ca/fr/tender-f.htm (Page consultée le 16 mars 2009)

GOUVERNEMENT DU QUÉBEC. *Site du Portail d'approvisionnement Québec,* [En ligne], http://www.approvisionnement-quebec.gouv.qc.ca/ (Page consultée le 16 mars 2009)

GOUVERNEMENT DU QUÉBEC. « Les enchères inversées », Session de formation, Finances, Économie et Recherche, avec la participation d'Emploi-Québec, 2002, 38 p.

HADEKEL, Peter. *Bombardier, la vérité sur le financement d'un empire,* Montréal, Éditions de l'Homme, 2004, 389 p.

HARLEY-DAVIDSON MOTOR COMPANY. *Site Purchasing.com,* [En ligne], www.purchasing.com (Page consultée le 16 mars 2009)

HEC Montréal. « Gestion stratégique de l'approvisionnement et de la logistique », cours nº 30-538-03, séance nº 4.

HOLGREN, Paul. *Comptabilité analytique de gestion,* Montréal, Les Éditions HRW, 1977, 968 p.

HYDRO-QUÉBEC. *Site Pour vous inscrire, Hydro-Québec,* [En ligne], http://www.hydroquebec.com/soumissionnez/inscrire.html (Page consultée le 16 mars 2009)

IKRAM, Rafik. « Le *kaizen* favorise la participation du personnel », *Les Affaires,* 3 août 2002, [En ligne], http://www.mcconseil.qc.ca/articles/Le%20Kaizen%20favorise%20la%20participation%20du%20personnel.pdf (Page consultée le 27 mars 2009)

INSTITUT INTERNATIONAL DE RECHERCHE. Séminaire intitulé « Améliorez votre performance aux approvisionnements », Montréal, 20 et 21 avril 1998.

ISHIKAWA, Kaoru. *La gestion de la qualité. Outils et applications pratiques,* Paris, Dunod, 1984, 242 p.

JENKINS, Creed H. *Le Magasinage,* Paris, Entreprise moderne d'édition, 1972, 428 p.

JORAS, Michel et Jean LEPAGE. *La Responsabilité sociétale des acheteurs,* Paris, Éditions d'Organisation, 2005, 155 p.

KELADA, Joseph. *Comprendre et réaliser la qualité totale,* 2ᵉ éd., Montréal, Quafec, 415 p.

KINECOR. *Site de Kinecor,* [En ligne], http://www.kinecor.com/French/frame.asp?section=home (Page consultée le 16 mars 2009)

LANGEVIN, Yves et Marc A. BEAUDOIN. « XPR : un ERP qui voit plus loin », *Logistics Magazines,* vol. 3, n° 6 (nov.-déc. 1999), p. 16-17.

LAPRADE, Yvon. *La crise manufacturière au Québec. Ça va mal à shop !,* Montréal, Les Éditions Quebecor, 2008, 208 p.

LECHASSEUR, Claude. *Les processus gérés en juste-à-temps,* Sainte-Foy, Université Laval, 1995, 86 p. (Coll. « Instruments de travail »)

LEENDERS, Michel R., Harold E. FEARON et Jean NOLLET. *La gestion des approvisionnements et des matières,* 2ᵉ éd., Boucherville, Gaëtan Morin Éditeur, 1998, 512 p.

LEPAGE, Jean. *Le Langage du contrat d'achat,* Poitiers, Éditions Méthodes et Stratégies, 1995, 104 p. (Coll. «Connaître et Parler»)

LIKER, Jeffrey. *Le Modèle Toyota – 14 principes qui feront la réussite de votre entreprise,* Whitby (Ontario), McGraw-Hill, 2006, 416 p.

MARTIN A, André J. *Distribution Resource Planning (DRP),* Englewood Cliff, N. J., Prentice Hall, 1983, 287 p.

MARTINET, Alain-Charles et Ahmed SILEM. *Lexique de gestion,* 6e éd., Paris, Éditions Dalloz, 2003, 523 p.

MATHE, Hervé et Daniel TIXIER. *La Logistique,* Paris, Presses universitaires de France, 1997, 127 p.

MCMAHON, Daniel et autres. *Comptabilité de base,* tome 2, Montréal, McGraw-Hill, 1995, 872 p.

MCMILLAN, John. «Managing Suppliers Incentive Systems in Japanese and US Industry», *California Management Review* (été 1990), p. 38-55.

MEILLEUR, Serge. *DMR, la fin d'un rêve,* Montréal, Éditions Transcontinental, 1997, 302 p.

MEMO GUIDE MOCI. *Les Incoterms: tous les mécanismes,* Paris, Éditions Sedec SA, 1994, 52 p.

MÉNARD, Jean-Pierre. «*Alerte, une crise au service de l'approvisionnement*», *Revue* Expéditeur, vol. 10, no 3 (avril 1997), p. 17.

MÉNARD, Jean-Pierre. «Le juste-à-temps, plus qu'une philosophie», *Le Journal industriel de Québec,* vol. 12, no 2 (juin 1996), p. 9.

MILLIGAN, B. «Harley-Davidson Wins by Getting Suppliers on Board», *Purchasing Magazine Online,* 21 septembre 2000, [En ligne], http://www.purchasing.com/article/CA139508.html (Page consultée le 27 mars 2009)

MONIN, Jean-Michel. *La Certification qualité dans les services: outil de performance et d'orientation client,* Paris, AFNOR, 2001, 309 p.

MORIN, Michel. *Comprendre la gestion des approvisionnements,* 2e éd., Paris, Éditions d'Organisation, 1985, 208 p.

NOLLET Jean et autres. *La Gestion des opérations et de la production,* 2e éd., Boucherville, Gaëtan Morin Éditeur, 1998, 682 p.

NOLLET, Jean et Martin BEAULIEU. «Tirer le plein potentiel d'un groupe d'achat, Gestion, vol. 27, no 4 (hiver 2003), p. 9-16.

OLIVER, Thomas. *La Vraie Coke Story,* Issy-les-Moulineaux, Éditions Michel Lafon, 1989, 284 p.

ORGANISATION DES NATIONS UNIES (ONU). Rapport de la Commission mondiale sur l'environnement et le développement, présidée par Madame Gro Harlem Brundtland (d'après la version française originale), avril 1987.

PERROTIN, Roger et Pierre HEUSSCHEN. *Acheter avec profit,* Paris, Éditions d'Organisation, 1999, 201 p.

PERROTIN, Roger et François SOULET DE BRUGIÈRE, *Le Manuel des achats,* Paris, Éditions d'Organisation, 424 p. (Coll. «Eyrolles»)

PLOSSL, George W. et Oliver W. Wight. *Production and Inventory Control,* Englewood Cliffs, N. J., Prentice Hall, 1967, 1200 p.

POISSANT, Charles-Albert. *Donohue, l'histoire d'un grand succès québécois,* Montréal, Éditions Québec Amérique, 1998, 287 p.

POITEVIN, Michel. *Impartition: fondements et analyses,* Québec, Les Presses de l'Université Laval, 1999, 320 p.

POPCORN, Faith. *Le Rapport Popcorn: comment vivrons-nous l'an 2000?,* Montréal, Les Éditions de l'Homme, 1994, 268 p.

POULIN, Pierre. *Histoire du Mouvement Desjardins, 1900-1920,* tome I, Montréal, Québec Amérique, 1990, 373 p.

Les Principes de l'approvisionnement stratégique, coll. «Organisation et gestion», 7P11, section de Pierre Malbœuf, ing. ind., associé principal, Eminencia.

REICH, Caroline. «Le choix du bon fournisseur vous fait économiser plus que de l'argent», *Purchasing World* (mars 1988).

RICHARD, Béatrice. *Les Rôtisseries St-Hubert – 50 ans de grands succès,* Montréal, Stanké, 2001, 227 p.

ROBINSON, James W. *Un empire de liberté – l'histoire de la société qui a transformé l'image du commerce au détail: AMWAY,* Saint-Hubert, Les Éditions Un monde différent ltée, 1999, 218 p.

ROUX, Michel. *Entrepôts et magasins,* 4e éd., Paris, Éditions d'Organisation, 2008, 464 p. (Coll. «Eyrolles»)

SÉRIEYX, Hervé. *L'Effet Gulliver: quand les institutions se figent dans un monde tourbillonnaire,* Paris, Calmann-Lévy, 1994, 252 p.

SNC-LAVALIN. *Site de SNC-Lavalin,* [En ligne], http://www.snc-lavalin.com (Page consultée le 16 mars 2009)

SOCIÉTÉ CANADIENNE DE L'ANALYSE DE LA VALEUR. *Site de la Société canadienne de l'analyse de la valeur,* [En ligne], www.scav-csva.org (Page consultée le 16 mars 2009)

TERSINE, Richard. *Principles of Inventory and Materials Management,* 3e éd., New York, Elsevier Science Publishing Co. Inc., 1988, 553 p.

TODOROV, Braminir. *ISO 9000: une force de management,* Boucherville, Gaëtan Morin Éditeur, 1997, 214 p.

TOMPKINS, James A. et autres. *Facilities Planning,* 2e éd., New York, John Wiley & Sons, 1996, 734 p.

TOYOTA, Kiichiro. *Toyota Production System: Beyond Large-Scale Production,* Taiichi Ohno, Productivity Press, 1988, 137 p.

TSOUFLIDOU, Cora. *Déjeuner avec Cora,* Montréal, Libre Expression, 2001, 329 p.

VANDEVILLE, Pierre. *Gestion et contrôle de la qualité,* Paris, AFNOR, 1985, 270 p.

VANDEVILLE, Pierre et autres. *Conduire un audit qualité. Méthodologie et techniques,* Paris, AFNOR, 1995, 180 p.

VARNEY, Marie de. *Les Matières premières,* Paris, Le Monde Éditions, 1995, 213 p.

VILLE DE MONTRÉAL. *Site Les affaires, Fichier des fournisseurs,* [En ligne], http://ville.montreal.qc.ca/portal/page?_dad=portal&_pageid=4657,28545571&_schema=PORTAL (Page consultée le 16 mars 2009)

VILLE DE MONTREUIL. *Site Achat public.info,* [En ligne], www.achatpublic.info (Page consultée le 16 mars 2009)

VILLE DE QUÉBEC, *Site Ville de Québec, Fichier des fournisseurs,* [En ligne], http://www.ville.quebec.qc.ca/gens_affaires/approvisionnement/fichier_fournisseurs.aspx (Page consultée le 16 mars 2009)

ZERMATI, Pierre. *La Pratique de la gestion des stocks,* 2e éd., Paris, Dunod Entreprise, 1976, 148 p.

Acheteur (*Buyer*) : personne autorisée à gérer les activités liées à l'opération d'achat comme l'émission du bon de commande, le suivi de la commande, la coordination des activités de réception des marchandises et du paiement des factures.

ALENA (*NAFTA*) : accord commercial intervenu entre le Canada, les États-Unis et le Mexique. Il a été créé pour éliminer à plus ou moins long terme les barrières tarifaires et toutes les entraves au commerce international entre ces pays.

Alliance stratégique (*Strategic Alliance*) : définition similaire à une entente de partenariat.

Amélioration du rendement de l'actif – RA (*Return-on-Assets Effect*) : provient de la multiplication du ratio du rendement des investissements (RRI) par le ratio de la marge bénéficiaire (RMB).

Analyse de cas (*Case Study*) : résolution de problème faisant appel aux compétences personnelles et présentant comme étapes : la collecte des données pertinentes liées au problème soulevé ; la description du problème ; l'analyse des enjeux, des causes et des conséquences ; la formulation des objectifs ; l'élaboration et l'évaluation des options ; le choix d'une option ; la planification et l'implantation de l'option choisie.

Analyse de la valeur (*Value Analysis Engineering*) : analyse qui permet d'abaisser le coût total d'acquisition sans baisser les qualités et les performances d'un produit ou d'un service, de traquer les coûts superflus liés à chacune des fonctions d'un produit ou d'un service et de simplifier les procédures internes de gestion des marchés et des fournisseurs.

Appel d'offres (*Call for Tender* ou *Request for Proposal* ou *Request for Quotation*) : demande d'une proposition commerciale, selon des procédures établies, à un ensemble de fournisseurs à la suite d'une invitation faite par un acheteur.

Approvisionnement (*Purchasing* ou *Procurement*) : processus visant à gérer les aspects commerciaux ainsi que les relations d'affaires avec les fournisseurs et regroupant toutes les étapes pour répondre à un désir d'achat, à l'approvisionnement mix, à la négociation, au choix du fournisseur et à la rétroaction ; ces étapes doivent tenir compte des rôles administratifs, économiques et légaux que ce processus requiert.

Approvisionnement mix (*Procurement-Mix*) : terme qui consiste à définir quatre variables (objet d'achat, objectif d'achat, organisation d'achat, opération d'achat) qui résument les éléments à considérer lors de l'acquisition d'un produit ou d'un service.

Approvisionneur (*Purchaser* ou *Procurement Practitioner*) : personne qui, en plus d'être responsable des acquisitions, gère les relations d'affaires avec les fournisseurs.

Arbre de décision (*Decision Tree*) : visualisation graphique permettant à l'acheteur d'évaluer les probabilités qu'un événement survienne.

Assemblage (*Assembly*) : produit fabriqué à partir de la réunion de sous-assemblages.

Association canadienne de gestion des achats – ACGA (*Purchasing Management Association of Canada* – PMAC) : organisme sans but lucratif offrant des services en formation professionnelle, accréditation, séminaires, travail en réseau et recherches universitaires. Un titre professionnel est remis à la fin du programme de formation, soit celui de « a.p.a. » qui veut dire « approvisionneur professionnel agréé » ou, en anglais, « C.P.P. » qui veut dire « *Certified Professional Purchaser* ».

Assurance qualité (*Quality Insurance*) : somme des activités préétablies et systématiques qui participent de manière efficace au système qualité, et qui sont dignes d'une confiance correspondant aux exigences de qualité.

Autorité fonctionnelle (*Staff Authority*) : fournit une expertise à l'autorité hiérarchique, compte tenu de l'étendue des responsabilités de cette dernière.

Autorité hiérarchique (*Line Authority*) : a la responsabilité d'atteindre les objectifs de l'entreprise le plus efficacement possible.

Bon de livraison (*Packing Slip*) : document écrit où apparaît l'information liée à la livraison des marchandises.

Carte *kanban* (*Kanban Card*) : carte glissée dans une pochette de vinyle apposée sur le produit. Le *kanban* (« carte » en japonais) est aussi appelé « fiche de flux » ou « bon de transfert ». Il indique l'information qui facilitera le renouvellement du stock une fois la consommation du produit en cours, à savoir les spécifications du produit, la quantité requise ainsi que le nom du producteur en amont.

Centralisation (*Centralization*) : se dit d'une entité où la majorité des activités sont concentrées en un seul point.

Chaîne d'approvisionnement (*Supply Chain*) : réseau d'entreprises liées entre elles par des échanges de produits, de services et d'information en vue de satisfaire les demandes d'un client.

Classification ABC (*ABC Categorization*) : dans le domaine de la gestion des stocks, on peut affirmer qu'environ 20 % des articles en stock représentent 80 % de la valeur monétaire de ce même stock. Il s'agit alors de grouper les articles selon leur importance. C'est la loi de Pareto ou classification ABC.

Client (*Customer*) : personne qui paie en échange d'un bien ou d'un service.

Code à barres (*Bar Code*) : méthode de représentation de données à l'aide de traits et d'espaces alternés permettant de lire et de détecter un produit de façon fiable et rapide en utilisant un lecteur optique.

Code de déontologie (*Code of Ethics*) : code établissant les valeurs et les normes de comportement éthique s'appliquant à tous les membres d'une profession.

Commerce de détail (*Retail Market*) : ensemble des magasins qui offrent des produits aux consommateurs.

Commerce électronique (*e-Commerce*) : échange de marchandises par voie électronique comme le Web.

Composante (*Component*) : produit qui n'est ni une matière première ni un produit en cours. Toutefois, il est inclus dans le processus de transformation du produit par l'intermédiaire d'un sous-traitant.

Conditionnement (*Packaging*) : emballage qui permet de faire le contact entre le consommateur et le produit.

Conditions internationales de vente (*International Commercial Terms* ou *Incoterms*) : conditions qui servent à déterminer les engagements mutuels entre l'acheteur (le client) et le vendeur (le fournisseur) dans une perspective d'achat ou de vente internationale. Les conditions internationales de vente sont utilisées dans les transactions internationales pour éviter d'éventuels malentendus entre les parties.

Connaissement (*Bill of Lading*) : contrat qui lie l'expéditeur, le destinataire et le transporteur.

Conteneur (*Container*) : sorte de grande caisse, dont les dimensions sont normalisées, utilisée pour le transport et le stockage de la marchandise en lien avec les quatre principaux modes de transport (aérien, ferroviaire, maritime ou routier).

Conteneurisation (*Containerization*) : processus qui généralise l'utilisation du conteneur dans le transport des marchandises, particulièrement dans le transport maritime.

Contrôle qualitatif (*Quality Control*) : contrôle qui vise à vérifier si les spécifications ou les devis fournis durant le processus d'approvisionnement sont respectés.

Contrôle quantitatif (*Quantity Control*) : contrôle qui se résume à dénombrer la quantité d'unités de l'article reçu.

Coût de cession (*Transfering cost*) : coût qui est la différence entre le coût que l'entreprise paie pour acquérir un objet et le coût d'option lié au fournisseur de cet objet, c'est-à-dire le fait que le fournisseur puisse être à la fois un client pour l'entreprise.

Coût de commande – Cc (*Order Cost*) : coût qui représente le coût pour passer une commande (coût de commande unitaire [Cc_u]) multiplié par le nombre de commandes que l'on passe dans la période retenue.

Coût de rupture (*Stockout Cost*) : coût qui représente le coût de rupture unitaire (coût d'une unité manquante) multiplié par le nombre d'unités manquantes multiplié à nouveau par le taux de rupture.

Coût de stockage (*Stocking Cost*) : coût obtenu en faisant la somme de trois coûts distincts : le coût d'option, le coût d'entreposage et le coût de détention.

Critères de l'approvisionnement (*Purchasing Criteria*) : il y en a sept : la qualité, la quantité, le temps, le lieu, le service, la source d'approvisionnement et le coût.

Déchet (*Waste*) : matière sans valeur pour une entreprise. (À noter qu'un déchet pour une entreprise peut faire l'objet d'un produit ajouté dans un procédé de fabrication pour une autre entreprise.)

Délai (*Delay*) : limite de temps.

Délai de fabrication (*Throughput Time*) : somme des temps requis pour la production d'un produit.

Délai de livraison (*Delivery Lead Time*) : somme des temps requis pour l'émission de la commande jusqu'à la réception d'un produit.

Dénombrement cyclique (*Cycling Counting*) : dénombrement qui consiste à compter fréquemment les articles dans un entrepôt afin de vérifier le nombre d'articles détenus physiquement en comparaison avec l'information contenue dans le système informatique.

Développement durable (*Substainable Development*) : concept qui vise à protéger les écosystèmes et leur diversité avec des mesures précises de protection de l'environnement.

Douanes (*Customs*) : système protectionniste entre différents pays qui transigent ensemble. Les douanes sont chargées de contrôler le passage des biens et des capitaux entre les frontières.

Échantillonnage (*Sampling*) : notion très importante liée à la réception et à l'expédition des marchandises des stocks. En effet, lorsque l'entreprise reçoit ou expédie un lot de marchandises, elle ne teste pas toutes ces marchandises à cause des contraintes liées au temps et à l'argent. Seul un échantillon est testé.

Effet de levier sur l'approvisionnement – ELA (*Purchasing Profit-Leverage Effect – PLE*) : effet qui montre le résultat sur le bénéfice d'une variation à la hausse ou à la baisse du coût d'achat.

Effet de levier sur les ventes – ELV (*Sales Profit-Leverage Effect*) : augmentation des ventes qui peut se faire soit par un volume accru d'unités, soit par un prix de vente plus élevé, ou par une combinaison des deux. Ce phénomène s'appelle l'« effet de levier sur les ventes » (ELV).

Emballage (*Packaging* ou *Wrapping*) : façon de protéger les marchandises contre les dommages subis durant le transport, l'entreposage et la manutention.

Enchère inversée (*Reverse Auction*) : procédure d'adjudication d'un contrat d'approvisionnement au plus bas soumissionnaire d'un groupe de fournisseurs qualifiés par Internet, à l'intérieur d'une période déterminée.

Entreposage (*Storage*) : conservation de tous les types de stocks (matières premières, produits en cours, produits finis, composantes, etc.) dans un entrepôt conçu à cette fin.

Équipement de manutention (*Material Handling Equipment*) : équipement qui permet de soumettre les marchandises aux opérations de manutention.

Escompte (*Cash Discount*) : réduction que le vendeur consent quand l'acheteur paie avant échéance.

Évaluation des fournisseurs (*Suppliers Measurement*) : vérification constante entre l'écart qui existe entre ce que l'entreprise a acheté et le résultat obtenu, et validation par l'approvisionneur que la relation établie est toujours saine pour chacune des parties.

Évaluation des stocks (*Inventory Evaluation*) : mesure de la valeur des stocks dans une entreprise.

Expédition : (*Shipping*) : ensemble d'opérations visant à préparer et à expédier de la marchandise aux clients de l'entreprise.

Exploration du marché (*Sourcing*) : recherche de nouvelles sources d'approvisionnement et maintien à jour des connaissances provenant des marchés dans lesquels l'entreprise génère ses activités. L'acheteur tentera d'être « proactif » devant les occasions qu'offre le marché et d'évoluer avec celles-ci.

Facture de transport (*Probill*) : facture qui confirme les conditions du connaissement et qui comprend le tarif à acquitter.

Fournisseur (*Supplier*) : entité responsable de fournir des biens et des services à l'entreprise.

Gestion de l'approvisionnement (*Purchasing Management*) : comprend la gestion des achats et la gestion des relations d'affaires avec les différents fournisseurs.

Gestion de la qualité totale (*Total Quality Management* – TQM) : stratégie de gestion de la qualité qui vise à mobiliser une grande partie de l'entreprise afin d'atteindre une qualité parfaite. Cette stratégie consiste à réduire le plus possible les gaspillages et à améliorer de façon permanente les « éléments de sortie » (*outputs*).

Gestion des stocks (*Stock Management*) : méthode qui vise à déterminer combien et quand commander pour avoir le stock au bon moment, au bon endroit, au bon délai, de la bonne qualité, à la bonne quantité et au meilleur coût. Parmi les activités liées à la gestion des stocks, mentionnons : le suivi et le respect des modèles de gestion des stocks préconisés par l'entreprise ; le calcul des quantités à commander en fonction des prévisions ; les stratégies visant à réduire les stocks dans la chaîne d'approvisionnement de l'entreprise ; la gestion de la disposition des surplus d'actifs ; le respect des contraintes environnementales liées aux stocks ; la maîtrise du flux des matières.

Gestion stratégique de l'approvisionnement (*Strategical Purchasing Management*) : inclut les deux définitions précédentes et met à profit les relations d'affaires de l'entreprise avec les fournisseurs.

Gestionnaire des stocks (*Stock Manager*) : personne responsable de la gestion des stocks de l'entreprise.

Gestionnaire du trafic (*Traffic Manager*) : personne responsable du flux physique des produits, plus particulièrement en ce qui a trait à la gestion du transport.

Groupement d'achats (*Group Purchasing*) : groupe qui se forme en vue d'obtenir de meilleures conditions commerciales pour leurs achats.

Hiérarchie de fournisseurs (*Suppliers Pyramid*) : l'approvisionnement selon une pyramide ou une hiérarchie de fournisseurs est un processus d'organisation des fournisseurs qui vise à réduire le nombre d'interactions et le contrôle des différentes sources d'approvisionnement. Ainsi, l'acheteur n'a qu'à traiter avec les fournisseurs de premier niveau. Ces derniers supervisent les fournisseurs de deuxième niveau et ainsi de suite selon les normes établies par l'acheteur.

Identification par fréquence radio (*Radio Frequency Identification* – RFID) : méthode d'identification des stocks qui consiste à mettre une puce électronique sur l'emballage ou le produit. Étiquette apposée sur l'emballage ou le produit afin de faciliter son repérage par des fréquences radio.

Impartition (*Outsourcing*) : désigne le transfert d'une fonction ou d'une partie d'une fonction d'une entreprise vers un fournisseur. Cet outil de gestion stratégique consiste à restructurer une entreprise au sein de sa sphère d'activité, c'est-à-dire en ce qui a trait à ses compétences de base et à sa raison d'être.

Intermédiaire (*Intermediary*) : coordonnateur des relations entre deux parties.

Intervalle de commande (*Order Interval*) : espace de temps entre les commandes.

Inventaire (*Inventory*) : établissement d'une liste des marchandises qui sont détenues par une entreprise à une date donnée[1].

Juste-à-temps (*Just-in-Time*) : méthode qui préconise d'ajuster l'approvisionnement exactement à la production. Ce qui implique de ne conserver que le stock dont on a besoin à très court terme. Ce qui implique également que les produits sont sans défaut et que la machinerie et les outils ne subissent pas de panne ou de bris.

Lissage exponentiel (*Exponential Smoothing*) : méthode de prévision que l'on utilise lorsque la demande est peu stable, c'est-à-dire lorsque celle-ci est saisonnière. Le lissage exponentiel simple fait intervenir seulement un facteur de pondération, qui tient compte d'un facteur comme les saisons. Le lissage exponentiel multiple peut faire intervenir jusqu'à trois facteurs de pondération.

Logistique intégrée (*Integrated Logistic*) : méthode qui vise à harmoniser toutes les activités qui contribuent à une gestion efficace des mouvements de produits du point d'origine jusqu'au client. Ce concept inclut l'ensemble des fonctions de l'entreprise telles que les ventes, le transport, le marketing, la gestion de l'information, le traitement des données, l'opération d'achat et le service à la clientèle.

Louer (*Leasing*) : la location est une disposition contractuelle par laquelle un locateur établit avec un locataire des règles concernant l'utilisation d'un bien appartenant au locateur.

Manufacturier (*Manufacturer*) : personne ou entreprise qui effectue la transformation de matières premières en produits finis.

Marché (*Market*) : environnement externe de l'entreprise provenant de sa chaîne d'approvisionnement.

Marketing à rebours (*Reverse Marketing*) : technique d'achat que l'acheteur utilise pour fixer les conditions à son fournisseur. Le fournisseur est libre d'accepter ou de refuser l'offre de l'acheteur.

Matières premières (*Raw Material*) : envisagées dans un contexte économique, elles constituent les éléments extraits de la surface de la terre, de l'intérieur de la terre, de la mer et des airs.

Méthode des deux tiroirs (*Two-bin System*) : méthode qui consiste à stocker dans deux tiroirs (casiers, paniers ou étagères) différents. La consommation de l'article commence par le tiroir 1. Quand il est vide, on ouvre le tiroir 2 et on s'empresse de faire une commande pour rétablir le stock à son niveau précédent. C'est donc dire que le point de commande est atteint lorsque le tiroir 1 est vide.

Méthode du coût moyen (*Average Cost Method*) : méthode qui vise à trouver un coût unitaire moyen. Ainsi, on détermine le stock de fin de période qui sera inscrit au bilan et le coût des marchandises vendues qui sera inscrit à l'état des résultats.

---

1. Daniel MCMAHON et autres, *Comptabilité de base,* tome 2, Montréal, McGraw-Hill, 1995, p. 126.

Méthode du dernier entré, du premier sorti – DEPS (*Last in First Out Method* – LIFO) : selon cette méthode d'évaluation des stocks, les articles que l'entreprise a reçus récemment sortent de l'entrepôt les premiers.

Méthode du premier entré, du premier sorti – PEPS (*First in First Out Method* – FIFO) : méthode qui consiste à considérer les articles les plus anciens comme ceux qui doivent sortir en premier lieu lorsqu'une demande est faite.

Moyenne mobile (*Moving Average*) : méthode utilisée lorsque les membres de l'entreprise qui font des prévisions quantitatives n'ont pas de connaissances mathématiques. Il s'agit de prévoir les ventes, la consommation d'un produit ou tout autre élément sujet à des prévisions pour une certaine période (souvent un mois, selon le nombre de données accessibles) à partir des données des mois précédents.

Niveau d'indifférence (*Break Even Point Option*) : pour la production, niveau auquel deux méthodes différentes ont le même coût.

Norme d'utilisation de l'espace (*Space Optimization Standard*) : standard qui détermine de quelle façon l'espace est utilisé dans un entrepôt.

Palettisation (*Palettization*) : système de standardisation utilisant principalement les palettes pour le stockage, la manutention et le transport.

Partenariat ou alliance stratégique (*Partnership*) : association formée de différents acteurs qui, sans pour autant délaisser leur indépendance, mettent en commun leurs forces dans le but d'atteindre un objectif partagé.

Période économique de commande – PEC (*Period Order Quantity* – POQ) : méthode qui consiste à déterminer le niveau optimal de temps entre deux commandes en fonction des coûts.

Plan directeur de production – PDP (*Master Production Schedule* – MPS) : Plan qui s'échelonne habituellement sur 6 à 12 semaines et qui représente les prévisions des besoins de chaque produit fini.

Planification des besoins de distribution – PBD (*Distribution Requirements Planning* – DRP) : modèle analogue à la planification des besoins de matières (PBM), mais qui concerne la répartition des demandes indépendantes dans un réseau de distribution. La résultante d'une PBD est le plan directeur des commandes de l'entrepôt central.

Planification des besoins de matières – PBM (*Material Requirements Planning* – MRP) : système qui utilise la structure du produit, l'état des stocks relativement au produit, le fichier des délais ainsi que la demande de produits finis. Le but est de calculer ce qu'il faut commander, quand il faut le commander et quelle quantité il faut commander dans le cas des matières premières et des composantes.

Point de commande (*Order Point*) : niveau de stock auquel le processus de réapprovisionnement est enclenché en tenant compte d'une consommation, d'un délai de livaison et d'un stock de sécurité donnés.

Prévision (*Forecast*) : pronostic sur les ventes futures de l'entreprise.

Prévision qualitative (*Qualitative Forecast*) : prévision qui, comme son nom l'indique, relève de l'intuition, du jugement, de l'expérience et de l'expertise des individus. Une méthode de prévision qualitative qui est souvent utilisée dans l'entreprise consiste à faire appel à un individu expérimenté.

Prévision quantitative (*Quantitative Forecast*) : prévision qui se base sur des données chiffrées antérieures à la période à laquelle on se trouve, afin d'établir une estimation du futur.

Processus d'approvisionnement (*Purchasing Process*) : étapes successives à franchir dans le but d'acquérir un bien ou un service.

Produit en cours (*Work In Process* ou *Work In Progress*) : type de stock qui n'est plus une matière première ni un produit rendu à la fin du stade de la transformation. Il constitue plutôt un produit qui a subi une ou quelques transformations qui ont nécessité de la machinerie et de la main-d'œuvre, ainsi que diverses dépenses que l'on appelle communément des « frais généraux de fabrication ».

Produit fini (*Finish Goods*) : pour un manufacturier, bien fabriqué qui a passé par tous les stades de la transformation, y compris le conditionnement.

Produits d'entretien de bureau et fournitures (*Supplies Office*) : type de stock qui comprend la papeterie, les formulaires, l'équipement de bureau, le matériel de bureau, l'équipement d'entretien des toilettes et tout ce qui a trait au bureau.

Produits d'entretien et de réparation industriels (*Maintenance, Repair and Operation Supplies* – MRO) : stock qui joue deux rôles : il assure les périodes de maintenance (arrêt de la production des usines de traitement du minerai, de l'aluminium, du verre ou des pâtes et papier, entre autres) et il prévient les bris impromptus (stock conservé en cas de besoin).

Quai de chargement (*Dock*) : quai sur lequel on charge les marchandises.

Qualification des fournisseurs (*Supplier Certification*) : processus d'évaluation structuré qui vise à découvrir les fournisseurs capables de procurer à l'entreprise les objets dont celle-ci a besoin.

Quantité économique de commande – QEC (*Economic Order Quantity* – EOQ) : quantité optimale à commander lorsque le point de commande est atteint.

Quantité économique de commande avec réception échelonnée (*Economic Order Quantity with Phased Delivery*) : quantité de commande reçue en plusieurs livraisons. Cette quantité correspond toujours au coût combiné (coût de stockage additionné au coût de commande) minimal.

Quantité économique de commande avec remise quantitative (*Economic Order Quantity with Quantity Discount*) : quantité de commande atteignant un niveau maximal établi au préalable avec escompte sur quantité (plus on achète des lots importants, plus le coût d'acquisition devrait diminuer).

Rabais (*Rebate*) : réduction faite sur le prix.

Rayonnage (*Racking*) : équipement d'entreposage.

Rebut (*Scrap*) : résidu de fabrication pouvant servir à un acteur de la chaîne d'approvisionnement en amont.

Réception des stocks (*Stock Receiving*) : fonction servant de vérification, tant qualitative que quantitative, de la marchandise reçue des fournisseurs.

Réduction (*Reduction*) : montant accordé sur une certaine valeur d'achat.

Refonte des processus (*Reengineering*) : redéfinition de l'ensemble des modes de fonctionnement et des procédures d'une entreprise, afin d'optimiser l'efficacité de l'organisation et de minimiser les dépenses.

Régression linéaire (*Linear Regression*) : méthode de calcul très utilisée qui consiste à déterminer une estimation des valeurs dans le futur en fonction d'une corrélation entre les variables déterminées. Par exemple, l'âge des travailleurs (une variable) et leur revenu annuel (une seconde variable). Pour que cette méthode soit concluante, le lien entre les deux variables étudiées doit absolument être linéaire (s'il y a plus de deux variables, on parlera alors de régression linéaire multiple). On définit toujours *a priori* une variable dépendante Y et une variable indépendante X.

Remise (*Discount*) : somme accordée à la suite de la réalisation d'un objectif fixé au préalable.

Revue périodique (*Periodic Review*) : consiste à passer des commandes à intervalles réguliers. L'intervalle choisi dépend de la consommation de l'article sur une période donnée : tous les jours, toutes les semaines, tous les mois, tous les trois mois, etc.

Sélection des fournisseurs (*Supplier Selection*) : processus permettant de choisir le fournisseur qui devra livrer un objet.

Série temporelle (*Time-Serie Analysis*) : cas particulier de la régression linéaire. L'exemple classique d'une série temporelle dans le domaine de l'administration est la comparaison des ventes d'une entreprise au fil des ans. Cette méthode s'utilise surtout lorsque l'on remarque une tendance dans les données.

Service ou département d'approvisionnement (*Purchasing Department*) : service dont les principales responsabilités sont d'obtenir les meilleures conditions commerciales pour l'entreprise et de protéger celle-ci contre les risques possibles en provenance du marché.

Sous-assemblage (*Subassembly*) : produit fabriqué à partir de matières premières et composant l'assemblage.

Sous-traitance (*Subcontracting*) : production par une personne ou une entreprise pour le compte d'une autre personne ou entreprise.

Stock cyclique (*Cycling Stock*) : stock qui prépare un cycle éventuel. Ce cycle peut être provoqué (émission d'un cahier publicitaire annonçant des produits en spécial) ou connu (Noël, fête des Mères, etc.).

Stock de prévision (*Anticipation Stock*) : stock qui permet à l'entreprise de se protéger contre une incertitude du marché, comme une hausse de prix, une grève chez un fournisseur, etc.

Stock de sécurité (*Safety Stock*) : stock minimal entreposé en cas de problème d'approvisionnement quant aux délais de livraison ou dans le cas d'une demande instable.

Stock en transit (*Transit Stock*) : stock en circulation, en train d'être transporté.

Stock moyen (*Average Stock*) : Pour trouver le stock moyen $(\frac{Q}{2})$, on additionne le stock initial et le stock final. Le stock initial, par convention dans le domaine de la gestion des stocks, correspond au stock maximal entre deux approvisionnements. Le stock final, par convention, correspond au stock minimal à conserver entre deux approvisionnements. On divise le résultat par 2, car on suppose que la consommation du stock se fait de façon régulière et continue dans la période donnée.

Structure du produit ou nomenclature (*Bill of Material*) : représentation sous forme d'arbre d'un produit. Le niveau 0, qui est le niveau le plus haut, correspond au produit fini ; le niveau 1, aux assemblages principaux ; le niveau 2, aux sous-assemblages ; le niveau 3, à la matière première.

Surplus (*Overstock*) : excédent de stock.

Taux de rotation des stocks (*Inventory Turnover*) : taux qui représente le rapport du coût des ventes sur le coût moyen du stock en inventaire (calculé habituellement à l'aide d'une des méthodes vues plus haut) pour une période donnée.

Transport (*Transportation*) : déplacement d'un point X à un point Y. Les cinq principaux modes de transport sont le transport routier, le transport ferroviaire, le transport aérien, le transport maritime et le transport par pipeline.

Transport aérien (*Air Transportation*) : transport d'un produit par avion, généralement utilisé pour des produits à haute valeur ajoutée. C'est le mode de transport le plus rapide mais le plus coûteux.

Transport ferroviaire (*Railroad Transportation*) : transport d'un produit par train, généralement utilisé pour de grandes quantités de marchandises sur de longues distances.

Transport maritime (*Water Transportation*) : transport d'un produit par voie maritime, c'est-à-dire par bateau, généralement utilisé pour de très grandes quantités de marchandises au coût unitaire relativement bas.

Transport par pipeline (*Pipeline Transportation*) : transport d'un produit par des conduits qui l'amènent vers le destinataire. Ce mode de transport est utilisé généralement pour les liquides (pétrole brut, gaz naturel, essence…).

Transport routier (*Road Transportation* ou *Motor Carrier*) : transport qui consiste à faire parvenir un produit par voie terrestre directement chez un destinataire. C'est le mode de transport le plus flexible.

Index